# CLAUDE PERRAULT

## OU

## LA CURIOSITÉ D'UN CLASSIQUE

© Picard/CNMHS/DAAVP
I.S.B.N. : 2-7084-0377-X
I.S.B.N. : 2-85 822-081-6
I.S.B.N. : 2-905 118-19-9

ANTOINE PICON

# CLAUDE PERRAULT, 1613-1688

## OU

## LA CURIOSITÉ D'UN CLASSIQUE

Picard Éditeur
Caisse Nationale des Monuments Historiques et des Sites
Délégation à l'action artistique de la ville de Paris

# SOMMAIRE

## CLAUDE PERRAULT ET LA THÉORIE ARCHITECTURALE

## L'AFFAIRE DE LA COLONNADE DU LOUVRE

## L'OBSERVATOIRE ET L'ARC DE TRIOMPHE

## LA RECONSTITUTION DU TEMPLE DE JÉRUSALEM ET LA RECONSTRUCTION DE L'ÉGLISE SAINTE-GENEVIÈVE A PARIS

## CLAUDE PERRAULT ET LA POSTÉRITÉ

# PRÉFACE

Après avoir consacré sa vie à la médecine, à la science et à l'architecture, Claude Perrault s'éteignait le 9 octobre 1688. Figure éminente du monde intellectuel parisien de la seconde moitié du XVIIe siècle comme son frère Charles, Claude Perrault a également contribué à façonner le cadre monumental de la capitale en participant à l'élaboration de la colonnade du Louvre et en donnant les dessins de l'Observatoire. C'est à ce double titre que la Délégation à l'Action Artistique de la Ville de Paris et la Caisse Nationale des Monuments Historiques et des Sites ont décidé de s'associer pour commémorer le troisième centenaire de sa mort, avec le soutien de l'Association Française pour les Célébrations Nationales et du Bureau de la Recherche Architecturale du Ministère de l'Équipement et du Logement.

Né dans une famille riche en talents de toutes sortes, puisque l'on y recense un financier, un théologien et un écrivain, Claude Perrault a toujours fait preuve d'une curiosité d'esprit et d'une imagination exceptionnelles. Le désir de mettre en évidence cette curiosité d'esprit et cette imagination dans les multiples champs où elles ont trouvé à s'exercer constitue l'un des fils directeurs de l'exposition du tricentenaire. En choisissant d'illustrer aussi bien la carrière médicale, les recherches anatomiques et physiologiques, la physique, que les conceptions architecturales et les projets de Claude Perrault, on a voulu mettre l'accent sur les grandes interrogations et sur les thèmes qui traversent une œuvre en apparence si diverse. En confrontant les figures du médecin, du savant et de l'architecte, émerge une personnalité plus complexe que l'image compassée que l'on associe parfois à l'idéal classique. Traversé de contradictions, cultivant volontiers le paradoxe, le personnage peut encore nous surprendre comme il surprenait ses contemporains en critiquant par exemple sans ménagements l'héritage artistique de l'Antiquité ou en affirmant le caractère arbitraire de certaines beautés architecturales. En relations régulières avec Mariotte ou Leibniz, ami intime de Huygens, il incarne pourtant à la perfection une certaine raison classique éprise d'ordre et de stabilité, tout en prétendant s'affranchir des pesanteurs inutiles de la tradition.

C'est une tension assez comparable, entre la fidélité au vocabulaire vitruvien et le désir de surpasser l'Antiquité en faisant œuvre originale, qui confère tout leur prix aux différents projets auxquels Claude Perrault s'est trouvé mêlé. Parmi ces derniers, la colonnade du Louvre et l'Observatoire font sans conteste partie des plus belles réalisations de l'architecture française du XVIIe siècle.

Il ne saurait y avoir de classicisme sans conflits surmontés à chaque instant. De ce point de vue, Claude Perrault nous parle de la difficulé de concilier ordre et licences, règles et invention. Il nous parle également d'une époque moins spécialisée que la nôtre où de larges pans des sciences et des arts restaient à la portée d'un seul homme. Il nous permet enfin de nous replonger dans ce siècle de Louis XIV dont les contemporains du roi-soleil mesuraient déjà la grandeur.

Bruno de Saint Victor                                                        Béatrice de Andia

# INTRODUCTION

Bien que son nom soit souvent associé à la construction de la colonnade du Louvre et de l'Observatoire, Claude Perrault demeure largement méconnu. Les spécialistes du règne de Louis XIV sont néanmoins familiers avec le personnage, frère de l'auteur des célèbres *Contes du temps passé* et protégé de Colbert comme lui, médecin et membre fondateur de l'Académie des Sciences, traducteur de Vitruve, féru d'architecture et mêlé de près à quelques-uns des principaux projets de l'époque. Pour qui s'intéresse au Grand Siècle, Claude Perrault fait un peu figure de témoin privilégié.

La diversité de ses centres d'intérêt le rend toutefois difficile à cerner. Les historiens des sciences retiennent ordinairement sa contribution à l'anatomie et à l'étude des principales fonctions de la vie. Aux yeux des architectes, son rôle dans l'élaboration de la façade orientale du Louvre, ses projets pour l'Observatoire et l'arc de triomphe du faubourg Saint-Antoine lui assurent une place plus qu'honorable au panthéon des artistes classiques. Plus récemment, les historiens de l'architecture ont redécouvert l'originalité de ses écrits théoriques. Loin de se limiter à l'anatomie, à la physiologie et à l'architecture, les recherches de Claude Perrault l'amènent également à se pencher sur les hypothèses fondamentales de la physique corpusculaire et à prendre position dans la fameuse querelle des anciens et des modernes qui oppose partisans et détracteurs de l'héritage artistique de l'Antiquité. Si le siècle de Descartes et de Leibniz ne manque pas d'esprits exceptionnels, capables de s'attaquer aux sujets les plus divers : philosophie, mathématiques, physique, anatomie et physiologie, rares sont ceux qui passent des sciences aux arts plastiques avec l'aisance de Perrault. L'examen de son œuvre permet de brosser du même coup un panorama assez complet de la politique culturelle menée par Louis XIV et Colbert au croisement de préoccupations rationalisatrices assez générales à l'époque et d'une volonté de glorification du pouvoir royal décelable à chaque instant dans les productions artistiques du règne. C'est à la lumière de la révolution scientifique du XVIIe siècle et des menées absolutistes du roi-soleil qu'il convient d'interpréter la démarche de l'académicien.

Par-delà son indéniable intérêt historique, cette démarche pose aussi des questions aux résonances plus actuelles. Quels peuvent être tout d'abord les liens entre sciences et arts plastiques, sciences et architecture, qui confèrent à l'œuvre de Claude Perrault sa cohérence profonde ? Le reserrement de ces liens constitue, on le sait, l'un des objectifs d'une certaine réflexion contemporaine. Mais pour restaurer de véritables connivences entre des champs qui n'entretiennent plus qu'un dialogue superficiel, encore faut-il disposer de points de repère capables de stimuler l'imagination. L'exemple de Perrault nous parle des relations qui pouvaient exister concrètement entre sciences et architecture à l'âge classique. Il suggère ainsi nombre d'interrogations fécondes sur le contenu que seraient susceptibles de prendre de telles relations aujourd'hui, en dépit de la spécialisation croissante des individus. En même temps, cet exemple se situe à un tournant décisif des rapports entre rationalité scientifique et pensée esthétique. A la croyance traditionnelle en une origine unique et naturelle du vrai et du beau, l'académicien substitue en effet un système plus fragile, à base d'analogies. Rompant avec l'herméneutique des proportions chère aux auteurs de traités depuis Vitruve, il annonce un désenchantement de la discipline architecturale dont les effets ne se feront pleinement sentir qu'à partir de la seconde moitié du XVIIIe siècle.

Les préoccupations de Claude Perrault pourraient bien s'ordonner en réalité selon deux axes que l'on serait tenté de qualifier d'architectonique et de biologique, le premier de ces axes se rapportant en effet aux questions de structure et d'ordonnancement, qu'il s'agisse de l'économie de la création tout entière ou de l'architecture d'un simple édifice, le second ayant plutôt trait à la spécificité des manifestations de la vie. A côté des relations entre sciences et arts, la complémentarité de ces deux axes donne également à réfléchir au moment où les rapports entre le non-vivant et le vivant sont en pleine redéfinition.

La cohérence de l'œuvre de l'académicien nous semble reposer dans une large mesure sur des thèmes et des figures qui se propagent d'une discipline à une autre. La notion de structure concerne par exemple aussi bien l'anatomie que l'architecture. L'opposition du fait et du droit imprègne l'ensemble des écrits de Perrault, de ses premiers mémoires scientifiques aux *Essais de physique* rédigés vers la fin de sa vie, des notes de sa traduction de Vitruve à l'*Ordonnance des cinq espèces de colonnes selon la méthode des anciens* consacrée à l'exposé définitif de sa théorie architecturale. La distinction entre l'inorganique et l'organique joue également un rôle fondamental. Le mélange de mécanisme et d'animisme qui caractérise sa pensée physiologique n'est pas sans influence sur certaines de ses prises de position dans le champ de l'architecture. Par dessus tout, Perrault se montre sensible au thème de la circulation mis à l'honneur par Copernic et Kepler en astronomie, et par Harvey en médecine. Les modèles circulatoires surgissent tout naturellement sous la plume de l'académicien, qu'il s'agisse de décrire le cycle de l'eau nourricière qui s'élève dans les airs avant de retomber sous forme de pluie ou d'analyser bien sûr la physiologie du corps humain. Les connotations résolument positives du thème de la circulation, souvent lié aux idées de vie et de fécondité dans les *Essais de physique*, permettent enfin de jeter un nouveau jour sur les conceptions esthétiques de Perrault.

Il serait sans doute excessif de qualifier de « concepts nomades » les thèmes et les figures que l'on vient de passer brièvement en revue. Leurs entrelacs n'en dessinent pas moins une géographie à base d'oppositions et de rapprochements inattendus où se révèle peut-être le plus nettement le sens véritable des contributions de Perrault à l'anatomie, à la physiologie, à la physique ou à l'architecture. Sa démarche relève ce faisant de catégories qui ne sont plus tout à fait les nôtres, comme les notions de vraisemblance et de probabilité qui conditionnent sa conception de l'hypothèse scientifique. En dépit des analogies superficielles que présente le probabilisme de l'académicien avec certaines attitudes de la science moderne, son esprit de système est bien de son époque. A mi-chemin entre le dogmatisme de la « secte » des cartésiens et l'empirisme des Lumières, Perrault participe pleinement de cette « crise de la conscience européenne » que décrivait au début de ce siècle Paul Hazard dans un livre resté célèbre. Si la pensée de l'académicien est loin de posséder l'ampleur de vues d'un Malebranche ou d'un Leibniz, si son œuvre scientifique ne saurait se comparer à celle de Huygens, le personnage s'avère tout à fait représentatif d'une époque de transition dont les principaux problèmes peuvent encore nous retenir, par leur caractère d'archétypes plus que par les généalogies au statut historique incertain, parce que trop ambitieuses, qui pourraient les relier aux débats qui nous agitent aujourd'hui.

Oscillant entre dogmatisme et empirisme en matière scientifique, entre autoritarisme et reconnaissance de la liberté d'invention dans le champ artistique, Perrault exprime des contradictions transposables sous d'autres formes aujourd'hui. La solution qu'il apporte en architecture à la tension entre règles et invention : cette idée d'institution sur laquelle débouche son *Ordonnance des cinq espèces de colonnes selon la méthode des anciens* n'est pas non plus sans intérêt. Pour en saisir toutes les implications, il convient de la replacer dans le contexte d'une œuvre diversifiée à l'extrême et en même temps profondément unitaire.

C'est cette unité que l'on a surtout cherché à expliciter dans les pages qui vont suivre en retraçant les différentes étapes de la carrière de Claude Perrault et en abordant tous les domaines où s'est exercée son activité. Une telle volonté d'exhaustivité constitue l'une des originalités de ce travail par rapport à ceux qui l'ont précédé et qui ont toujours porté sur des aspects partiels de l'œuvre de Perrault, sur ses conceptions physiologiques, sur sa théorie de l'architecture ou sur ses différents projets. Certains de ces travaux, ainsi que des études de portée plus générale dans lesquelles apparaît l'académicien, nous ont beaucoup aidé. Il nous faut mentionner en particulier les analyses de François Azouvi concernant les conceptions physiologiques de l'auteur des *Essais de physique*, l'histoire des théories de la génération de Jacques Roger, l'histoire de l'anatomie comparée de Francis-Joseph Cole, le livre de Wolfgang Herrmann sur la théorie architecturale développée dans l'*Ordonnance des cinq espèces de colonnes selon la méthode des anciens*, les articles de Michael Petzet sur l'Observatoire, l'arc de triomphe du faubourg Saint-Antoine et l'église Sainte-Geneviève. En croisant tous les renseignements disponibles sur le personnage et en s'attachant à dégager la cohérence de son itinéraire et de ses centres d'intérêt, nous espérons avoir contribué à rendre un peu moins énigmatique la figure de Claude Perrault, médecin, savant et architecte.

# LISTE DES ABRÉVIATIONS

A.A.S.      Archives de l'Académie des Sciences.
A.B.A.      Archives de l'Académie des Beaux-Arts.
Alb.        Collection de l'Albertina de Vienne.
A.N.        Archives Nationales :
            C.P. Cartes et Plans ;
            M.C. Minutier Central.
Ars.        Bibliothèque de l'Arsenal.
B.C.M.      Bibliothèque Centrale du Muséum National
            d'Histoire Naturelle.
B.F.M.      Bibliothèque de la Faculté de Médecine de Paris.
B.H.V.P.    Bibliothèque Historique de la Ville de Paris.
B.I.        Bibliothèque de l'Institut.
B.L.        British Library.
B.N.        Bibliothèque Nationale :
            Est. Estampes ;
            MS Manuscrits.
B.S.G.      Bibliothèque Sainte-Geneviève.
C.D.L.      Cabinet des Dessins du Musée du Louvre.
C.D.N.S.    Cabinet des Dessins du Nationalmuseum
            de Stockholm.
            C. Collection Cronstedt ;
            T.-H. Collection Tessin-Harleman.
C.E.C.      Cabinet des Estampes du Musée Carnavalet.
C.N.A.M.    Conservatoire National des Arts et Métiers.
E.N.P.C.    Centre Pédagogique de Documentation et de
            Communication de l'École Nationale
            des Ponts et Chaussées.

# CLAUDE PERRAULT
# ET SA FAMILLE

## Les grandes étapes d'une vie et d'une œuvre

Claude Perrault naît à Paris le 25 septembre 1613 dans une famille bourgeoise relativement aisée. Ses parents Pierre Perrault, avocat au Parlement de Paris, et Paquette Leclerc avaient déjà eu deux fils : Jean et Pierre. Trois autres verront le jour par la suite : Nicolas en 1624, François et Charles en 1628. François, le jumeau de Charles, ainsi qu'une fille prénommée Marie mourront en bas âge [1]. La famille Perrault, le clan si l'on veut, sera constituée des cinq frères survivants.

On ne sait presque rien des premières années de Claude Perrault. Dans les *Mémoires* rédigés par son frère Charles vers la fin de sa vie, on apprend simplement que tous les frères Perrault avaient fait leurs études au Collège de Beauvais en se montrant suffisamment bons élèves pour éviter le fouet [2]. Ces succès scolaires sont sans doute le fait de l'éducation attentive dispensée par Pierre Perrault à ses enfants. « Mon père prenait la peine de me faire répéter mes leçons le soir après souper, et m'obligeait à lui dire en latin la substance de ces leçons », note Charles à ce propos [3]. Ce père consciencieux semble également avoir été animé d'une forte piété ainsi que du sens de l'économie [4], vertus typiquement bourgeoises dont les frères Perrault porteront l'empreinte toute leur vie.

Tandis que Jean l'aîné de la famille devient avocat comme son père et que Pierre s'oriente vers les métiers de la finance, Claude commence des études de médecine à la Faculté de Paris qui vont le conduire au doctorat en 1641. S'il professe la physiologie à la Faculté en 1651-1652, on ne le voit pas prendre part aux grandes querelles qui divisent le milieu médical à l'époque. C'est que sa curiosité le porte déjà vers des questions purement scientifiques, au détriment des prises de position professionnelles. Sans doute fréquente-t-il à l'occasion les assemblées savantes qui se réunissent chez François Le Pailleur, Henri-Louis Habert de Montmor ou Melchisédech Thévenot sur le modèle des académies romaines et florentines, et qui préfigurent la future Académie des Sciences.

Parallèlement à sa vie professionnelle de médecin et bientôt de savant, Claude Perrault se livre tout de même à des occupations beaucoup moins sérieuses en sacrifiant comme ses frères cadets et leur ami Beaurain à la vogue du burlesque, ainsi que le rapporte Charles dans ses *Mémoires*.

« Dans ce temps-là vint la mode du burlesque. M. Beaurain, qui savait que je faisais des vers, mais qui jamais n'avait pu en faire, voulut que nous traduisions le sixième livre de l'*Eneïde* en vers burlesques. Un jour que nous y travaillions et que nous en étions encore au commencement, nous nous mîmes à rire si haut des folies que nous mettions dans notre ouvrage que mon frère, celui qui fut depuis docteur de Sorbonne, et qui avait son cabinet proche du mien, vint savoir de quoi nous riions. Nous le lui dîmes, et, comme il n'était encore que bachelier, il se mit à travailler avec nous et nous aida beaucoup. Mon frère le médecin, qui sut à quoi nous nous divertissions, en voulut être ; il en fit même plus lui seul, à ses heures de loisir, que nous tous ensemble [5]. »

Après l'*Eneïde*, les frères Perrault et Beaurain publient en 1653 le premier livre d'une entreprise plus ambitieuse : *Les murs de Troye ou l'origine du burlesque*, dédiée avec une ironie un peu lourde à la jambe de bois de Scarron. Le second chant resté manuscrit est tout entier de la main de Claude, aussi acharné à se détendre qu'à travailler [6].

Qu'on ne s'y trompe pas cependant, dans les années 1650 le goût du burlesque n'est nullement incompatible avec un esprit sérieux, voire même austère, comme en témoigne la participation de Nicolas Perrault, le futur docteur de Sorbonne qui deviendra un théologien janséniste acharné, à la traduction de l'*Eneïde*. S'il se montrera toujours plus modéré que son jeune frère dans la défense des intérêts de la vraie religion et dans le désir d'une vie vertueuse, Claude ne se mariera jamais, menant une existence réglée de célibataire, consacrée pour l'essentiel à la science.

Entre Nicolas et Claude d'un côté, et Charles de l'autre, le contraste est en apparence total. Après avoir achevé son droit en 1651, ce dernier est pris sous l'aile protectrice de Pierre son aîné, devenu entre temps receveur général des finances de Paris. Il y reste dix ans en tant que commis, de 1654 à 1664, tout en menant une vie mondaine assez brillante, puisqu'il fréquente les milieux précieux, se lie d'amitié avec Chapelain et Quinault, s'essaye à ses premiers vers de circonstance destinés à encenser le Roi. Le personnage est pourtant plus difficile à cerner qu'il pourrait y paraître, parce qu'il oscille en réalité entre l'extrême affectation et la simplicité, parce qu'il fait figure d'arriviste sans scrupules tout en se montrant résolument fidèle à sa famille et à ses amis. Tantôt superficiel, tantôt grave et sensible aux attraits du jansénisme, Charles Perrault garde une part de mystère que les études les plus récentes ne sont pas parvenues à dissiper [7]. Quelle différence en tout cas entre Claude, le médecin célibataire, d'un caractère parfois difficile semble-t-il et son frère plus mobile, presque papillonnant.

Assez curieusement les destins de Claude et Charles vont être intimement liés pendant près de vingt ans, dans l'entourage d'un Colbert qui étend progressivement son emprise sur les lettres, les arts et les sciences et qui se cherche par conséquent des conseillers. En 1663, à la veille d'être nommé surintendant des Bâtiments du Roi, Colbert forme un « petit conseil » ou « petite Académie », noyau de la future Académie des Inscriptions et Belles-Lettres, pour lui donner son avis sur « toutes les choses dépendant des belles-lettres ». L'abbé de Bourzeis, l'abbé Cassagne et Chapelain sont aussitôt pressentis et ce dernier propose de s'adjoindre les services

*1. E. Baudet d'après C. Le Brun, portrait de Charles Perrault (1675). Le futur auteur des* Contes *est représenté alors qu'il atteint le sommet de sa carrière administrative comme contrôleur général des Bâtiments du Roi.*

2. R. Nanteuil, portrait de Jean-Baptiste Colbert (1663), détail. Deux figures allégoriques entourent le surintendant. Avec sa chevelure de flamme celle de gauche personnifie la piété, celle de droite qui tient une clef la fidélité.

de Charles Perrault dont il a pu apprécier la vivacité et la souplesse d'esprit [8]. Nommé secrétaire de la petite Académie, Charles va progressivement devenir l'homme de confiance du ministre, son premier commis des Bâtiments chargé de tous les détails de la politique littéraire et artistique qui se met en place.

A ce poste, Charles n'oublie pas ses frères. S'il tente en vain de prévenir la disgrâce de Pierre, le receveur, contraint de vendre sa charge en 1664, il assure la promotion rapide de Claude en le présentant à Colbert et surtout en le faisant entrer à l'Académie des Sciences dès sa création en 1666, bien que sa réputation de savant soit encore à faire [9].

La nomination de Claude Perrault à l'Académie des Sciences constitue un tournant essentiel dans sa carrière. A l'Académie, Claude se trouve en contact avec des savants et des intellectuels éminents comme Christian Huygens que Colbert a fait venir à grands frais de Hollande pour conférer un prestige supplémentaire à la nouvelle institution, Gilles de Roberval le fameux mathématicien, Pierre de Carcavy l'ami de Descartes et de Pascal, Jean Picard l'astronome. Parmi les médecins on trouve Marin Cureau de La Chambre, célèbre pour son traité, *Les caractères des passions*, qui inspirera Le Brun et Jean Pecquet, auteur de la découverte du canal thoracique. Dans ce milieu somme toute assez nouveau pour lui, Claude Perrault va faire preuve d'une surprenante capacité d'adaptation. Il se lie très vite d'amitié avec Huygens et surtout il se définit une spécificité en assumant la responsabilité de l'ambitieuse « histoire naturelle des animaux » entreprise par l'Académie.

L'anatomie est fort en vogue au cours de la seconde moitié du XVIIᵉ siècle, comme en témoigne la place que lui réserve Bossuet dans son *Introduction à la philosophie* [10]. Mais si l'anatomie de l'homme est encore mal connue, comme s'accordent à le souligner presque tous les auteurs, que dire de celle des animaux à propos de laquelle on doit généralement se contenter des descriptions laissées par les anciens ? Patiemment, pendant plusieurs décennies, l'Académie des Sciences va tenter de combler cette lacune en se livrant à l'étude systématique de toutes sortes de spécimens : lion, caméléon, castor, ours et jusqu'à l'éléphant dont la dissection occupera plusieurs journées à la fin du mois de février 1681. Même

Christianus Hugenius, Zulichemius, Constantini Filius,
Mathematicus Celeberrimus,

Denatus Hagæ - Comitum, in Patriâ, Die, VIII · Julii An · 1695 · Ætat · Suæ · LXVI ·

3. G. Edelinck, portrait de Christian Huygens. L'un des plus célèbres savants du XVIIᵉ siècle, ami de Claude Perrault et de sa famille, il sera pendant près de quinze ans l'une des figures de proue de l'Académie des Sciences. Il quittera finalement la France en 1681 pour ne plus y revenir après la révocation de l'Édit de Nantes.

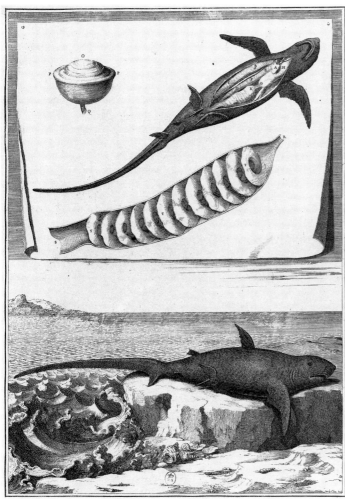

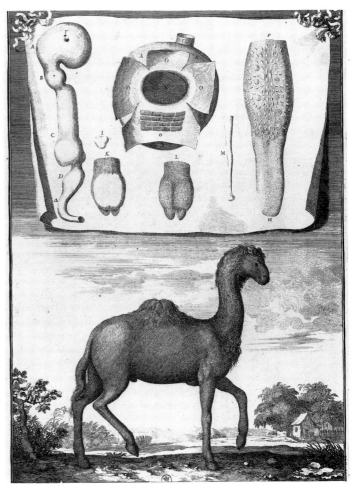

4. *Cl. Perrault,* Mémoires pour servir à l'histoire naturelle des animaux *(1671), renard marin. Publiée pour la première fois en 1667, la dissection du renard marin, une sorte de requin, est reprise dans l'édition monumentale des mémoires anatomiques de l'Académie des Sciences de 1671. La forme de l'œil de l'animal et celle de ses intestins retiennent tout particulièrement l'attention des anatomistes.*

5. *Cl. Perrault,* Mémoires *(1671), chameau encore appelé dromadaire. Le chameau disséqué par l'Académie des Sciences souffrait probablement de goutte. « La grande sobriété qui est remarquable dans le chameau, et la fatigue incroyable qu'il souffre ordinairement, font voir que les grands travaux peuvent produire la goutte aussi bien que l'oisiveté et la débauche », notent à ce propos les académiciens prenant leurs distances avec des explications physiologiques par trop moralisantes. Claude Perrault mourra des suites d'une infection contractée en disséquant un autre chameau.*

s'il ne rédige pas toutes les descriptions anatomiques, Claude Perrault supervise le travail de ses collègues.

Plusieurs publications jalonnent l'entreprise de l'histoire naturelle des animaux. En 1667, Perrault publie l'*Extrait d'une lettre(...), qui contient les observations qui ont été faites sur un grand poisson disséqué dans la Bibliothèque du Roy,* ainsi que les *Observations qui ont été faites sur un lion disséqué dans la Bibliothèque du Roy.* En 1671 et 1676 paraissent surtout les deux livraisons monumentales des *Mémoires pour servir à l'histoire naturelle des animaux* dans lesquels Perrault expose sa philosophie expérimentale en préambule aux résultats des différentes dissections effectuées par l'Académie des Sciences.

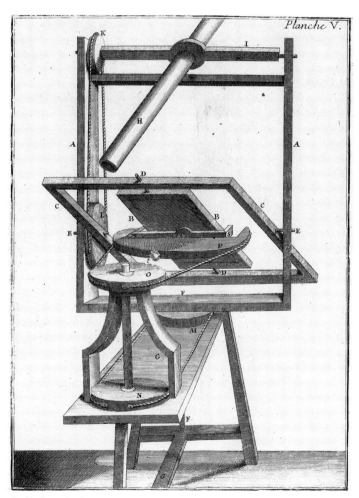

6. *Cl. Perrault,* Recueil de plusieurs machines de nouvelle invention *(1700)*, *machine avec laquelle on peut se servir d'un grand tuyau de lunette immobile, par le moyen d'un miroir. Les miroirs parfaitement plans n'existant pas à la fin du XVIIᵉ siècle, le dispositif imaginé par Perrault qui préfigure le sidérostat restera lettre morte.*

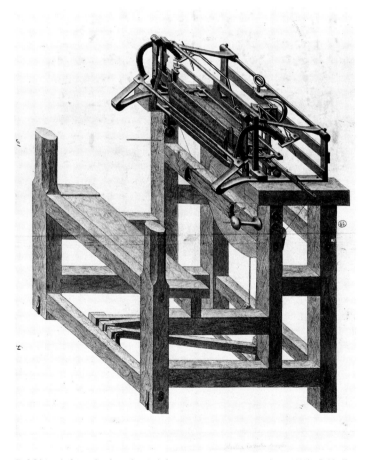

7. Métier à faire des bas dessiné dans toutes ses parties *(vers 1664), B.N. Est. Lh 32, vue d'ensemble du métier. Le recueil de dessins décrit toutes les pièces du métier à bas rapporté par Hindret dans un esprit qui annonce déjà l'encyclopédisme des Lumières. Diderot le consultera d'ailleurs au cours de la préparation de l'article « Bas » de l'*Encyclopédie.

Mais sa contribution aux travaux de l'Académie ne s'arrête pas là cependant, car Perrault s'intéresse aussi bien à la circulation de la sève des plantes qu'à des questions de physiologie animale et humaine. Il avait été l'un des premiers à évoquer la question de la circulation de la sève dans son « Projet pour la botanique » lu au début de l'année 1667 devant l'Académie. En liaison avec Mariotte, il effectuera par la suite de nombreuses expériences à ce sujet. En matière de physiologie humaine, on lui doit l'une des premières descriptions précises de l'oreille interne.

S'écartant quelque peu de son domaine de prédilection, la structure du vivant, Perrault élabore également une théorie destinée à rendre compte de la cohésion, du ressort et de la pesanteur des corps, théorie s'inspirant pour une part de Descartes et surtout de Huygens. Aussi variée qu'abondante, cette œuvre scientifique se trouve pour l'essentiel résumée dans ses *Essais de physique* dont les quatre tomes paraissent en 1680-1688.

A côté de ces différents travaux, il faut aussi mentionner son intérêt pour les machines, engins de levage, mécanisme pour se servir d'un tuyau de lunette immobile préfigurant le sidérostat ou machine destinée à augmenter l'effet des armes à feu dont il donne le dessin et qu'il soumet à l'Académie. Effectuant une sélection parmi ses nombreuses propositions, son frère Charles publiera à titre posthume un *Recueil de plusieurs machines de nouvelle invention* en 1700.

Parallèlement à son activité d'académicien, Claude Perrault joue un rôle de conseiller de Colbert sur les questions scientifiques et techniques. C'est sans doute à la demande du surintendant qu'il est amené à se pencher par exemple sur la machine à fabriquer des bas de soie ramenée d'Angleterre par le mercier Jean-Claude Hindret et installée au château de Madrid à titre expérimental vers 1664[11]. A la fin de l'année 1669 c'est très probablement sur les injonctions ou du moins avec l'approbation de Colbert qu'il part effectuer une tournée qui le mènera jusqu'à Bordeaux en compagnie de son frère Jean, tournée qui constitue l'une de ses rares incursions hors des limites du bassin parisien et dont on possède une relation presque complète de sa main[12].

Homme de science passionné par les applications techniques, menant une vie des plus actives au contact de Colbert,

Claude Perrault croit dans une certaine mesure au progrès, persuadé qu'il est comme son frère Charles que le siècle de Louis-le-Grand ne le cède en rien à celui d'Auguste et même qu'il le dépasse sur plus d'un point, comme en témoignent les nombreuses découvertes des savants et les machines sans cesse plus perfectionnées qui voient le jour un peu partout. Si la croyance au progrès scientifique et technique est assez répandue à l'époque, l'une des originalités des Perrault consiste à étendre sans ménagement ce principe de perfectibilité aux beaux-arts. On connaît le rôle joué par Charles dans la querelle des anciens et des modernes où il s'oppose à Boileau. Moins connus que les *Parallèles des anciens et des modernes*, les écrits de Claude sur cette matière ne sont pas moins virulents, à commencer par son « Traité de la musique des anciens » inséré dans ses *Essais de physique* où l'on peut lire par exemple que les psaumes du roi David représentaient sans doute « un bruit fort convenable à l'enfance du monde[13] ». Boileau ne s'y trompera pas, refusant de faire une différence entre les deux frères, il couvrira Claude de sarcasmes au même titre que Charles.

C'est dans le domaine de la théorie architecturale que les positions de Claude Perrault vont connaître le plus de retentissement, avec la remise en cause du dogme des proportions à laquelle elles conduisent inéluctablement. Depuis longtemps déjà, Perrault s'était intéressé à l'art de bâtir, comme en témoignent les nombreuses notations réalistes et hautes en couleurs sur les ouvriers maçons dont il avait émaillé *Les murs de Troye*. Cet intérêt se renforce par la suite. S'ajoutant à cela sa connaissance du latin et du grec acquise au cours de ses études de médecine ainsi que sa curiosité scientifique et technique, il est tout naturellement chargé par Colbert de traduire les dix livres d'architecture de Vitruve. L'ouvrage paraît en 1673 et connaît un large succès. Perrault en a profité pour accompagner le texte original de remarques de son cru destinées à l'éclairer ou à le corriger, remarques qui constituent en elles-mêmes un véritable traité. Dès cette époque ses principales idées sur l'architecture sont arrêtées ; elles trouveront leur expression définitive dans l'*Ordonnance des cinq espèces de colonnes selon la méthode des anciens* de 1683 et dans la seconde édition de sa traduction de Vitruve parue l'année suivante avec un appareil critique considérablement développé.

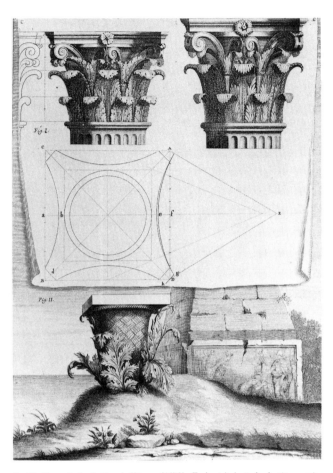

8. *Cl. Perrault, traduction de Vitruve (1673). En haut à droite le chapiteau corinthien de Vitruve, à gauche celui du portique du Panthéon, beaucoup plus élancé et plus proche de la manière des modernes. La partie inférieure de l'image représente l'origine légendaire du chapiteau corinthien : des feuilles d'acanthe grimpent le long d'un panier contenant quelques offrandes posé près de la tombe d'une jeune fille de Corinthe et recouvert d'une tuile. Son apparence plaît au sculpteur Callimaque qui s'en souvient au moment de sculpter ses colonnes. Bien que Perrault illustre ce type de légende pour être fidèle au texte de l'ingénieur romain, sa traduction de Vitruve se veut avant tout un travail scientifique.*

9. *Cl. Perrault, Ordonnance des cinq espèces de colonnes selon la méthode des anciens (1683), détails de l'ordre ionique. Pour pallier l'imprécision des proportions données dans les traités, Perrault élabore son propre système qu'il souhaiterait voir adopté par tous les architectes.*

« Il n'est pas croyable jusqu'où va la révérence et la religion que les architectes ont pour ces ouvrages qu'on appelle l'antique [14] », déclare de manière provocatrice l'auteur de l'*Ordonnance* qui dénonce également l'imprécision des proportions ainsi que la relativité d'un certain type de beautés qu'il qualifie d'« arbitraires » pour les distinguer des beautés « positives » liées à la bonté des matériaux et à la propreté de l'exécution des ouvrages. A l'époque, semblables conceptions heurtent on s'en doute de nombreux architectes et Perrault est notamment critiqué par François Blondel, le premier directeur de l'Académie d'Architecture qui se veut le gardien d'une certaine orthodoxie théorique.

Si les vues de Perrault dérangent, bien qu'il ne soit à proprement parler ni architecte ni membre de l'Académie d'Architecture, c'est qu'elles émanent du frère du puissant premier commis de Colbert et surtout de quelqu'un que l'on ne peut pas considérer comme un simple amateur féru de théorie, car Perrault a été mêlé de près au projet et à la construction de la façade orientale du Louvre et il est de plus, à n'en point douter, l'auteur de l'Observatoire et d'un projet d'arc de triomphe pour le faubourg Saint-Antoine très remarqués dans les milieux professionnels.

Étrange figure que celle d'un médecin-architecte. Au XVII⁰ siècle, la chose est pourtant moins surprenante qu'aujourd'hui. Louis Savot, auteur en 1624 d'une *Architecture françoise des bastimens particuliers* republiée par François Blondel en 1685, n'était-il pas médecin et par là-même sensible aux aspects hygiéniques et utilitaires de l'habitation ? L'art de bâtir pose d'autre part toutes sortes de questions qui peuvent éveiller la curiosité d'un savant. L'astronome Auzout, collègue de Perrault à l'Académie, se pique comme lui d'architecture et il envisagera un moment de traduire à son tour Vitruve [15]. De tels exemples sont loin d'être isolés comme en témoigne l'itinéraire du célèbre Wren, membre de la Royal Society en même temps qu'architecte [16].

Si l'on peut comprendre l'intérêt de Perrault pour l'architecture, il est beaucoup plus difficile de parvenir à une certitude concernant l'étendue de son œuvre bâtie. Quelle part Claude Perrault a-t-il réellement prise au projet de la colonnade du Louvre ? Dans ses *Mémoires*, Charles attribue à son frère la paternité d'un dessin de péristyle qui aurait été soumis dès 1664 à Colbert. Après l'intermède constitué par le séjour du Bernin à Paris en 1665, le surintendant forme un « petit conseil du Louvre », composé de Le Brun, Le Vau et Perrault, chargé d'arrêter un nouveau projet en remplacement de celui de l'italien. On s'interroge encore sur la teneur des débats qui ont eu lieu au sein de ce conseil et sur la responsabilité de ses membres dans la définition du projet de 1667 approuvé par le roi dont l'exécution commence presque aussitôt. Claude Perrault surveille par la suite certaines phases du chantier comme la pose des grandes pierres monolithes destinées à former le fronton de l'édifice en 1674, mais il est bien difficile d'en conclure à sa paternité. Celle-ci est d'ailleurs contestée

par Boileau dans ses *Réflexions critiques sur quelques passages du rhéteur Longin* de 1694 qui donnent le coup d'envoi d'une longue controverse. En se fondant sur le témoignage de François d'Orbay qui avait été durant de longues années le premier dessinateur, le chef d'agence dirait-on aujourd'hui, de Louis Le Vau, Boileau écrit : « Je puis même nommer un des plus célèbres de l'Académie d'Architecture, qui s'offre de lui faire voir, quand il voudra, papiers sur table que c'est le dessein du fameux monsieur Le Vau qu'on a suivi dans la façade du Louvre ; et qu'il n'est point vrai que ni ce grand ouvrage d'architecture, ni l'Observatoire, ni l'arc de triomphe, soient des ouvrages d'un médecin de la Faculté [17]. »

En contestant à Perrault la paternité de l'Observatoire, construit de 1667 à 1672, et celle de l'arc de triomphe du faubourg Saint-Antoine projeté vers 1669, Boileau exagère sans doute. Aucun motif sérieux ne permet en effet d'attribuer ces deux projets à un autre que lui, comme l'a montré de manière convaincante Michael Petzet dans deux articles très documentés [18]. Qui mieux qu'un membre de l'Académie des Sciences pouvait de toute manière donner le dessin d'un bâtiment conçu comme un grand équipement scientifique, comme une sorte de machine destinée aux observations scientifiques ? Si Perrault se trouve d'autre part en compétition avec Le Brun et Le Vau pour l'arc de triomphe comme précédemment pour la façade orientale du Louvre, les contributions de chacun sont assez bien identifiées cette fois.

Il n'empêche que l'on s'interrogera sans doute toujours sur l'étendue de l'œuvre architecturale de Perrault dans la mesure où l'on ne possède pratiquement aucun dessin qui soit à coup sûr de sa main. Pour contrer les attaques de Boileau, son frère Charles avait réuni la plupart de ses projets dans deux recueils achetés par la suite par le Roi. Malheureusement pour l'historien, ces recueils devaient brûler en 1870 dans l'incendie de la Bibliothèque du Louvre, laissant bien des questions en suspens.

L'intense activité scientifique de Claude Perrault au moment où s'élabore le projet définitif de la colonnade et où s'élèvent les premières assises de l'Observatoire rend de toute manière peu probable son implication dans toutes les tâches de conception et de surveillance des travaux requises par de

*Inventé et peint a Paris par Boulogne l'aisné.* **L'ARCHITECTURE.**

*10. Ch. et Cl. Perrault, Le cabinet des beaux-arts ou recueil d'estampes gravées d'après les tableaux d'un plafond où les beaux-arts sont représentés (1690), l'architecture d'après L. Boulogne l'aîné.*

tels édifices. Il semble en outre s'être assez vite concentré sur les seuls problèmes théoriques posés par l'architecture, au détriment d'une pratique plus difficile à assumer faute d'une structure et d'un personnel compétent. Quoiqu'il en soit, devant la diversité des talents et des occupations du personnage, on est tenté de souscrire jusqu'à un certain point au jugement porté sur lui par son frère Charles dans *Les hommes illustres qui ont paru en France pendant ce siècle* : « Ce qu'on peut dire en général de M. Perrault, c'est que s'il s'est trouvé plusieurs personnes qui ont excellé plus que lui dans quelques-uns des talents qu'il a possédés ; il ne s'en est guère rencontré dont le génie et la capacité se soient étendus tout à la fois à tant de choses différentes [19]. »

Plus encore que les questions d'attribution de la colonnade, c'est cette diversité et la manière dont elle s'organise qui constituent peut-être la véritable énigme, celle qu'il faut tenter de résoudre en cherchant successivement suivant quels axes, selon quelles lignes de force, en fonction de quels

L'OPTIQUE

11. *Ch. et Cl. Perrault (1690), Le cabinet des beaux-arts, l'optique d'après N. Corneille. On reconnaît à l'arrière-plan de ces deux compositions la façade orientale du Louvre, l'arc de triomphe et l'Observatoire auxquels la réputation architecturale de Claude Perrault demeure pour l'essentiel attachée.*

modèles se développe une œuvre multiforme et par là même un peu déconcertante.

Jusqu'à la fin, Perrault restera tout de même fidèle à l'anatomie animale. Il traite de l'espadon en août 1688 tout en préparant une troisième édition corrigée et complétée des *Mémoires pour servir à l'histoire naturelle des animaux*. Cette dernière, prévue sous la forme d'un grand volume in-folio comme les deux précédentes, ne verra finalement pas le jour [20]. Le 9 octobre 1688, Claude Perrault s'éteint en effet dans sa maison de la place de l'Estrapade à la suite d'une infection contractée en disséquant un chameau, une mort dont la cause inattendue vient rappeler comme à dessein le goût invétéré du personnage pour le burlesque. Il est inhumé quelques jours plus tard en présence de Charles Perrault en l'église Saint-Benoît sa paroisse [21].

Studieuse et discrète dans l'ensemble, la vie de Claude Perrault rend vraisemblables les quelques vers célébrant la modestie de son caractère placés au-dessous de son portrait

R.ᵈᵉˢ SCIENCES MEDCIN DE LA FAC. DE PARIS CLAUDE PERRAULT DE L'ACADEMIE

NON VT VIDEAR

*Vercelin Pinxit*  G. Edelinck *Sculp.* C.P.R. 1693

Il n'est point de secret dans la Nature entiere
Ny dans les Arts qu'Il n'ayt connu
Et modeste Il n'vsa de toute sa lumiere
Que pour voir non pour estre vû

12. *Ch. Perrault*, Les hommes illustres *(1696-1700), portrait de Claude Perrault par G. Edelinck, d'après Vercelin.*

gravé par Edelinck qui figure dans *Les hommes illustres.*

> « Il n'est point de secret dans la nature entière
> Ni dans les arts qu'il n'ait connu
> Et modeste il n'usa de toute sa lumière
> Que pour voir non pour être vu [22]. »

## Le clan Perrault

Partis à la recherche d'éléments permettant de rendre compte d'une œuvre quelque peu disparate, un premier fil directeur nous est fourni par la famille qui joue un rôle essentiel dans l'itinéraire de Claude Perrault. On a vu comment Charles l'a soutenu activement tout au long de sa carrière, en le faisant nommer à l'Académie des Sciences, en avançant non sans quelque audace son nom auprès de Colbert à propos du Louvre et plus généralement en saisissant toutes les occasions de faire valoir ses talents. L'importance de ce soutien ne doit pas faire oublier cependant le reste de la famille, le père, la mère, les frères surtout unis par une profonde complicité.

Cette complicité s'est sans doute forgée dès l'enfance, à Paris ou dans la propriété familiale de Viry où Pierre Perrault et Paquette Leclerc recevaient leurs amis, parmi lesquels devait figurer un certain Corneillau, auteur du *Voiage de Viry,* un assez mauvais poème illustré par Claude qui trouvait là une des premières occasions de faire étalage de son talent de dessinateur [23].

Après la mort des parents en 1652 et 1654, la propriété passera entre les mains de Pierre, le receveur des finances, qui perpétuera les traditions d'hospitalité de ses parents. Claude et Charles s'y retrouveront fréquemment et Huygens fait plus d'une fois allusion dans sa correspondance aux soirées passées en conversations et en jeux chez les « Messieurs Perrault [24] ».

Ces messieurs ont tous leurs talents. Si l'on possède peu de renseignements sur Jean, l'aîné, avocat brillant mais dépourvu d'affaires [25], mort en 1669 à Bordeaux d'une fièvre galopante sans que Claude soit parvenu à le sauver, Pierre le receveur nous est beaucoup mieux connu. D'une curiosité qui ne le

cède en rien à celle de Claude et Charles, il traduit la *Secchia rapita* de Tassoni, disserte sur les mérites comparés d'Euripide et Racine, donne une critique du *Don Quichotte* [26]. Mais il est aussi l'auteur d'un *Traité de l'origine des fontaines* dont l'argumentation ne manque pas d'intérêt et qui lui fournit surtout l'occasion d'un échange de vues avec Huygens sur la valeur à accorder aux expériences et sur les erreurs auxquelles elles peuvent parfois conduire [27].

Nicolas le théologien possède un profil beaucoup plus tourmenté qui le place un peu à part. Docteur en théologie, il est exclu de la Sorbonne en 1655-1656 pour avoir défendu les idées jansénistes d'Antoine Arnauld, bien qu'il ne l'ait jamais rencontré pour ne pas faire interférer des sentiments personnels avec ses prises de position religieuses aux dires de Charles Perrault [28]. Il évoluera par la suite vers une attitude de plus en plus radicale, comme en témoigne sa correspondance avec Haslé, directeur du séminaire de Beauvais qui avait pris comme lui la défense d'Arnauld en Sorbonne [29]. Même s'il condamne au nom des vérités de la foi le principe du doute méthodique de Descartes, Nicolas se montre aussi raisonneur et bon polémiste que ses frères dans le volumineux traité qu'il consacre à la réfutation des thèses jésuites : *La morale des jésuites, extraite fidèlement de leurs livres,* paru à titre posthume en 1667. Dans l'avertissement de l'ouvrage, son ami Alexandre Varet mentionne également son goût pour les sciences, pour les mathématiques en particulier, qui constitue un autre trait familial [30].

Sans les écrits de Charles, ses *Mémoires* et ses *Parallèles des anciens et des modernes,* bien des aspects du clan Perrault seraient sans doute tombés dans l'oubli. S'ils représentent une machine de guerre dressée contre Boileau, les *Parallèles* constituent aussi de ce point de vue un véritable monument érigé à la gloire de la famille, puisque l'on y trouve aussi bien l'exposé complet de la doctrine architecturale de Claude Perrault que des allusions au *Traité de l'origine des fontaines* de Pierre, ainsi que le « Sentiment d'un docteur de Sorbonne sur la doctrine des principes de connaissance de Descartes », repris de Nicolas [31].

Charles Perrault n'éprouve en réalité aucune peine à insérer ce type de morceaux choisis dans ses *Parallèles,* tant la ressemblance est grande entre les opinions défendues par ses

13, 14, 15. Corneillau, Voiage de Viry (1637), B.L. MS Add. 20,087, illustrations de Claude Perrault. Les deux premières illustrations se rapportent au trajet par bateau de Paris à Viry, la troisième à un épisode du poème composé par l'ami des parents de Claude Perrault. Toutes trois permettent de se faire une idée du goût pour le dessin du futur académicien.

frères et les siennes. Les Perrault puisent en réalité dans une sorte de fond commun d'idées qui constitue un lien très fort.

Quelques traits dominants se dégagent de leurs écrits : le respect des vérités révélées de la foi et le goût de la nouveauté dans les matières profanes, la préférence accordée aux modernes sur les anciens ou encore un intellectualisme tempéré par un empirisme beaucoup plus accommodant. Mais il faut surtout noter le caractère souvent paradoxal de leurs positions, à commencer par l'ambiguïté de leur attitude à l'égard des naïvetés populaires. Au même titre que Charles, Claude ironise sur les superstitions de bonne-femme ; mais il trahit involontairement l'intérêt qu'il leur porte en allant par exemple voir la fontaine de Mélusine sur le chemin de Bordeaux [32]. Tandis que *Les murs de Troye* laissaient transparaître une sympathie pour les coutumes des ouvriers, les Perrault évoluent par la suite vers un mépris de plus en plus prononcé à l'égard de la grossièreté de la populace. Quel contraste entre les « intelligents [33] » dont ils font partie et les esprits communs qui les entourent. Mais ils conservent en même temps une conscience aiguë de ce qui les sépare du peuple : la culture, et de ce qu'ils partagent avec lui : un certain goût du merveilleux, comme en témoigne l'alchimie complexe des *Contes* qui apporteront à Charles Perrault une gloire posthume tout à fait inattendue [34].

Une autre ambiguïté tient au mélange d'autoritarisme et de liberté de ton qui imprègne les écrits des Perrault. En même temps qu'ils reconnaissent par exemple aux artistes la possibilité de s'émanciper de l'imitation aveugle des anciens, Charles ou Claude affirment la nécessité de convenir d'une autorité, d'établir de nouvelles règles peut-être plus contraignantes que l'étude raisonnée de la beauté antique.

Pour ne pas allonger la liste de ces paradoxes, terminons par le conflit toujours latent entre une raison souveraine, guide suprême des sciences et des arts selon Pierre, Claude ou Charles Perrault, et la stérilité qui menace cette même raison si l'expérience ne vient pas infléchir ses déterminations. Intellectualisme et empirisme composent en réalité un curieux mélange dans lequel intervient, s'agissant des questions artistiques, le goût des rebondissements, d'un merveilleux calculé comme dans ces romans teintés de préciosité que

l'abbé des *Parallèles* déclare préférer aux poèmes les plus élaborés des anciens [35].

Les tensions qui l'on vient de passer brièvement en revue pourraient bien renvoyer maintenant à la situation inconfortable d'une élite bourgeoise dont la position sociale et surtout les responsabilités demeurent à définir au sein de l'appareil politico-administratif qui se met en place au cours de la seconde moitié du XVIIᵉ siècle sous l'égide des Le Tellier ou Colbert [36]. Charles et Claude Perrault participent pleinement ne l'oublions pas à la politique de rationalisation menée par le surintendant des Bâtiments, Charles surtout qui semble se démultiplier sous les yeux de l'historien qui le voit assurer avec une aisance surprenante les tâches les plus diverses, du secrétariat de la petite Académie à la surveillance des grands chantiers royaux. On ressent chez les Perrault une sorte d'exaltation liée à l'étendue de leurs attributions. Mais si brillante soit-elle, leur situation demeure fragile par certains côtés, comme vient le leur rappeler la disgrâce de Pierre, le receveur, acculé à la banqueroute en 1664 par Colbert, l'année même où ce dernier décide de faire de Charles son premier commis [37]. C'est cette fragilité qui explique peut-être certains aspects de la démarche des Perrault. Leur recherche d'un statut et de garanties pour les « intelligents » de la bourgeoisie qui ont de plus en plus partie liée avec le pouvoir les conduit à réfléchir aux fondements et à la justification de la politique culturelle qu'ils incarnent et dont ils tirent leur légitimité. Ce statut et ces garanties réclament que l'on prenne ses distances par rapport au peuple, tout en demeurant conscient de son existence et de la menace qu'il fait peser sur les entreprises de rationalisation du pouvoir. De la même façon, le mélange d'autoritarisme et de liberté, d'intellectualisme et d'empirisme des Perrault correspond aux conditions d'exercice et aux ambiguïtés de la politique qu'ils sont chargés de mener.

Il serait tout de même illusoire de rapporter le détail des idées et des opinions du clan Perrault à leur position sociale aussi typée soit-elle. Leur goût du paradoxe qui les entraîne parfois beaucoup plus loin qu'ils ne l'auraient souhaité au départ constitue avant tout un trait familial. Non sans une certaine méchanceté Boileau évoquera à ce propos la « bizarrerie » de cette famille de touche-à-tout remuants. A en juger par la réaction indignée de Charles qui constitue le point de départ de son apologie systématique de ses frères, l'attaque avait dû toucher une corde sensible [38]. On décèle effectivement une tournure d'esprit particulière, une forme de bizarrerie chez les Perrault, même si elle n'est pas facile à caractériser.

Il y aurait peut-être une sorte de syndrome de l'échec chez ces bourgeois extérieurement si semblables aux autres, syndrome qui pourrait expliquer les carrières brisées de Pierre ou Nicolas, ou encore l'absence apparente de combativité de Charles qui renonce bien facilement aux séductions du pouvoir après la mort de Colbert [39]. Mais peut-être n'est-ce là qu'une illusion. Une chose est sûre en tout cas, en dépit de leurs talents, les Perrault ne sont jamais parvenus à occuper durablement le premier plan.

Les nombreuses querelles d'attribution auxquelles ont donné lieu les célèbres *Contes* de Charles Perrault ou l'œuvre architecturale de Claude sont aussi à verser au dossier, avec ce qu'elles supposent de mystères non résolus concernant la personnalité des frères et leurs motivations profondes.

Par dessus tout s'impose l'image d'une incroyable diversité d'aptitudes et de réalisations dans des champs qui vont de la littérature aux arts mécaniques. Touche-à-tout dans un siècle riche en esprits universels, les Perrault ont surtout échoué à donner une image cohérente de cette diversité, comme en témoignent les jugements étonnamment contradictoires portés sur eux depuis plus de trois siècles [40]. Il reste que leur pensée, entreprise collective et souvent paradoxale, possède sa cohérence malgré l'inconfort des positions qu'elle tend à occuper. Elle forme un système en dépit de l'hétéro-généité des registres sur lesquels elle s'exprime. Pour la caractériser, on peut alors songer à la description donnée par Charles des mystères de la foi, incompréhensibles séparément, qui s'éclairent lorsqu'on les considère tous ensemble. A l'image des ultimes vérités de la foi, quoique sur une échelle incomparablement plus modeste bien sûr, ne faudrait-il pas considérer la pensée des frères Perrault comme un système global, seul investi d'une certaine cohérence ?

« Rien ne prouve davantage la vérité de la religion chrétienne que l'admirable économie de ses mystères qui par le rapport qu'ils ont ensemble se soutiennent l'un l'autre. Chaque mystère considéré séparément fait de la peine par son incompréhensibilité (...) la liaison qu'ils ont ensemble fait qu'on s'y soumet avec facilité. Il en est comme d'une voûte de pierre de taille que l'on comprend bien se pouvoir soutenir quand on la regarde d'un seul coup d'œil, mais qui est en quelque façon incompréhensible à ne regarder les pierres qu'en elles-mêmes et séparément les unes des autres à cause de leur pesanteur qui ne demande qu'à les faire rouler en bas au lieu que cette même pesanteur quand on regarde la structure de toute la voûte, est une raison qui fait comprendre pourquoi elle se soutient [41]. »

C'est dans un système de ce type qu'il convient peut-être de replacer l'œuvre de Claude Perrault où l'architecture tient une si grande place, comme semble nous y inviter la métaphore constructive. Il reste à déterminer autant que faire se peut quelle secrète pesanteur confère à cette œuvre sa forme singulière.

# Un Médecin
# au Grand Siècle

## *Les études de médecine*

En embrassant la carrière médicale, Perrault choisit une
profession à la fois reconnue socialement et critiquée pour
ses blocages et ses ridicules, une profession d'accès difficile,
réservée aux fils de la bourgeoisie aisée, dont les membres
possèdent une indéniable culture en même temps qu'ils sont
handicapés par les certitudes que leur formation a contribué
à leur inculquer. Comme le souligne Jacques Roger, on
compte peu de chercheurs parmi les professeurs de médecine
du Grand Siècle et c'est dans cette indifférence à la recherche
que réside peut-être le défaut majeur de l'esprit médical de
l'époque [1]. On mesura mieux le chemin parcouru par Claude
Perrault après avoir jeté un regard sur sa formation et sur
le milieu professionnel au sein duquel il évolue jusqu'à son
entrée à l'Académie des Sciences.

Au XVII^e siècle à Paris, l'exercice de la médecine est précédé
par des études longues et coûteuses à l'Université. Les futurs
médecins doivent tout d'abord acquérir la maîtrise ès arts,
sanction de leurs humanités, ou à défaut un certificat
d'assiduité à un cours de philosophie, avant de pouvoir se
présenter à la Faculté de Médecine pour préparer en trois
ou quatre ans le baccalauréat, première étape de l'itinéraire
menant au doctorat [2].

La Faculté de Médecine est une curieuse institution tout à
fait représentative de la confusion des genres qui caractérise
l'Ancien Régime. Partie intégrante de l'Université, elle est
constituée par la communauté des docteurs-régents exerçant
à Paris, parmi lesquels sont élus pour deux ans le doyen
de la Faculté, chargé des tâches de direction et d'administra-
tion, ainsi que les professeurs. Fonctionnant selon un régime
mixte, associant étroitement logiques corporatives et enseignement, la Faculté joue également un rôle consultatif auprès
du Roi, du Parlement ou du prévôt, sur diverses questions
d'hygiène et de salubrité publique [3]. Un tel régime n'est pas
favorable, on s'en doute, aux audaces doctrinales ou pédago-
giques. La Faculté se borne bien souvent à transmettre un
savoir dont elle tire sa légitimité et qu'elle ne songe nullement
à remettre en cause.

Au début du XVII^e siècle, on ne compte que deux professeurs
chargés respectivement des « choses naturelles et non naturelles » : anatomie, physiologie et hygiène, et des « choses
contre-naturelles » : pathologie et thérapeutique. En 1634
sont créées deux nouvelles chaires de chirurgie et de botanique,
mais en dépit de ce louable effort d'ouverture, l'enseignement
demeure relativement abstrait, très éloigné en tout cas des
réalités pratiques, puisque le professeur d'anatomie disserte
par exemple sans toucher au cadavre exposé devant lui,
laissant à un chirurgien-barbier le soin de faire la démonstration des organes dont il traite [4].

Le caractère très littéraire de l'enseignement est également
sensible dans l'importance accordée au commentaire des
médecins de l'Antiquité, Hippocrate, Celse ou Galien, ainsi
qu'aux disputes et aux argumentations publiques. Arrivant
de la Faculté des Arts avec leur maîtrise, les étudiants en
médecine ne se sentent pas dépaysés dans un univers empreint
de références antiquisantes.

Au terme de leur première période de formation, qualifiée
de théorique, les étudiants se présentent aux épreuves du
baccalauréat qui comprennent des interrogations sur l'anato-

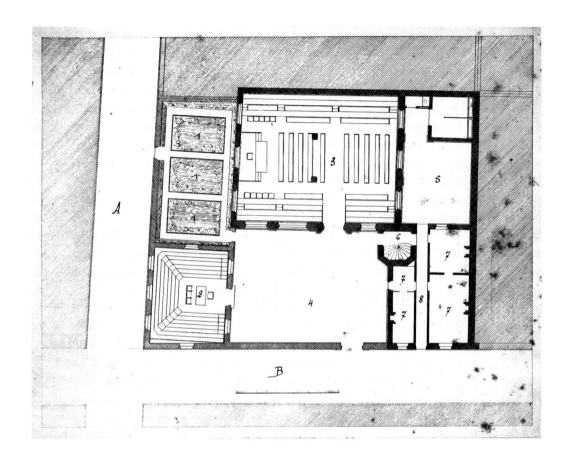

16. *États des bâtiments de la Faculté de Méde-cine de Paris sous Louis XIII, reconstitution du XIXᵉ siècle, B.F.M. MS 1761 (6). A. Rue de l'hôtel Colbert, B. Rue de la Bûcherie. 1. Jardin botanique, 2. amphithéâtre de Riolan II (1620), 3. salle du XVᵉ siècle (1472), 4. cour d'honneur, 5. petite cour, 6. escalier (1547), 7. maison des massiers, 8. couloir.*

mie, la physiologie, l'hygiène et la pathologie. Sur le chemin de la licence puis du doctorat, il leur faut ensuite devenir bachelier émérite en subissant pendant près d'un an des épreuves complémentaires de botanique et d'anatomie et en soutenant deux thèses quodlibétaires ainsi qu'une thèse appelée cardinale en mémoire du cardinal d'Estouteville qui avait réformé la Faculté en 1452.

Comme son nom l'indique, les deux thèses quodlibétaires portent sur des sujets laissés aux choix du candidat qui fait imprimer un résumé succinct de son argumentation avant de la développer pendant toute une matinée devant la Faculté, épreuve des plus impressionnantes pour le novice confronté à un feu roulant de questions et d'objections. Claude Perrault soutient sa première thèse quodlibétaire le 3 mars 1639 afin de savoir s'il y a une vieillesse de l'âme comme il y en a une du corps [5]. Il disserte quelques mois plus tard afin de savoir si l'on peut employer des cautères en cas de tremblement invétéré de la tête et des membres causé par l'obstruction [6].

La thèse cardinale porte généralement sur un sujet d'hygiène. Celle de Claude Perrault ne fait pas exception à la règle, puisqu'elle consiste à s'interroger gravement sur la possibilité de rafraîchir le vin avec de la glace dans les chaleurs de l'été [7].

Bachelier émérite, l'étudiant se prépare ensuite pendant près d'un an aux épreuves de licence qui comprennent un examen particulier auprès d'un docteur-régent, puis un examen de pratique. En cas de succès, le nouveau licencié épouse symboliquement l'Université au cours de l'acte solennel du paranymphe. Six semaines s'écoulent alors avant l'inscription au cycle d'épreuves du doctorat qui constitue le couronnement des études de médecine.

# QVÆSTIO MEDICA

## QVODLIBETARIIS DISPVTATIONIBVS MANE DISCVTIENDA

### IN SCHOLIS MEDICORVM, DIE IOVIS III. MARTII

## M· IACOBO GAVOIS Doctore Medico, Moderatore.

*An vt corporis sic animæ senectus ?*

**H**OMO mirabile quoddam animal est, ex duabus partibus longè diuersissimis compactum, animâ veluti numine quodam & corpore tanquam mutâ pecude : siquidem corpore ità reliquis animalibus non præstamus, vt multis eorum dotibus simus inferiores : animâ verò adeò diuinitatis sumus capaces, vt eam proximè naturâ immortali liceat accedere. Singularis est illius substantia, seiuncta ab his visitatis notisque elementis, incorrupta, quæ corpore veluti carcere inclusa, sui generis non immemor, cuncta agitat immota, celeritate mirabili. Vis eius excellentior in arce capitis inhabitat, tribus conspicua facultatibus, quæ per totam cerebri substantiam diffusæ, nullam præcipuè partem eius, edendis functionibus affectant. Vis memoriæ incredibilis! An cerebrum quasi cera imprimitur, & in eo rerum omnium vestigia signata sunt? Phantasia rationis imitatrix eò nonnumquam deuenit acuminis in brutis, vt admiratores sui reperiat, qui malint eorum vitæ breuitatem amplecti, quàm in suæ partem immortalitatis vocare. Mens verò summa hominis perfectio, cœlum imitatur vnde profluxit, gaudet motu, spargitur, vagatur, non multitudine non vehementiâ phantasmatum offenditur, multa intelligit absque corporeo famulatu, se ipsam intelligit, prorsus ex harum functionum nobilitate se vindicet ab iniuriâ mortalitatis.

**C**ORPVS altera pars hominis ignobilior, quod natura fert in omnibus rebus quarû origo terrestris, perpetuo in occasum decursu ruit, intestinâ calamitate, quam nulla humana industria potest effugere, Hæc est vicissitudo rerum quæ cœli ambitu continentur, vt stante hâc quæ quondam siderum vniformitate, in omnibus regionibus, non terræ semper eadem fertilitas, non plantis animalibusque similis vigor, nec homini quibusdam temporibus vel ætas tam longa vel statura tam vegeta ; vt nullus maneat certus atque constitutus ordo, nisi quod cuncta æqualibus iustisque regulis oriantur & occidant, ortus vnius alterius interitum excipiat, & dum mori creduntur reddantur immortalia. Quod vnum etiam caduco corpori concessum est, vt pari modo adolescens & senescens, indefessâ tamen nec auis peiore sui propagatione, animæ quodammodo æmuletur æternitatem : Præmium ingens quod ei dependit anima pro hac in terris habitatione, nempe viuentis corporis origo est, insita semini, illud eius virtute generat, crescit, viget, vbi natiuum calorem moderatur, qui tamen dum gaudet ac iucundè fruitur humidi commercio, dissipat eius substantiam, quâ sublatâ pariter ipsum tolli necesse est vnà que simul animal interire.

**P**RIVSQVAM tamen ad exitum perducatur corpus, è tenui ductum paruóque rudimento, per varios ætatum gradus ità venit ad summum, vt deinde paulatim deficiens senescat atque redeat eò vnde illi exordium fuit. Ætas prima mollis, in quâ vegetans virtus & humiditas præcellit; hinc sensus minus acuti, primúmque temporis munus, quadrupedum more repere, hinc anno septimo vix absoluta loquendi integritas; Cùm ecce paulò validius redditum corpus, aureû pubertatis florem fundens, generatione seminis meminit se ad interitum properare. Non ea tunc, quæ prioris ætatis innati caloris vbertas inest, quæ sensim imminuta, corpori tamen incrementum præbet ad vigesimum quintum ætatis annum, quo tempore magis prolificum semen : Inde longius procedens acrior euadit; hinc in iuuenibus regnat vigor sensuum, summáque corporis perfectio. Accedit constans ætas, occultæ diminutionis tempus : subsequitur mox ea quæ ad manifestum nos interitum præcipites agit, hebescunt in eâ sensus, membra torquentur, ciborû instrumenta obsolescunt; vt sit hæc viuendi meta naturalis octoginta annis circunscripta, quos qui transmiserit, idé illi euenit quod quadrigis & stadiodromis vltra destinatû procurrentibus.

**A**T inoffenso pede anima vicissitudines illas decurrit, cuius præcipua facultas mens scilicet ab omni materiæ commercio expedita semper micat, interdum ludibriis sensuum perculsa, non ità tamen quin eorum ministerio vacans, illustrior appareat, vt cùm in somnis corpore quieti tradito, ad interiora domus penetralia se se recipiens inquieta vigilat; hinc de futuris etiamnùm aliqua fides & occulta studia, mores, humores, morbi apprimè reuelantur; non videtur anima naturæ suæ magis compos, quàm cùm à corporis curâ liberatur, aut leuiori factâ sarcinâ, velut rimosæ domus diuulsis hinc inde parietibus clariores excipit luminis tractus. Quibus præcellens ingenium iis corpus imbecille, hoc contrariâ prorsus ratione sensim deficit ab summo vigore, illud ab obscuris ductum principiis ad apertam claramque lucem, processu temporis traducitur. In pueris illius vsura ferè nulla, alioquin maturè magnum ingenium vitale non est ; flos ætatis periculum mentis : proximum senectuti tempus ad summam prudentiæ vim accedit : ità semper anima cum terrestri mole pugnat, vt cum eâ coniunctim viuere sine assiduo bello, dirimi nequeat sine maximo cruciatu.

**C**ONDIMENTVM omnium ætatû senectus, in quâ parum fœlici coniugio, robustum ingeniû cum corpore copulatur, obnoxio quidem morbis penè continuis, sed cuius incommoda compensat vnica prudentia. Præclara facies & lacertorum robur dilapsa sunt, at viget illa generis humani moderatrix virtus : Animi imperium est, corporis seruitium ; teritur hoc, augetur verò in dies cum ætate consilium virtusque maturescit; Ità nempe contraria est iuuentuti senectus, vt in pomis acerbitati maturitas. Bonarum artium atque disciplinarum peritia adolescentis est, prudentiæ laus solius senectutis, quæ si nulla fuisset, nulla etiam ciuitas extitisset : vt in senectute demùm perficiatur intelligendi vis, quemadmodum manus opeâ vti non possumus statim ab ipsis ortus nostri principiis, sed vbi à natura absoluta est, sic illa virtus animæ, nisi aliquo detrimento lacera læsaque sit, eo tempore potissimùm consummatur : Quando residit ille sanguinis feruor defœcatiores spiritus oculo mentis rerum species manifestiùs subiiciunt, qui tùm maximè acutè cernere incipiens penè liber ac solutus, quasi funeratis omnibus corporis partibus, facultates quibus ad intelligendum instructus est, nobilissimas exerit.

*Ergo non vt corporis sic animæ senectus.*

---

Proponebat Lutetiæ **CLAVDIVS PERRAVLT** parisinus. A·R·S·H·M·DC·XXXIX·

### DOMINI DOCTORES DISPVTATVRI.

| | | |
|---|---|---|
| M. Claudius Seguyn, Prof. Reg. | M. Petrus Guenaut. | M. Ioannes Riolan, Prof. Reg. & prim. Reg. Mattis Med. |
| M. Simon le Lettier. | M. Nicolaus Brayer. | M· Michael Toutain. |
| M. Sebastianus Rainssant. | M. Cyprianus Hubaut. | M. Simon le Tellier, Med. Reg. |

17. *Cl. Perrault, « An ut corporis sic animae senectus ? », thèse quodlibétaire (1639), in* Recueil de thèses de médecine, Ars. Fol. SA 940, t. 2, nº 128.

# QVÆSTIO MEDICA,

## QVODLIBETARIIS DISPVTATIONIBVS MANE DISCVTIENDA

### IN SCHOLIS MEDICORVM, DIE IOVIS XVII. NOVEMBRIS,

### M. IACOBO MANTEL Doctore Medico, Præside.

*An diuturno capitis artuumve Tremori ab obstructione, Cauteria?*

**A** RS pleraque omnis eò felicior est, quò vsus & experientia illius ad rectam rationem propius accedunt, extra quam cònantibus apud nos quidpiam, malum quod illi metent & ægri nec meriti subeunt, semper expectandum: Adeò falsum est eum quem Rationalis industria non restituerit, temeritatem adiuuare: In ipsis quippe morbis nihil sibi vindicat illa prosperitatis, neq; Fortuna rerum inanis & Fabula. Vt minus iam mirum sit de frequenti morborum curationis infelicitate, cum quiduis potius quam Methodum habeant cordi nonnunquam vel Medicorum filij, alceæ puta radicem ex aquâ mulsa epotandam balnearesve Thermas, aut ex hyænâ litum Tremulis; atque aliis alia eiusmodi deliramenta inconsultè ac sine ratione præcipientes.

**L** VDICRA quis censeat Tremulos inquietari valetudine: dicamne miserâ? qui summam liberæ Mentis Arcem atque suos artus sponte vibrent ac inuitiùs: nequeunt enim sibi non facessere id negotij, neque votis coërcere quod in se maximè putes esse. Vident meliora probantque, deteriora sequuntur. Extollit partem vis alterna sine morâ delabentem, vt ἀκωθείας monimentum salisatione quadam repræsentet ἐκπληξις illa. Ratio Tremoris est vnica: quo prehensis hoc vsque contingit, vt rem incompositam seruent compositè: aut si quando placidè quiescant; id tantùm sit vbi se componunt & resident. Ac vt familiares & quasi proprios quæuis Ætas habet morbos, eoque nomine securiores; sic & illum sæpius veluti postliminio reuertentem, suo sibi iure asserit Senectus.

**T** REMOR igitur est assidua & æqualis lucta inter Corpus & mouendi Facultatem, quæ vitiosis obsessa succis frustra tendit imperare, cum assurgens vsque gemat sub pondere ac ei statim summittatur: Vt i ducto contentionis fune perpetuo, Belloque nullis inducijs nedum pace interserto, vincat & vincatur. Affectus eiusce sociorumque membris musculosis plus quam cuiquam infestorum causas expiscari labor est, vt & explicare. Omnium quis forsan humorum promiscuè obtrudet copiam iuxta cum imbecillitate virtutis: Sed ἔν τι πάντα ὡ ἐξ πάντων: nec crediderim vnquam infirmitatem istam in insitas ac vernaculas Animæ proprietates irruere posse. An præcipuum ferat in hoc punctum biliosus ichor, qui totâ tremente & infirma fusus parte crassescensque, spirituum quidem commeatum atque libertatem impedat, proritet etiam acritudine quadam, ac velut lacessendo irrequietum impellat ad opus?

**V** T riuus à fonte, foliorum humor à radice; sic Continens morbi causa manat ab Antecedente. Quale caput est, inquit ille, talis præstatur & sapor. Hinc Tremori obsistere satagenti, venis illam exhaurire atque fundum repurgare necesse est: tumque demum Cauterijs inio admotis ac humeris, imò etiam & tibijs, caput atque artus istâ subleuare. Est enim Cauterium vlcus quoddam vicem gerens emissarij canalisue, arte nostra excitatum à recomburente ad ichores educendos & vapores. Vti pateat in Tremore hoc Naturam flagitare, quæ imis videlicet sedibus corporis ad summa pulset illuuiem, vnde nempe duci possit ac facilè corriuari. Sic nirium & palati; sic aurium ductus ope, caput multis impetitum atque fartum recrementis, non minimis opportunè, sed & propè similibus subducitur affectibus.

**S** APIENS in hoc est Medicus, quod Naturam optimam ducem, tanquam Deum, insequitur, quæ industriâ planè mirabili, vlcera possessis altè suffusa medullis alicubi corporis ad molitur, vt liceat reliquis securum viuere membris. Vnde colligas, quantum arrideat ipsi hoc genus præsidij, quod tenues simul & crassos sensim sine sensu egerat humores. Quot insuper quæso, annumeres qui longùm à metâ mortis ad lucem, Fonticuli beneficio reuocantur? Vt magis iam confidam impeditos Tremoribus locos, Pyroticis ex crebris, quibus quotidie virus omne expellatur, leuamentum habituros. Mundo non abs re collatus est Homo, cum in eo nihil penè (siue secundum id Naturam esse putes, siue præter ipsam) quod in isto non notetur. Quid autem terræ motui seu Tremori compescendo (alia mitto) frequentibus ad calorem vaporandum cuniculis, specubusque ac puteis ad eluuiem excauatis, quæ Pyroticorum partes agunt, Sapientiores inuenêre præsentius?

*Ergo diuturno capitis artuumve Tremori ab obstructione, Cauteria.*

Proponebat Lutetiæ **CLAVDIVS PERRAVLT** Parisinus. A R S H M DC XXXIX.

### DOMINI DOCTORES DISPVTATVRI.

| | | |
|---|---|---|
| M. *Gilbertus Puylon.* | M. *Hugo Chasles.* | M. *Carolus Bouuard*, Primarius Regis Christianiss. Medicus. |
| M. *Victor Pallu.* | M. *Nicolaus Heliot.* | M. *Quirinus le Vignon.* |
| M. *Georgius Ioudouyn.* | M. *Ioannes Vacherot.* | M. *Dionysius Guerin.* |

18. *Cl. Perrault, « An diuturno capitis artuumve tremori ab obstructione, cauteria ? » (1639), in* Recueil de thèses de médecine, *thèse Ars. Fol. SA 940, t. 2, nᵒ 133.*

*19. A. Bosse, le clystère.*

Pour le doctorat est tout d'abord exigée la thèse de vespérie qui porte sur un sujet imposé au candidat. A la fin de l'année 1641, Claude Perrault doit ainsi disserter sur le thème : Convient-il au médecin de se marier ? De voyager ? Cet obstacle franchi, la thèse de doctorat proprement dite fait plutôt figure de formalité. Elle porte sur un sujet généralement banal. Claude Perrault soutient la sienne fin 1641 également sur le thème : Est-il permis au médecin d'abandonner un malade ? De convenir d'honoraires avec lui [8] ? Reçu docteur, il ne lui reste plus qu'à effectuer l'acte de régence en présidant la thèse d'un de ses cadets pour être considéré comme membre à part entière de la Faculté.

Le 6 février 1642, Perrault préside ainsi la thèse quodlibétaire de Jean Le Prévost [9] ; il devient du même coup docteur-régent de la Faculté de Médecine de Paris, un titre qui sanctionne de sept à huit ans d'études au minimum. Il est désormais appelé à élire le doyen et les professeurs, et il est lui-même susceptible d'occuper un jour ces fonctions au même titre que n'importe lequel de ses pairs [10]. Après avoir brossé à grands traits les principales étapes de cette formation médicale si longue et si complexe avec sa succession d'épreuves qui composent une sorte de parcours initiatique, il reste à s'interroger sur ce que Claude Perrault a pu concrètement en retirer.

20. *A. Bosse, le chirurgien ou la saignée. Deux scènes auxquelles reste attachée l'idée que l'on se fait de la médecine du XVII<sup>e</sup> siècle.*

Comme on a déjà eu l'occasion de le souligner, c'est sans doute à ses études de médecine que Claude Perrault doit sa bonne connaissance du grec et du latin qui lui permettra de traduire Vitruve. Les médecins forment en effet une communauté cultivée où les savants ne sont pas rares, comme en témoignent leurs bibliothèques souvent assez riches [11]. Cette communauté est d'autre part très fermée. Le coût énorme des études — plus d'un millier de livres [12] — ainsi que leur difficulté intrinsèque se conjuguent avec une politique étroitement corporatiste pour limiter le nombre des candidats reçus au doctorat. On ne compte guère qu'une centaine de docteurs parisiens au cours de la seconde moitié du XVII<sup>e</sup> siè-

cle [13] ; ce faible nombre en dit long sur le prestige qui s'attache au titre.

Les médecins du Grand Siècle n'en font pas moins l'objet d'attaques parfois violentes qui vont de l'accusation traditionnelle d'impiété, à laquelle tente par exemple de répondre un Charles Lussauld dans son *Apologie pour les médecins* [14], à la dénonciation des insuffisances de leur savoir et surtout de leur attachement aveugle à la tradition. C'est sur ce dernier point que l'affrontement est le plus vif. Pour comprendre les enjeux en présence et mieux évaluer par conséquent les atouts et les faiblesses de la formation médicale, il n'est pas inutile d'évoquer rapidement les positions en présence.

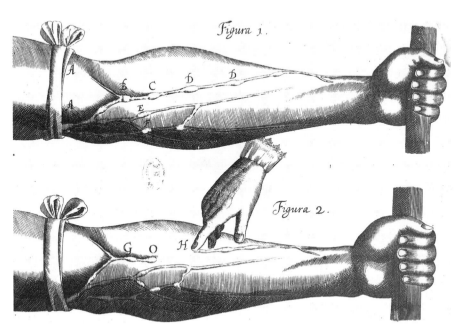

21. *W. Harvey*, De motu cordis *(1628), l'expérience de la ligature du bras. Le sang qui remonte vers le cœur fait gonfler les veines au-dessous de la ligature.*

## La médecine du Grand Siècle, entre la tradition et le renouveau

La médecine du XVII<sup>e</sup> présente un tableau contrasté. Les savoirs traditionnels se trouvent tout d'abord remis en cause par des découvertes fondamentales au premier rang desquelles figure bien sûr la circulation sanguine exposée par William Harvey dans son *De motu cordis* de 1628. Jean Pecquet ruine ensuite l'ancienne théorie qui faisait du foie la fabrique du sang avec la découverte du canal thoracique ; l'investigation anatomique et physiologique progresse également avec Sténon, Malpighi ou Willis. En dépit de quelques réussites individuelles comme celle de Pecquet, la France n'est pas au premier rang de ce mouvement, loin s'en faut, mais un nouvel esprit médical capable de tirer parti des données fournies par le raisonnement et l'expérience se recherche tout de même au travers d'initiatives privées comme le Bureau d'adresses de Renaudot ou grâce à des institutions comme le Jardin du Roi ou l'Académie des Sciences [15].

Ce bouillonnement intellectuel trouve sa contrepartie dans l'attachement farouche de nombreux médecins à l'héritage hippocratique et galénique, à la doctrine des tempéraments et des humeurs. Raillés par Molière avec son Diafoirus ou par Boileau dans son *Arrêt burlesque*, les adversaires de la circulation du sang et des autres « prétendues découvertes du siècle » ne manquent pas. On relève parmi eux les noms de Jean Riolan, Gui Patin ou François Blondel qui incarnent une certaine conception de l'orthodoxie médicale [16]. Cette conception règne longtemps sans partage sur la Faculté de Médecine de Paris, beaucoup plus conservatrice que sa grande rivale de Montpellier dont sont issus Renaudot, Cureau de La Chambre ou Pecquet [17]. S'ils n'ont pas le droit d'exercer à Paris en théorie, les docteurs de Montpellier ont leurs entrées à la Cour et ils occupent des positions solides au Jardin du Roi [18], ce qui leur permet de battre en brèche l'autorité de la Faculté de Paris.

L'opposition entre traditionalistes et rénovateurs, entre anciens et modernes, se voit ainsi redoublée par toute une série de clivages, entre parisiens et montpelliérains, entre la Faculté et des institutions de création plus récente comme le Jardin du Roi et bientôt l'Académie des Sciences. Au cours de la seconde moitié du XVIIᵉ siècle, l'affrontement va progressivement tourner à l'avantage des partisans des nouvelles découvertes. La nomination de Dionis en 1672 comme démonstrateur de l'anatomie de l'homme suivant la circulation au Jardin constitue à cet égard un événement clef. Le succès immédiat de ses démonstrations publiques prouve qu'à cette date, la bataille de la circulation sanguine est presque entièrement gagnée [19].

On ne saurait réduire toutefois les alternatives en présence à une simple opposition entre traditionalistes et partisans du changement. Les modernes sont en effet loin d'être unanimes dans leurs choix et leur parti se compose de factions parfois très différentes. Quelle distance par exemple entre le pragmatisme d'un Pecquet et le systématisme des iatro-mécaniciens comme Borelli ou Baglivi qui cherchent à expliquer mécaniquement la constitution et les mouvements de l'organisme comme l'avait déjà tenté Descartes dans son *Traité de l'homme* publié en 1664 [20]. Entre l'école iatro-mécanique et les iatro-chimistes comme Willis ou Duncan qui raisonnent plutôt en termes de fermentation, de combustion et de déflagration, les divergences sont non moins importantes [21]. Il est en définitive difficile d'opposer simplement partisans et adversaires de la circulation sanguine comme on serait parfois tenté de le faire.

Au plan professionnel, les enjeux sont tout de même un peu plus clairs. Très schématiquement, les anciens se réclament d'une médecine conçue plutôt comme un art d'aider la nature que comme une violence exercée sur elle, un art par essence libéral, nourri d'humanités et de belles-lettres, presque autant que de connaissances pratiques. C'est parce que la médecine est un art libéral qu'il ne saurait être question pour celui qui l'enseigne de se souiller les mains en manipulant par exemple un cadavre devant les étudiants. Ce type de médecin lettré trouve une expression caricaturale en la personne de François Blondel, ancien doyen de la Faculté qu'il ne faut pas confondre avec son homonyme de l'Académie d'Architecture, dont Guillaume Lamy trace un portrait au vitriol dans ses *Discours anatomiques* de 1675.

« L'un s'appelle M. Blondel, c'est un de nos plus anciens docteurs, qui passe pour savant chez quelques-uns. Il a beaucoup lu, et sa mémoire est fort heureuse. Il sait fort bien décider, s'il faut lire un mot grec ou un autre, dans Hippocrate et dans Galien. Il les idolâtre en telle sorte qu'il ne veut entendre parler que de ce qu'ils ont dit ; et que les vieilles erreurs sont plus de son goût que les vérités nouvelles. (...) Il a une très grande inclination pour enseigner sans aucun intérêt et sans qu'il y soit obligé. Je vous assure que je l'ai vu se donner la peine de venir tous les jours de la porte Saint-Denis à nos écoles, pour un seul écolier, qui le quitta enfin, parce qu'il n'était pas assez savant pour l'entendre, et que l'hébreu et le grec dont ses discours étaient remplis, étaient pour lui des langages point ou peu connus. Il est vrai que ce Monsieur est très curieux des étymologies, et tâche de ramasser dans ses traités tout ce qu'il a lu autrefois. De façon que dans un livre qu'il voulait faire du vomissement, et des remèdes émétiques, il donna une préface de la chimie ; et pour en trouver l'auteur, il remonta jusqu'au-delà du Déluge, et fit une question, savoir si Tubalcain en avait été l'inventeur ; parce qu'il est dit de lui au 4. chap. de la Genèse, qu'il faisait des ouvrages de cuivre et de fer [22]. »

A ce personnage poussiéreux s'oppose selon Lamy un médecin comme Nicolas Liénard, partisan des idées modernes et auteur entre autres d'une *Dissertation sur la cause de la purgation* dans laquelle il pourfend ceux qui « contre le premier précepte du Décalogue des savants se font une autre divinité que la vérité, et qui pour adorer la fausse antiquité, dressent des autels à cette idole, négligeant le culte qu'ils doivent à la première déité des habiles gens [23] ». Le ton est très proche des *Nouvelles conjectures sur la digestion* publiées dès 1636 en français par Marin Cureau de La Chambre [24]. Mais la remise en cause du statut traditionnel du savoir et de la pratique médicale conduit surtout à se poser toute une série de questions auxquelles il n'est pas toujours possible de répondre. Quels rôles doivent respectivement jouer les raisonnements, les systèmes et l'expérience ? Quel doit être le contenu du savoir médical ? Une science du vivant est-elle envisageable ? Quelles seraient dans ce cas ses modalités d'application ? Ce qui se dessine également à beaucoup plus long terme, c'est une redéfinition radicale de la médecine échappant à la distinction traditionnelle entre arts libéraux et arts mécaniques, c'est la possibilité d'une médecine à la fois plus assurée de ses concepts et de ses hypothèses et plus manipulatoire, plus interventioniste, plus technicienne en un mot. La mise en crise du médecin lettré annonce en définitive le médecin scientifique et clinicien qui va mettre un peu plus d'un siècle à s'imposer.

## En marge des grandes querelles

Il est temps d'en revenir à Claude Perrault, aux bénéfices qu'il a pu retirer de sa formation et à ses conceptions médicales. C'est probablement à ses études passées à étudier les auteurs anciens, à commenter et à argumenter, que Perrault doit une partie de son agilité intellectuelle, agilité qui verse parfois dans la ratiocination lorsqu'il tente de défendre à tout prix une hypothèse difficilement soutenable. En même temps, les limites bien réelles de cette formation sont certainement à l'origine de sa prise de conscience des absurdités auxquelles conduit l'adoration de « la fausse antiquité » et de son agacement devant de tels errements. On ignore toutefois à quelle date Perrault a été converti aux idées de Harvey — son silence sur ce point est total — et on est assez généralement frappé par la discrétion qu'il a observée toute sa vie durant à l'égard des grandes querelles agitant le milieu médical.

Si Perrault est selon toute probabilité partisan de la circulation dans les années 1650, il n'en fait semble-t-il pas une question de principe, puisque chargé d'enseigner la physiologie à la Faculté en 1651-1652, il ne s'attire aucune remarque déplaisante du doyen Gui Patin, adversaire déclaré des thèses d'Harvey [25].

On retrouve cette même discrétion au moment où la querelle de l'antimoine connaît ses ultimes développements. Perrault ne figure pas dans la liste des soixante et un docteurs qui certifient officiellement les vertus du médicament le 26 mars 1652 au mépris des positions traditionnelles de la Faculté, hostile à la médecine chimique des montpelliérains [26]. Sans être le moins du monde hostile à l'emploi du vin émétique, il ne semble pas non plus être intervenu directement dans le procès opposant Jacques Thévart à François Blondel sur cette même question quelques dix ans plus tard [27].

Son silence, lorque éclate la querelle de la transfusion, est non moins étonnant. Évoquée pour la première fois à l'assemblée de Montmor par le bénédictin dom Robert des Gabets en 1658, l'opération avait été tentée sur un chien en

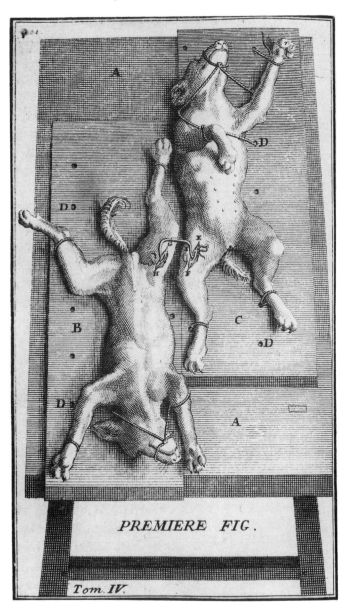

22. *Cl. Perrault*, Essais de physique *(1680-1688), transfusion mutuelle de deux chiens.*

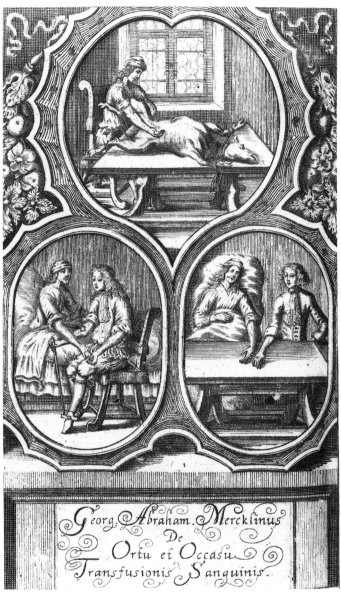

23. *G.-A. Merckin,* Tractatio med. curiosa de ortu et occasu transfusionis sanguinis *(1679). Le frontispice de l'ouvrage illustre différents types de transfusion entre un homme
et un animal, entre un homme bien portant et un malade.*

Angleterre par Richard Lower en février 1665 [28]. Deux ans
plus tard, Claude Perrault et son collègue Louis Gayant de
l'Académie des Sciences, réalisent la transfusion mutuelle de
deux chiens, sans toutefois rendre publiques leurs conclusions.
La question ne devient vraiment sérieuse qu'avec la première
transfusion du sang animal à un être humain effectuée en
1668 sous l'égide de Jean-Baptiste Denis. Le patient, un fou
nommé Antoine Mauroy, meurt peu après et sa veuve intente
un procès retentissant aux médecins [29]. Guillaume Lamy et
bien d'autres interviennent avec fougue dans le débat [30], mais
on est surpris par la réserve de Perrault qui avait tout de
même été l'un des premiers expérimentateurs français. Ce
dernier ne publiera ses conclusions, nettement défavorables
à la transfusion, que vingt ans plus tard, au tome 4 de ses
*Essais de physique* [31]. Là encore, il semble avoir voulu éviter
toute polémique.

Cette attitude lui est sans doute dictée par un sentiment de
prudence d'autant plus légitime que les nouvelles découvertes,
les remèdes miracles ou les opérations comme la transfusion
n'ont guère d'impact sur la pratique quotidienne de la
médecine qui reste bien incertaine. On mesure assez bien
cette incertitude en observant Claude Perrault soigner son
frère Jean à Bordeaux en alternant saignées au bras et au
pied, bouillons et laxatifs, en le voyant conférer avec les
médecins de la ville, hésiter à lui appliquer les ventouses
quoique le procédé soit fort en usage en Espagne et que le
tempérament de son frère soit assez proche de celui des
espagnols, et pour finir essayer un curieux remède consistant
à lui appliquer un pigeon éventré sur le cœur [32]. Quelle
distance entre cette collection de recettes empiriques et les
grands systèmes dont discutent gravement les cénacles savants.
En dépit des soins qui lui sont prodigués, Jean Perrault
s'éteint en quelques jours sans que la marche de sa maladie
ait pu être contrôlée, ne fût-ce même qu'un moment, par
la médecine impuissante de son temps.

Claude Perrault était-il un bon médecin ? Boileau, encore
lui, a semé le doute dans les esprits en évoquant les soins
désastreux qu'il lui aurait prodigués dans sa jeunesse.

« Il est vrai que lorsque j'étais encore tout jeune, étant
tombé malade d'une fièvre assez peu dangereuse, une de
mes parentes chez qui je logeais, et dont il était médecin, me

24. *Portrait de Claude Perrault revêtu des insignes du doctorat donné par Charles Perrault à la Faculté de Médecine en 1692. Les principaux ouvrages scientifiques de l'académicien figurent à l'arrière-plan, mais l'accent est également mis sur son activité architecturale avec la représentation de la colonnade du Louvre, de l'Observatoire et de l'arc de triomphe accompagnée de l'inscription : « Il a donné les dessins de ces trois édifices ».*

l'amena, et qu'il fut appellé deux ou trois fois en consultation, par le médecin qui avait soin de moi. Depuis, c'est-à-dire, trois ans après, cette même parente me l'amena une seconde fois, et me força de le consulter sur une difficulté de respirer que j'avais alors, et que j'ai encore. Il me tâta le poul, et me trouva la fièvre, que sûrement je n'avais point. Cependant, il me conseilla de me faire saigner du pied, remède assez bizarre pour l'asthme dont j'étais menacé. Je fus toutefois assez fou pour faire son ordonnance dès le soir même. Ce qui arriva de cela, c'est que ma difficulté de respirer ne diminua point, et que le lendemain, ayant marché mal-à-propos, le pied m'enfla de telle sorte, que j'en fus trois semaines dans le lit. C'est là toute la cure qu'il m'a jamais faite, que je prie Dieu de lui pardonner en l'autre monde [33]. »

On reconnaît dans ces quelques lignes une veine satirique assez répandue au XVIIᵉ siècle s'agissant de la médecine et des médecins. Dans sa correspondance avec Willart, Arnauld regrettera le traitement infligé à son « ami particulier » le médecin, traitement tout à fait injuste selon lui [34]. Il paraît de toute manière difficile de conclure à l'habileté ou à la maladresse de Claude Perrault au vu des rares témoignages que l'on possède de son art. Une chose est sûre en tout cas, il a joui toute sa vie de l'estime de la Faculté qui accrochera d'ailleurs son portrait avec ceux de ses plus illustres membres après sa mort, comme le fera remarquer Condorcet, peu convaincu par les sarcasmes de Boileau, dans ses *Éloges des académiciens* [35].

Professeur de physiologie en 1651-1652, professeur de pathologie en 1653, Perrault intervient vers la même époque dans de nombreuses soutenances de thèses [36]. Mais comme le note Hazon dans sa *Notice des hommes les plus célèbres de la Faculté de Médecine*, son « génie », c'est-à-dire « cette disposition de l'âme avec laquelle on est né », l'entraîne déjà « dans des sciences d'un caractère sinon incompatible, du moins bien différent de la médecine [37] ». Après sa nomination à l'Académie des Sciences, il n'exercera plus aux dires de son frère Charles que pour sa famille, ses amis et les pauvres [38]. Un article du *Journal des sçavans* de 1675 relate par exemple la consultation qu'il donne dans la grande salle de la Faculté à une jeune fille sujette à « un vomissement de vers qui lui arrivait règlement tous les jours à une même heure avec de grandes convulsions [39] » — une étrange affection que l'on dirait sortie tout droit des *Contes* de Charles. Là encore, le remède qu'il préconise pour ceux qui sont tourmentés de la sorte : de l'eau froide et si possible de la glace, a de quoi surprendre un esprit moderne habitué à des ordonnances autrement plus sophistiquées.

Ce décalage entre les aspirations théoriques de l'époque et les moyens immédiatement disponibles explique peut-être pourquoi Claude Perrault a fini par se détourner de la médecine pour contribuer plutôt à la définition d'un nouveau champ de savoir sur la vie et ses manifestations. Par la suite, sa formation médicale, avec ce qu'elle suppose de reconnaissance implicite du caractère parfois inexplicable des forces vitales, l'empêchera tout de même de succomber entièrement aux séductions du mécanisme comme les sectateurs de Descartes. Le bizarre mélange d'animisme et d'explications mécanistes qui caractérise, on le verra, sa pensée, pourrait bien représenter une conséquence de son itinéraire.

# LES DÉBUTS
# D'UN SAVANT

## *L'institutionnalisation de la science*

La création de l'Académie des Sciences en 1666 constitue un tournant dans l'histoire de la science française qui s'allie durablement au pouvoir en échange de la reconnaissance de son rôle éminent et surtout de moyens de fonctionnement lui permettant de rompre définitivement avec l'amateurisme de la première moitié du siècle [1]. Cet amateurisme avait tout de même permis d'esquisser certaines caractéristiques du travail académique, comme l'accent mis sur l'évidence expérimentale ou l'importance de la discussion collective. L'Académie des Sciences recueille en réalité les fruits d'une longue évolution menant des réunions informelles du père Mersenne aux assemblées plus structurées de Montmor, Thévenot ou Bourdelot [2], une évolution tout à la fois intellectuelle et sociale qui voit l'émergence progressive d'une communauté scientifique capable de formuler clairement ses objectifs de recherche et surtout d'en négocier la réalisation auprès de l'État.

Dans les années 1630, le père Mersenne qui entretenait une abondante correspondance avec des savants de tous les horizons, avait appelé de ses vœux la mise en commun de leurs efforts au sein d'une académie des sciences dont le fonctionnement semblait être préfiguré par les séances qui se tenaient chez lui, réunissant certains de ses amis comme Desargues, Mydorge, Pascal le père ou Roberval [3]. Vers la même époque, les savants parisiens pouvaient aussi se rencontrer au Bureau d'adresses de Théophraste Renaudot [4]. Par la suite, François Le Pailleur, Henri-Louis Habert de Montmor, Melchisédech Thévenot allaient reprendre le flam-

beau, tandis que se faisait graduellement jour une conception plus exigeante, plus professionnelle de la science, comme en témoigne la critique dévastatrice portée en 1663 par le secrétaire de l'assemblée de Montmor, Samuel Sorbière, contre le dilettantisme de certains membres de son groupe [5]. En 1664, Thévenot devait quant à lui renoncer à organiser des réunions auxquelles il avait tenté de donner un tour de plus en plus expérimental, faute de pouvoir en supporter les frais [6]. Professionnalisation de la pratique scientifique, recours systématique à l'expérience et questions financières apparaissaient ainsi de plus en plus liés, même si l'académie Bourdelot fonctionnait encore sur des échanges principalement verbaux avec ses « conversations » hebdomadaires qui allaient se poursuivre bien après la fondation de l'Académie des Sciences [7]. Le recours à l'expérience triomphait par contre aux mercredis d'inspiration résolument cartésienne de Jacques Rohault qui connaissaient un vif succès [8]. Une vie scientifique plus intense qu'autrefois expliquait cette floraison quelque peu désordonnée d'initiatives.

Loin de se limiter à la France, ce mouvement était en réalité européen, puisque l'on voyait se multiplier de toutes parts réunions, salons et cercles animés d'une curiosité universelle. L'évolution vers une pratique scientifique mieux circonscrite se retrouvait également en Italie ou en Angleterre qui allaient fournir au mouvement académique ses premiers modèles, avec l'Academia dei Lincei fondée à Rome en 1603 par le prince Federico Cesi, avec l'Academia del Cimento de Florence fondée en 1657 par le Grand Duc de Toscane Ferdinand et surtout avec la Royal Society de Londres, dotée d'une existence officielle en 1662 [9].

*25. S. Leclerc, « L'Académie des Sciences et des Beaux-Arts », 6ᵉ état. Aucune activité ne doit rester étrangère aux académies patronnées par le Roi. Telle est bien la signification de cette gravure dédiée par Leclerc à Louis XIV et qui évoque aussi bien l'astronomie, la physique, les mathématiques, la médecine, l'anatomie et la botanique, que l'architecture, la peinture et la sculpture, sans parler des arts mécaniques représentés par une multitude d'engins de levage.*

La situation française est tout de même particulière. Les années 1660 voient en effet la prise en main par le jeune Louis XIV de l'ensemble des rouages de l'État ainsi que la mise sur pied d'une politique de largesses dans le domaine culturel destinée à glorifier le règne qui s'annonce. Conseillé par Chapelain, Colbert assume très vite la responsabilité de cette politique qui suscite de nombreux espoirs dans les milieux littéraires, artistiques mais aussi scientifiques.

Cette attente est par exemple sensible dans le « Projet de Compagnie des Sciences et des Arts », probablement élaboré vers la fin de l'année 1663 et communiqué à Huygens par des membres de l'assemblée de Montmor, qui préfigure les objectifs assignés par la suite à l'Académie des Sciences [10]. Selon les auteurs du projet, le but de cette Compagnie est « de travailler à la perfection des sciences et des arts, et de rechercher généralement tout ce qui peut apporter de l'utilité ou de la commodité au genre humain et particulièrement à la France [11] ». Pour cela, un programme comportant plusieurs volets est élaboré. Il comprend des observations astronomiques et géographiques, des expériences de physique, mais aussi l'étude du corps humain « pour pouvoir conserver ou rétablir la santé qui est la chose la plus précieuse de la vie [12] ». A côté de ces ambitions scientifiques, il est aussi question de contrôler les « arts » en étudiant les machines, en perçant à jour les secrets de métier et en les divulguant largement s'ils présentent de l'intérêt, en apprenant même pour les révéler au public « toutes les tromperies des artisans et des marchands et leurs sophistiqueries », afin d' « obliger les ouvriers à travailler plus fidèlement [13] ». Un tel programme présuppose on s'en doute une aide du Roi. En échange, la Compagnie pourra le conseiller utilement, s'agissant de déterminer les procédés les plus efficaces et les inventions les plus utiles [14].

Quelques caractéristiques de la future Académie des Sciences s'esquissent déjà. Le champ du savoir et de la pratique scientifique est tout d'abord partagé en deux secteurs que l'on retrouvera bientôt. Le premier embrasse les mathématiques et leurs applications à l'astronomie et à la géographie ; le second un ensemble de recherches au contour plus flou qui se rapporte au vivant sous toutes ses formes et qui fait appel à la chimie, à l'anatomie et bien sûr à la médecine. On retrouve là un diptyque auquel Descartes avait déjà été sensible, lui qui se proposait de déterminer les moyens de prolonger la vie humaine après avoir donné sa géométrie et son système du monde physique [15]. L'association étroite des objectifs de connaissance scientifique et d'une volonté de contrôle, voire même de réglementation de la production constitue une seconde caractéristique que Colbert tentera de conserver à l'Académie.

A côté de ces traits de physionomie, quelques thèmes généraux se décèlent également dans le « Projet de Compagnie des Sciences et des Arts ». L'obsession de la liste, du tableau, si bien analysée par Michel Foucault dans *Les mots et les choses* [16], est présente par exemple lorsque les auteurs se proposent de recueillir les dessins de toutes les machines, les propriétés de tous les matériaux travaillés par les ouvriers, ou encore l'intitulé de « toutes les inventions qui se sont perdues » et qu'il faudrait songer à retrouver, sans même parler de « tous les souhaits que les hommes ont jamais eu ou peuvent avoir sur quelque matière que ce soit, et de toutes les choses que l'on recherche depuis si longtemps sans les avoir trouvées » dont l'étude raisonnée devrait permettre de déterminer la possibilité ou le caractère irréalisable [17]. Cet espace du tableau sert on le voit de clôture : clôture de la connaissance qui se voit assigner à la fois son lieu et ses bornes, mais aussi clôture d'un progrès par essence limité par la combinatoire des possibles. L'utopie langagière n'est pas très loin de ce désir de la liste exhaustive qui pourrait s'assimiler à un vocabulaire dont il ne resterait plus qu'à rechercher la secrète syntaxe.

L'importance de la démarche analogique constitue un autre thème essentiel. Sans être forcément synonyme d'identité conceptuelle, l'analogie vient féconder l'espace de la liste ou du tableau en autorisant des transpositions et des manipulations de toutes sortes. S'il peut être par exemple utile de dresser la liste ou le tableau de toutes les machines, c'est « afin que les habiles y songent, et qu'ils tâchent par la mécanique ou par la chimie ou par la conférence de divers arts d'appliquer par analogie aux uns ce qui se pratique dans les autres [18] ». On retrouvera ce rôle heuristique de l'analogie dans l'œuvre scientifique de Claude Perrault qui reprend ainsi à son compte un principe dont la fécondité n'est plus à démontrer dans les arts, mais dont les conditions d'emploi restent à définir dans les sciences.

Ce beau programme tracé dès 1663-1664 semble appeler une mise en œuvre immédiate. Près de trois ans seront tout de même nécessaires pour que l'Académie des Sciences voie le jour. C'est que bien des incertitudes subsistent en réalité. Ces incertitudes sont dans une large mesure institutionnelles — quelles doivent être en effet la composition et les attributions de la compagnie à créer ? Pour les auteurs du projet de 1663 il s'agit de recruter des savants et des techniciens à l'exclusion des gens de lettres pour lesquels existe déjà depuis 1634 l'Académie française. Mais cette exclusion est-elle fondée ? Dans une note adressée à Colbert Charles Perrault se fait au contraire l'avocat d'une « Académie générale » composée « de personnes de quatre talents différents, savoir : belles-lettres, histoire, philosophie, mathématiques [19] ». Dans son esprit la nouvelle institution aurait dû englober l'Académie française et peut-être, en tant qu'« historiens », les membres de la petite Académie à laquelle il venait de s'intégrer. Il paraît probable que Colbert, séduit un moment par un projet qui cadrait bien avec ses ambitions rationalisatrices se soit finalement vu contraint d'y renoncer par suite de l'opposition des membres de l'Académie française peu désireux d'abandonner leur autonomie.

Au moment de la création de l'Académie des Sciences, il faudra également laisser de côté les techniciens tout aussi réticents à se laisser embrigader. Dans ce domaine, Colbert devra se contenter de la seule Académie d'Architecture créée en 1671 dans un dessein de contrôle de la production du bâti.

Dans les mois qui précèdent immédiatement la décision définitive, Chapelain, Charles Perrault, Auzout ou Carcavy jouent semble-t-il un rôle de tout premier plan. Finalement, en mai-juin 1666, Auzout, Buot, Carcavy, Frénicle, Huygens, Picard et Roberval sont désignés pour former une première classe d'académiciens « géomètres ». Quelques mois plus tard, Justel annonce à Oldenburg, le secrétaire de la Royal Society londonienne, la nomination de Cureau de La Chambre, Duclos, Gayant et Claude Perrault bientôt suivie de celle de Bourdelin, Marchant et Pecquet en tant que « philosophes » plus particulièrement chargés de l'étude du vivant [20]. Conformément à l'idéal d'ouverture d'esprit et de pragmatisme qui imprégnait le projet de Compagnie des Sciences et des Arts, les jésuites et les cartésiens de stricte obédience sont tenus à l'écart de la nouvelle institution au sein de laquelle les querelles théologiques et les débats philosophiques ne sont point de mise.

Le 22 décembre 1666, l'Académie se réunit pour la première fois à la Bibliothèque du Roi qui doit l'abriter jusqu'à ce qu'elle puisse disposer d'un local plus adapté à ses activités. Elle arrête un certain nombre de dispositions lui permettant de fonctionner. Deux réunions par semaine sont par exemple prévues, le lundi pour les géomètres et le samedi pour les sciences expérimentales. Il ne lui reste plus qu'à se définir un programme de recherche conforme à ce que l'on attend d'elle.

## Les projets pour l'anatomie et pour la botanique de Claude Perrault

Un tel programme est certainement plus facile à établir en mathématiques qu'en matière d'expérimentation sur le vivant. C'est à cette dernière tâche que s'attelle pourtant Claude Perrault avec son « Projet pour les expériences et observations anatomiques » et son « Projet pour la botanique » [21], soumis dès le 15 janvier 1667 à l'Académie, projets qui marquent véritablement ses débuts officiels dans la carrière scientifique. A cinquante-trois ans, Perrault a tout de même atteint depuis longtemps sa maturité intellectuelle, aussi ne faut-il pas s'étonner de la constance avec laquelle il reviendra par la suite sur certains thèmes qui s'expriment déjà dans ces deux courts mémoires.

Dans son « Projet pour les expériences et observations anatomiques », Perrault souligne tout d'abord l'importance des vérités « qui se cherchent par la contemplation et par la dissection du corps humain », avant de les répartir en deux catégories selon leur degré d'évidence. Ces vérités sont en effet de deux espèces : « les unes sont de fait, les autres peuvent être appelées des choses de droit. Ces premières consistent dans la connaissance de la structure des organes, les autres dans la découverte de leurs usages et de leurs actions [22]. »

La distinction entre vérités de fait et vérités de droit qui n'a rien d'original en toute généralité se révèle ici essentielle. Elle correspond grossièrement à la ligne de partage entre anatomie et physiologie. Concernant la « structure » des organes, les vérités de fait reposent principalement sur le témoignage de la vue et du toucher. Moins immédiates, les vérités de droit sont surtout tributaires du raisonnement qui suggère un certain nombre d'expériences destinées à confirmer ou à infirmer les hypothèses de travail du savant. Avec une remarquable clairvoyance, Perrault s'empresse de souligner l'intime liaison de l'évidence sensible et du raisonnement dans la démarche scientifique [23], mais la distinction du fait et du droit n'en subsiste pas moins. Elle évoque bien d'autres clivages sur lesquels il s'étendra par la suite, comme l'étrange contraste qui nourrit sa réflexion esthétique entre des beautés positives, d'essence presque tactile, et des beautés arbitraires

26. *Cl.* Perrault, Mémoires pour servir à l'histoire naturelle des animaux *(1671), frontispice par S. Leclerc représentant Louis XIV et Colbert rendant visite à l'Académie des Sciences. Toutes les disciplines auxquelles s'intéresse l'Académie sont représentées : astronomie, cartographie, mécanique, anatomie animale. La scène se passe au Jardin du Roi dont on aperçoit les parterres à l'extérieur. Une topographie fantaisiste permet de faire figurer également l'Observatoire en construction.*

susceptibles d'être raisonnées, même si l'accoutumance explique la plupart du temps leur origine. Le couple nature/institution n'est pas non plus sans lien, on le verra, avec l'opposition sur fond de complémentarité du fait et du droit, de l'évidence sensible et de son interprétation rationnelle.

Plus concrètement maintenant, Perrault passe en revue quelques-unes des questions que l'Académie pourrait se proposer de résoudre, comme la production du lait dans les mamelles ou les mécanismes de la conception et de la nourriture du fœtus. A tous les stades de l'investigation, les yeux et la raison doivent se prêter un secours mutuel. L'expérimentation apparaît précisément comme le fruit de leur collaboration, ainsi que Perrault tente de le montrer sur un exemple : le passage du chyle dans le sang [24].

Dans le « Projet pour les expériences et observations anatomiques », la liste des problèmes en suspens importe finalement beaucoup moins que la détermination d'un cadre d'étude et de méthodes de travail applicables au vivant dans sa diversité. Cet accent mis sur les méthodes explique aussi le caractère tout à fait prosaïque du développement sur les besoins matériels de l'Académie sur lequel se clôt le mémoire.

« Pour cela, il sera nécessaire de se pourvoir de sujets et d'instruments convenables et d'un lieu commode. Les sujets seront des cadavres humains et les autres animaux vivants. Entre les cadavres humains, celui d'une femme nouvellement accouchée ou qui est nourrice est surtout nécessaire pour la découverte des canaux qui portent la matière du lait aux mamelles, les autres serviront à chercher les vaisseaux lymphatiques qui n'ont point encore été vus bien distinctement que dans les brutes. Les animaux vivants sur lesquels on fera les expériences seront chiens, pourceaux, moutons, veaux, ânes, vaches, chevaux, etc. Les instruments sont une table anatomique, des scalpels, des araigues, ciseaux, équilles, marteaux, seringues, chalumeaux, sondes, éponges, vaisseaux à recevoir le sang avec les extraits chimiques pour les épreuves des coagulations, fermentations et effervescences ci-dessus mentionnées [25]. »

Des principes généraux de la recherche au catalogue des instruments de dissection, le premier mémoire de Perrault frappe par sa lucidité et par son réalisme qui semblent indiquer l'existence d'une réflexion déjà ancienne sur les conditions d'exercice de la science chez un homme qui est à bien des égards novice en la matière. On retrouve ces qualités et les interrogations qu'elles ne laissent pas de soulever dans le « Projet pour la botanique » qui vient compléter le mémoire précédent.

En matière de botanique, Perrault entrevoit selon Lucien Plantefol à la fois la systématique, l'organographie et la physiologie végétales [26]. La systématique et l'organographie se dessinent dans une histoire des plantes inspirée de Théophraste et conçue en fonction d'exigences de rigueur et d'économie de moyens dans les descriptions qui lui confèrent un caractère étonnamment moderne.

« Il y a deux manières de traiter l'histoire. L'une d'amasser par une compilation générale tout ce qui a été écrit sur ce sujet ce qui serait une entreprise plus grande que nécessaire. L'autre manière qui pourrait produire quelque chose de plus utile serait de faire un choix de ce que l'on jugera suffire à la parfaite connaissance de cette matière qui consiste à savoir bien placer les plantes chacune dans sa classe, et déterminer au juste leurs différences spécifiques et leur attribuer leurs propres noms, descriptions et qualités : ajoutant ce que l'on peut avoir découvert de nouveau et corrigeant les erreurs de l'Antiquité sur ce sujet [27]. »

Certes, on est encore loin du systématisme de la classification de Tournefort exposée dans ses *Élémens de botanique* de 1694 [28], mais le désir de rompre avec les descriptions redondantes et souvent inexactes qui s'exprime de la sorte indique clairement qu'une page sera bientôt tournée. En réclamant la poursuite de l'entreprise commencée par feu le duc d'Orléans qui consistait à étudier et à faire représenter au naturel diverses plantes, Perrault annonce d'autre part le grand dessein de l'histoire des plantes de l'Académie des Sciences dont se chargeront Duclos, Bourdelin, Marchant et Dodart [29]. Il regrette au passage que les racines aient été le plus souvent oubliées dans les peintures réalisées sur ordre du duc défunt [30]. Cette négligence courante à l'époque sera corrigée dans les descriptions contenues dans les *Mémoires pour servir à l'histoire des plantes* publiés en 1676 par Dodart au nom de l'Académie. Perrault est d'ailleurs remercié dans la préface de l'ouvrage pour avoir « beaucoup travaillé à confronter ces descriptions avec le naturel en présence de la Compagnie [31] ».

Dans le « Projet pour la botanique », la recherche des « causes » des plantes, qui comprend l'étude de leur génération, de leur nourriture et de leur accroissement — de leur physiologie en un mot — doit venir compléter leur histoire. A titre d'hypothèse, en débordant le cadre strict de la botanique, Perrault livre son interprétation de la génération des êtres vivants qui s'écarte à la fois de l'explication traditionnelle des médecins galénistes et de l'épigénèse mise à l'honneur par Descartes.

Pour les tenants de Galien, la structure éminement complexe des corps vivants était imputable à l'action d'une « faculté formatrice » renvoyant à une intelligence organisatrice souvent assimilée à Dieu par les hommes du XVIIᵉ siècle [32]. Dans son traité *De la formation du fœtus* publié à titre posthume en 1664, Descartes s'était nettement prononcé quant à lui en faveur de l'épigénèse, consistant en un processus de différenciation des organes au sein d'une semence homogène en fonction des seules lois du mouvement. En dépit de son indéniable séduction intellectuelle, cette dernière explication n'avait guère convaincu les contemporains et de nombreux cartésiens, à commencer par Regius, l'avaient abandonnée [33].

Pour Perrault qui tient à rompre avec les illusions entretenues par les anciens, il ne saurait être question de faire intervenir une faculté aussi mystérieuse qu'insaisissable. Comment expliquer d'autre part la complexité du vivant à partir des seules lois de la mécanique ? La solution qu'il avance consiste à imaginer que la génération des êtres s'opère par la nourriture et l'accroissement de germes qui pour être imperceptibles au départ n'en sont pas moins dotés de toutes les structures, de tous les attributs de l'organisme auquel ils vont donner naissance. La fécondation réside alors dans la rencontre de l'un des innombrables germes répandus de par le monde comme une sorte de pollen avec la liqueur propre à le nourrir, lui permettant ainsi de se déployer et de devenir visible à l'œil nu. Cette théorie sur laquelle on reviendra présente le mérite, non négligeable à l'époque, d'expliquer les phénomènes de la génération spontanée qui constituent une véritable énigme pour les savants. Elle s'exprime déjà tout entière dans le passage du « Projet pour la botanique » dans lequel Perrault feint d'examiner l'opinion d'Hippocrate « qui tient que ce

qui s'appelle génération n'est autre chose que l'accroissement de ce qui était déjà, mais qui ne paraissait pas encore ».

A partir de cette opinion, en effet, « quelques-uns fondent la pensée qu'ils ont que tous les corps organiques qui ont jamais été et qui seront ce que l'on appelle engendrés sont créés et actuellement formés dès le commencement du monde et qu'étant mêlés et confondus avec le reste de ce qui compose l'univers ils attendent l'occasion de recevoir vie par l'infusion d'une matière qui soit propre à les dilater et enfler, laquelle matière ils trouvent dans les semences qui ne servent pas à autre chose selon cette hypothèse qu'à préparer une humeur convenable pour s'insinuer dans un de ces petits corps qui d'imperceptible qu'il était (...) parvient à une grandeur capable d'avoir des conduits propres à recevoir et porter la nourriture, et exercer les autres fonctions par lesquelles il est dit actuellement vivant [34]. »

Au passage, la théorie de Perrault permet de régler, sans avoir l'air d'y toucher, la délicate question de l'intervention de Dieu postérieurement à la création dans la marche matérielle du monde, question qui fait l'objet de nombreuses controverses entre théologiens, philosophes et savants, surtout depuis que Descartes et ses successeurs ont prétendu écarter la providence de leurs systèmes du monde physique [35]. C'est une ambition du même ordre qui s'exprime dans le « Projet pour la botanique », quoique de manière beaucoup moins radicale que chez Descartes et les partisans de l'épigénèse, puisque pour expliquer la génération des êtres il n'est plus besoin de supposer l'intervention périodique du créateur par l'intermédiaire d'une quelconque « faculté formatrice ». Pour Perrault comme pour de nombreux savants rationalistes de son temps, Dieu est intervenu directement une fois pour toutes au commencement du monde, en créant notamment les germes ou « petits corps » dont sont issus les êtres vivants. Le reste, y compris l'apparition d'un nouvel organisme, ne regarde plus que les lois ordinaires du mouvement, sauf miracle bien sûr [36].

Conforme à l'idéal de neutralité de l'Académie des Sciences sur les questions théologiques et philosophiques, le « Projet pour la botanique » se contente d'effleurer ce problème d'une brûlante et dangereuse actualité. Délaissant l'étude de la génération du vivant sur laquelle il ne reviendra plus que

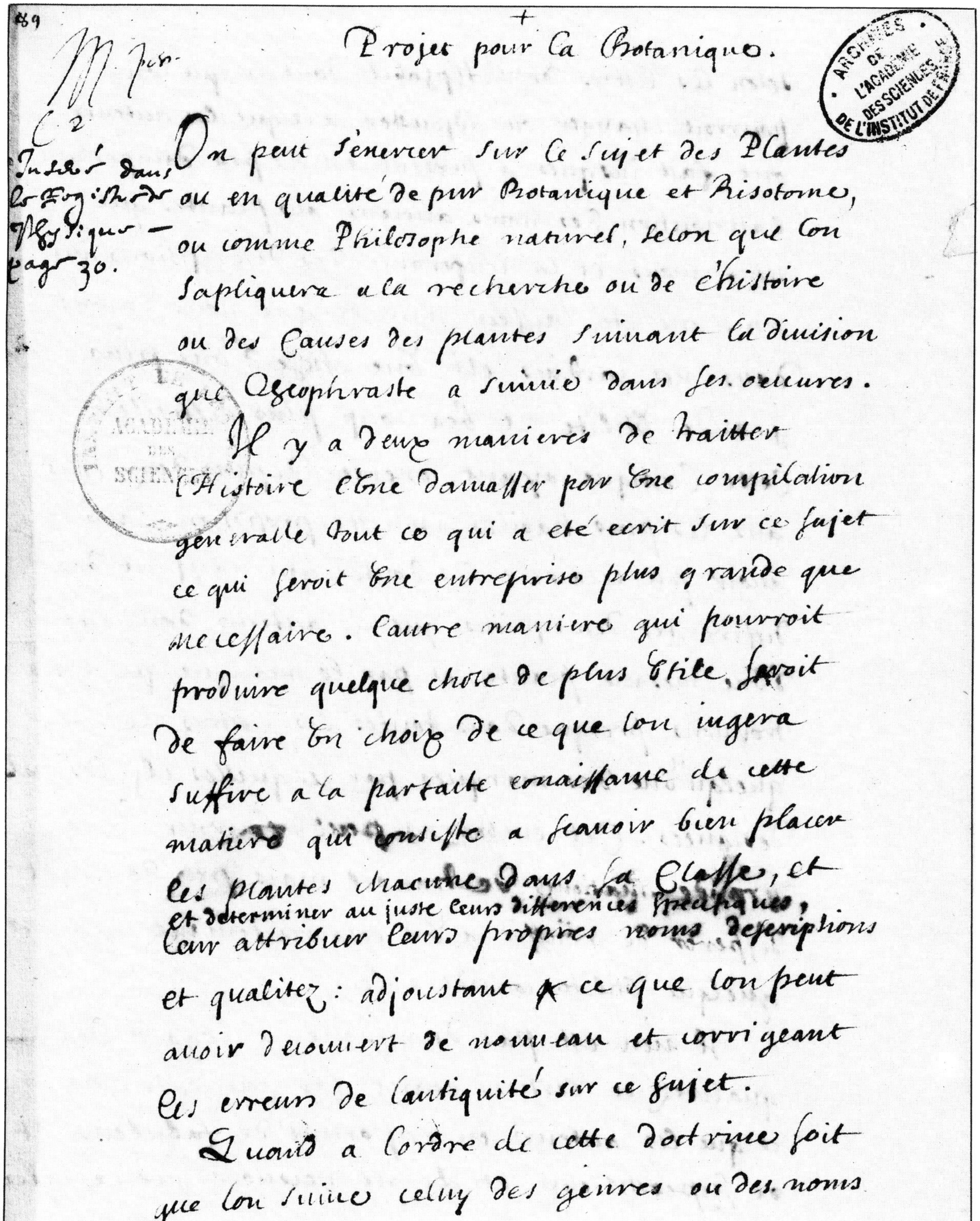

89

# Projet pour la Botanique.

Inseré dans
les Eg: Phis: du
Physique —
page 30.

On peut s'exercer sur ce sujet des Plantes
ou en qualité de pur Botanique et Risotome,
ou comme Philosophe naturel, selon que l'on
s'apliquera a la recherche ou de l'histoire
ou des Causes des plantes suivant la division
que Theophraste a suivie dans ses oeuvres.

Il y a deux manieres de traitter
l'Histoire l'une d'amasser par une compilation
generalle tout ce qui a eté ecrit sur ce sujet
ce qui seroit une entreprise plus grande que
necessaire. L'autre maniere qui pourroit
produire quelque chose de plus utile seroit
de faire un choix de ce que l'on jugera
suffire a la parfaite conaissance de cette
matiere qui consiste a sçauoir bien placer
les plantes chacune dans sa Classe, et
et determiner au juste leurs differences specifiques,
leur attribuer leurs propres noms descriptions
et qualitez; adjoustant a ce que l'on peut
auoir decouuert de nouueau et corrigeant
les erreurs de l'antiquité sur ce sujet.

Quand a l'ordre de cette doctrine soit
que l'on suiue celuy des genres ou des noms

27. *Cl. Perrault*, Projet pour la botanique *(1667), A.A.S. Pochettes de séances de 1667.*

48

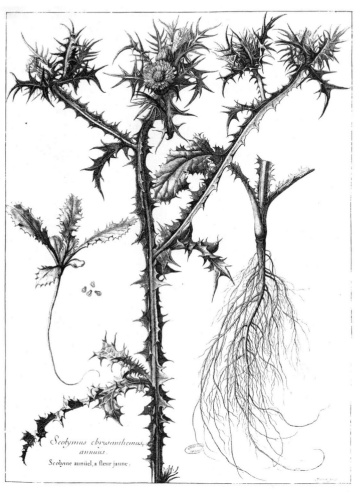

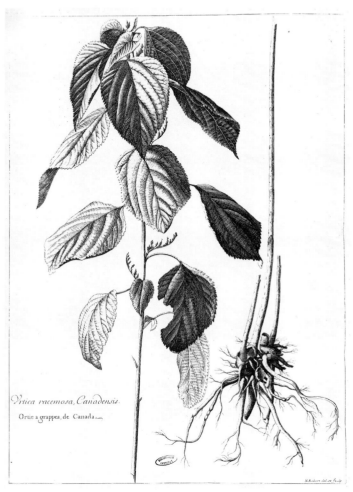

28. *D. Dodart*, Mémoires pour servir à l'histoire des plantes *(1676), scolyme annuel à fleurs jaunes par A. Bosse.*

29. *D. Dodart*, Mémoires, *ortie à grappes du Canada par N. Robert. Conçu comme le pendant des* Mémoires pour servir à l'histoire naturelle des animaux, *l'ouvrage de Dodart comporte la description d'une quarantaine de plantes.*

*30. D. Dodart,* Mémoires, *vignette de S. Leclerc représentant une expérience de chimie au Jardin du Roi. Dans le cadre de l'histoire des plantes de l'Académie, la description des différentes espèces devait être complétée par des analyses chimiques destinées à mettre en évidence leurs propriétés. Poursuivie pendant des années par le médecin Claude Bourdelin, l'entreprise se révèlera finalement une impasse.*

dans ses *Essais de physique*, Perrault s'interroge ensuite sur la nourriture des plantes déjà formées. Il est à ce propos l'un des premiers à faire l'hypothèse de la circulation ascendante et descendante de la sève en se fondant sur l'analogie classique entre le végétal et l'animal qu'il réactualise à la lumière des idées de Harvey.

« A l'égard de la nourriture et de l'accroissement, il y a aussi beaucoup de choses curieuses à examiner par des expériences et principalement la manière dont se fait la nourriture, à savoir si elle n'a point quelque rapport et proportion avec celle qui se fait dans les animaux [37] », peut-on lire sous sa plume. Il suppose alors que la terre fournit un suc nourricier préparé pour une part dans la racine, pour une part porté à sa dernière perfection au cours de sa circulation dans les fibres de la plante. Emporté par son argumentation, Perrault commet tout de même plusieurs erreurs. Il attribue d'une part à tort aux fibres une structure qui « équipolle à la structure des valvules qui sont dans les veines et dans les artères, et autres vaisseaux [38] » des animaux.

Il confond d'autre part le lait de certains végétaux avec la sève [39]. Malgré cela, Perrault fait preuve d'une bonne intuition scientifique et il possède un droit d'antériorité certain sur Mariotte dont les expériences sur la circulation de la sève ne se dérouleront qu'après son entrée à l'Académie des Sciences, soit près d'un an et demi plus tard.

Le 23 juin 1668, Mariotte déclare en effet qu' « ayant examiné les plantes depuis quelque temps, il y avait remarqué plusieurs choses qui lui font croire que le suc circule dans la plante comme le sang dans les animaux [40] ». Sans aller jusqu'à doter les fibres des plantes de valvules destinées à éviter tout reflux de la sève sur le modèle de la circulation sanguine, il reprend pour l'essentiel les idées développées par Perrault [41]. Celui-ci ne lui en tient pas rigueur, preuve s'il en était besoin de sa réelle modestie dans le domaine scientifique. Il soutient même Mariotte dans la controverse qui l'oppose peu après à Duclos et Bourdelin sur la question de la circulation de la sève [42], et ce n'est que dans le traité qu'il consacre au sujet dans le premier tome de ses *Essais de physique* de 1680 qu'il entreprend de rétablir nettement ses droits [43], sans toutefois manifester d'acrimonie particulière à l'égard de son collègue. La plupart des expériences qu'il rend publiques se retrouvent de toute manière dans l'essai de Mariotte *De la végétation des plantes* paru l'année précédente, ce qui donne à penser qu'elles ont été effectuées en commun à l'Académie. Durant toute sa carrière, Perrault restera fidèle à cet idéal de travail collectif qui complique parfois les questions d'attribution.

L'argumentation de Mariotte possède une clarté qui fait souvent défaut à Perrault. Ce dernier a en effet tendance à multiplier les hypothèses et les expériences sans être toujours convaincant. Il exploite surtout trop avant l'analogie entre les règnes végétal et animal, mais ce travers renvoie sans doute à une réflexion permanente chez lui sur ce qui fonde l'unité du vivant. Comme on pouvait s'y attendre à la lecture du « Projet pour la botanique », l'idée de circulation joue un rôle essentiel dans cette perspective. Le traité « De la circulation de la sève des plantes » de 1680 en fait même une sorte de principe universel s'appliquant non plus seulement aux êtres vivants, mais aussi à leur milieu naturel qui semble s'assimiler du même coup à un immense organisme où tout ne serait que mouvement. A côté de la circulation de la sève ou du sang, responsable « de la sympathie et de la conspiration mutuelle que tous les philosophes reconnaissent dans les parties des corps vivants [44] », on trouve en effet un cycle de l'eau exprimant la complémentarité de la terre où elle séjourne tout d'abord, du ciel où elle s'élève sous forme de vapeur, du soleil et des vents qui la cuisent et la font redescendre sous forme de pluie [45]. Cette généralisation du modèle circulatoire renvoie à l'importance extrême de l'analogie dans l'œuvre scientifique de Perrault, importance qui constitue à coup sûr l'une de ses faiblesses.

En matière de physiologie végétale, la démarche analogique aura tout de même permis d'émettre des hypothèses fécondes et d'imaginer quelques expériences significatives. Sur le modèle de la célèbre expérience de Harvey sur la ligature du bras, Perrault est par exemple le premier à lier fortement le tronc d'un jeune arbuste pour mettre en évidence le bourrelet formé par l'accumulation de la sève descendante au-dessus du point d'étranglement [46]. A la fin du XVIIᵉ siècle,

l'analogie se pare d'une efficacité certaine, même s'il faudra nuancer par la suite certaines des conclusions auxquelles elle aura conduit.

Que retenir maintenant des premiers écrits de Perrault ? La clairvoyance scientifique dont ils témoignent a de quoi surprendre, on l'a dit, de la part d'un médecin qui aborde une nouvelle carrière à laquelle l'exercice de sa profession ne l'a pas forcément préparé. Au moment où il entre à l'Académie des Sciences, l'étude du vivant ne constitue pas toutefois un domaine pleinement assuré de ses ambitions et de ses moyens, un domaine réservé par conséquent aux seuls spécialistes. Un amateur averti peut encore formuler des hypothèses de travail, voire même dresser un programme de recherche réaliste. Il n'empêche qu'un certain consensus se dessine déjà autour d'exigences de rigueur qui vont progressivement conduire à l'émergence des disciplines scientifiques que nous connaissons. Certes, l'anatomie, la physiologie et la botanique du Grand Siècle demeurent prisonnières d'un humanisme aux aspirations bien trop générales pour satisfaire aux critères modernes de scientificité. Les notions d'hypothèse et d'expérience auxquelles se réfère Perrault ne sont pas non plus tout à fait les nôtres, on y reviendra. Il n'en demeure pas moins qu'un tournant s'amorce avec les interrogations dont ses projets portent l'empreinte.

Pour comprendre ces derniers, il faut aussi tenir compte du contexte institutionnel et de l'importance que revêt la création de l'Académie des Sciences. En regroupant les tenants de disciplines aux contours encore flous, en les faisant se rencontrer, confronter leurs idées, en favorisant la convergence d'initiatives longtemps éparpillées, l'Académie ménage la possibilité d'une science du vivant dotée d'objectifs précis et disposant de véritables programmes de recherche [47]. Si les projets de Perrault pour l'anatomie et pour la botanique ne seront pas suivis point par point, ils indiquent tout de même des orientations essentielles. Il s'agit tout d'abord de répertorier les animaux et les plantes après les avoir minutieusement décrits. Convenablement classées, réduites à une couche homogène de différences significatives, dont Michel Foucault a pu montrer les liens avec la réflexion qui s'attache à la notion de représentation à l'âge classique [48], les « vérités de fait » peuvent alors donner naissance à l'histoire naturelle, qui devrait idéalement prendre la forme d'un tableau raisonné, même si les premiers travaux de l'Académie resteront bien en deçà de cet idéal, on le verra. Mais ce tableau doit être à son tour prolongé par la recherche des « causes » du vivant, des mécanismes de la génération, de la nourriture et de l'accroissement. L'espace de la liste ou du tableau ne saurait ainsi subsister sans une interprétation dynamique des évidences qu'il propose.

C'est cette complémentarité du fait et du droit qui imprègne en définitive le plus profondément les projets de Perrault. Elle procède d'une interrogation très générale qui s'impose à l'époque à l'ensemble de la communauté scientifique sur la nature exacte « de la sympathie et de la conspiration mutuelle que tous les philosophes reconnaissent dans les parties des corps vivants ». Chez certains philosophes comme Cordemoy ou Leibniz, cette interrogation rejoint aussi le besoin de distinguer entre un quelconque assemblage de parties et une substance véritable [49]. Pour Perrault dont la réflexion est loin de posséder une pareille envergure philosophique, le vivant se caractérise par sa complexité structurale qui rend nécessaire l'hypothèse d'une préformation, mais aussi et surtout par la circulation incessante dont il est le siège. L'association de considérations structurales et d'un modèle circulatoire constitue l'une des caractéristiques les plus intéressantes de sa démarche.

Une telle association ne permet pas toutefois de répondre durablement à la question de l'unité du vivant. Afin de mieux expliquer l'économie des corps organiques, Perrault devra par la suite recourir à des hypothèses animistes dont il s'ouvrira auprès de Leibniz. En attendant, il va surtout se consacrer aux détails de l'anatomie animale et humaine ainsi qu'à des questions de physique-chimie allant des propriétés de la chaux au principe de la coagulation [50]. L'avis qu'il donne au cours de la séance du 30 novembre 1669 sur la suite à donner aux expériences de l'Académie possède une tonalité très différente de celle de ses premiers écrits [51]. Le caractère plus technique de son intervention indique que la quotidienneté du travail scientifique a désormais pris le pas sur les grandes déclarations d'intention.

# Vers une Histoire Naturelle des Animaux

## La passion de l'anatomie

La passion du XVIIᵉ siècle pour l'anatomie animale et humaine se laisse difficilement imaginer aujourd'hui. Sans même parler de Descartes et de ses expériences sur les veaux et les moutons, on s'étonne de l'acharnement que mettent Bossuet ou Huet à faire ouvrir toutes sortes de cadavres dans des conditions d'hygiène pour le moins discutables. Avec ce qu'il comporte de rebutant pour un esprit contemporain, un tel engouement n'a rien d'exceptionnel cependant. Il déborde largement les cénacles savants, comme en témoigne la foule qui se presse aux démonstrations de Dionis au Jardin du Roi. Dans sa Xᵉ *Satire*, Boileau peut du même coup faire figurer sans crainte de trop forcer le trait, la dissection d'une femme morte avec son embryon au programme de la journée de Mᵐᵉ de la Sablière, tandis que le Diafoirus de Molière croit faire une grande faveur à Angélique en l'invitant à venir voir une dissection sur laquelle il doit raisonner [1].

Une curiosité aussi répandue s'explique assez facilement en réalité. Après des siècles de soumission aveugle à l'autorité des anciens, l'étude de la structure du vivant se pare de l'attrait de la nouveauté, surtout depuis que Harvey a montré que d'importants progrès sont possibles dans ce domaine. L'anatomie constitue la plus exaltante des aventures. Conjuguant éducation de l'œil et apprentissage de la raison, elle soulève en outre d'importants problèmes théologiques et philosophiques, comme la question du finalisme à propos de

laquelle s'affrontent les médecins Cressé et Lamy dans les années 1670 [2].

La merveilleuse conformation des organes à leur destination procède-t-elle d'une intention expresse du créateur ? Telle est la position de Cressé qui rejoint l'opinion de l'Église et de la Faculté lorsqu'il considère que Dieu n'ayant rien créé d'inutile en ce monde, particulièrement dans les êtres vivants, il faut, en démontrant chacune de leurs parties, indiquer à quel usage elle répond. L'argumentation développée par Lamy en réponse à son adversaire dans ses *Discours anatomiques* sent quant à elle le souffre. N'hésitant pas à citer Épicure et Lucrèce, il s'attaque à l'idée d'une providence soucieuse de chaque détail. Le monde a été créé globalement pour la seule satisfaction de Dieu et les créatures ne possèdent aucune perfection qui leur appartienne en propre. Non seulement il se trouve des parties sans usage dans les corps vivants [3], mais on pourrait même penser, si la religion ne s'y opposait pas, qu'une nature aveugle a essayé toute les combinaisons d'organes possibles, laissant les espèces inadaptées périr inexorablement [4]. Ainsi, rejetant toute idée d'une finalité inscrite dans la structure même des corps, « il ne faut point dire que les yeux soient faits pour voir, mais que nous voyons parce que nous avons des yeux [5] ».

On conçoit ce qu'un tel raisonnement comporte de menaces à l'encontre des vérités révélées de la religion. Certes, la nature aveugle et combinatoire de Lamy reste dans le cadre de l'histoire naturelle des classiques et le thème de la sélection naturelle qui s'esquisse est loin de posséder la signification qu'il prendra chez Darwin — il ne s'agit d'ailleurs que d'une hypothèse émise à des fins polémiques et bien vite abandonnée par l'auteur des *Discours anatomiques*. Mais l'antifinalisme de ce dernier annonce par contre beaucoup plus directement certaines positions de Voltaire critiquant la folle prétention des hommes qui s'imaginent pouvoir lire à livre ouvert dans les desseins du créateur [6].

Si la plupart des anatomistes, à commencer par Perrault, sont loin de donner raison à Lamy [7], la querelle du finalisme n'en est pas moins représentative du type de débat qui traverse le champ de l'anatomie. Bossuet a parfaitement compris la situation lorsqu'il procède à l'exposition raisonnée des connaissances anatomiques de son temps dans son *Introduction à la philosophie ou de la connaissance de Dieu et de soi-mesme* et qu'il en profite pour rappeler le caractère providentiel de la structure du corps humain [8].

Il reste que la véhémence, même isolée, d'un Guillaume Lamy, traduit une interrogation et un malaise beaucoup plus profonds. En face de la complexité du vivant, peut-on se contenter d'explications finalistes la plupart du temps superficielles ? Plutôt que d'assigner *a priori* un usage à chaque organe découvert par la dissection, ne conviendrait-il pas d'explorer en premier lieu la diversité que la nature s'est plue à introduire dans ses productions, afin de pouvoir s'éclairer au moyen de comparaisons et d'analogies ? Repérer les configurations différentes des organes des espèces animales devient alors le préalable à la construction de cette histoire naturelle que les classiques appellent de leurs vœux et dont l'étude du corps humain doit constituer le point culminant. La démarche comparative doit permettre d'amorcer le dépassement d'un finalisme simplificateur au profit de la définition de grandes fonctions sur le modèle de la circulation sanguine. Par là-même se dessine la possibilité d'une physiologie fondée sur l'expérience au lieu de reposer sur les affirmations souvent gratuites des anciens.

## Claude Perrault et l'histoire naturelle des animaux de l'Académie

Dans ce contexte, il n'est pas étonnant de voir l'Académie procéder à la dissection des animaux les plus divers. Les registres de la compagnie fournissent à cet égard tous les renseignements désirables et l'on apprend par exemple que l'année 1668 a vu l'examen d'un hérisson, d'un ours, d'un blaireau, d'une fouine, d'un putois, d'un castor, sans oublier l'étude d'un caméléon qui occupe la fin du mois de septembre et qui constitue sans nul doute le point culminant des opérations de l'année [9]. Comme le fait remarquer Claude Perrault, peu d'animaux ont fait autant parler d'eux que le caméléon, aussi l'Académie s'empresse-t-elle de vérifier si toutes les merveilles que l'on a rapportées à son sujet sont exactes [10].

Au départ les dissections ont lieu à la Bibliothèque du Roi où un laboratoire a été installé. Elles se dérouleront très souvent par la suite au Jardin du Roi qui offre des locaux plus adaptés. Les animaux courants sous nos latitudes sont achetés par l'Académie sur son budget ; les spécimens exotiques peuvent être ramenés par des voyageurs, comme le caméléon de 1668 offert par un père capucin à son retour d'Egypte. La ménagerie de Versailles constitue cependant le principal pourvoyeur de l'Académie en espèces rares. Sitôt décédés lions, tigres et éléphants passent entre les mains des anatomistes de la compagnie qui s'empressent de les ouvrir.

Les conditions de travail ont de quoi faire frémir. Dans sa concision, le mémoire récapitulant les dépenses de laboratoire de l'Académie laisse assez bien transparaître l'ambiance qui peut régner au cours des séances de dissection. A la rubrique des achats d'esprit de vin on peut lire par exemple : « Le lundi 27e février 1668 l'on a disséqué un ours qui était mort d'un grand abcès à un lobe du poumon et pour cette raison était dans une extrême maigreur ayant même les intestins tout gangrénés. C'est pourquoi à cause de la grande puanteur l'on y a versé à diverses fois une pinte d'esprit de vin [11]. » Utilisé à la fois comme désodorisant et comme désinfectant, l'esprit de vin constitue en outre la seule ressource des savants pour tenter d'endiguer la corruption galopante des chairs. On est loin, on le voit, de la sage ordonnance, de la propreté presque hollandaise de la dissection du renard qui constitue le sujet de la célèbre vignette de Sébastien Leclerc sur laquelle s'ouvre l'édition monumentale des *Mémoires pour servir à l'histoire naturelle des animaux*.

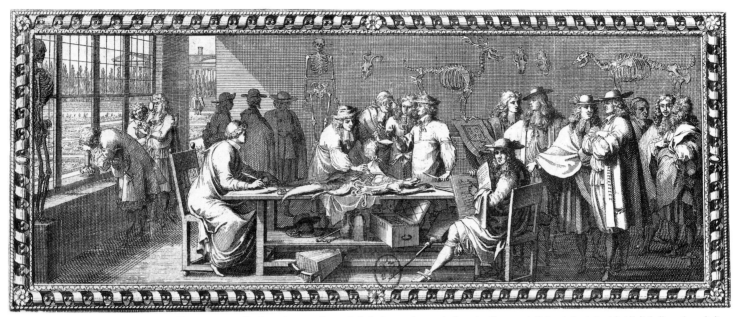

*31. Cl. Perrault,* Mémoires pour servir à l'histoire naturelle des animaux, *vignette de S. Leclerc représentant la dissection d'un renard. Cette représentation très idéalisée d'une séance de dissection au Jardin du Roi permet tout de même de mieux appréhender le caractère collectif du travail. Assis à gauche de l'image, un ecclésiastique écrit sous la dictée du démonstrateur qu'observent attentivement trois autres savants. Le personnage assis au premier plan et qui tient un livre ouvert pourrait bien être Claude Perrault.*

L'examen des animaux s'effectue en présence de plusieurs membres de l'Académie qui confrontent leurs observations afin de diminuer les risques d'erreur. L'équipe initiale formée de Gayant, Pecquet et Perrault va progressivement se renforcer avec l'arrivée du Du Verney, de La Hire, Méry, Charas et Gouye. Après chaque séance un des participants se charge de rassembler les données recueillies par chacun afin d'en tirer une description unique soumise à l'approbation de la compagnie pour être imprimée. Très vite Claude Perrault assure l'essentiel de ce travail de coordination et de rédaction et il devient du même coup le chef de file des anatomistes de l'Académie. Le 2 juin 1668 il lit par exemple la description qu'il a faite de l'ours disséqué quelques mois auparavant ; le 10 novembre de la même année il passe au caméléon, le 7 décembre au dromadaire et le 29 décembre à la gazelle [12].

A cette tâche de secrétariat s'ajoute la surveillance de l'impression des textes définitifs et surtout le suivi de la gravure des planches qui doivent illustrer les descriptions d'animaux et qui sont confiées à Sébastien Leclerc, l'un des dessinateurs patentés de l'Académie. A cet effet Perrault prend de nombreux croquis pendant les séances de dissection et il passe ensuite de longues heures à conférer avec Leclerc sur la meilleure manière de représenter l'espèce étudiée. Le 3 mars 1683 Perrault s'assemble ainsi avec de La Hire, Du Verney et Leclerc au Jardin du Roi afin de graver le squelette de l'éléphant et du crocodile [13].

Les résultats de ce patient travail de mise au net des observations de l'Académie nous sont bien connus. Il s'agit bien sûr des publications de Perrault sur l'anatomie animale au premier rang desquelles figurent les *Mémoires pour servir à l'histoire naturelle des animaux* de 1671 et 1676 qui donnent la description d'une trentaine d'espèces européennes et exotiques, de l'ours au loup-cervier, de l'autruche à la grande tortue des Indes. Dans la préface des *Mémoires*, Perrault expose les démarches de l'Académie en des termes aux résonances étonnamment modernes.

Écartant tout d'abord une histoire qui consisterait à rapporter « toutes les choses qui ont été recueillies en plusieurs temps,

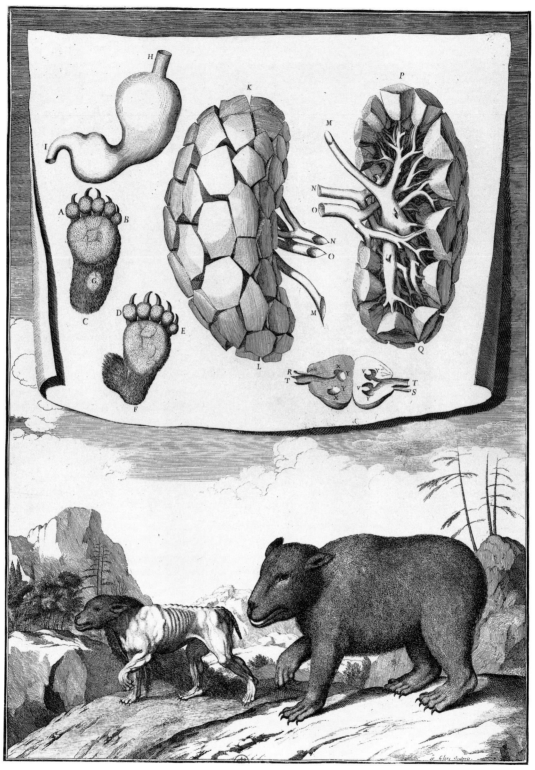

32. Cl. Perrault, Mémoires (1671), ours. Le même spécimen figure avec et sans sa fourrure qui dissimule la forme véritable de son corps, remarquable aux yeux des académiciens. Ces derniers observent en particulier l'étrange ressemblance qui existe entre les pattes arrière de l'animal et les jambes de l'homme.

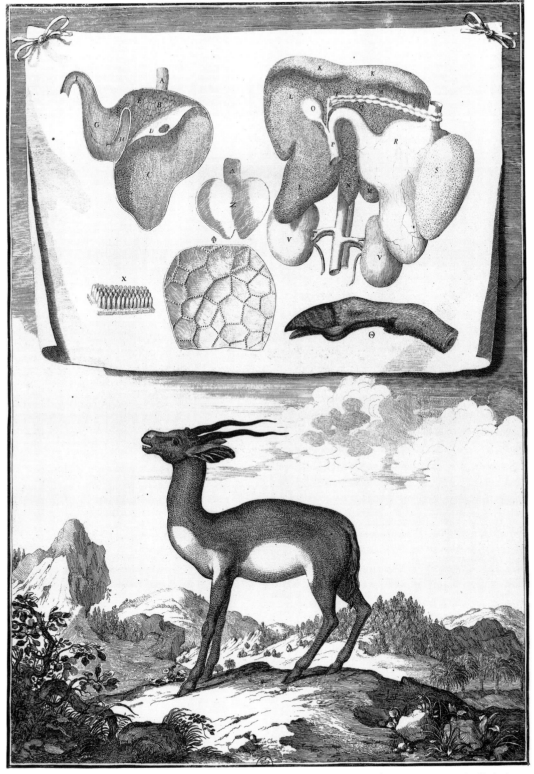

33. Cl. Perrault, Mémoires *(1671), gazelle. Perrault avait déjà disséqué une gazelle en 1669. Quatre autres sont ensuite disséquées par l'Académie. L'un des spécimens est ici représenté dans un paysage qui se veut africain.*

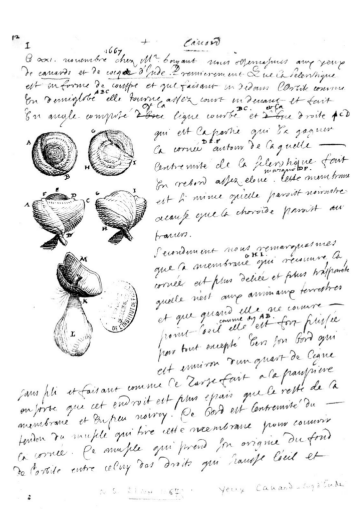

34. *Notes relatives à la dissection d'un lièvre (janvier 1668), A.A.S. Pochettes de séances de 1668. Ce document de travail tout à fait représentatif de la démarche des anatomistes de l'Académie récapitule les observations faites sur l'appareil urogénital du lièvre.*

35. *Notes relatives aux yeux du canard et du coq d'Inde (21 novembre 1667), A.A.S. Pochettes de séances de 1667. Les académiciens se penchent à plusieurs reprises sur la structure des yeux des oiseaux. Claude Perrault reviendra sur le sujet dans ses* Essais de physique.

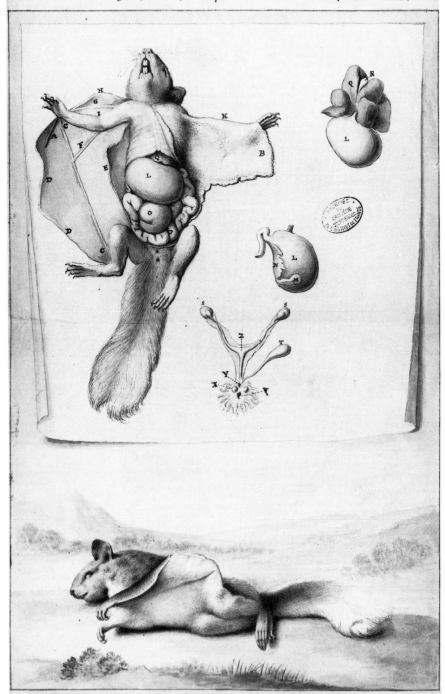

36. *S. Leclerc, rat volant, A.A.S. Pochettes de séances de 1665. La description de cet écureuil africain, sorte de rat palmiste, ne sera finalement pas imprimée dans les* Mémoires pour servir à l'histoire naturelle des animaux. *Le dessin préparatoire de Leclerc nous a été cependant conservé.*

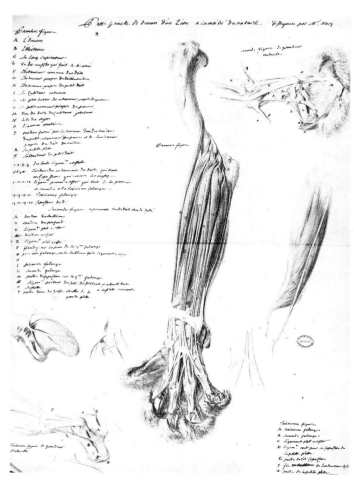

37. *Patte gauche de devant d'un lion disséqué par Jean Méry, A.A.S. Carton « Académie des Sciences 1666-1793 ». Un autre dessin préparatoire qui pourrait être de Sébastien Leclerc, Louis de Chatillon ou encore Philippe Simonneau.*

38. *Pattes d'aigle en quatre figures, A.A.S. Carton « Académie des Sciences 1666-1793 ». Trois aigles sont décrits dans les* Mémoires pour servir à l'histoire naturelle des animaux de 1676.

et qui appartiennent au sujet qu'elle traite », il lui préfère « la narration des faits particuliers, dont celui qui écrit a une connaissance certaine ». En effet : « Cette dernière manière que les romains appelaient commentaires, et que nous nommons mémoires, bien qu'elle ne contienne que les parties, et comme les éléments qui composent le corps de l'histoire, et qu'elle n'ait pas la majesté qui se trouve dans celle qui est générale, a néanmoins cet avantage, que la certitude et la vérité, qui sont les qualités les plus recommandables de l'histoire, ne lui sauraient manquer, pourvu que celui qui

écrit soit exact, et de bonne foi ; ce qui ne suffit pas à l'historien général, qui souvent peut n'être pas véritable, quelque passion qu'il ait pour la vérité, et quelque soin qu'il emploie pour la découvrir ; parce qu'il est toujours en danger d'être trompé par les mémoires sur lesquels il travaille [14]. »

Cette distinction entre l'histoire générale et l'histoire particulière, les vastes perspectives de l'une et les certitudes pointilleuses de l'autre, recouvre pour une part l'opposition entre le droit et le fait qui s'exprimait dans le « Projet pour les expériences et observations anatomiques » de Perrault. Certes, il ne saurait être question d'accumuler des données à l'infini — les *Mémoires* de 1671 et 1676 ne sont-ils pas destinés à fournir les matériaux de base permettant la construction d'une histoire naturelle plus fiable que celle des anciens ? Mais la certitude des fondements doit être préférée dans l'immédiat à la séduction des grands systèmes. Il s'agit avant tout de contribuer, de servir à l'histoire naturelle des animaux au lieu d'en entamer hâtivement la rédaction.

Pour parvenir à la certitude que les *Mémoires* se proposent pour idéal, Perrault insiste sur la nécessité du travail collectif. L'entreprise de l'histoire naturelle regarde « une compagnie, composée de gens qui ont des yeux pour voir ces sortes de choses, autrement que la plupart du reste du monde, de même qu'ils ont des mains pour les chercher avec plus de dextérité et de succès ; qui voient bien ce qui est, et à qui difficilement on ferait voir ce qui n'est pas ; qui ne s'étudient pas tant à trouver des choses nouvelles, qu'à bien examiner celles qu'on prétend avoir trouvées ; et à qui l'assurance même de s'être trompé dans quelque observation, n'apporte guère moins de satisfaction, qu'une découverte curieuse et importante : tant l'amour de la certitude prévaut dans leur esprit à toute autre chose [15]. »

Même s'il appartient avant tout à son époque, cet éloge de la république des savants est encore susceptible de toucher un esprit d'aujourd'hui au même titre que l'accent qui est mis sur le processus permanent de rectification des erreurs dont se nourrit la science. Après avoir dénoncé comme on pouvait s'y attendre l'imprécision des descriptions d'Aristote, Pline ou Galien, Perrault en vient au travail effectué concrètement par l'Académie. Celle-ci ne s'est pas contentée de décrire les parties externes des animaux, bien que cette description s'avère indispensable pour les spécimens exotiques ; l'étude de la structure interne a été sa principale préoccupation. Au siècle de Descartes la notion de structure se décline prioritairement en termes spatiaux. Aussi n'est-on pas surpris de voir « la grandeur, la forme, et la situation » des parties animales occuper le devant de la scène. De la part d'un savant chargé de traduire Vitruve parallèlement à son activité d'anatomiste, on ne s'étonne pas non plus de voir surgir dans ce contexte la métaphore architecturale. Commentant la décision qui a été prise de rapporter les dimensions des organes des animaux à celles des éléments analogues du corps humain, Perrault commence par récuser la conception traditionnelle selon laquelle l'homme serait la mesure de toutes choses. En toute rigueur on ne saurait affirmer que ce dernier « soit absolument mieux proportionné que la plus difforme de toutes les bêtes », puisque « la perfection de chaque chose dépend du rapport qu'elle a à la fin pour laquelle elle a été faite ». Mais en même temps : « il a fallu convenir d'une mesure et d'un module, de même que l'on fait en architecture : et considérant tout l'univers comme un grand et superbe édifice, qui a plusieurs appartements d'une structure différente, on a choisi les proportions du plus noble pour régler tous les autres [16]. »

N'hésitons pas à le dire : ce qui s'accomplit avec cette substitution du thème de la mesure à celui d'une proportion d'origine divine dont l'homme serait la plus parfaite incarnation et qui se retrouverait, comme dégradée, chez les différentes espèces animales, ce qui s'accomplit c'est bien une sorte de désenchantement de l'histoire naturelle rendant possible sa réduction à un système de rapports morphologiques, même si cette histoire hérite, qu'elle le veuille ou non, de toute une tradition herméneutique, tradition que vient encore rappeler la référence au « grand et superbe édifice » de l'univers dont une échelle modulaire doit permettre de rendre compte. On étudiera par la suite les efforts déployés par Perrault pour étendre ce désenchantement à l'architecture. En matière d'anatomie la relative liberté de ton qu'autorise l'institution académique lui facilite sans doute la tâche. Ce contexte de mise à plat des ressemblances et des différences entre espèces ménage ainsi la possibilité de l'anatomie comparée, même s'il faudra attendre Cuvier pour que cette dernière voie véritablement le jour.

S'ils prennent la suite de Belon, Rondelet ou Gesner, les anatomistes parisiens se caractérisent par un souci de précision et une attention aux détails inconnus jusque-là [17]. L'étude du caméléon leur permet par exemple de mettre en évidence la structure complexe de la paupière. Remarquant que les yeux sont capables de se mouvoir avec un fort degré d'indépendance, ils rectifient l'ancienne erreur consistant à attribuer leur coordination au chiasma optique. Ils s'interrogent aussi sur la nourriture de l'animal. Contrairement aux

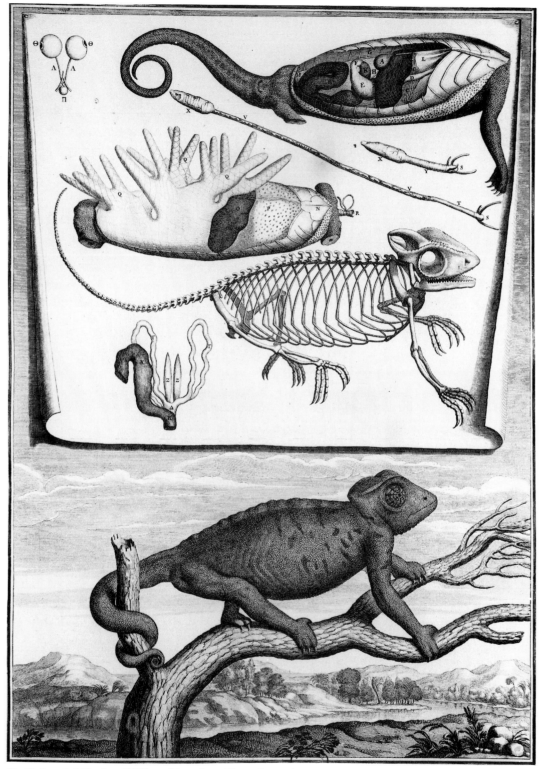

39. *Cl. Perrault*, Mémoires *(1671), caméléon. « Le caméléon est du genre des animaux à quatre pieds, et qui font des œufs, comme le crocodile et le lézard. » Son étude permet aux anatomistes parisiens de prendre leurs distances par rapport aux légendes qui ont été colportées à son sujet depuis l'Antiquité. L'air ne constitue pas la seule nourriture du caméléon ; ses changements de couleur demeurent toutefois inexplicables. La partie supérieure de l'image représente le squelette, les viscères et la langue de l'animal.*

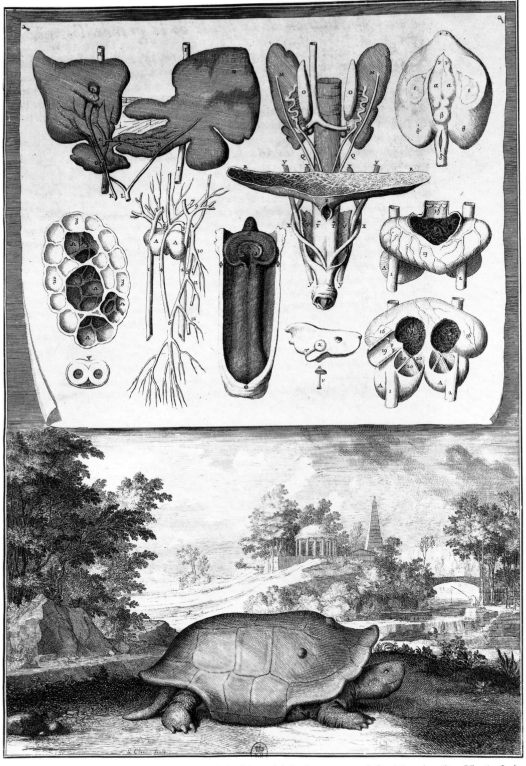

*40. Cl. Perrault, Mémoires (1676), grande tortue des Indes. L'animal évolue dans un paysage de fantaisie agrémenté par Sébastien Leclerc de constructions antiquisantes qui font songer à des fabriques de jardin. On remarquera les étranges excroissances que comporte la carapace de l'animal. Au-dessus, on voit notamment le cerveau, le cœur et l'appareil urogénital de la tortue.*

affirmations extravagantes de certains auteurs antiques, ce dernier ne se nourrit pas d'air mais bien d'insectes qu'il capture au moyen de sa langue. Le mouvement extrêmement rapide de cette langue est quant à lui assez difficile à expliquer et les académiciens supposent qu'elle pourrait être poussée et comme crachée par une expiration brutale de l'animal, bien que l'absence de bruit semble invalider cette hypothèse [18].

L'ordre généralement adopté dans les *Mémoires* de l'Académie consiste à décrire tout d'abord l'apparence extérieure du spécimen étudié avant de l'ouvrir. La grandeur, la forme et la situation des parties sont loin de représenter en réalité les seuls sujets d'intérêt des anatomistes conduits par Perrault. Description des organes et spéculation sur leur usage, anatomie et physiologie, se mêlent inextricablement. A la fin du XVIIe siècle on se trouve d'autre part sur la frontière qui sépare la crédulité d'antan de la méfiance systématique de la science moderne à l'égard des miracles, des prodiges et des monstres. Rectifier les erreurs, c'est aussi critiquer impitoyablement les récits étranges ou merveilleux qui encombrent les traités des anciens et même les commentaires touffus des érudits de la Renaissance. C'est dans ce contexte qu'il faut interpréter certaines expériences dont le caractère un peu baroque prête à sourire aujourd'hui. Ainsi, ayant lu dans Pline que le caméléon devenait enragé sitôt perché sur une branche de figuier, « on fit monter le caméléon sur un figuier sauvage pour voir si cela le rendait furieux (...), mais il demeura aussi doux et aussi paisible qu'auparavant [19] ».

La description de la « grande tortue des Indes » lue par Perrault au mois de février 1676 constitue aux dires d'un spécialiste d'aujourd'hui l'une des toutes premières études modernes d'un chélonien [20]. Avant Perrault, seul Gesner s'était penché sur l'anatomie des tortues en reprenant pour l'essentiel ce qu'en avait dit Pline.

Le spécimen disséqué par l'Académie des Sciences appartient à une espèce aujourd'hui disparue, très probablement originaire de l'archipel des Mascareignes et ramenée par l'un des nombreux navires y faisant escale, au lieu de provenir des Indes comme le croyaient les anatomistes parisiens [21]. La description qui figure dans l'édition de 1676 des *Mémoires pour servir à l'histoire naturelle des animaux* comporte des précisions

*41. Cl. Perrault,* Mémoires (1676), *autruche. Le gésier de l'autruche est non moins remarquable que ses plumes à cause de sa force. Les académiciens rappellent à ce propos que la digestion constitue une action chimique mais aussi mécanique.*

fondamentales sur la double composition, osseuse et écailleuse, de la carapace, sur le bec corné de la bête, sur la structure du cœur qui ne comprend que trois cavités et sur l'appareil génital des tortues. Mais les aperçus physiologiques sont encore plus intéressants, en particulier l'étude du mécanisme de la respiration qui donne lieu à plusieurs expériences. Quelques imprécisions, quelques hypothèses manifestement erronées déparent tout de même le tableau et les zoologistes

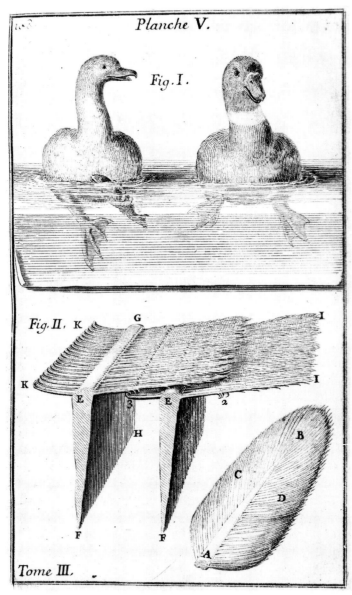

*42. Cl. Perrault, Essais de physique (1680-1688). Perrault revient sur la structure des plumes dans ses* Essais. *La figure II montre le système de crochets permettant aux barbes des plumes de se désunir et de se réunir facilement. La figure I représente en haut à gauche un cormoran capable de nager droit en tenant un poisson grâce à la conformation de ses pattes, ce qui est impossible au canard situé à côté.*

*43. Talerand ou butor, A.A.S. Pochettes de séances de 1678. Un autre oiseau disséqué par les académiciens le 5 novembre 1678.*

s'interrogent toujours sur la nature exacte des excroissances observées sur la carapace de l'animal disséqué en 1676 et qui figurent sur la gravure de Sébastien Leclerc. En dépit de ses limites, bien excusables à l'époque, une telle description n'en marque pas moins une étape importante dans la connaissance des tortues [22].

Parmi les oiseaux étudiés par les membres de l'Académie, une mention spéciale doit être faite de l'autruche dont les plumes différentes de celles des oiseaux capables de voler sont analysées avec un certain luxe de détails [23]. Dans leur comparaison avec les autres oiseaux, les parisiens ne semblent pas s'être servi de l'étude de la structure fine des plumes publiée par Robert Hooke dans sa *Micrographia* de 1665, dont ils n'avaient sans doute pas pris connaissance. Cela ne les empêche pas de comprendre la fonction des barbes et des barbules ainsi que l'avantage de la convexité des plumes pour le vol. L'admiration que l'on sent percer à travers leur

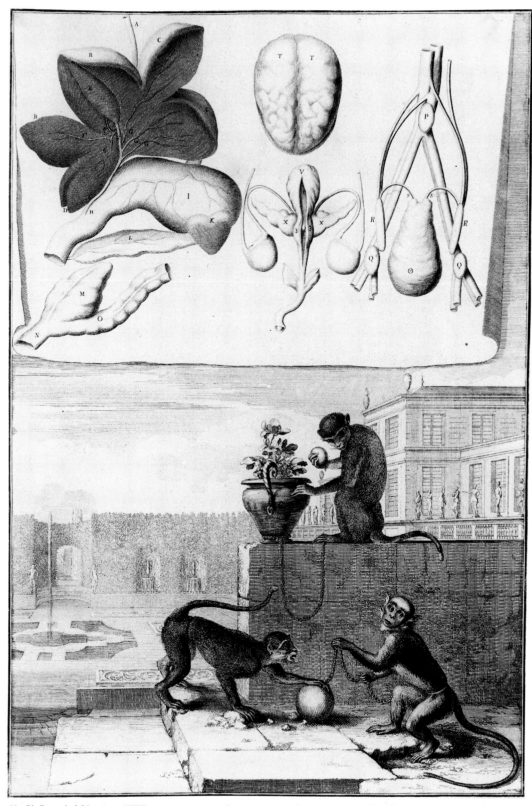

*44. Cl. Perrault,* Mémoires *(1676), sapajous et guenon. La gravure permet de voir en particulier la différence entre les mains et les pieds des singes et ceux de l'homme. Tandis que le pouce des singes est plus petit que celui de l'homme, son gros orteil est beaucoup plus grand.*

description des plumes si particulières de l'autruche pour cet exemple d'adaptation de l'organe à la fonction rend un son très différent des accents abrupts de l'antifinalisme de Lamy, bien que l'on puisse se demander à quoi servent au fond les ailes même atrophiées d'un grand oiseau cloué au sol. L'indifférence apparente des anatomistes à l'égard de ce type de question constitue en réalité une prise de position avant tout méthodologique. Plus d'une fois tentés par les arguments finalistes, Perrault et ses collègues s'en défendent lorsqu'ils s'expriment au nom de l'Académie, par souci de prudence, faute de pouvoir démontrer l'utilité de chaque organe, et afin de rester fidèle à l'exigence de neutralité religieuse et philosophique de la compagnie.

On retrouve une attitude assez semblable à propos des mammifères dont les *Mémoires pour servir à l'histoire naturelle des animaux* contiennent la description. L'exemple le plus frappant demeure sans contexte l'étude des organes de la phonation du singe et le développement sur la parole humaine qui l'accompagne. Constatant, non sans quelque prévention, que la créature la plus proche de l'homme possède des muscles de l'os hyloïde, de la langue, du larynx et du pharynx « entièrement semblables » à ceux de l'être humain, beaucoup plus en tout cas que ceux de la main dont le singe se sert pourtant avec facilité tandis qu'il ne parle pas, les anatomistes parisiens, Perrault en tête, en tirent plusieurs enseignements. Selon eux, cela fait voir en premier lieu que « la parole est une action plus particulière à l'homme, et qui le distingue davantage des brutes que la main, qu'Anaxagore et Galien ont estimé être l'organe que la nature a donné à l'homme comme au plus sage de tous les animaux ». Ainsi la main, traditionnellement considérée comme l'outil privilégié de l'intelligence, se voit-elle détrônée au profit de la parole. « Cette particularité fait encore voir que ceux-là n'ont pas raison, qui tiennent que les agents exercent leurs actions, parce qu'il se rencontre qu'ils ont des organes pour cela : car selon ces philosophes les singes devraient parler puisqu'ils ont les instruments nécessaires à la parole [24]. » Contraire en apparence à l'argumentation de Lamy déclarant qu' « il ne faut point dire que les yeux sont faits pour voir ; mais que nous voyons parce que nous avons des yeux », ce raisonnement poussé à son terme vient en réalité à l'appui de son autre

thèse selon laquelle les corps vivants comportent des parties inutiles. Là encore les académiciens se gardent bien d'entamer le débat. Mais pour un Claude Perrault dont la piété demeure profonde, il est clair que la parenté des organes du singe et de l'homme manifeste avant tout l'infinie sagesse du créateur qui a cru bon de différencier radicalement l'homme de l'animal, tout en respectant le principe de continuité de la chaîne des êtres vivants. Dans son arbitraire, le don de la parole constitue le moyen de cette différenciation. Si la beauté des corps provient avant tout de leur adaptation aux fonctions qu'ils doivent exercer, si l'homme n'est pas mieux proportionné dans l'absolu que la plus difforme des bêtes, sa supériorité réside dans la capacité qui lui est octroyée de convenir avec ses semblables d'un système de signes arbitraires susceptibles de se couler dans le moule de l'articulation vocale. Pour Perrault la parole est finalement le produit d'une double institution : institution de Dieu décidant tout d'abord de doter l'homme d'une faculté à nulle autre pareille, institution entre les hommes ensuite qui conviennent ensemble d'un langage déterminé. Ce caractère d'institution de la parole constitue, on le verra, l'un des éléments permettant d'éclairer les conceptions esthétiques de Perrault.

Les autres mammifères passés en revue dans les *Mémoires* donnent lieu à des découvertes souvent fondamentales pour la zoologie. A propos du castor, les anatomistes décrivent par exemple avec précision la structure des glandes sécrétant le castoréum, glandes qu'ils prennent soin de distinguer des testicules [25]. Sans parvenir à une vision d'ensemble du tableau des espèces animales, ils témoignent cependant d'une intuition classificatrice assez remarquable pour l'époque. C'est ainsi qu'ils sont capables de mettre en évidence les nombreuses différences qui existent entre le hérisson et le porc-épic, en dépit de leur ressemblance qui avait induit les anciens en erreur [26].

Pour compléter les *Mémoires* de 1671 et 1676, une nouvelle publication avait été prévue en 1688. Elle aurait dû comprendre de nouvelles descriptions d'animaux, comme celle de l'éléphant disséqué en 1681 par Du Verney. Le décès de Perrault entraînera le report *sine die* de l'entreprise. Du Verney qui lui succédera à la tête des anatomistes de l'Académie s'avèrera incapable de procéder à une publication pourtant indispen-

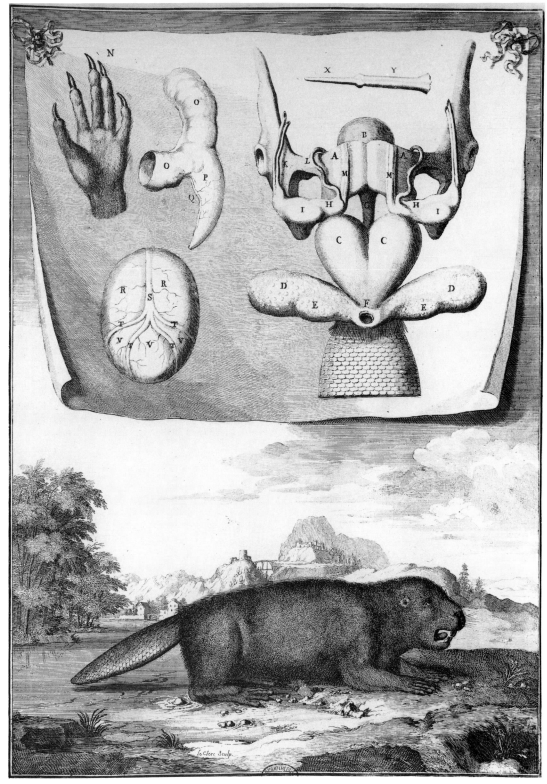

45. *Cl. Perrault,* Mémoires *(1671), castor. L'admiration qui s'attache à l'humeur sociable et aux talents de constructeur du castor fait que l'on a plus parlé de ses mœurs que de son anatomie ; aussi les académiciens s'attachent-ils à rectifier les erreurs colportées sur l'animal. La partie supérieure de l'image représente notamment l'appareil génital d'un castor mâle.*

46. *Cl. Perrault,* Mémoires *(1676), hérisson et porc-épic. Les deux animaux diffèrent par leurs origines géographiques, la forme et la longueur de leurs piquants et la structure du reste de leur corps.*

# DESCRIPTION ANATOMIQUE
## DE D'UNE LIONNES.

OUTRE le charactere particulier du sexe de la Lionne, qui est de n'avoir point de longs poils autour du col, on en a remarqué quelques autres, qui sont qu'elles avoit le musle plus long, la teste plus platte par le dessus, & les ongles moins grands que le Lion.

Cette Lionne estoit haute de trois pieds depuis le bout des pattes de devant jusqu'au haut du dos. Elle estoit longue d'environ cinq pieds, depuis l'extrémité du musle jusqu'au commencement de la queuë, qui estoit longue de deux pieds & demi.

Les Ongles qui estoient éfilez par le bout, & divisez en plusieurs fibres de mesme que ceux des Lions, on esté observez en ce sujet avec vn peu plus de soin & d'exactitude qu'aux autres. On a remarqué qu'ils sont composez d'vne substance fibreuse & tres-compacte, à l'égard de chaque fibre, mais que ces fibres sont aisément separables les vnes des autres : ce qui arrive, ainsi qu'il est aisé de juger, par le défaut de l'humidité qui les doit joindre, & les coller ensemble ; de mesme qu'il se voit au bois fibreux, qui ne se fend pas si aisément quand il n'est pas encore sec. En effet, cette Lionne, qui estoit extraordinairement maigre, avoit les ongles bien plus aisez à éfiler que les autres Lions qui estoient plus jeunes & moins maigres. Aussi la racine des ongles, & la maniere particuliere dont nous les avons trouvez attachez aux os des bouts des pattes, nous a semblé estre principalement pour fournir l'humeur qui est necessaire à ces parties. Car l'ongle n'estoit point attaché à l'os immediatement par toute sa racine : mais il y en avoit vne partie, à sçavoir le dedans, qui estoit creux, qui n'estoit point attaché à l'os, & ce dedans estoit rempli d'vne substance moïenne entre le cartilage & le ligament. Cette maniere de liaison & d'attachement de ces ongles nous a paru donner tout ce qui est necessaire à leur vsage : car si toutes les fibres, dont ces ongles sont composez, avoient pris naissance immediatement de l'os, elles n'en auroient pas pû tirer assez d'humidité pour se nourrir ; & si elles avoient aussi esté toutes attachées à l'os par le moïen des ligamens, elles n'y auroient pas esté liées si fermement, que lors qu'elles y sont comme soudées sans aucun milieu.

La conformation du Ventricule estoit particuliere, & bien differente en ce sujet, de celle que nous avons trouvée aux autres Lions que nous avons dissequez, où le Ventricule estoit semblable à celui des Chiens & des Chats, aïant vn fond ample & large vers l'orifice superieur, qui alloit toûjours en s'étrecissant vers le Pylore ; mais celui-ci avoit le fond separé en deux en quelque façon, comme les animaux qui ruminent. Cette forme particuliere du Ventricule ne s'est trouvée qu'en vn seul des quatre animaux de cette espece que nous avons dissequez, à sçavoir deux Lions & deux Lionnes : car dans les deux Lions, & dans l'autre Lionne, le Ventricule estoit pareil à celui des Chiens. Il est bien vrai que le Ventricule du premier Lion avoit deux bosses en sa partie anterieure ; mais cela n'estoit point considerable, ni comparable à la division qui rendoit le Ventricule double, & separé en deux cavitez. Les Intestins avoient en tout vingt-deux pieds quatre pouces de longueur ; le Rectum n'avoit que quatre pouces, & le Colon deux pieds.

Le Colon n'avoit point de cellules, mais seulement vn étranglement, qui le divisoit comme en deux parties, dont l'vne estoit vn peu plus longue que l'autre. Le Cæcum estoit long de deux pouces, & avoit le fond en haut, & l'orifice en bas. Le Pancreas estoit semblable à celui des Chiens.

Le Mesentere estoit semé de glandes livides de la grosseur d'vn petit pois, la pluspart de figure ovale. Les vaisseaux y estoient fort apparens, & beaucoup dilatez, & principalement les Veines. On y voïoit même tres-distinctement les Veines Lactées, divisées

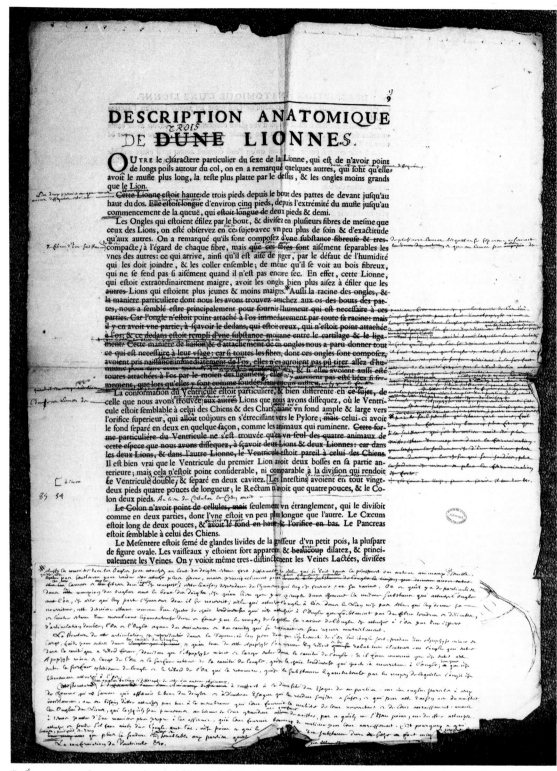

47. *Épreuve portant des corrections destinées à l'édition des* Mémoires pour servir à l'histoire naturelle des animaux *prévue en 1688. A.A.S. Carton « Académie des Sciences 1666-1793 ».*

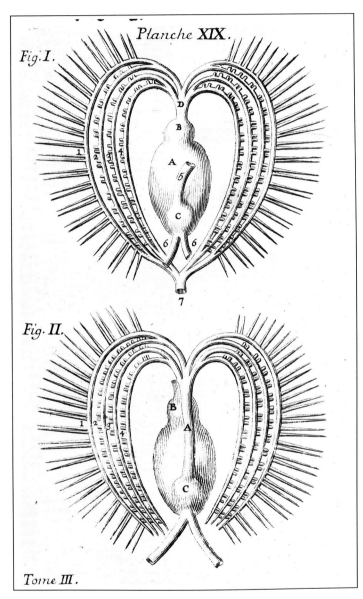

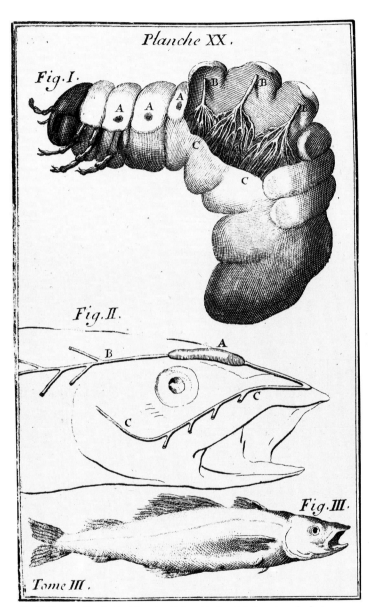

48. *Cl. Perrault*, Essais, *cœur et artères, cœur et veines d'une carpe.*

49. *Cl.Perrault*, Essais, *trachées servant à la respiration de la larve du cerf-volant ; canaux du système latéral d'un poisson.*

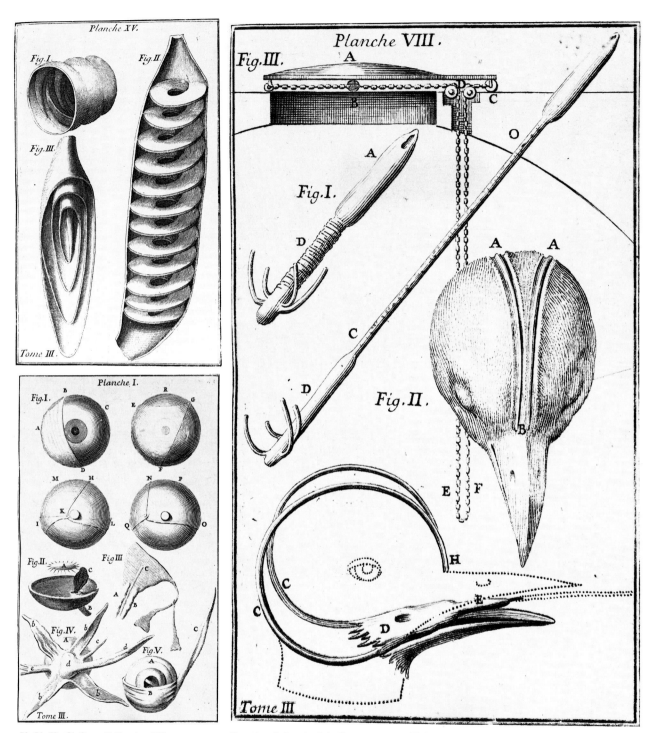

50, 51, 52. *Cl. Perrault, Essais, différentes structures d'intestins : I. Intestins à feuillets transversaux, II. Intestin du renard marin comportant un unique feuillet en ligne spirale, III. Intestin du poisson appelé Morgast, le Galeus Glaucus des anciens, qui possède une large membrane roulée « comme un cornet de petit métier ». On notera la perspective comparative adoptée par Perrault. Cl. Perrault, Essais, étude de la langue du pivert. Claude Perrault compare le mécanisme permettant à cette langue de s'allonger et de se raccourcir à celui d'un sas mobile de l'Observatoire qui figure dans la partie supérieure de la gravure. Cl. Perrault, Essais, I. Étude de la membrane nictitante des oiseaux, II. et III. Détails de l'œil de l'autruche, IV. et V. Études des yeux du poisson ange et du Morgast.*

sable. D'un comportement plutôt négligent de ce point de vue, ce dernier laissera à sa mort une vingtaine de descriptions prêtes à être imprimées, en plus du manuscrit de la *Biblia naturae* de Swammerdam qu'il s'était procuré en vue de le publier [27]. Ce n'est qu'à partir de 1733 que paraîtra finalement l'ensemble des travaux d'anatomie animale de l'Académie des Sciences comprenant près d'une cinquantaine de descriptions [28].

Traitant de la « mécanique des animaux » au tome 3 de ses *Essais de physique* de 1680, Perrault avait tout de même rendu publics un certain nombre de nouveaux résultats d'anatomie et de physiologie animales dans une perspective essentiellement comparative. L'étude de la larve du cerf-volant lui permet par exemple de réfléchir au mécanisme de la respiration chez les insectes que les *Mémoires* de l'Académie avaient laissés de côté. Il compare à ce propos le système des trachées aux branchies des poissons et aux poumons des mammifères [29]. Il fait aussi remarquer l'analogie qui existe entre les intestins en spirale du renard marin, du lièvre et de l'autruche [30]. Fondée sur une analogie mécanique, son explication du mouvement de la langue du pivert comporte par contre quelques inexactitudes [31], ce qui ne l'empêche pas d'être l'un des premiers à avancer sur la question de l'organe vocal des oiseaux qu'il identifie au syrinx [32]. Les yeux des oiseaux le retiennent également et il étudie les muscles de la membrane nictitante [33]. Prisonnier des conceptions de son temps, l'auteur des *Essais* est cependant incapable de tirer des conclusions à la fois synthétiques et convaincantes des éléments de connaissance qu'il apporte. Sans entrer dans plus de détails sur le contenu de son œuvre anatomique, il faut peut-être évoquer à présent les limitations bien réelles de l'entreprise menée par Perrault et par ses collègues de l'Académie.

## Les limitations de l'histoire naturelle

Ces limitations proviennent pour une part des conditions matérielles dans lesquelles s'effectue le travail des anatomistes parisiens. Les résultats obtenus par ces derniers sont souvent faussés par la séparation qui règne entre l'observation des animaux dans leur milieu naturel et leur étude en laboratoire, surtout lorsqu'il s'agit de spécimens exotiques à propos desquels les savants ne possèdent que des relations de voyage souvent imprécises. La relative rareté et le mauvais état des cadavres constituent également de puissants handicaps. S'ils ont souvent recours aux injections, les anatomistes n'utilisent guère par contre le microscope. Cet ensemble de facteurs explique certaines des erreurs qui se rencontrent dans les descriptions de l'Académie.

De telles erreurs sont loin de constituer cependant le fond du problème. Le travail mené par Perrault et par ses collègues se révèle d'ailleurs remarquablement précis au vu des conditions dans lesquelles il se déroule. L'absence d'un cadre théorique satisfaisant constitue par contre une lacune beaucoup plus grave. La notion d'histoire naturelle à laquelle se réfèrent les académiciens est en réalité porteuse de nombreuses ambiguïtés.

La première de ces ambiguïtés tient à la fidélité des anatomistes à l'étude monographique espèce par espèce. Prisonniers des catégories zoologiques traditionnelles, les parisiens qui adoptent pourtant une perspective comparative en bien des occasions ne parviennent pas à effectuer le saut conceptuel qui les mènerait de la recherche quelque peu désordonnée d'analogies morphogiques et fonctionnelles entre les animaux à l'anatomie comparée moderne qui privilégie l'ordre des organes sur celui des espèces. Ce saut s'esquisse par moments dans les *Essais de physique* de Perrault ou dans les œuvres de Du Verney, mais il ne s'accomplira vraiment qu'avec les *Leçons d'anatomie comparée* de Cuvier publiées par Duméril à l'extrême fin du XVIIIᵉ siècle [34]. Dans l'intervalle qui sépare les dissections de l'Académie du travail mené au Muséum sous l'égide de Cuvier, la démarche comparative va rencontrer la méfiance de nombreux savants et intellectuels rebutés par son absence de fondements théoriques, ce que souligne à sa manière de Jaucourt dans l'article « Zootomie » de l'*Encyclopédie* : « Zootomie, anatomie des animaux, ou, si vous l'aimez mieux, anatomie comparée ; elle est quelquefois curieuse, et en même temps d'une utilité fort médiocre [35]. »

Ce dédain des curiosités anatomiques sans portée véritable avait déjà été anticipé par Huygens dans une note adressée à Colbert en 1670 dans laquelle il réclamait que l'on travaille à l'histoire naturelle « à peu près suivant le dessein de Vérulam », sans perdre de temps en « menues remarques » indignes d'un savant [36].

Amateur au contraire de « menues remarques » d'anatomie animale qu'il cherche à concilier avec la recherche des grands principes, Perrault distingue dans ses *Essais de physique* deux manières qu'il juge complémentaires « de connaître et d'expliquer les choses de la nature, dont l'une qu'on appelle historique consiste dans le dénombrement et dans la description de toutes les particularités qui peuvent être connues par les sens ; et une autre qu'on nomme philosophique, qui tâche de découvrir par le raisonnement les causes et les raisons cachées de toutes ces particularités [37] ». On retrouve une fois encore l'opposition du fait et du droit chère à Perrault. Mais en l'absence de cette histoire générale que les *Mémoires* de 1671 et 1676 appellaient de leurs vœux, l'histoire naturelle se trouve prise en étau entre la recension des circonstances particulières et une recherche des causes et des raisons qui emprunte à la mécanique nombre de ses explications, on le verra. Entre une zoologie reposant sur l'accumulation des faits et une mécanique des animaux qui risque fort de se révéler réductrice à l'usage, le degré d'autonomie et la fécondité de l'histoire naturelle semblent finalement assez faibles. Tout se passe comme si Perrault s'était vu progressivement contraint de renoncer à l'idéal de systématisation qui s'exprimait dans son « Projet pour la botanique » de 1667, où il réclamait une histoire des plantes fondée sur une classification performante.

Cette évolution reflète assez bien en réalité la situation de la zoologie à la fin du XVIIe siècle. Les académiciens ont beau faire preuve d'un instinct assez sûr en matière de classification animale, les notions de genre et d'espèce demeurent floues, faute de reposer sur une grille de caractères discriminants définis avec précision [38]. Au XVIIIe siècle les progrès de la systématique viendront d'ailleurs de la botanique plus que de la zoologie, grâce aux travaux de Tournefort, Linné et Jussieu [39]. En attendant, l'idéal du tableau général des espèces animales caressé par Perrault et par ses collègues doit céder le pas à un empirisme moins satisfaisant pour l'esprit, mais qui constitue peut-être le préalable indispensable d'une étude raisonnée de la nature réconciliant l'historique de ses particularités et la connaissance plus philosophique de ses causes et de ses raisons, la diversité fascinante de ses productions et la simplicité de ses principes ordonnateurs. Une telle étude devrait aussi conduire à une méthode autorisant la détermination rapide, presque automatique, des espèces rencontrées. Tel est en tout cas le programme que s'assigneront Tournefort ou Linné qui insisteront tous deux sur la simplicité et l'uniformité de leurs techniques de classement [40]. C'est cette simplicité qui fait en définitive le plus cruellement défaut aux descriptions des *Mémoires pour servir à l'histoire naturelle des animaux* de Perrault.

# Mécanisme et Animisme, les Conceptions Physiologiques de Perrault

## Le corps machine

Si Perrault consacre l'essentiel de son travail d'académicien aux détails de l'anatomie animale, cela ne l'empêche pas de contribuer également à la connaissance du corps humain et d'aborder les questions de physiologie les plus générales. Exposées à plusieurs reprises devant l'Académie, ses conceptions se retrouvent presque toutes dans ses *Essais de physique* qui regroupent ses traités « Du bruit », « De la méchanique des animaux », « De la génération des parties qui reviennent à quelques animaux après avoir été coupées » et « Des sens extérieurs ». Sous le caractère disparate de cette liste de titres se dissimule en réalité une doctrine tout à fait cohérente, en prise directe sur les grands problèmes de son temps.

Cette doctrine repose avant tout sur une interprétation mécaniste du corps s'inspirant de l'enseignement de Descartes. Dans son *Traité de l'homme* le philosophe avait tenté de rendre compte des fonctions des organismes vivants en termes de pompes et de cribles, de flux d'esprits animaux et de petits filets nerveux tirés et relâchés comme les transmissions mécaniques des orgues. Dans un passage célèbre Descartes avait d'ailleurs comparé le corps humain à un orgue [1] et la plupart de ses disciples l'avaient suivi sur ce terrain, de Regius à Rohault. De tels principes s'étaient d'ailleurs largement diffusés en dehors des cercles cartésiens et un Tauvry résumait parfaitement l'orientation générale de l'époque en écrivant : « Pour bien appliquer la physique au corps de l'homme, j'en ôte tout ce que je n'y conçois point ; c'est-à-dire toutes les facultés, et je le considère comme une machine statique, hydraulique et pneumatique, dont les os sont les appuis et les leviers, les muscles les cordes, le cœur et les poumons la pompe, les vaisseaux sont des canaux où les liqueurs circulent perpétuellement [2]. »

Si Perrault adhère à ce programme d'application de la physique au vivant, son mécanisme se distingue cependant de celui de Descartes par un recours permanent aux propriétés de dureté et de ressort des corps inanimés ou animés, propriétés qui jouent un rôle assez marginal dans les *Principes de la philosophie* et dans le *Traité de l'homme*. Chez Descartes la cohésion de la matière provenait de la force qu'il fallait déployer pour éloigner des parties en repos les unes par rapport aux autres [3]. En l'absence de tout principe d'attraction, l'inertie constituait à ses yeux le plus puissant de tous les ciments. Une telle explication ne convainc guère Perrault qui attribue pour sa part la dureté et le ressort des corps à deux causes spécifiques, l'une interne, l'autre externe. Selon lui la cause interne provient de la configuration des corpuscules élémentaires caractéristiques de tel ou tel type de matériau. Très schématiquement, plus ces corpuscules sont minces et plats, plus ils s'agrègent facilement ; plus ils sont au contraire assimilables à des sphères, plus ils tendent à se séparer [4]. La cause externe de la dureté et du ressort des corps réside quant à elle dans la pression exercée de tous côtés par la « partie subtile » de l'air dans laquelle ils baignent, pression qui tend à maintenir leur cohésion même lorsqu'on a réussi à disjoindre quelque peu les parties qui les constituent [5].

En se fondant sur les considérations précédentes, Perrault peut interpréter les mouvements de l'organisme d'une façon assez différente de Descartes. Dans le *Traité de l'homme* les mouvements s'expliquaient par l'action de petits corps extrêmement fins et mobiles envoyés du cerveau dans les muscles : les esprits animaux. En s'insinuant dans les fibres musculaires ces esprits les

53. R. Descartes, Traité de l'homme *(1664), explication des mouvements involontaires. Le feu A provoque le mouvement très rapide des particules qui composent l'extrémité B du pied. Ce mouvement tire le petit filet nerveux cc « ainsi que, tirant l'un des bouts d'une corde on fait sonner en même temps la cloche qui pend à l'autre bout ». Les esprits animaux contenus dans la cavité F du cerveau se précipitent alors dans le filet cc, creux comme un tube, provoquant en bout de chaîne le mouvement de retrait du pied. Un schéma explicatif tout à fait représentatif de l'interprétation mécaniste du corps.*

faisaient gonfler et ils provoquaient du même coup leur raccourcissement et leur contraction. Entre deux contractions les muscles se trouvaient relâchés comme des voiles délaissées par le vent [6].

A l'inverse, Perrault se montre frappé par le ressort spontané des corps qu'il assimile à une tension de tous les instants. D'après lui « les fibres des muscles ou des membranes agissent, parce qu'elles sont naturellement tendues, de même que l'os est naturellement dur, le cartilage naturellement flexible [7] ». Postulant par ailleurs que tous les muscles et toutes les membranes possèdent un antagoniste, il suppose que « l'action des esprits destinés au mouvement, n'est point d'opérer la contraction, comme dans le système ordinaire ; mais au contraire, de produire une relaxation dans les muscles opposés à ceux qui font la contraction [8] ». Tout se passe alors comme si au lieu de gonfler les muscles les esprits animaux venaient détendre leurs fibres en créant une faiblesse locale génératrice de mouvement, puisque le relâchement d'un muscle permet à son antagoniste d'agir. Dans cette hypothèse les esprits animaux ne font qu'amoindrir temporairement le ressort naturel du tissu musculaire en s'introduisant entre ses constituants. Leur action est assez comparable à l'amollissement provoqué par le feu [9]. Comme le fait remarquer François Azouvi, tandis que la machine cartésienne agissait par transmission du mouvement de proche en proche, celle de Perrault agit en supprimant des contractions. A la machine remontée de Descartes se substitue une machine tendue [10].

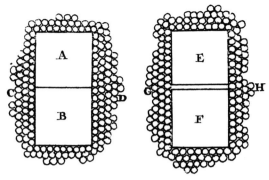

54. *Cl. Perrault*, Essais de physique, *explication du ressort des corps.* *Les corpuscules de matière grossière A et B sont plaqués l'un contre l'autre par les corpuscules de la partie subtile de l'air, des petites boules dures et pesantes dont l'action s'assimile à une pression. A peine séparés, les corpuscules E et F tendent à se rejoindre par suite de la pression de la partie subtile de l'air qui confère au corps composé E-F un certain ressort.*

55. *R. Descartes*, Traité de l'homme, *explication du mécanisme de la contraction musculaire. En s'insinuant dans les muscles de l'œil par les filets passant en AA, les esprits animaux les font gonfler et raccourcir. Le muscle D est ainsi gonflé d'esprits et tire l'œil vers la gauche. A côté, en plus petit, les muscles D et E sont représentés à l'état d'équilibre.*

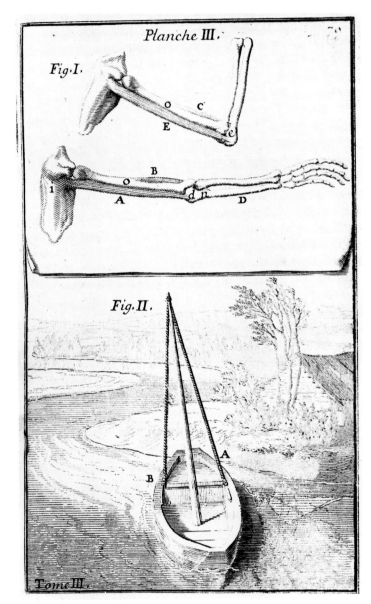

56. *Cl. Perrault*, Essais, *I. Fléchissement et extension du bras sous l'effet de muscles antagonistes, II. Analogie mécanique. Dans la position fléchie, le muscle E qui tend à allonger le bras est relâché par l'action des esprits animaux, permettant au muscle C d'agir. Dans l'autre position A est au contraire tendu et B est relâché. De la même façon si l'on relâche le hauban B, le mât du bateau ira vers la droite sous l'effet de A.*

Cette tension préfigure par certains aspects le tonus musculaire qui ne sera mis que bien plus tard en évidence. Par dessus tout se fait jour une conception dynamique de la structure du vivant qui contraste avec le caractère essentiellement cinétique de l'approche cartésienne. Les corps ne sont pas que des assemblages passifs auxquels les esprits animaux viennent insuffler la vie ; ils représentent aussi des champs de contraintes dont les perturbations sont synonymes de mouvement.

Si elle est loin d'emporter l'adhésion de ses contemporains, cette étrange théorie de la relaxation musculaire permet à l'auteur des *Essais de physique* d'expliquer commodément le mouvement des intestins ou mouvement péristaltique, qui procède selon lui du même principe de celui des bras et des jambes. Sous sa plume la notion de mouvement péristaltique s'étend d'ailleurs à l'ensemble des actions internes de contraction et de détente, actions communes « à toutes les parties qui altèrent, qui préparent, qui cuisent et qui distribuent les humeurs et les esprits [11] », c'est-à-dire outre les intestins, le cœur, le poumon, le cerveau, le foie ou la rate [12]. La propriété du ressort permet ainsi de rapporter à un même phénomène élémentaire tous les mouvements des corps vivants.

Parmi ces mouvements certains se laissent plus facilement appréhender que d'autres, toutefois. Dans ses *Essais de physique* Perrault se contente d'évoquer en termes très généraux le processus par lequel les aliments sont coupés puis recomposés pour servir de nourriture au corps ; l'explication détaillée de la digestion nécessiterait en effet une connaissance intime des tissus organiques et des actions dont ils sont le siège, connaissance à laquelle les savants sont loin de pouvoir prétendre, même si le sujet a fait couler beaucoup d'encre depuis les *Nouvelles conjectures sur la digestion* de Cureau de La Chambre [13]. Les mouvements plus tangibles comme la flexion de l'avant-bras retiennent par contre toute son attention et il tente de les modéliser en les comparant aux effets de machines plus ou moins complexes, dans le droit fil de la démarche cartésienne. Le mécanisme de la flexion de l'avant-bras lui semble ainsi tout à fait analogue au dispositif formé par un mat de navire articulé à sa base et retenu par des haubans antagonistes [14]. Les mouvements de la langue du pivert lui semblent proches de ceux d'une machine de l'Observatoire [15] ; l'action des artères lui fait songer à une autre machine installée à la Bibliothèque du Roi[16]. Pour Perrault comme pour la plupart de ses contemporains, le mécanisme ne constitue pas seulement un modèle global d'intelligibilité. Les pompes, les fontaines et les moulins, le gréement des navires et les engins de levage correspondent à autant de figures fondamentales de cette mobilité d'essence universelle qui englobe aussi bien l'inanimé que le vivant. Ce dernier se caractérise toutefois par le caractère cyclique et régulé des mouvements dont il est le siège. La circulation sanguine, le mouvement péristaltique avec ses alternances de compressions et de décompressions qui pétrissent la nourriture, lui permettant de se transformer en chyle pour donner naissance en bout de chaîne aux esprits animaux, le cycle de la respiration relèvent d'équilibres savants qui font du corps l'analogue périssable de ce grand organisme en perpétuelle gestation que constitue l'univers. Le vieux thème du macrocosme et du microcosme qui affleure en bien des pages des *Essais de physique* se voit réinterprété à la lumière de nouvelles évidences. Si la proportion ne suffit plus à installer l'homme au centre du monde, l'analogie circulatoire fait de son corps l'image privilégiée de l'ordre naturel. Au réseau d'équivalences statiques de la tradition se substituent ainsi des ressemblances plus dynamiques.

La compacité constitue un autre motif de rapprochement entre l'univers et la vie. En se référant aux écrits de Platon, Hippocrate ou Galien, Perrault rappelle cette idée qui lui semble tout à fait justifiée selon laquelle « tous les corps qui composent l'univers sont tellement serrés et pressés les uns contre les autres, que pour attirer un corps, il n'y a qu'à lui faire une place, dans laquelle il est nécessairement poussé par les autres [17] ». Selon ce schéma, les mouvements qui agitent l'univers sont comparables aux mouvement péristaltique qui concerne les parties des corps vivants, puisque celles-ci sont « serrées et comme empaquetées les unes avec les autres, en sorte qu'il n'y a point de vide [18] », et qu'elles se trouvent du même coup incessamment poussées, pressées et malaxées en tous sens. Aux machines articulées des hommes répondent ainsi des organismes qui se présentent sous la forme d'un emboîtement indéfini de mécanismes. Cette épaisseur ne recèlerait-elle pas paradoxalement un principe étranger à tout agencement machinique ?

## La sensibilité du vivant

Bien que Perrault compare l'œil à une lunette astronomique et qu'il fasse construire une machine reproduisant ses mouvements [19], le fonctionnement des cinq sens échappe aux explications mécanistes trop simples tout comme le détail de la digestion. Dans l'un et l'autre cas il s'avère en effet indispensable de descendre à une échelle microscopique où les suppositions l'emportent largement sur les certitudes. L'auteur des *Essais* n'esquive pas cependant la question fondamentale de la sensibilité du vivant et il propose un ensemble d'hypothèses destiné à y répondre partiellement. Selon lui les corps inanimés ou animés sont tout d'abord constitués de corpuscules élémentaires qui forment des particules elles-mêmes regroupées en parties [20]. Si les corpuscules sont à l'origine de la propriété du ressort, les particules la possèdent également par composition, et c'est leur séparation par les esprits animaux qui produit le relâchement des muscles. Plus généralement, les fonctions vitales de base résident toutes dans la mobilité des particules et dans leurs possibilités de séparation [21]. Pour Perrault, en prolongement de sa théorie de la relaxation musculaire, la sensation n'est jamais qu'un effet induit par la séparation des particules dans une zone quelconque du corps [22]. Tous les tissus vivants sont donc potentiellement sensibles et la diversité des sensations se trouve rapportée à une même cause élémentaire, à une sorte d'infime lésion.

Disposition naturelle du vivant, la sensibilité des tissus est aussi liée à l'action des esprits animaux issus du cerveau et véhiculés par les nerfs qui provoquent la mobilité des particules en se répandant parmi elles [23]. Formés d'une matière plus prompte à s'émouvoir que le reste de l'organisme, toujours emplis d'esprits animaux, les nerfs constituent par conséquent les zones les plus sensibles du corps [24].

Fort de ces prémices, Perrault peut affirmer l'antériorité du toucher sur tous les autres sens. Si les organes tant externes qu'internes « ne sont capables de sentiment que par la disposition que leurs particules ont à être actuellement remuées [25] », cette disposition consiste le plus souvent en une sensibilité d'ordre tactile. Parmi les cinq sens « le toucher doit être considéré comme la base de tous les autres sens, qui sont pour ainsi dire des touchers modifiés [26] ». Considérant les insectes comme les moins évolués de tous les animaux, les *Essais* se contentent de leur attribuer ce sens élémentaire qui doit bien leur suffire [27].

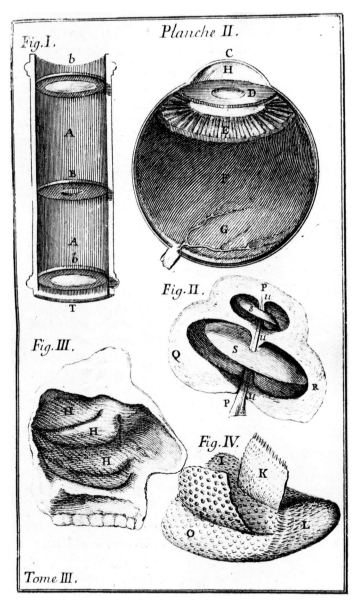

*57. Cl. Perrault, Essais, la vue, l'ouïe, l'odorat et le goût représentés respectivement par la coupe d'un œil comparée à celle d'une lunette astronomique, le limaçon de l'oreille, la coupe de la mâchoire supérieure et du nez montrant l'appareil olfactif, le bout d'une langue de bœuf.*

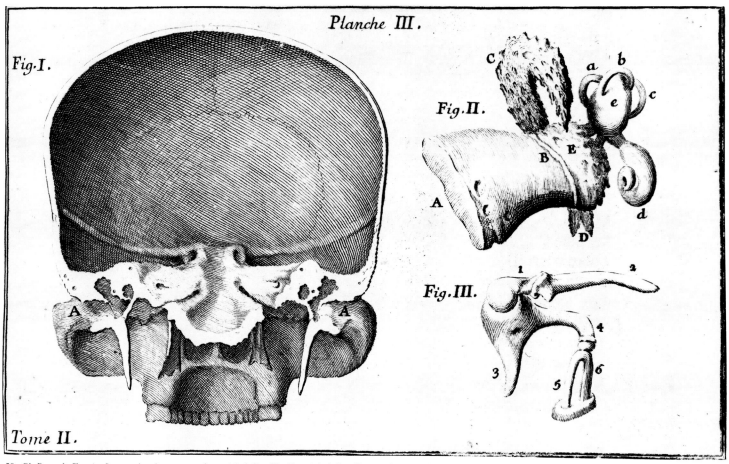

58. *Cl. Perrault*, Essais, *I. coupe du crâne montrant les cavités de l'oreille, II. cavités de l'oreille montrées en relief, III. les osselets.*

A partir du moment où le goût, l'odorat, l'ouïe et la vue ne sont que des touchers modifiés, il reste à préciser autant que faire se peut les modalités de ces modifications. Tandis que les parties molles du corps sont susceptibles de réagir au toucher, Perrault remarque que la nature a doté d'une sensibilité spéciale certains organes dont les particules sont encore plus mobiles qu'ailleurs. Cette mobilité procède selon lui de deux causes : une texture délicate d'une part, une irrigation plus abondante en esprits animaux d'autre part [28]. Les différences qui se remarquent ensuite entre les organes du goût, de l'odorat, de l'ouïe et de la vue expli-

quent la diversité des sensations correspondantes, même si les anciens ont eu raison de noter l'intime liaison du goût et de l'odorat [29]. On retrouve par ce biais le terrain anatomique, puisque la connaissance détaillée du palais, du nez, de l'oreille et de l'œil s'avère indispensable pour poursuivre l'étude de la sensibilité du vivant.

A ce propos, la description que donne Perrault de l'oreille interne dans son traité « Du bruit » est remarquable pour l'époque. Elle ne sera guère surpassée que par celle de Du Verney dans son *Traité de l'organe de l'ouïe* de 1683. Il est vrai que les connaissances de Perrault doivent sans doute beaucoup au talent de son collè-

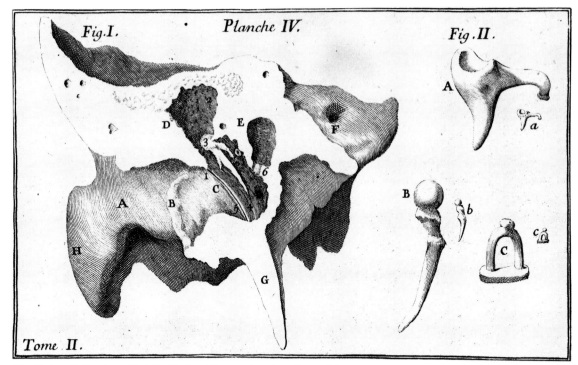

59. *Cl. Perrault*, Essais, *cavités de l'oreille et osselets : a. enclume, b. marteau, c. étrier.*

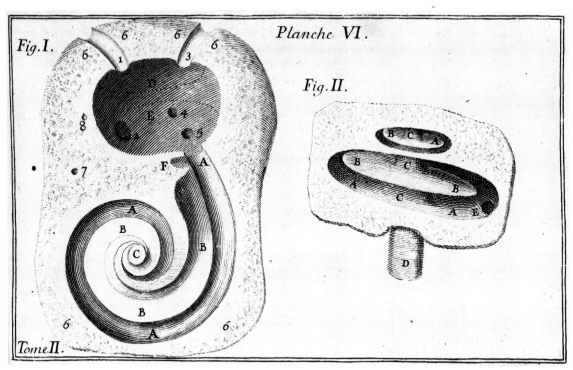

60. *Cl. Perrault*, Essais, *l'oreille interne et le limaçon.*

gue pour les dissections délicates, comme il le reconnaît d'ailleurs au début du tome 3 des *Essais* [30]. Après avoir étudié les différentes cavités dont se compose l'oreille interne, analysé la forme et le fonctionnement du tympan et des osselets, il en arrive au limaçon et à la membrane spirale où aboutit le nerf auditif. Sa conception de la modification apportée à la sensibilité de base par la structure de l'organe récepteur se précise alors au moyen d'une comparaison entre l'œil et l'oreille. Car de même que la rétine est formée du mélange des fibres du nerf optique avec une humeur vitrée qui transforme le fond de l'œil en une surface très polie, un véritable miroir capable de recevoir l'impression de tous les rayons lumineux issus des objets, de même « la membrane spirale qui est l'organe immédiat de l'ouïe est composée en partie des fibres du nerf, et en partie aussi de la substance osseuse que ces fibres reçoivent de l'os qu'elles pénètrent, pour lui faire avoir une substance moyenne entre l'os et le nerf [31] ». Ce parallèle montre bien que chaque organe ne fait que mêler aux fibres nerveuses sa substance propre qui altère la nature de la sensation reçue. Sous cet angle les différences entre la vue et l'ouïe deviennent évidentes. Si l'humidité, la mollesse et la fluidité constituent en effet autant de caractéristiques de l'œil, une disposition contraire doit se trouver dans l'ouïe, car il est constant que la sécheresse est requise pour faire du bruit [32]. Tandis que la rétine évoque irrésistiblement la surface parfaitement plane d'un miroir d'eau, le mécanisme de l'oreille fait plutôt songer à une table de résonance sèche et osseuse. Comme on peut le constater, la vue et l'ouïe diffèrent grandement. Perrault utilise cet argument, on le verra, pour s'opposer aux tenants d'une théorie des proportions qui concernerait à la fois l'architecture et la musique.

Son analyse du fonctionnement de l'œil permet de comprendre également l'opposition qu'il avait manifestée à l'encontre de la théorie de la vision développée par Mariotte après sa découverte de la tache aveugle de la rétine vers 1665-1666. Pour ce dernier, cette tache correspondant à l'arrivée du nerf optique sur le globe oculaire prouvait à l'évidence que la rétine ne pouvait être le lieu où se formait la vision, puisqu'elle recouvrait entièrement l'arrivée du nerf. Pecquet auquel Mariotte avait tout d'abord communiqué son opinion s'était montré peu convaincu pour des raisons essentiellement anatomiques [33]. Faisant également de la rétine le siège de la vision et persuadé qu'elle devait être pour cela lisse comme la surface d'un liquide miroitant, Perrault avait attribué

quant à lui l'existence de la tâche aveugle aux irrégularités accompagnant la naissance du nerf optique, ou encore aux turbulences provoquées par les esprits animaux faisant irruption dans cette zone, turbulences préjudiciables à la formation d'une quelconque image [34]. Publiés près de vingt ans après cette controverse, les *Essais de physique* se gardent bien de reprendre un débat qui s'était rapidement enlisé, Mariotte se révélant un opposant pugnace, jamais à court d'arguments. Comme c'est souvent le cas, les conceptions de Perrault n'ont pas varié d'un pouce cependant.

Avec la physiologie de l'ouïe et de la vision on atteint les limites de l'approche mécaniste. Ces limites sont franchies lorsque l'auteur des *Essais* aborde la question de la perception proprement dite, en introduisant des considérations animistes tout à fait étrangères à la tradition cartésienne de stricte obédience.

## Une âme omniprésente

Ces considérations sont déjà présentes dans le traité « Du bruit ». Selon Perrault il ne se forme aucune image dans le cerveau qui ne fait que préparer à partir de la nourriture qu'il reçoit les esprits animaux destinés à se répandre dans les différentes parties du corps [35]. Cette fonction de préparation n'est pas très éloignée dans son principe de celles qu'assurent l'estomac ou le foie.

Si le cerveau ne jouit d'aucun privilège particulier dans l'économie générale du corps, il reste à comprendre comment s'opère le passage de la sensation à la perception, en d'autres termes où sont décryptés pour être transformés en images actuellement perçues les stimuli provoqués par les objets extérieurs. Pour l'auteur des *Essais*, ces stimuli s'organisent en images dans les organes des sens eux-mêmes, sous l'égide d'une puissance de perception qui ne peut être que l'âme. Perrault suppose alors que tous les corps vivants, à l'exception des plantes, renferment une âme et que cette âme est unie à toutes leurs parties au lieu d'avoir son siège dans le cerveau, si bien qu'elle peut lire directement, à fleur de peau, au cœur de l'oreille interne ou encore sur la rétine les impressions tactiles, auditives ou visuelles [36]. L'âme est ainsi présente en chaque point du corps qu'elle habite. Provoquant à volonté l'arrivée des esprits animaux dans les muscles et les tissus

Fig. 24.

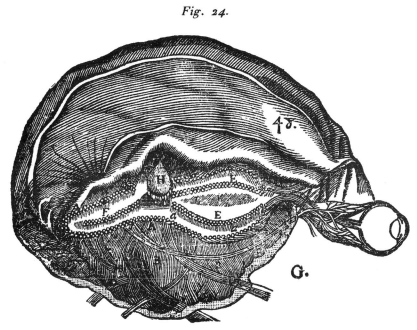

61. *R. Descartes,* Traité de l'homme, *coupe du cerveau montrant la grande pinéale H, siège de l'âme d'après le philosophe. Des processions d'esprits animaux sortent de cette glande pour se répandre dans le corps tout entier.*

divers, elle dirige de manière décentralisée les mouvements et les sensations de la machine qu'elle a reçue en partage.

Plus étonnante encore que la théorie de la relaxation musculaire développée au préalable, cette conception qui attribue tous les mouvements du corps à la volonté d'une âme souveraine mérite bien le terme d'animisme. Bien que Perrault reprenne à son compte la comparaison entre le corps-machine et l'orgue [37], la rupture n'en est pas moins nette par rapport à Descartes. Au lieu d'être localisée dans la glande pinéale, l'âme est en effet présente dans toutes les parties de l'organisme. On passe d'une direction centralisée à un contrôle décentralisé des fonctions du corps. Avec cette décentralisation, assez fidèle à la conception augustinienne des rapports entre l'âme et le corps et aux notions de présence intérieure et d'attention vitale développées par l'évêque d'Hippone [38], le modèle mécaniste change profondément de nature. Il se laisse gagner par un vitalisme diffus qui provient peut-

être, on l'a dit, des connaissances médicales de l'auteur des *Essais*. D'après ce dernier seules les plantes sont entièrement soumises aux lois de la mécanique. De même que le vent qui ploie leurs tiges contribue à la circulation de la sève en l'absence de tout organe jouant le rôle de cœur, de même l'organisation générale du monde dont elles sont parties intégrantes leur tient lieu d'âme régulatrice [39]. La vie animale est par contre irréductible aux approches purement mécanistes.

Perrault prend également ses distances par rapport à Descartes en attribuant une âme aux bêtes. Il intervient ainsi dans un débat dont la portée dépasse largement la discussion des thèses cartésiennes, puisque l'explication du mouvement animal constitue un sujet de réflexion très répandu chez les philosophes et les savants de l'âge classique. Ce débat plonge très loin ses racines. De nombreux auteurs antiques s'étaient en effet complu à évoquer l'ingéniosité, le courage ou la sagesse de certaines espèces animales. A la fin du XVIᵉ siècle Montaigne avait repris ce thème avec l' « Apologie de Raymond Sebond », point de départ d'une longue lignée d'écrits favorables à l'âme des bêtes, écrits parmi lesquels figurent le *Traité de la connaissance des animaux* et *Le système de l'âme* de Cureau de La Chambre. Au cours de la seconde moitié du XVIIᵉ siècle la question est plus que jamais d'actualité, grâce au caractère tranché de la position cartésienne consistant à ne voir dans les animaux que de pures machines, dépourvues de tout sentiment. Dans ses *Entretiens* de 1671, Rohault compare par exemple le comportement animal à celui d'une horloge. A son interlocuteur qui lui objecte que les machines ont besoin d'être remontées, à la différence des bêtes, il répond que l'on remonte ces dernières « toutes les fois qu'on leur donne à manger [40] ».

Rejeté par les gassendistes et raillé par La Fontaine dans son « Discours à Madame de La Sablière », l'argument ne convainc pas non plus Perrault qui se montre au contraire sensible à la non-répétitivité de la conduite animale, bien différente des mouvements réglés d'une horloge. En un siècle d'âpres controverses philosophiques et religieuses, accorder une âme aux animaux ne va pas de soi cependant. Si les bêtes ont une âme, quelle en est la nature ? Est-elle immatérielle ou matérielle, raisonnable ou simplement sensitive comme le voulait l'École ? Dans tous les cas de figure n'y a-t-il pas contradiction entre la supériorité de l'homme sur le reste de la création et l'existence d'autres âmes que la sienne, des âmes obligatoirement mortelles puisque la Révélation et la promesse du salut le concernent seul ? Mais parler d'âmes mortelles n'est-ce point ouvrir la voie au panthéisme ou à l'athéisme ?

Sans entreprendre de répondre à toutes ces questions, Perrault est bien obligé de préciser sa conception de l'âme animale. Selon lui cette âme est très probablement spirituelle [41]. Assurant les mêmes fonctions à l'égard du corps que l'âme humaine, elle s'en distingue cependant par son incapacité presque totale à s'élever au-dessus des évidences sensibles pour embrasser et manier des concepts universaux et abstraits [42]. C'est la capacité de percevoir les réalités suprasensibles, de généraliser et d'abstraire, qui caractérise ainsi l'entendement humain. L'homme est seul capable de raisonner en termes généraux et surtout d'accueillir l'idée d'un Dieu créateur de toutes choses ainsi que les notions de bonté et de vérité. On retrouve par ce biais l'intellectualisme qui imprègne la pensée de Perrault. Mais l'auteur des *Essais* s'inspire aussi de l'argumentation développée par Cureau de La Chambre dans les années 1640-1650 qui consistait à reconnaître aux bêtes une faculté de raisonnement limitée aux objets sensibles à l'exclusion des universaux [43]. En vain Chanet, l'un de ses détracteurs, lui faisait-il observer que tout raisonnement s'appuie à un moment ou à un autre sur un concept universel [44] ; Cureau de La Chambre avait maintenu ses positions sans s'embarrasser de pareilles subtilités. Plus nuancé, plus clairvoyant peut-être que son prédécesseur, Perrault admet quant à lui l'existence de quelques universaux chez les animaux. Les chiens aboient par exemple après tous les laquais quelle que soit la couleur de leur livrée, fait-il observer à l'appui de son opinion [45]. Quelle distance cependant entre le concept de laquais et l'appréhension du bon ou du vrai réservée à l'homme !

La position de Perrault demeure cependant fragile. En apportant des correctifs et des nuances à la distinction établie avec tant de netteté par Cureau de La Chambre entre l'expérience sensible et la conceptualisation, il réduit singulièrement l'écart entre l'animal et l'homme, écart dont il s'était pourtant proposé l'explicitation. Du même coup ressurgissent des questions religieuses et philosophiques que les *Essais* n'abordent pas, mais qui projettent tout de même leur ombre dérangeante sur l'hypothèse animiste. Mû par un souci bien compréhensible de la part d'un naturaliste d'éviter les explications par trop simplificatrices du comportement animal, Perrault se place sur un terrain glissant. Devant les difficultés que soulève l'animisme, il faut peut-être tenter de démêler plus avant les raisons de ce choix théorique. En dépit de sa singularité, une telle option participe en réalité des interrogations du monde savant sur les limites du mécanisme. Perrault n'est pas le seul à s'interroger de la sorte ; sa doctrine revêt du même coup un caractère symptomatique.

Cette doctrine se développe, on l'a vu, à partir d'une interprétation restrictive du rôle joué par le cerveau. Ce dernier ne se forme aucune image. Comment le nerf optique qui est opaque pourrait-il transmettre des images, se demande avec une feinte naïveté Perrault qui fait également remarquer que les nombreuses anastomoses du système nerveux devraient immanquablement brouiller les stimuli reçus par le cerveau en rendant de la sorte impossible une perception claire et distincte [46].

De façon similaire le cerveau ne peut servir de support matériel à la mémoire. Contrairement aux affirmations de Descartes et de ses disciples, Perrault se refuse à parler de traces cérébrales correspondant à l'impression laissée par tel ou tel objet extérieur. Si la mémoire dépendait de configurations de ce type, comment expliquer par exemple qu'un cheval puisse se souvenir des particularités d'un chemin qu'il a emprunté à l'aller et qu'il parcourt en sens inverse ? En effet les lieux « se présentent autrement aux yeux du cheval qui s'en retourne et d'une manière opposée, (...) feraient dans son cerveau des traces nouvelles, qui n'auraient aucun rapport avec les premières, et ne pourraient produire un effet de mémoire [47] ». Pas plus que la perception, la mémoire ne peut s'expliquer de manière mécanique. Ses opérations supposent à chaque instant une faculté de jugement que l'âme détient seule. Dans sa remise en cause du caractère mécanique de la perception et de la mémoire, l'auteur des *Essais de physique* se montre proche de certaines positions de Leibniz, même si ce dernier conserve l'idée de trace cérébrale dans ses *Nouveaux essais sur l'entendement humain* [48]. Perrault et Leibniz constatent tous deux qu'une machine est programmée pour se répéter tandis que la vie innove à chaque instant, qu'une machine n'est pas capable de raisonner alors qu'un simple cheval qui s'en retourne à l'écurie fait preuve de jugement.

En rapportant l'ensemble des fonctions vitales à une âme toute puissante répandue dans toutes les parties du corps, Perrault se heurte tout de même à une difficulté majeure. Si notre âme perçoit en effet les moindres mouvements de la machine qu'elle dirige, comment se fait-il que nous n'ayons pas clairement conscience de certains processus dont notre organisme est le siège et que nous en soyons réduits à échafauder des hypothèses à leur sujet ?

Pour répondre à cette objection, Perrault s'empresse de distinguer deux sortes de pensées auxquelles correspondent deux types de volontés. Selon lui : « il y a une pensée expresse et distincte pour les choses auxquelles nous nous appliquons avec soin, et une pensée négligée et confuse pour les choses qu'un long exercice a rendues si faciles que la pensée expresse et exacte n'y est point nécessaire ; en sorte néanmoins que cette pensée confuse, ne laisse pas de se faire avec un raisonnement composé de toutes ses parties [49]. » Nous n'avons bien sûr conscience que des pensées expresses, relayées par la volonté délibérée d'effectuer tel ou tel mouvement. Aussi bien formées que les précédentes, les pensées confuses expliquent pour leur part le battement régulier du cœur ou le mécanisme de la digestion, processus dont nous som-

mes loin de nous faire une idée claire et distincte, mais qui n'en correspondent pas moins aux intentions de survie de l'âme qui les dirige. Confondant mouvements volontaires et involontaires, Perrault rapporte de la même façon les processus élémentaires de préparation et de diffusion des esprits animaux à la volonté confuse de l'âme. Par la force de l'habitude cette dernière ne se représente pas toutes les opérations qu'elle effectue, ce qui constitue la source des difficultés rencontrées par les savants pour expliquer le fonctionnement du corps.

Dans la doctrine de Perrault s'introduit ainsi le thème de l'habitude présent chez Descartes, Rohault ou Malebranche, thème auquel il confère une importance toute particulière. C'est l'habitude qui vient départager les registres de la pensée expresse et de la pensée confuse. Son empire est suffisant pour s'opposer à une volonté passagère ; c'est ainsi qu'il nous est impossible d'arrêter à dessein les battements de notre cœur [50].

Tandis que les pensées expresses se rapportent généralement aux objets extérieurs, les pensées confuses ont plutôt trait au fonctionnement interne du corps et à son entretien. Selon les circonstances, l'un ou l'autre de ces registres prédomine. A l'état de veille, les pensées expresses l'emportent chez l'homme sur les pensées confuses ; l'inverse se produit pendant le sommeil dont le rôle réparateur est bien connu [51]. En rendant plus ou moins difficile le fonctionnement de l'organisme, des facteurs comme le climat, l'âge ou la nourriture influent également sur la disponibilité de l'âme aux stimulations externes [52]. Chez les animaux, le raisonnement interne « principalement employé à la conduite des fonctions de la vie » mobilise l'essentiel de leurs facultés au détriment du raisonnement externe « qui règle les choses hors de nous, et qui sont la matière de la philosophie des sciences et des arts [53] ». Il en va tout autrement chez l'homme et l'on retrouve la différence entre l'âme des bêtes et l'entendement humain.

Au passage Perrault nous livre sa conception de l'âme enfantine. Si l'âge influe en effet sur le rapport entre pensées expresses et pensées confuses, « c'est encore par cette raison que l'on peut croire que les enfants qui n'ont presque point de pensées expresses pour les choses de dehors, sont dans une si grande stupidité ; et que ce n'est point à cause que les organes du raisonnement ne sont pas encore en leur perfection, mais que c'est parce que toutes leurs pensées sont occupées à la conduite des fonctions naturelles, et principalement de celles qui appartiennent aux sens et au mouvement, lesquelles sont presque les seules actions pour lesquelles ils ont des pensées expresses [54] ». Ainsi, l'âme des enfants est-elle dotée de toutes ses facultés ; mais encore novice, elle se révèle incapable de maîtriser suffisamment le corps qui lui est échu pour se permettre de raisonner sur des objets éloignés et des abstractions. Dans ce respect de la logique et des capacités de raisonnement de l'enfance, ainsi que dans la reconnaissance du caractère égoïste de ses centres d'intérêt, ne trouve-t-on pas déjà les éléments d'une pédagogie qui explique pour une part la genèse et certains traits des célèbres *Contes* de Charles, probablement conçus dans le cadre de l'éducation donnée par ce dernier à ses enfants [55] ?

La ligne de partage entre pensées expresses et pensées confuses qu'établit Claude Perrault revient à dissocier en réalité pensée et conscience. Une telle dissociation est bien sûr contraire à l'enseignement de Descartes. Au cours de la seconde moitié du XVIIe siècle, elle s'impose cependant à des esprits pourtant proches du cartésianisme comme Pierre Nicole qui fait remarquer dans ses *Essais de morale* que l'on agit souvent « sans connaissance distincte, et par une simple habitude, qui n'est conduite que par une pensée confuse [56] ». Ce dernier introduit alors des « pensées imperceptibles » qui rappellent étrangement les conceptions de Perrault. Physiologie et psychologie aboutissent au même type de conclusion. Le phénomène est encore plus net si l'on se tourne vers la littérature précieuse qui n'en finit pas de spéculer sur les ruses inconscientes de l'amour [57]. De toutes parts se forment des réflexions qui font éclater l'identité cartésienne de la pensée et de la conscience.

Les pensées confuses de Perrault font aussi songer aux « petites perceptions » de Leibniz, même si ces dernières procèdent d'hypothèses sensiblement différentes. Tandis que les pensées confuses de l'auteur des *Essais de physique* se rapportent prioritairement en effet à l'intériorité corporelle, les petites perceptions du philosophe font figure de conséquence beaucoup plus générale de son système de pensée et de sa théorie de l'harmonie préétablie. Selon Leibniz, notre âme au même titre que n'importe quelle substance exprime la totalité de l'univers où tout est lié par l'intermédiaire du corps qui lui correspond. Le moindre événement survenu en un point quelconque de cet univers se répercute dans l'organisme et se transforme en perception en vertu de l'harmonie de l'âme et du corps. Mais nous sommes bien loin de percevoir distinctement tous les événements qui surviennent à chaque instant, en particulier lorsqu'ils sont éloignés de nous par la distance ou l'échelle ; les modifications correspondantes de notre organisme nous échappent du même coup. Il faut alors admettre l'existence de petites perceptions, éléments infinitésimaux redonnant après sommation les perceptions conscientes, de la même façon que le mugissement de la mer qui frappe notre oreille se compose en réalité du bruit de milliers de vagues qui confondent leurs effets [58]. Les petites perceptions renvoient ainsi à l'expression de l'univers tout entier et non plus seulement aux mouvements internes du corps, même si ces derniers sont en parfait accord avec ce processus d'expression.

Perrault et Leibniz se rejoignent cependant autour d'un certain nombre de constats d'ordre physiologique que les pensées confuses ou les petites perceptions permettent d'expliquer assez facilement. Le caractère inconscient d'un certain nombre de fonctions vitales, le problème du sommeil les préoccupent par exemple l'un et l'autre. Leibniz avait d'ailleurs rencontré Perrault et pris connaissance de ses théories au cours de son séjour à Paris de 1672-1676. Sans partager son point de vue animiste, il en donne un résumé dans une de ses notes manuscrites de cette époque [59]. On serait tenté d'imaginer sur ces bases que les réflexions et les expériences de son interlocuteur ont pu jouer un certain rôle dans l'élaboration de sa théorie des petites perceptions.

Sans même parler d'influences directes, il est clair que Perrault et Leibniz se posent au fond la même question : comment une âme immatérielle peut-elle agir sur un corps soumis aux lois ordinaires de la matière ? A la fin du XVIIe siècle la réponse apportée par Descartes à cette question apparaît de moins en moins convaincante et de nombreuses tentatives de redéfinition des rapports entre l'âme et le corps voient le jour. De ce point de vue Perrault et Leibniz occupent des positions presque symétriques, comme le souligne très justement François Azouvi [60]. Tandis que l'auteur des *Essais* dilate l'emprise de l'âme aux dimensions du corps, le philosophe lui ôte toute possibilité d'action directe sur ce dernier en attribuant au principe d'harmonie la coïncidence merveilleuse qui existe entre la série des états psychiques et celle des états organiques. Que l'âme agisse dans chaque organe ou qu'elle se meuve sur un tout autre plan, il faut de toute manière se résoudre à rompre l'identité entre pensée et conscience.

A la différence de son illustre contemporain, Perrault ne réalise peut-être pas pleinement les conséquences de cette rupture. L'animisme constitue à ses yeux le nécessaire complément d'une explication mécaniste des mouvements du corps dont il vient pallier les insuffisances [61]. L'intuition vitaliste qui sous-tend l'hypothèse d'une âme répandue dans chaque tissu et dans chaque organe n'en demeure pas moins étrangère à l'esprit des modèles mécanistes plus orthodoxes. Si l'animisme de Perrault préfigure sans aucun doute celui de Stahl, son vitalisme diffus annonce quant à lui tout un pan de la réflexion physiologique des Lumières attaché au caractère singulier des manifestations de la vie.

## La génération du vivant

L'origine des plantes et des animaux constitue une autre difficulté à laquelle se heurte le mécanisme et Perrault se refuse à considérer « que des ouvrages de cette qualité soient l'effet des formes ordinaires de la nature », car il faut bien reconnaître que les opérations de cette dernière sont « d'un autre genre, et beaucoup plus au-dessous de ce qu'il y a d'admirable dans la formation des corps vivants [62] ». Il faut donc distinguer nettement la création proprement dite de la nourriture et de la croissance qui sont du ressort de la simple nature. Dans ses *Essais de physique*, Perrault reprend et approfondit alors l'hypothèse de la préexistence des germes qu'il avait formulée dès 1666-1667 avec son « Projet pour la botanique ».

« Mon hypothèse est donc que dans la création du monde les corps ont eu deux sortes de formes ; qu'aux uns la forme a été donnée très simple et seulement similaire, et que les autres en ont eu une très composée et organique. Que les corps du premier genre sont les éléments qui par leurs différentes liaisons, font des mixtes capables de devenir la nourriture des plantes, de même que les plantes sont faites pour nourrir les animaux. Que les corps du second genre sont les corps capables d'avoir vie, fournis de tous les organes nécessaires à leurs fontions, mais tellement petits qu'il leur est impossible d'en exercer aucune ; et qu'en cet état étant mêlés parmi les corps inanimés ils attendent l'occasion de rencontrer une substance assez subtile et disposée comme il faut pour pénétrer les conduits étroits de leurs petits organes, et

les rendre propres à recevoir la nourriture qui leur doit faire acquérir une grandeur convenable : et alors il leur arrive ce que l'on appelle génération, qui n'est rien autre chose que ce qui rend ces petits corps capables de recevoir la nourriture par l'ouverture et le développement de leurs parties serrées les unes contre les autres [63]. »

En ce qui concerne les animaux et les hommes, la « substance assez subtile » pour pénétrer les petits corps organisés est constituée par l'assemblage des semences mâle et femelle qui produit une fermentation particulièrement active. La fécondation se produit quant à elle parce que les petits corps ou germes de chaque espèce sont en nombre suffisant pour qu'il s'en rencontre très souvent dans cette fermentation des semences [64]. Aussi séduisant qu'il puisse paraître, un tel système rend cependant difficile l'explication des phénomènes héréditaires, puisque la génération réside dans la rencontre accidentelle d'un des germes répandus de par le monde avec la fermentation propre à le dilater. Le panspermisme et l'hérédité sont inconciliables. Aussi Perrault doit-il attribuer les ressemblances que l'on constate d'une génération à l'autre à l'influence de la mère dont l'imagination et les mouvements remodèlent en partie le fœtus pendant la grossesse, en lui imprimant durablement certains traits [65]. L'argumentation est bien faible, Perrault en demeure d'accord, mais son principe lui paraît plus vraisemblable que les autres théories qu'il serait possible d'échafauder. On ne peut se défendre toutefois d'une certaine déception à la lecture d'une telle justification. Sous la plume d'un de ces « Messieurs Perrault » qui se ressemblent tant, le caractère presque fortuit que revêt l'hérédité fait un peu figure de dénégation.

Dans le même ordre d'idées que son système des petits corps organisés, la « génération des parties qui reviennent à quelques animaux après avoir été coupées », comme la queue du lézard, s'explique par la présence de « petites parties cachées », enfermées cette fois dans le corps de l'animal, dont une amputation déclenche la croissance [66]. Là encore, il s'avère inutile de recourir aux vertus d'une quelconque « faculté formatrice » que Perrault critique toujours avec autant d'acharnement que dans son « Projet pour la botanique » de 1667 [67].

Selon Jacques Roger, cette critique se trouve toutefois dépassée au moment où paraissent les *Essais* [68]. Dans les années 1680 en effet, la doctrine des germes préexistants s'est déjà beaucoup diffusée dans les milieux scientifiques et les conceptions aristotéliciennes et galéniques reculent de tous côtés. Toute la question est maintenant de savoir où et comment sont disposés les germes créés par Dieu au commencement du monde. Dans sa *Recherche de la vérité* publiée pour la première fois en 1674, Malebranche résume assez bien l'opinion qui va progressivement s'imposer : celle d'un emboîtement indéfini des germes les uns dans les autres [69]. Rien de plus facile à concevoir dans le cas des plantes, comme le démontre Mariotte qui présente à l'Académie en 1677 un bulbe de tulipe dans lequel on peut distinguer, toutes formées à une échelle réduite, les feuilles, les fleurs et les étamines de la plante à venir [70]. S'agissant des animaux, il suffit d'imaginer que chaque femelle possède des ovaires remplis d'œufs qui renferment d'autres femelles également dotées d'ovaires contenant d'autres œufs et ainsi de suite. Avec ses petits corps répandus comme une sorte de pollen, l'explication de Perrault reste étrangère à ce processus de régression à l'infini dont s'émerveille un Malebranche. Exposée tout d'abord devant l'Académie des Sciences, deux ans avant la parution de l'*Histoire générale des insectes* de Swammerdam qui constitue le premier ouvrage imprimé à faire explicitement référence à la doctrine de la préexistence des germes, l'hypothèse panspermique de l'auteur du « Projet pour la botanique » et des *Essais de physique* constitue en réalité une forme primitive de cette doctrine.

Ce côté primitif provient pour une part de la fidélité de Perrault à l'héritage augustinien. Proche des milieux jansénistes qu'avait d'ailleurs rejoints son frère Nicolas, ami d'Arnauld, l'auteur des *Essais* se montre clairement influencé par la pensée de saint Augustin, comme de nombreux esprits de son époque bien qu'à un degré plutôt rare chez un savant. Son animisme évoque, on l'a dit, la conception augustinienne des rapports entre l'âme et le corps. Par dessus tout Perrault entend préserver la toute puissance créatrice de Dieu en ne laissant à la nature que la conduite ordinaire des actions de la vie ; ses petits corps sont de ce point de vue beaucoup plus proches des « raisons séminales » de l'évêque d'Hippone que les germes emboîtés de Swammerdam ou Malebranche [71]. Le rôle limité qui est ainsi assigné à la nature constitue sans nul doute l'une des caractéristiques essentielles de son œuvre physiologique. De même que le corps-machine ne saurait se concevoir sans une âme qui l'habite, de même la perfection des ouvrages organiques renvoie au Dieu créateur de toutes choses, quoique les lois du mouvement soient suffisantes pour expliquer la génération, la nourriture et l'accroissement des êtres vivants. Voilée par l'apparente objectivité du discours, une religiosité profonde imprègne en réalité les *Essais de physique*. En venant tempérer l'originalité de certaines prises de position, elle confère à l'ouvrage son ton si particulier ; elle explique ce mélange d'audaces conceptuelles et de scrupules où transparaît peut-être le mieux la personnalité profonde de Perrault.

# Le Monde de Monsieur Perrault, de l'Explication de la Pesanteur au Frottement des Machines

## Dureté, ressort et pesanteur, une physique d'inspiration cartésienne

Loin de se limiter à l'anatomie et à la physiologie, la curiosité sans cesse en éveil de Claude Perrault l'entraîne également du côté de la physique. C'est ainsi qu'il intervient à l'Académie des Sciences en 1667 sur les propriétés de la chaux, en 1669 sur la question de la coagulation et sur les causes de la pesanteur, et qu'il réfléchit par la suite à la nature du bruit et de la lumière. Rien d'étonnant à cela dans le fond. Avant de s'appliquer au vivant le mécanisme ne concerne-t-il pas en effet le comportement de la matière dans toute sa généralité ? On comprend mieux alors que Perrault ait choisi d'intituler *Essais de physique* son principal ouvrage scientifique dans lequel se trouve résumé l'ensemble de ses réflexions.

Sous sa forme définitive la physique de Perrault participe de cette philosophie corpusculaire dont Mersenne, Gassendi et Descartes avaient été parmi les pionniers en France, et qui entend recourir aux seules propriétés de l'étendue, aux seules lois du mouvement et du choc pour rendre compte du fonctionnement de l'univers [1]. A l'Académie cette philosophie compte déjà de nombreux partisans au premier rang desquels figure Huygens dont l'influence explique en partie les choix théoriques de son ami. Pour Huygens, fidèle en cela au projet cartésien, traiter physiquement des causes de la pesanteur ou de quelque sujet que ce soit consiste à ne faire intervenir que les différentes grandeurs, figures et mouvements des corpuscules dont se compose la matière, à l'exclusion de ces qualités occultes auxquelles avait si souvent recours l'Ecole et qui constituent à ses yeux des abstractions sans existence réelle.

Une telle entreprise se heurte à de sérieuses difficultés, on s'en doute. Comment expliquer par exemple la dureté de certains corps dans un système de pensée qui juxtapose des particules élémentaires en refusant *a priori* toute liaison fondée sur d'autres principes que la contiguïté et la communication du mouvement au moyen du choc ? La fluidité représente de ce point de vue le seul état naturel aisément concevable, ainsi qu'en témoigne le recours permanent de Descartes à des considérations hydrodynamiques dans *Le monde* et dans les *Principes de la philosophie* qui contiennent l'exposé de sa théorie des tourbillons [2].

Mais le magnétisme et la pesanteur constituent des évidences tout aussi dérangeantes pour une physique qui ignore toute forme d'action à distance. Comment décrire en effet l'attirance mutuelle du fer et de l'aimant ou celle des corps pesants pour la terre sans y voir l'effet de qualités occultes d'attraction ? Dans les dernières années du XVIIe siècle de nombreux savants continentaux reprocheront d'ailleurs à Newton d'en revenir à une physique des qualités avec sa théorie de la gravitation universelle fondée sur un phénomène d'attraction apparemment inexplicable. L'adoption des idées du physicien anglais en sera retardée d'autant [3].

En 1667 les conceptions de Perrault sont encore loin de se conformer aux exigences de rigueur de la philosophie corpusculaire, toutefois. Dans son mémoire sur la nature et l'usage de la chaux, le nouvel académicien que l'on sent peu convaincu par le projet cartésien de réduction des qualités sensibles aux propriétés de l'étendue attribue par exemple la dureté de certains corps à un « amour de l'union », à une « propension naturelle que tous les corps ont à se joindre [4] » dont le principe demeure bien mystérieux. Cela ne l'empêche tout de même pas d'émettre des remar-

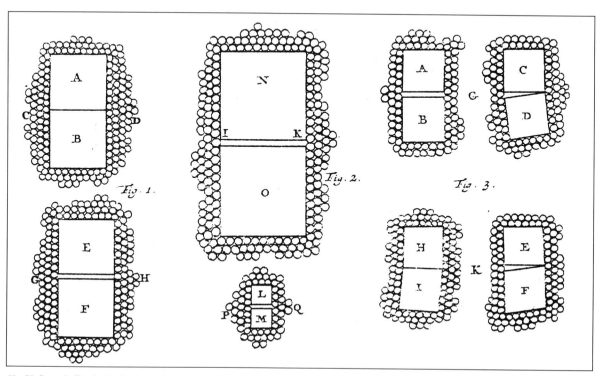

62. *Cl.* Perrault, Essais de physique, *dureté et ressort des corps. Tandis que la figure 1 expose le principe général de l'explication de Perrault, la figure 2 est destinée à montrer que la résistance à la séparation et le ressort sont proportionnels à la taille des parties pressées les unes contre les autres par les corpuscules de la partie subtile de l'air. La figure 3 généralise le principe du ressort à la flexion des corps droits (cas G) et au redressement des corps courbes (cas K).*

ques de bon sens sur la calcination des pierres à plâtre et sur l'extinction de la chaux vive, remarques qui témoignent de son intérêt pour les techniques liées au bâtiment, mais sa contribution donne dans l'ensemble l'impression d'un certain flottement.

Le ton change deux ans plus tard avec le mémoire sur la coagulation qui marque le ralliement de Perrault à la physique corpusculaire. Au lieu de faire appel à un quelconque amour de l'union, ce mémoire contient le premier exposé de la théorie de la dureté et du ressort qui figurera par la suite dans les *Essais de physique* et qui repose, on l'a vu, sur une double causalité, interne et externe. La forme des corpuscules les rend d'une part plus ou moins aptes à s'unir, selon qu'ils sont plus ou moins plats. La pesanteur de l'atmosphère, ou plutôt sa pression, tend d'autre part à les agglomérer, tandis que la chaleur facilite leur séparation [5].

En faisant intervenir la pression de l'atmosphère pour s'opposer à la séparation des corpuscules, l'académicien s'inspire très pro-

bablement de la célèbre expérience des hémisphères de Magdebourg réalisée en 1654 par Otto de Guericke et décrite par le père Caspard Schott dans sa *Mechanica hydraulico-pneumatica* de 1657 [6]. Malebranche se réfère encore à cette expérience dans *La recherche de la vérité* en expliquant comme Perrault « l'union étroite qui se trouve entre les parties des corps durs » par l'action d'une matière invisible qui les environne et qui les comprime [7]. Cette remarquable convergence de vues n'a rien de fortuit ; elle témoigne de l'insatisfaction assez généralement ressentie devant l'interprétation de la dureté en terme d'inertie proposée par Descartes [8]. Dans une lettre de 1676, Leibniz auquel Perrault avait communiqué ses arguments leur trouve également « beaucoup de conformité » avec ses propres vues [9]. Il est vrai que ses « Remarques sur la partie générale des *Principes* de Descartes » de 1692 se montreront plus critiques envers ceux qui attribuent la dureté des corps à « la même cause qui fait que deux planches polies ne peuvent être séparées qu'à grand peine, parce que la matière ambiante s'y oppose, ne pouvant pénétrer subitement dans l'intervalle entre ces planches, créé par la séparation [10] ». Le recours à la compression d'une matière ambiante n'en demeure pas moins l'une des rares hypothèses permettant d'expliquer raisonnablement la cohésion et l'élasticité des corps dans le cadre de la philosophie corpusculaire.

Reste l'irritante question de la pesanteur à laquelle réfléchit l'Académie au cours de l'été 1669. Le 7 août Roberval donne tout d'abord son avis avec une assurance quelque peu méprisante pour ses collègues que le sujet préoccupe. Selon lui les opinions émises jusqu'à présent sont de « pures pensées et imaginations » ne reposant sur aucun principe clair et évident. A la différence de la géométrie, taillée à la mesure de l'esprit humain, tout n'est peut-être pas intelligible en physique et il se pourrait bien que les causes de la pesanteur nous demeurent à jamais cachées, faute d'un sens spécifique permettant de les appréhender, de la même façon que les aveugles de naissance sont incapables de discerner les couleurs [11].

Au cours de la séance suivante Frénicle expose sa conception selon laquelle la pesanteur n'est qu'« une action par laquelle les parties de la terre se tiennent toutes jointes ensemble et composent par cette union le grand corps de la terre » en cherchant à se rejoindre lorsqu'elles ont été séparées les unes des autres [12]. Cette explication dont le principe rappelle étrangement l'amour de l'union du mémoire sur la chaux de Perrault demeure toutefois isolée. La philosophie corpusculaire revient en force lorsque Huygens livre ensuite son opinion.

Bien qu'elle soit différente de la théorie exposée dans les *Principes de la philosophie*, l'explication de la pesanteur tentée par Huygens demeure dans l'ensemble fidèle à l'esprit de la physique cartésienne en faisant intervenir des tourbillons de corpuscules du ciel extrêmement fins et déliés qui repoussent en direction de la terre les corps d'une texture plus grossière, incapables de suivre leur mouvement circulaire à cause de leur inertie. La chute des corps est ainsi provoquée par leur mobilité insuffisante par rapport aux corpuscules de la matière fluide qui compose le ciel [13].

Selon Paul Mouy, la théorie des tourbillons à laquelle recourt la physique cartésienne pour expliquer les mouvements célestes ainsi que la pesanteur est probablement le résultat d'une sorte d'hybridation entre le système copernicien et le modèle circula-

toire mis en évidence par Harvey [14]. A côté de l'influence de Huygens, cette inspiration médicale permet aussi de comprendre l'intérêt qu'éprouve Perrault pour les tourbillons dans son mémoire sur les causes de la pesanteur lu à l'Académie des Sciences en septembre 1669.

Dans un long développement introductif Perrault récuse avec la détermination d'un converti de fraîche date toute idée d'amour de l'union comme cause de la pesanteur. Si une telle tendance existait, une grosse pierre pendue en un endroit élevé attirerait un grain de poussière passant à proximité, tandis qu'un objet tombant dans un puits verrait sa chute se ralentir par suite de l'attraction exercée par la terre située au-dessus. Comme Huygens, Perrault imagine ensuite des mouvements tourbillonnaires de corpuscules du ciel qui provoquent la chute des corps graves. La « répugnance au mouvement » dont font preuve ces derniers les fait tomber aussi sûrement « qu'un vaisseau (...) qui n'est pas assez léger pour être emporté aussi vite et droit que le vent, mais qui y résiste par sa pesanteur et qui n'en suit pas la direction à cause de la situation de sa voile, va obliquement ; et se détourne du cours direct du vent qui le pousse [15] ». A la différence de son ami qui, pour expliquer que les corps tombent en direction du centre de la terre, se voyait obligé de faire intervenir une infinité de tourbillons d'axes différents, Perrault croit s'en tirer avec deux tourbillons seulement. Le premier, orienté d'Occident en Orient, ramène les corps pesants vers l'axe des pôles ; le second « pareil en force et en vitesse qui va du midi au septentrion [16] » incline leur trajectoire vers le centre de la planète. Le modèle qui résulte de cette simplification se rapproche beaucoup plus des préoccupations du mécanisme ordinaire, de ce mélange de bon sens et d'astuce qui guide les concepteurs de machines de l'âge classique, que la théorie beaucoup plus sophistiquée de Huygens.

Ce goût de la simplification dans des matières qu'il maîtrise insuffisamment ou qui lui tiennent moins à cœur que l'anatomie ou la physiologie est caractéristique de Perrault. Comme son explication de la pesanteur, les développements sur le bruit et la lumière contenus dans les *Essais de physique* sont très inférieurs à ses réflexions sur le vivant, même s'il donne une définition vibratoire des phénomènes acoustiques et optiques qui doit sans doute beaucoup à Huygens [17]. Perrault se méfie par ailleurs de certaines complexités de la physique cartésienne, surtout lorsqu'elles

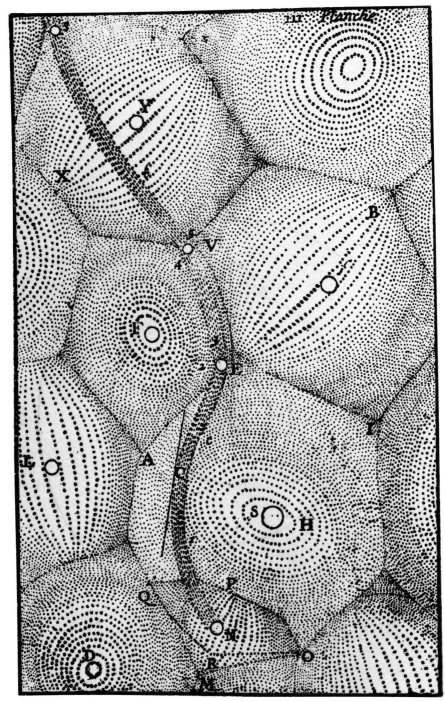

63. *R. Descartes*, Principes de la philosophie *(éd. 1647), tourbillons. La matière liquide du ciel s'organise en un assemblage complexe de tourbillons d'axes différents. L'axe H du tourbillon s est par exemple sensiblement perpendiculaire à l'image alors que l'axe EB du tourbillon f lui est parallèle. Les grands tourbillons qui sont représentés ici sont centrés sur des astres comme le soleil ; ils peuvent comprendre en leur sein d'autres tourbillons correspondant à des planètes comme la terre. Chaque grand tourbillon tend à repousser ses voisins de même rang sous l'effet de la force centrifuge.* Comme l'exprime de façon imagée Fontenelle dans ses Entretiens sur la pluralité des mondes, *chacun de ces grands tourbillons ou mondes « est comme un ballon qui s'étendrait si on le laissait faire ; mais il est aussitôt repoussé par les mondes voisins, et il rentre en lui-même ; après quoi, il recommence à s'enfler, et ainsi de suite ». Dans le cadre de cet équilibre dynamique, de la lumière s'échange entre les tourbillons. Une comète passe parfois d'un tourbillon à un autre, comme celle que l'on voit occuper successivement les positions V, E et N sur l'image.*

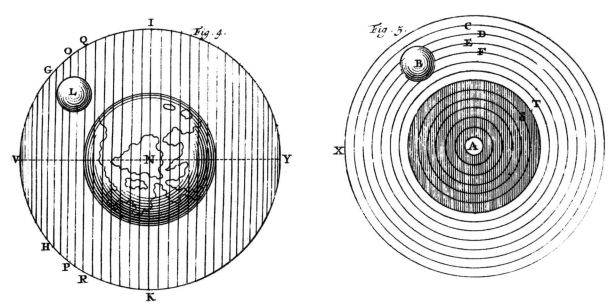

64. *Cl. Perrault,* Essais, *tourbillon centré sur la terre et responsable de la pesanteur coupé par un plan passant par l'axe des pôles (fig. 4), et par le plan équatorial (fig. 5). Reprenant le principe de son explication de la pesanteur de 1669, Perrault lui apporte tout de même quelques modifications. La matière éthérée qui compose le ciel est simplement animée de mouvements circulaires autour de l'axe des pôles, mouvements de plus en plus lents lorsqu'on se rapproche de l'équateur. Dans chaque plan GH, OP, QR, les corps en train de chuter sont poussés vers l'axe VY des pôles (fig. 4). La différence de vitesse entre les pôles et l'équateur les rabat d'autre part vers le plan équatorial, si bien qu'ils finissent par tomber en direction du centre de la terre.*

sont liées à des considérations d'ordre métaphysique. Sur la question du vide par exemple, ses positions sont moins dogmatiques que celles de l'auteur des *Principes* qui faisait coïncider matière et étendue en éliminant du même coup toute possibilité de vide. Il ne croit pas en ce qui le concerne à l'existence d'un vide macroscopique, mais il admet celle d'un vide intersticiel entre des corpuscules de matière imparfaitement emboîtés ou en train de se séparer [18]. Cette opinion nuancée lui paraît plus vraisemblable que l'hypothèse chère à Descartes d'une division indéfinie de la matière propre à remplir tous les interstices qui pourraient se présenter. Si les théories physiques de Perrault peuvent encore être qualifiées de cartésiennes, dans la mesure où elles reprennent le cadre conceptuel des *Principes*, elles en donnent une version singulièrement moins vigoureuse.

Cet affadissement correspond pour une part aux doutes qui commencent à se faire jour devant les insuffisances de la philosophie corpusculaire, au moment même où cette dernière triomphe pourtant à l'Académie des Sciences. Dans le cas de Perrault ces doutes vont progressivement déboucher sur une conception éclectique du savoir scientifique qui trouve son expression la plus nette dans les *Essais de physique*, lorsque l'académicien se démarque de ces philosophes « qui veulent que dans la physique on s'attache à un seul système : car puisqu'il ne nous est pas possible de trouver le véritable, et que le plus vraisemblable ne le saurait jamais être assez pour éclaircir toutes les difficultés d'une matière si difficile, ma pensée est qu'il faut les recevoir tous afin que ce que l'un ne saurait faire entendre, l'autre le puisse expliquer [19] ».

Dans le droit fil de ce renoncement à toute prétention unificatrice, les *Essais* articulent de manière extrêmement lâche l'explication de la dureté et du ressort des corps avec la théorie de la pesanteur reprises pour l'essentiel des mémoires lus devant l'Académie des Sciences en 1669 [20]. Cette relative indépendance des deux systèmes se traduit par la coexistence sans interaction d'une « partie subtile » de l'air, responsable des phénomènes de cohésion, et d'une « partie éthérée » dont les tourbillons provoquent la chute des corps graves. Et puisqu'il faut également expliquer que les corps placés sous la cloche d'une machine à faire le vide conservent leur cohésion, une « partie grossière » vient s'adjoindre aux deux précédentes [21]. C'est cet air grossier qui est pompé par la machine à vide, tandis que la partie subtile dont les corpuscules traversent librement le verre subsiste toujours sous la cloche, en permettant ainsi aux solides de retenir leurs propriétés de dureté et de ressort [22].

Synonyme d'une certaine facilité, comme on peut le voir sur l'exemple précédent, l'éclectisme de Perrault limite la portée de ses théories physiques. Bien que Leibniz ou Régis leur reconnaissent de l'intérêt [23], ces dernières font plus figure d'hypothèses ingénieuses émises en ordre dispersé que de matériaux permettant d'édifier un système explicatif unitaire et cohérent.

## Probabilité, vraisemblance et nouveauté : les ambiguïtés d'une démarche

Pour justifier son attitude l'auteur des *Essais* développe une analyse de la démarche scientifique qui affirme le caractère seulement « probable » des théories physiques, « car la vérité est que l'amas de tous les phénomènes, qui peuvent conduire à quelque connaissance de ce, que la nature a voulu cacher, n'est à proprement parler qu'une énigme à qui l'on peut donner plusieurs explications ; mais dont il n'y aura jamais aucune qui soit la véritable [24] ». A l'exigence d'une vérité absolue, il convient ainsi de substituer un critère de vraisemblance, fondé sur la seule probabilité, qui permet d'ordonner la diversité des systèmes en présence sans être obligé de se déterminer à chaque fois en faveur de l'un d'entre eux.

Tout en reconnaissant à la différence de Perrault la nécessité de choix théoriques clairs, de nombreux savants adhèrent à cette conception probabiliste de l'hypothèse, à commencer par Huygens dont le *Traité de la lumière* publié en 1690 ambitionne un « degré de vraisemblance » mesurable au nombre de phénomènes que la théorie permet d'expliquer et surtout de prévoir [25]. En utilisant les réflexions de Roberval, Mariotte avait déjà exprimé une idée assez comparable dans la première partie de son *Essay de logique* de 1678 où l'on pouvait apprendre que la vraisemblance

d'une hypothèse était fonction des apparences sensibles dont elle permettait de rendre compte [26]. Chez Perrault dont les préoccupations épistémologiques tournent assez vite court, les notions de probabilité et de vraisemblance demeurent beaucoup plus intuitives. Elles ne reposent pas forcément sur l'accumulation de données d'observation, comme en témoigne la constance remarquable avec laquelle l'académicien se réfère à certaines hypothèses que les faits semblent démentir [27]. Tout en se réclamant de l'expérience, Perrault n'est pas toujours sensible à ses leçons, loin s'en faut. Son empirisme diffère ainsi notablement de l'esprit de la méthode expérimentale moderne, même si l'on sait bien que le principe de « falsifiabilité » de Popper ne s'applique pas à cette dernière avec une rigueur absolue [28]. Incapable de ruiner une théorie particulièrement chère à l'auteur des *Essais* — peut-on en effet tirer des conclusions irréfutables d'un événement provoqué artificiellement dont on est loin de connaître l'ensemble des paramètres [29] ? — l'expérience joue un rôle plus limité qu'il pourrait y paraître dans le processus d'élaboration et de validation du savoir scientifique.

Par-delà l'acharnement déployé par Perrault pour défendre les systèmes qui lui tiennent à cœur, ce rôle limité est aussi lié à la distance séparant l'échelle des phénomènes observés de celle des explications qui en sont proposées. Une science qui raisonne sur des corpuscules impossibles à mettre en évidence pour rendre compte de phénomènes comme la dureté des corps, le magnétisme ou la pesanteur ne peut que privilégier la cohérence conceptuelle des hypothèses sur les procédures de vérification. Dans les *Essais de physique* cette tendance se trouve exacerbée par un désir d'originalité que l'auteur ne songe nullement à dissimuler. S'il faut se montrer vraisemblable, il faut aussi être neuf, car « la nouveauté est presque tout ce que l'on peut prétendre dans la physique, dont l'emploi principal est de chercher des choses non encore vues, et d'expliquer le moins mal qu'il est possible, les raisons de celles, qui n'ont pas été aussi bien entendues qu'elles le peuvent être ». La nouveauté permet de justifier « les imaginations les plus bizarres, pourvu que ce ne soit point celle d'avoir trouvé quelque chose de certain et de convaincant [30] », ajoute aussitôt Perrault qui ne craint pas le paradoxe.

Bien explicable chez un moderne convaincu, ce désir d'originalité est-il conciliable avec la prudence que requiert la démarche scientifique ? Sans trancher sur ce point, force est de constater

LA MECHANIQUE.

*Ioan Forenet Inven. & Pinxit.*

65. *Ch. et Cl. Perrault*, Le cabinet des beaux-arts, *la mécanique d'après J. Jouvenet. On aperçoit au fond la colonnade du Louvre avec l'échafaudage du grand fronton. Le personnage féminin incarnant la mécanique tient un thermomètre d'une main, une équerre de l'autre. Un génie ailé remonte une horloge ; un autre manipule le métier à bas ramené par Hindret d'Angleterre, tandis que le troisième s'affaire une perche à la main.*

l'ambiguïté des positions de Perrault qui se réclame à la fois d'un idéal de vraisemblance et des « imaginations les plus bizarres » sorties de son esprit, un curieux mélange qui est tout à fait à l'image de l'une des alternatives majeures à laquelle se trouvent confrontés les classiques dans les sciences comme dans les arts, en physique comme en architecture, s'agissant de conjuguer raison et intuition, règles et inspiration.

## Des machines de nouvelle invention

Aux hypothèses seulement probables de la physique philosophique répondent d'une certaine façon les certitudes du mécanisme ordinaire dont les réalisations offrent le spectacle d'un progrès incessant. Tous les Perrault sans exception s'intéressent aux machines, Charles en tête qui s'étonne de voir « préférer ceux qui raisonnent sur les mathématiques, à ceux qui mettent en pratique leurs spéculations [31] ». Son frère Claude fait précisément partie de ces inventeurs qui viennent relayer les spéculations des géomètres en perfectionnant les machines existantes et en inventant de nouveaux dispositifs. Les procès-verbaux de l'Académie des Sciences témoignent de son activité dans ce domaine. Il présente par exemple le 5 mai 1683 le « modèle d'une machine pour se servir de grandes lunettes par le moyen du miroir », ancêtre lointain du sidérostat [32]. Le 4 décembre de la même année il lit la description d'une machine pour augmenter l'effet des armes à feu [33]. Il propose à la fin de l'année suivante le dessin d'un nouveau poêle, puis quelques mois plus tard un tuyau de lunette composé de lames de laiton et de barres de fer [34]. En 1673 et 1684 les deux éditions de sa traduction des dix livres d'architecture de Vitruve lui avaient déjà permis de faire connaître à un large public ses reconstitutions de machines antiques ainsi que certaines de ses inventions [35]. Peu avant sa mort, il s'était résolu à faire imprimer un recueil de nouvelles machines ; l'opération sera menée à bien par son frère Charles qui dédiera l'ouvrage à l'Académie des Sciences. On y trouve aussi bien des engins de levage qu'une horloge à eau, un pont mobile ou encore un pont en bois de 30 toises d'ouverture s'inspirant de Palladio [36]. D'autres dispositifs figureront enfin dans les *Machines et inventions approuvées par l'Académie des Sciences* publiées par Gallon en 1735 [37].

Les préoccupations mécaniques de Perrault participent en réalité des objectifs assignés à l'Académie par Colbert qui s'adresse fréquemment à elle pour obtenir des avis techniques sur les arts et métiers. Présente dans le « Projet de Compagnie des Sciences et des Arts » de 1663, l'idée d'une vaste enquête technologique a fait son chemin puisque Couplet et Niquet sont chargés de faire des modèles des machines les plus en usage, tandis que leurs collègues vont visiter les manufactures et les arsenaux pour en rapporter des informations nouvelles [38]. A l'articulation des ambitions théoriques de l'Académie et de cet intérêt pour les procédés concrets de fabrication se dessine, encore timidement il est vrai, la possibilité d'une science des machines autonome [39].

N'étant pas géomètre, Perrault doit se contenter d'un apport limité de ce point de vue. Son recueil posthume « de plusieurs machines de nouvelle invention » accorde toutefois une place importante au problème du frottement qui rompt avec le silence traditionnel de la mécanique à ce sujet [40]. Une telle prise en compte annonce la naissance d'une réflexion sur les machines échappant à la fois au registre de l'idéalité mécanique et à l'empirisme sans recul des hommes de l'art. C'est sur ce plan intermédiaire qu'interviendront bientôt les mesures expérimentales du frottement d'Amontons avec lesquelles s'introduit une notion de travail mécanique appelée à l'avenir que l'on sait [41].

Plus encore que cette perspective, il importe de souligner le lien qui unit les conceptions physiques de Perrault à ses recherches en mécanique, même si la pérennité des mouvements de l'univers contraste cruellement avec les défauts des machines conçues par l'homme qui frottent, s'usent et disparaissent inéluctablement. Conscient de cette disparité dont on pourrait tirer argument contre lui, l'auteur des *Essais* s'empresse de se justifier.

« Quoique je me serve de machines dont nous avons la connaissance pour expliquer le système du monde que nous ne connaissons point ; et que je sache qu'une justesse et une exactitude parfaite, ne se rencontre jamais dans nos machines ; cela n'est pas capable de m'empêcher de croire que le monde ne soit une machine, et que cette machine ne puisse être telle que je l'ai expliquée ; parce que je crois que cette machine est faite par un ouvrier capable de lui donner une perfection qui ne se trouve point dans aucune des autres machines [42]. »

Le monde s'assimile à une machine assez comparable quant aux principes aux dispositifs imaginés par l'homme, mais infiniment supérieure par la justesse et l'exactitude que lui a conférées son auteur. Ce monde-machine qui comprend aussi bien les tourbillons de la partie éthérée que la pression de la partie subtile de l'air renvoie ainsi à la toute-puissance d'un Dieu-ouvrier dont la création échappe aux lois ordinaires de la dégradation du mouvement. En même temps, par un effet de sa sagesse et de sa bonté qui rappelle étrangement la franchise du Dieu cartésien, cet ouvrier a eu recours aux schémas les plus simples, à une mécanique partiellement accessible à l'entendement humain. Simplicité des principes et complexité de l'exécution : une telle alliance fonde à la fois la possibilité de la théorie physique et l'intérêt d'une étude raisonnée des machines. Tandis que la théorie propose une collection de systèmes qui tous recèlent une part de vérité, ou plutôt une certaine probabilité, l'art du mécanicien consiste à explorer et à manipuler les complexités en cascade du comportement réel de la matière. Dans cette répartition des rôles les deux termes se contaminent mutuellement, comme en témoi-

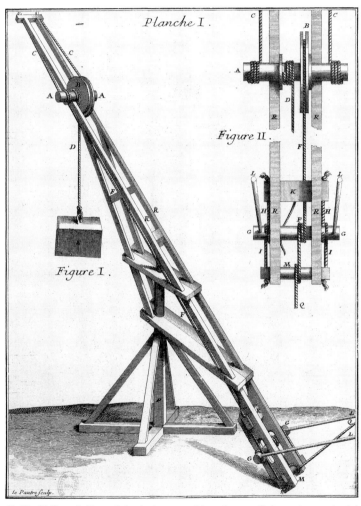

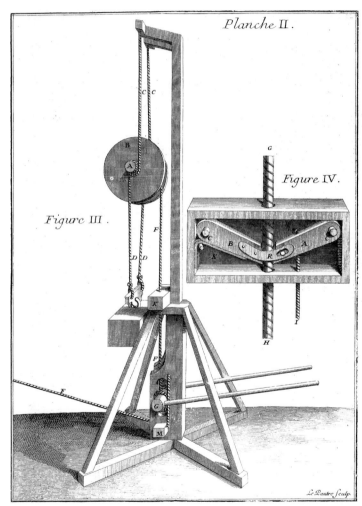

66, 67. *Cl. Perrault*, Recueil de plusieurs machines de nouvelle invention, *engins de levage. Perrault croit supprimer le frottement en ayant recours au roulement sans glissement. L'essieu AA de la première machine roule par exemple sur les montants obliques du bâti en entraînant la roue B et la masse qu'il faut déplacer. Dans la seconde machine, les cordes C s'enroulent autour de l'essieu A en permettant au poids de s'élever.*

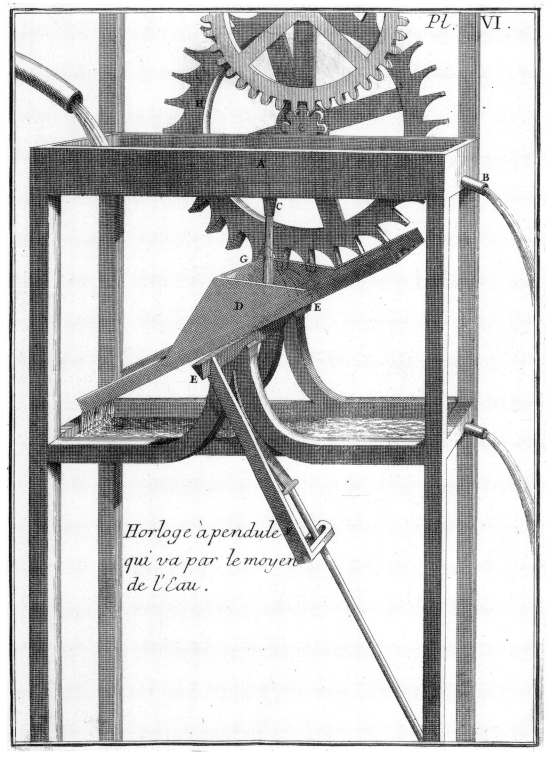

68. *Cl.* Perrault, Recueil, *horloge à pendule qui va par le moyen de l'eau. A chacun de ses basculements, la gouttière D laisse échapper la roue dentée H. Une horloge à eau construite par Perrault avait été installée dans le jardin de la Bibliothèque du Roi où se réunissait fréquemment l'Académie des Sciences.*

69. *Cl. Perrault, horloge à pendule qui va par le moyen de l'eau, C.N.A.M. inv. n° 299. Quoique plus sophistiquée, cette horloge fonctionne sur le même principe que la précédente. Elle est décrite dans les* Machines et inventions approuvées par l'Académie des Sciences *de 1735.*

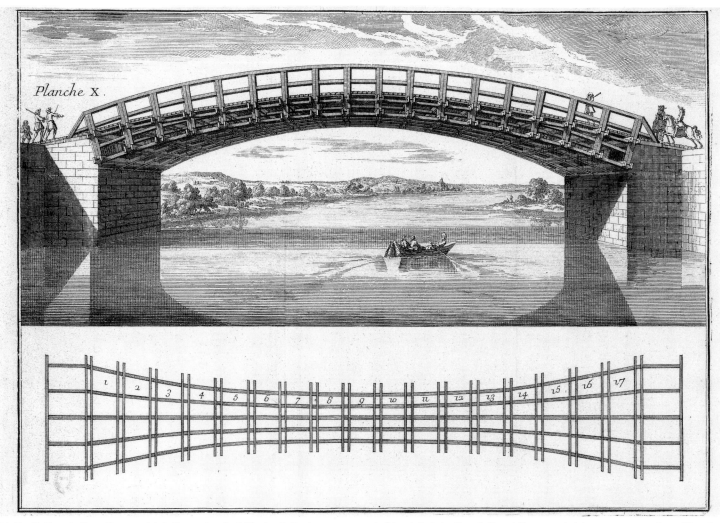

70, 71. Cl. Perrault, Recueil, « pont de bois d'une seule arche de 30 toises de diamètre pour traverser la Seine vis-à-vis le village de Sèvre où l'on proposait de le construire », vue d'ensemble et détails d'assemblages. Présenté à Colbert par l'académicien, ce pont inspiré par Palladio constitue l'un des premiers modèles d'ouvrage d'art formé par un assemblage de cadres rigides pouvant s'assimiler à des voussoirs. Figurant dans les Machines et inventions approuvées de 1735, il exercera une certaine influence sur les ingénieurs des Lumières.

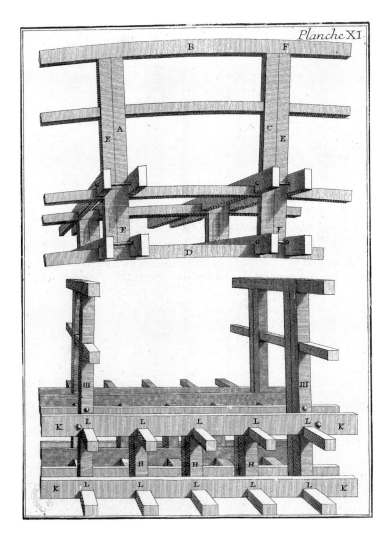

gne la confusion permanente qu'entretient Perrault entre les premiers principes de la mécanique et les questions concrètes de l'art des machines. La comparaison de la chute des corps à la marche des vaisseaux n'évoque-t-elle pas par exemple le problème de la manœuvre en mer dont Colbert, grand responsable de la marine, se préoccupe tout particulièrement [43] ? En s'appuyant sur des indices de ce type on serait presque tenté de qualifier la physique de Perrault de physique d'ingénieur, avec ses approximations théoriques et le caractère toujours immédiat de ses modèles.

## Un monde en développement

Bien qu'il forme une seule et même machine, le monde tel que Perrault le conçoit s'organise autour de quelques grandes cassures au premier rang desquelles figure la distinction entre corps organiques et inorganiques. Comme le note très justement Claire Salomon-Bayet, cette distinction joue un rôle encore plus fondamental que la division traditionnelle entre les règnes animal, végétal et minéral [44], même si l'âme des bêtes contraste avec le caractère inconscient de la vie végétale.

Le saut de complexité entre l'organique et l'inorganique représente aussi la limite de toute connaissance scientifique, limite à partir de laquelle se déploient dans des directions opposées l'histoire naturelle et la physique, tout en ayant recours aux mêmes explications mécanistes. Quelques évidences viennent toutefois tempérer la sensation d'impuissance que l'on éprouve devant un saut qualitatif qui échappe à la compréhension des lois ordinaires du mouvement.

Aussi déroutante soit-elle, la ligne de démarcation entre l'organisation du vivant et les autres structures naturelles renvoie à la création du monde par Dieu. L'idée d'une création achevée portant la marque d'une intelligence bienveillante occupe une place privilégiée dans la pensée de Perrault, comme en témoigne sa théorie des germes préexistants ainsi que la tonalité résolument finaliste de certains passages des *Essais de physique* qui contraste avec la neutralité étudiée des *Mémoires pour servir à l'histoire naturelle des animaux* [45].

Complète dès l'origine grâce aux germes imperceptibles qu'elle recèle en son sein, la création divine est entrée depuis dans une

THÉORIES PHYSIQUES ET MACHINES                                                101 phase de développement de ses potentialités caractérisée par une circulation incessante des êtres et des choses. On retrouve par ce biais la conception circulatoire qui imprègne l'œuvre scientifique de Perrault. Tout est circulation, depuis l'errance des germes qui n'ont pas encore rencontré la substance nourricière propre à les dilater jusqu'au cycle de l'eau nécessaire à la croissance des plantes. C'est cette mobilité universelle, synonyme de développement incessant, que la science a précisément pour objet d'étudier, en ayant aussi bien recours à la reconstruction théorique des lois naturelles au moyen de systèmes probables qu'à la simulation de leurs effets par l'intermédiaire de dispositifs mécaniques.

Aux yeux de Perrault ces deux approches sont d'autant plus complémentaires, que sans l'investigation mécanique les systèmes édifiés à grand peine par la science risqueraient fort de se cantonner au commentaire des anciens, les facultés de l'homme étant toujours les mêmes et « les nouveautés qui ont été introduites depuis peu dans la physique, n'étant la plupart que l'explication des opinions anciennes, que les modernes ont poussé plus loin que les premiers auteurs n'avaient fait [46] ». Si la presque totalité des principes de physique concevables se trouvent déjà dans ce que Diogène Laërce et Plutarque ont rapporté des doctrines des philosophes de l'Antiquité, les systèmes des modernes sont en quelque sorte fécondés par la réflexion mécaniste. Disso-

ciée de l'étude du corps-machine et de la simulation de ses principales fonctions physiologiques, l'hypothèse animiste n'aurait guère d'intérêt par exemple.

De la même façon que les vérités de droit de la physiologie présupposent les vérités de fait de l'anatomie, la possibilité de simuler quelque phénomène que ce soit se trouve conditionnée par une analyse de la « structure » qui lui donne naissance, pour reprendre un terme fréquent sous la plume de Perrault. Dans un monde où la complexité vient seule départager les organismes des corps inorganiques, cette notion de structure ou d'organisation revêt une importance toute particulière. On entrevoit du même coup l'intérêt que peut éprouver un savant pour l'architecture qui permet d'explorer toutes sortes de problèmes structuraux s'échelonnant de la théorie des ordres à la construction des ouvrages. L'architecture ayant d'autre part recours aux machines les plus variées, cet intérêt constitue un prolongement naturel de la curiosité scientifique. Il reste à s'interroger sur les possibilités de simulation dynamique que peuvent offrir la théorie et la pratique de l'édification, à rechercher en d'autres termes les modalités selon lesquelles l'architecture pourrait refléter la circulation incessante qui l'environne. Structure et mouvement, architecture et devenir : c'est sur cette alternative aux accents étonnamment contemporains que débouche peut-être l'investigation scientifique menée par Perrault.

# Un Moderne
# contre les Anciens

## Une question lancinante

L'Antiquité, la « belle Antiquité » à laquelle l'humanisme voue un véritable culte, représente-t-elle un modèle insurpassable, ou doit-on considérer au contraire que les modernes ont sur bien des points distancé les anciens ? Cette interrogation qui se fait jour dès la Renaissance, en Italie puis en France, concerne tout particulièrement le champ littéraire dans lequel les prises de position vont bon train. Du Bellay et Montaigne prennent par exemple la défense des modernes, tandis que Scaliger exalte l'incomparable beauté de la poésie antique, une poésie plus romaine que grecque il est vrai, tout entière placée sous l'invocation de Virgile [1].

Au cours du XVIIe siècle, le débat va se poursuivre sous des formes diverses, de la querelle du Cid à celle du français et du latin ; il atteindra son paroxysme avec la querelle des anciens et des modernes proprement dite, dont Desmarets de Saint-Sorlin, les Perrault et Boileau seront parmi les principaux protagonistes [2]. Débordant la littérature, la controverse sur la supériorité réelle ou fictive de l'Antiquité touche également les beaux-arts, la peinture, la sculpture et l'architecture. Entraînés par la chaleur de la dispute, certains théoriciens tentent même de l'étendre aux sciences, et le père Rapin déclare avec aplomb que « Homère a été, pour ainsi dire, le premier fondateur de tous les arts et de toutes les sciences, et le maître des savants de tous les siècles [3] ». Charles Perrault aura beau jeu de démontrer l'inanité de cette assertion en recensant les découvertes scientifiques des modernes dont les anciens n'avaient pas la moindre idée au tome 4 de ses *Parallèles* [4]. Aux yeux de la nouvelle philosophie expérimentale dont Descartes, Gassendi et Pascal ont contribué à asseoir les principes, la cause est de toute manière entendue depuis long-

temps : l'Antiquité ne correspond jamais qu'à l'enfance de l'humanité ; les vrais anciens sont en réalité les modernes, riches de toutes les connaissances amassées par leurs devanciers et moins sujets par conséquent à la naïveté et à l'erreur [5].

Quoique la démonstration de Perrault soit beaucoup moins assurée en littérature qu'en matière scientifique et technique, comme le révèle l'opposition systématique et terriblement efficace de Boileau, l'étude et l'amour de l'Antiquité ne s'essoufflent pas moins à la fin du XVIIe siècle. Dans l'éducation dispensée par les jésuites, les lettres grecques et latines se trouvent réduites à l'état de morceaux choisis sans saveur et sans âme ; aussi ne faut-il pas s'étonner si elles font par la suite figure de bagage encombrant et quelque peu rébarbatif aux yeux de bien des gens du monde. Les partisans inconditionnels de l'Antiquité comme Boileau, Racine, Huet ou Rapin sont en réalité minoritaires, même parmi les hommes de lettres [6].

La relative désaffection dont souffre la culture antique se trouve par ailleurs accélérée par la politique culturelle mise en place par Colbert, politique qui exalte les vertus nationales et le génie de la langue française dans une optique de glorification du souverain et qui conduit à refuser du même coup aux grecs et aux romains le moindre avantage sur les contemporains du roi-soleil [7]. Les arts ne sont-ils pas en effet étroitement solidaires du pouvoir qui les protège et dont ils ont pour mission de chanter les hauts faits ? Comment les littératures grecque et latine pourraient-elles éclipser dans ces conditions une production s'adressant au plus grand prince que la terre ait porté ? Prompte à verser dans la flagornerie la plus éhontée, la revendication d'une supériorité nationale imprègne la plupart des écrits des modernes, de la *Deffense de la langue françoise* de François Charpentier aux *Parallèles* de Charles

Perrault. C'est dans ce contexte qu'il convient aussi de replacer les textes, tout de même plus nuancés, que Claude Perrault consacre quelques années avant l'intervention décisive de son frère à la question des anciens et des modernes.

## Un moderne convaincu

Si l'on excepte la traduction de Vitruve et l'*Ordonnance des cinq espèces de colonnes selon la méthode des anciens* que l'on étudiera au chapitre suivant, trois écrits contiennent l'essentiel des idées de Claude Perrault sur la vénération abusive des anciens. Il s'agit de la « Mythologie des murs de Troye » demeurée manuscrite que Perrault destinait à présenter au lecteur le poème burlesque doté d'un second chant par ses soins [8], du « Traité de la musique des anciens », paru au tome 2 de ses *Essais de physique*, et enfin d'une préface dialoguée pour ce même traité que l'académicien devait finalement renoncer à publier, jugeant sans doute son ton polémique peu compatible avec la sérénité affichée de son œuvre scientifique [9].

Dans la « Mythologie des murs de Troye », Claude Perrault dénonce avant tout l'invraisemblance et la grossièreté de la poésie des anciens, défauts qui reflètent des mœurs encore assez frustes. La première entrevue d'Ulysse avec Nausicaa décrite par Homère lui semble par exemple gâtée par « le détail aussi peu nécessaire » de cette jeune princesse « au bord d'un ruisseau lavant la lessive et se plaignant du prince son frère qui toutes les nuits court le bal et change si souvent de linge qu'elle ne peut suffire à lui blanchir des chemises et des cravates [10] ». Que Homère et Virgile soient bien souvent burlesques à leur corps défendant, passe encore, mais que ces grands hommes emploient en plus d'une occasion des mots que la bienséance réprouve, voilà qui rend incompréhensible l'admiration inconditionnelle que leur vouent certains esprits [11]. L'invraisemblance de bien des situations demeure toutefois le principal grief nourri par Perrault à l'encontre des écrivains grecs et latins. Moins tolérant en littérature qu'en science, il refuse leurs « imaginations bizarres » en déplorant au passage leur influence néfaste sur des poètes comme Ronsard [12]. On peut alors comprendre que l'auteur du second chant des *Murs de Troye* préfère son burlesque mûrement réfléchi aux ridicules involontaires des anciens. Non sans quel-

que prudence, Claude Perrault termine toutefois sur une dérobade, en précisant que ses avis sont tout aussi burlesques que le poème qu'ils ont pour charge d'introduire et qu'il a enfin « non seulement beaucoup d'estime pour les poètes anciens, mais même pour la plupart de ceux qui les imitent, et qu'il est charmé de Virgile, d'Ovide, de Lucain, de Juvénal, de Martial, quoiqu'il ne trouve pas que les ouvrages de ces grands personnages égalent ceux des poètes de notre temps [13] ».

Sur un registre plus sérieux, le « Traité de la musique des anciens » poursuit la même entreprise de démystification de la culture antique. D'après Perrault, les anciens n'ont pas connu la musique à plusieurs parties en dépit de ce qu'affirment leurs admirateurs. Désirant émouvoir avant tout, leur musique était probablement plus rythmique que symphonique, plus proche du goût des nations barbares que de celui des peuples civilisés de l'Europe [14]. Plus nuancé que dans la « Mythologie des murs de Troye », l'auteur des *Essais de physique* reconnaît cependant la relativité du goût qui empêche de voir dans l'écart séparant la musique des anciens de celle de ses contemporains l'expression d'un progrès inéluctable. Aujourd'hui encore, bien des personnes n'apprécient guère la musique à plusieurs parties, à commencer par les chinois que l'on dit pourtant si polis et si raffinés [15]. Mais par un procédé cher à Perrault, ce relativisme apparent dissimule en réalité une hiérarchie des valeurs autrement plus contraignante que celle qui se contenterait d'opposer l'origine à l'état présent. Dans tous les arts, de la peinture à la musique, il faut selon l'académicien distinguer trois sortes de beautés : une beauté qui parle aux sens, une qui parle au cœur, une enfin qui s'adresse à l'esprit. La peinture parle aux sens par la vivacité du coloris et la délicatesse des traits, la musique par la netteté et la justesse de la voix. La peinture parle au cœur par la simple représentation des passions, la musique par les modes gais ou tristes et par les accents. Le peintre s'adresse en dernier lieu à l'esprit par l'ingénieuse et artiste représentation de la scène qu'il figure, le musicien par la belle suite des consonances [16].

On aura noté le lien étroit qui unit cette tripartition du beau avec la distinction chère aux médecins et aux naturalistes entre les fonctions sensitives, animales et raisonnables. Aux yeux de l'académicien, il va de soi que la beauté rationnelle, seule accessible à l'entendement humain, l'emporte sur les deux autres qui sont fondées sur une « entière et attentive application [17] » de l'âme,

# LES MVRS
## DE TROYE,
### OV
## L'ORIGINE DV
### BVRLESQVE.

# A PARIS,
Chez LOVIS CHAMHOVDRY, au Palais, proche
la Sainte Chapelle, à l'entrée de la petite Salle,
au Bon Marché.

M. DC. LIII.
*AVEC PRIVILEGE DV ROY.*

72. *Beaurain, Ch. Perrault, Cl. Perrault,* Les murs de Troye ou l'origine du burlesque *(1653), page de garde.*

la bosse du Ciel par ce qu'on represente le
Ciel sur les épaules d'Atlas, comme vn
globe dont la figure est bossue.

Je pourrois apporter beaucoup d'autres
exemples du ridicule de ces imitations, mais
on connoistra que ce poëme en contient assez
quand j'auray expliqué à quoy sont bonnes
la pluspart des fadaises dont il est remply.
Il faut donc sauoir premierem̄ que son titre
est vne imitation de l'affectation des anciens
qui ne traittoient jamais que des suiets
appartenans à Thebes, ou à Troyes. Le poëme
n'est point acheué; par ce que l'Eneide est
imparfaite: et il est certain que Ronsard
n'auoit garde d'acheuer sa franciade par
cette raison, d'ouurage commence par la :=
uenture surprenante d'vn embrasement.
Et c'est ainsy que la Clelie, la Cleopatrie, le
grand Cyrus qui debuttent par vz tremblemen
de terre par vn embrasem̄, par vn naufrage;
ont imité l'Eneide qui commence par vne
Tempeste. L'histoire commence par le milieu:
Son premier et veritable commencemen est
dans vn recit fait par Diluculle callet
d'Apollon, qui ne manque pas, imitant les
anciens et leurs imitateurs, de particulariser
les choses contre toute apparence, et de
rapporter au long des discours qu'il est impossib

73. Cl. Perrault, une page du second chant des Murs de Troye, Ars. MS 2956. Pour présenter la suite qu'il donne au premier chant du poème burlesque qu'il a composé en collaboration avec son frère Charles et son ami Beaurain, Claude Perrault rédige une « Mythologie des murs de Troye » d'une veine tout aussi sarcastique.

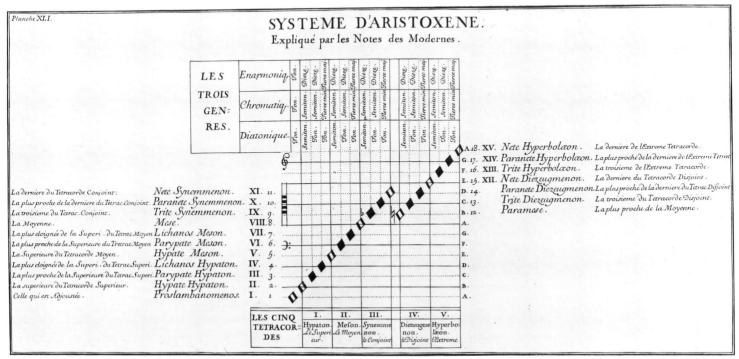

74. Cl. Perrault, trad. Vitruve (1673), système musical d'Aristoxène expliqué par les notes des modernes. Le « Traité de la musique des anciens » de 1680 s'inspire des recherches entreprises par l'académicien pour sa traduction de Vitruve. D'après Perrault, cette figure comprend presque tous les mystères de la musique des anciens.

sur une adhésion toute animale dans son principe. Synonyme de connaissance réfléchie, la beauté rationnelle fait appel à un discernement dont la délicatesse tranche sur la grossièreté des évidences sensibles et passionnelles, évidences souvent arbitraires qui plus est, car les sens et le cœur peuvent aimer, l'habitude aidant, tous les objets, tandis que l'esprit « n'estime ordinairement les choses qu'à proportion qu'elles sont estimables [18] ». La peinture des anciens, leur sculpture, leur musique, leur théâtre même « où ils faisaient valoir le merveilleux, le tendre, le pitoyable et le terrible, bien moins par les belles sentences et les ingénieuses descriptions, que par des expressions naïves, où le spectacle avait plus de part que l'éloquence [19] » — l'art antique tout entier en résumé — ne s'adressait guère, on s'en serait douté, qu'aux sens et au cœur. A ses ressorts naïfs s'oppose la subtilité calculée de l'art des modernes, avec leur musique à plusieurs parties et les « ingénieuses descriptions » de leur théâtre.

Sous la plume de Perrault cette opposition entre anciens et modernes en recouvre maintenant une autre de nature plus sociologique entre l'art naïf qui plaît au plus grand nombre et les raffinements d'une élite dont l'académicien a clairement conscience de faire partie. La musique des anciens n'évoque-t-elle pas à ce propos celle des vielleurs qui se produisent à l'occasion des liesses populaires ? « De cent personnes qui font profession d'aimer la musique il n'y en a point deux qui prennent plaisir à celle qui est à plusieurs parties [20] », note dans un ordre d'idées assez voisin Perrault qui se demande si ses contemporains n'en reviennent pas par degrés à la simplicité des anciens, à en juger par le peu de succès remporté par des musiciens comme Boesset [21]. Entre les « intelligents » et les autres se creuse un abîme qui confère tout son sens aux jugements esthétiques dont la comparaison entre anciens et modernes fournit l'occasion.

Dans la préface du « Traité de la musique » qu'il devait finalement renoncer à publier, l'académicien reprend sous une forme dialoguée la plupart de ses critiques à l'égard de l'art antique. Il s'interroge en outre sur les motifs qui peuvent pousser certains de ses contemporains à vénérer un art aussi imparfait. Ces motifs peuvent être tantôt la peur de s'exposer au ridicule en avouant son incompréhension en face d'une production que chacun feint d'admirer, tantôt la duplicité de ces artistes qui préfèrent porter aux nues les œuvres des anciens plutôt que celles de leurs rivaux immédiats [22]. Mais la prévention née de l'habitude constitue certainement la principale explication. L'habitude ne permet-elle pas de distinguer les pensées expresses des pensées confuses ? Comment ne pas voir l'une de ses manifestations dans l'amour de l'Antiquité qu'inspirent à certains élèves de longues études classiques ? Ces études ne déforment-elles pas bien souvent l'esprit au lieu de l'éduquer ? Dans le droit fil de Descartes, Perrault oppose « le bon sens qui est commun à tout le monde [23] » au goût critiquable de nombreux savants.

Au premier rang de ces savants férus de lettres classiques, on trouve bien sûr le père Rapin et ses réflexions sur la *Poétique* d'Aristote que mentionne explicitement la préface manuscrite du « Traité de la musique » [24]. Mais l'adversaire véritable de Claude Perrault demeure bien sûr Boileau avec lequel les passes d'armes se multiplient.

## Les Perrault et Boileau

L'animosité entre les deux personnages est ancienne et semble-t-il d'origine personnelle [25]. Leur divergence d'opinions à l'égard de l'Antiquité va progressivement envenimer des relations déjà tendues. En 1668, Perrault attaque le premier en faisant courir fort peu chrétiennement le bruit selon lequel l'allusion de Boileau aux oreilles d'âne du roi Midas dans sa IXᵉ *Satire* viserait en réalité Louis XIV [26]. Le poète réagit aussitôt à coup d'épigrammes, mais il ne prend pleinement sa revanche qu'avec la publication en 1674 de l'*Art poétique* dans lequel il met en scène au début du IVᵉ chant un médecin « savant hableur, dit-on, et célèbre assassin », qui « laissant de Galien la science suspecte, de méchant assassin devient bon architecte [27] ». Bien que Boileau ne songe pas encore à remettre en cause ses capacités architectu-

rales, on le voit, Claude Perrault n'en est pas moins piqué au vif. Élaborée en collaboration avec son frère Charles, sa réponse ne tarde guère : il s'agit du poème *Le corbeau guéri par la cigogne ou l'ingrat parfait* auquel le « corbeau ingrat » s'empresse de donner la réplique [28].

Loin de se limiter au médecin, les démêlés du satirique avec la famille Perrault concernent également Pierre, le receveur, dont la *Critique de l'opéra, ou examen de la tragédie intitulée Alceste, ou le triomphe d'Alcide* et la *Critique des deux tragédies d'Iphigénie d'Euripide et de M. Racine* résolument modernes de ton l'irritent tout particulièrement [29]. Mais plus encore que Claude et Pierre, c'est Charles qui va progressivement devenir la bête noire de Boileau. Recueillant l'héritage spirituel de Desmarets de Saint-Sorlin mort en 1676, servi par une plume aussi abondante que variée, le plus jeune des frères Perrault fait de plus en plus figure de chef de file des modernes. Passé le temps des premières escarmouches, des insinuations et des allusions plus ou moins voilées, l'affrontement direct s'avère inévitable. Le 27 janvier 1687, l'Académie française s'assemble pour se réjouir publiquement de l'heureuse issue de l'opération de la fistule que vient de subir Louis XIV. L'abbé de Lavau lit à cette occasion un poème : *Le siècle de Louis-le-Grand* de Charles Perrault qui constitue une véritable provocation à l'égard des partisans de l'Antiquité, comme ceux-ci le découvrent dès les premiers vers.

> « La belle Antiquité fut toujours vénérable.
>
> Mais je ne crus jamais qu'elle fut adorable.
>
> Je vois les anciens, sans plier les genoux,
>
> Ils sont grands, il est vrai, mais hommes comme nous.
>
> Et l'on peut comparer sans craindre d'être injuste
>
> Le siècle de Louis au beau siècle d'Auguste [30]. »

« Platon, qui fut divin du temps de nos aïeux/ Commence à devenir quelquefois ennuyeux », « Chacun sait le décri du fameux Aristote » : ces sarcasmes voisinent avec l'éloge des modernes auxquels on doit l'invention du télescope et la découverte de la circulation sanguine [31]. La polémique avec Boileau va devenir permanente à partir de là. Au *Discours sur l'ode* du poète réplique la *Lettre à Monsieur D... touchant la préface de son ode sur la prise de Namur*, au *Traité du sublime* et aux *Réflexions critiques sur quelques passages du rhéteur Longin* la *Réponse aux réflexions critiques de M. D... sur Longin*. Les arguments échangés de part et d'autre s'avèrent parfois empreints de mesquinerie, comme lorsque l'au-

75. *F. Chereau d'après H. Rigaud, portrait de Nicolas Boileau. Chef de file du parti des anciens, Boileau n'en a pas moins éclipsé Horace, Perse et Juvénal, à en croire le quatrain accompagnant ce portrait.*

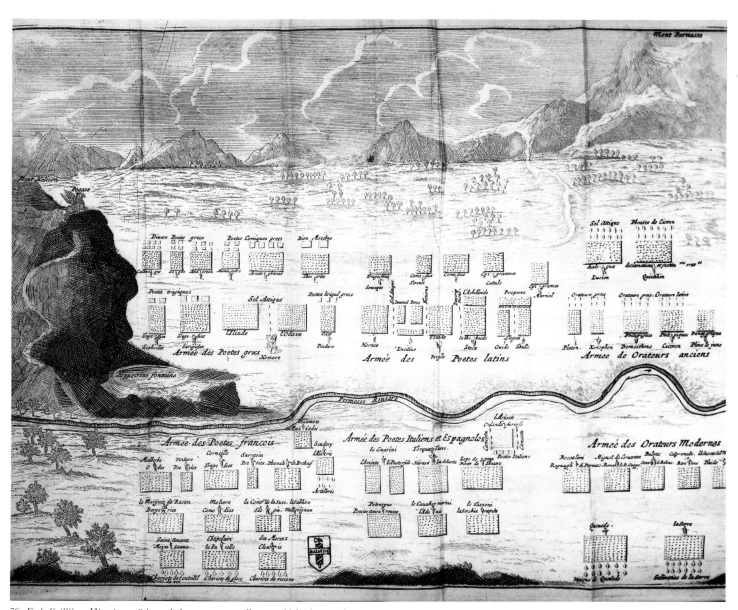

76. *F. de Caillières*, Histoire poëtique de la guerre nouvellement déclarée entre les anciens et les modernes *(1688), planche hors-texte. Une représentation de la querelle des anciens et des modernes où entre une certaine part d'ironie.*

teur du *Discours sur l'ode* fait allusion à la « bizarrerie » des Perrault ou que les deux adversaires s'accusent mutuellement d'ignorance. Il faut bien reconnaître à ce propos que Boileau n'a pas toujours tort de mettre en doute la culture classique de Perrault. En réponse aux attaques de plus en plus pressantes dont il fait l'objet, ce dernier entreprend la rédaction des *Parallèles des anciens et des modernes* qui l'occuperont jusqu'en 1697 et dans lesquels on trouve aussi bien une critique des poètes antiques que des réflexions de portée générale sur les beaux-arts, l'éloquence, les sciences et les techniques, sans oublier les mœurs, un curieux mélange qui se révèle finalement assez attachant. Certaines formules prêtent encore aujourd'hui à sourire, comme lorsque Perrault déclare que « ce serait un plaisir de voir la première montre qui a été faite, (...) car je suis assuré qu'elle ressemblait plus à un tourne-broche qu'à une montre [32] ». D'autres passages évoquent l'univers des *Contes* avec ses énumérations à base de rapprochements arbitraires. Ainsi : « Quand Ronsard a commencé à briller dans le monde, il n'y avait peut-être pas à Paris douze carrosses, douze tapisseries, ni douze savants hommes, aujourd'hui toutes les maisons sont tapissées, toutes les rues sont pleines d'embarras, et on aurait peine à trouver une personne qui n'en sût pas assez pour juger raisonnablement d'un ouvrage de l'esprit [33]. »

Mais comme le notait déjà très justement Hubert Gillot, les *Parallèles* constituent surtout, en dépit de leur caractère polémique, « le premier essai notable tenté par un esprit doué d'universalité pour fixer en une large vision synthétique la physionomie d'une civilisation à un moment donné de son histoire [34] ». Curieux de sciences et de techniques au même titre que Fontenelle qui le seconde efficacement dans son combat contre les anciens, Perrault élargit le domaine de la critique littéraire et artistique. Il annonce par là même le Voltaire du *Siècle de Louis XIV* ainsi que l'une des directions dans lesquelles va évoluer la réflexion historique des Lumières. Bien avant Leroy et Winkelmann, l'auteur des *Parallèles* envisage les mœurs, les arts, les sciences et les techniques comme autant de volets d'un seul et même système culturel [35].

Cette conception synthétique se trouve déjà en germe chez Desmarets de Saint-Sorlin et Claude Perrault. Par-delà les questions de personnes et les péripéties d'un conflit qui ne se dénouera vraiment qu'après l'intervention d'Arnauld et Bossuet en

1694 [36], il faut peut-être s'interroger sur la signification profonde que revêt la querelle des anciens et des modernes, ainsi que sur l'attitude des modernes qui est loin d'être aussi claire qu'on serait tenté de l'imaginer.

## *Les enjeux du conflit*

Les positions en présence renvoient tout d'abord à une différence de sensibilité esthétique. Aux yeux de Boileau, Racine ou La Fontaine, l'imitation des anciens n'est nullement synonyme d'esclavage. Avec la noble simplicité et la fraîcheur de ton d'une aube prometteuse, la littérature antique montre au contraire la voie à suivre pour concilier le respect des règles avec ce génie, ce feu sans lequel les compositions les plus correctes demeurent froides et empruntées. Le sublime cher à Boileau n'est jamais qu'une des réponses possibles à cette tension entre règles et inspiration dont la maîtrise fait tout le prix de la poésie grecque et romaine [37].

Chez les modernes, cette même tension entre règles et inspiration conduit à mettre l'accent sur le bon sens et l'ingéniosité de l'artiste, sur l'excellence de sa méthode de composition, sur le tour élégant, voire même un peu précieux qu'il sait donner à l'expression de ses idées, plutôt que sur des beautés rebelles à l'esprit raisonneur. Là où Boileau admire la simplicité de bon aloi des anciens, les Perrault et Fontenelle ne voient guère que des balbutiements sans intérêt. Aux « hardiesses judicieuses [38] » qui caractérisent d'après l'auteur du *Traité du sublime* Homère, Platon ou Démosthène, répond une subtilité d'essence plus sèche qui goûte plus volontiers Chapelain, Descartes ou Guez de Balzac.

Il faut cependant se garder des oppositions trop simples entre anciens et modernes. Des connivences, des alliances tacites, des influences mutuelles subsistent toujours sous la polémique. L'idéal de vraisemblance auquel adhèrent les Perrault ne représente-t-il pas l'un des premiers commandements de la *Poétique* d'Aristote dont se réclament les anciens [39] ? Anciens et modernes s'accordent également à reconnaître la nature exceptionnelle du règne de Louis XIV, et il serait exagéré de caractériser les partis en présence par le refus ou l'acceptation de l'idée de progrès. Boileau a par exemple clairement conscience des avancées réalisées depuis l'Antiquité, même s'il voit dans cette dernière une possibilité de ressourcement indispensable à la bonne marche des arts. Charles Perrault est quant à lui plus éloigné qu'on pourrait le supposer de l'idée d'un progrès continu et surtout indéfini. L'apologie du siècle de Louis-le-Grand exclut dans son esprit la possibilité de son dépassement radical par une époque ultérieure, comme le révèle un passage des *Parallèles*.

« Pour moi, je vous avoue que je m'estime heureux de connaître le bonheur dont nous jouissons, et que je me fais un très grand plaisir de jeter les yeux sur tous les siècles précédents, où je vois la naissance et le progrès de toutes choses, mais où je ne vois rien qui n'ait reçu un nouvel accroissement et un nouveau lustre dans le temps où nous sommes. Je me réjouis de voir notre siècle parvenu en quelque sorte au sommet de la perfection. Et comme depuis quelques années, le progrès marche d'un pas beaucoup plus lent, et paraît presque imperceptible, de même que les jours semblent ne plus croître lorsqu'ils approchent du solstice, j'ai encore la joie de penser que vraisemblablement nous n'avons pas beaucoup de choses à envier à ceux qui viendront après nous [40]. »

Loin de représenter le point de départ d'une ère indéfinie de prospérité, il se pourrait bien que ce solstice de la civilisation ne constitue toutefois qu'une étape fugace dans la ronde des siècles et des saisons. Le progrès des arts et des sciences est-il vraiment cumulatif ? Claude Perrault sent le doute assaillir lorsqu'il constate le désintérêt de ses contemporains à l'égard de la musique à plusieurs parties encore si florissante il y a quelques années. En matière scientifique, les systèmes des modernes ne sont-ils pas après tout qu'une « explication des opinions anciennes » ? Heureusement que les progrès bien réels de la réflexion mécaniste viennent rompre le cercle vicieux qui risquerait de s'instaurer de la sorte. Dans le domaine artistique, l'opéra, synthèse inconnue des anciens de la musique, du théâtre et de l'art des machines, présente une garantie de non-retour assez comparable à la précédente quant à son principe. Est-ce un hasard si les Perrault sont précisément des défenseurs acharnés de l'opéra, comme pour conjurer une menace latente de circularité [41] ?

L'incertitude qui les gagne parfois est directement liée à l'affirmation simultanée par les modernes de la permanence de la nature et de l'existence d'une histoire humaine autonome [42]. Si les contemporains de Louis XIV sont plus avancés que ceux d'Auguste, c'est parce que toutes choses égales par ailleurs — les forces naturelles et les facultés de l'homme demeurant identiques de siècle en siècle — « le temps a découvert plusieurs secrets dans tous les arts, qui joints à ceux que les anciens nous ont laissés, les ont rendus plus accomplis, l'art n'étant autre chose, selon Aristote même, qu'un amas de préceptes pour bien faire l'ouvrage qu'il a pour objet [43] ». Il reste à savoir si l'inertie de la nature et les bornes qu'elle assigne aux capacités humaines ne risquent pas de bloquer à partir d'un certain moment le lent processus de sédimentation des préceptes de l'art. Entraîné par la louange éperdue du siècle de Louis-le-Grand, Charles Perrault est plus d'une fois tenté de répondre par l'affirmative à cette question. Un peu plus autonome par rapport à la politique culturelle du règne, son frère Claude ne formule jamais ouvertement semblable hypothèse. Il est vrai que la répétitivité de la nature se trouve contrebalancée à ses yeux par la fécondité de la circulation incessante dont elle est le siège et surtout par la succession instituée par Dieu des êtres qui accèdent à la vie en son sein.

A côté des rapports entre nature et histoire, bien d'autres ambiguïtés subsistent dans la position des modernes. Si l'on adopte le principe d'un art s'adressant avant tout à la raison du public, n'est-il pas contradictoire de rechercher en même temps un spectacle total sur le modèle de la plénitude visuelle et auditive de l'opéra ? En d'autres termes, la distance que requiert l'exercice du jugement esthétique est-elle compatible avec le ravissement de l'âme qu'entraîne la satisfaction complète des sens ? A propos de l'opéra toujours, l'auteur des *Parallèles* affirme que « rien ne peut être trop fabuleux dans ce genre de poésie, les contes de vieille comme celui de Psyché en forment les plus beaux sujets, et donnent plus de plaisir que les intrigues les mieux conduites et les plus régulières [44] ». A quoi bon s'être tant préoccupé de vraisemblance en critiquant les anciens, si c'est pour réintroduire le merveilleux dans un genre moderne comme l'opéra ? Ce merveilleux régénéré se veut certes exempt de toute grossièreté, débarrassé des naïvetés qui déparent la poésie antique, assez subtil pour servir de nourriture à l'esprit. Mais un registre aussi épuré ne semble guère viable en pratique, à en juger par l'échec du « merveilleux chrétien » grâce auquel Desmarets de Saint-Sorlin et Charles Perrault avaient tenté de faire oublier l'épopée des anciens [45]. Animée d'ambitions plus modestes, la formule des contes connaîtra il est vrai plus de succès. A son image, la pro-

C. le Brun jn.  F. Chauveau Sculp.

*77. Ch. Perrault,* La peinture *(1668), cul-de-lampe par F. Chauveau d'après C. Le Brun. L'origine de la peinture : inspirée par l'amour, la bergère Corinthia trace le profil de son amant endormi d'après son ombre portée sur le mur. Une prise de position sans équivoque dans le débat entre Le Brun et Mignard, entre partisans du trait et défenseurs du coloris, puisque le dessin est à l'origine de la peinture.*

duction des modernes s'enferme bien souvent dans l'œuvre brève et légère, dans le poème de circonstance ou l'historiette dont les limites contrastent cruellement avec le désir ardent de renouveau qui anime leurs auteurs.

La principale ambiguïté des frères Perrault et de leur parti demeure toutefois liée au mélange d'esprit de libre examen et d'autoritarisme sur lequel repose leur conception de l'art. Dans sa *Comparaison de la langue et de la poésie française avec la grecque et la latine*, Desmarets de Saint-Sorlin peut bien opposer la nature aux règles, les « beautés naturelles » aux « beautés d'invention », tandis que Charles et Claude Perrault reconnaissent le caractère « arbitraire » de ces dernières — aussi arbitraires soient-elles, les règles constituent le fondement de la démarche artistique. L'art n'est-il pas lui-même un « amas de préceptes » ? Tout en émancipant les créateurs de l'imitation de l'Antiquité, la critique impitoyable des modernes débouche bien souvent sur une volonté de contrôle accru de la production artistique. Aux modèles antiques tend à se substituer une notion de programme en prise directe sur les impératifs politiques du moment ou sur la sensibilité du public éclairé auquel l'œuvre d'art est par nature destinée. Charles Perrault se trouve précisément chargé de la définition de programmes et du suivi de leur exécution auprès de Colbert [46]. C'est dans ce cadre que son poème *La peinture* vient soutenir Le Brun au plus fort de la querelle du coloris et lui rappeler que l'histoire du règne de Louis XIV doit constituer son principal objectif [47]. En retrait de cette fonction d'organisation de la propagande officielle, son œuvre se conforme également aux canons du goût exigeant des salons qu'il fréquente. De l'imitation librement consentie des anciens aux règles contraignantes d'un art plus consciemment socialisé que par le passé — telle pourrait bien être en définitive l'ambition secrète ou avouée de nombreux modernes, Claude et Charles Perrault en tête.

# CLAUDE PERRAULT ET LA THÉORIE ARCHITECTURALE

## La traduction de Vitruve

Assez paradoxalement pour un moderne dont les opinions critiques à l'égard de l'Antiquité sont bien connues, Claude Perrault est chargé par Colbert de traduire les dix livres d'architecture de Vitruve peu après sa nomination à l'Académie des Sciences. Le choix du ministre s'avère toutefois moins surprenant qu'il pourrait y paraître. Médecin et savant, Perrault s'intéresse depuis longtemps à l'art de bâtir. N'évoque-t-il pas du même coup la figure de cet architecte idéal auquel Vitruve prête des connaissances en médecine, en mathématiques et en astronomie, sans même parler de la philosophie et de la musique [1] ? Animé d'une curiosité presque universelle, sachant en outre son grec et son latin, l'académicien se trouve tout désigné pour traduire le texte de l'ingénieur romain qu'alourdissent de nombreuses digressions consacrées aux sujets les plus divers, de la mythologie à la géographie.

En dépit de ses prises de position généralement condescendantes à l'égard du savoir des anciens, Perrault est tout de même obligé de reconnaître au traité de Vitruve une certaine actualité. Cette actualité est bien sûr liée à l'utilisation par les architectes des ordres antiques auxquels le *De architectura* consacre de longs développements [2]. Sur un autre plan, l'ouvrage propose un panorama de l'environnement technologique de l'Antiquité, avec ses considérations sur la préparation et l'usage des matériaux, ses descriptions d'édifices et de machines. Or cet environnement n'est pas si différent de celui dans lequel baignent encore les hommes du XVIIe siècle. Traduire Vitruve représente par là-même une tâche susceptible d'intéresser un membre de l'Académie des Sciences féru d'applications techniques.

L'entreprise est loin d'être facile. Fortement corrompu par les copistes successifs, émaillé de termes techniques dont le sens s'est perdu, le texte présente de nombreuses obscurités. La question des illustrations se pose en outre et les éditeurs du *De architectura* en sont réduits depuis Giocondo à des essais de restitution plus ou moins convaincants [3]. Traduire Vitruve c'est s'interroger à chaque instant sur la signification de telle ou telle expression, ainsi que sur l'apparence exacte de nombreux détails ornementaux ou constructifs.

Due à l'humaniste Jean Martin, qui avait été le secrétaire de Ludovico Sforza puis du cardinal Robert de Lenoncourt, et qui fréquentait assidûment les milieux italiens ou italianisants [4], la première traduction française date de 1547. Illustrée par des artistes au premier rang desquels figure Jean Goujon, elle avait été republiée en 1572. Près d'un siècle plus tard, sa langue et son iconographie se trouvent assez largement dépassées et Perrault doit reprendre entièrement le travail.

A côté des problèmes posés par le texte et les illustrations, une autre question concerne le public et les objectifs visés par la traduction de Perrault. Tandis que Jean Martin s'adressait en priorité aux artistes [5], la nouvelle version des dix livres d'architecture est confiée à un membre de l'Académie des Sciences, ce qui laisse présager une orientation plus savante que pratique. Mais l'ouvrage présente-t-il un intérêt scientifique suffisant pour que l'on songe à se priver de son audience naturelle d'architectes, de peintres et de sculpteurs ? Dans l'esprit de Colbert qui vient d'être nommé surintendant des Bâtiments, il ne s'agit certes pas de contribuer au seul progrès de l'érudition, mais bien d'inciter les artistes, les architectes en particulier, à s'assujettir à des règles fondées sur l'exemple antique. Les préoccupations normatives

*78, 97, 80. S. Leclerc, temples à antes, prostyle, périptère, dessins préparatoires pour la traduction de Vitruve, C.D.L., inv. 30420, 30421, 30423.*

81. Cl. Perrault ou S. Leclerc, temple monoptère, dessin préparatoire pour la traduction de Vitruve, C.D.N.S. T.-H. 889. En dépit de la mention « Perault fecit », ce dessin d'une grande qualité pourrait bien être de Leclerc.

sont ainsi indissociables de la décision prise de traduire le *De architectura*. Perrault s'y réfère d'ailleurs dans sa préface en évoquant le désir du pouvoir royal de rendre à l'architecture la splendeur qu'elle avait sous Auguste, en attendant bien sûr que « les sompteux édifices que S.M. fait construire en France soient en état de servir eux-mêmes de modèle à la postérité [6] ». Il reste à savoir cependant comment concilier ces préoccupations avec les exigences plus confidentielles de rigueur auxquelles un académicien ne saurait renoncer sans déroger.

Ces impératifs quelque peu contradictoires amènent Perrault à adopter une double démarche : un travail de clarification du texte afin de le rendre accessible à tous en premier lieu, l'élaboration de notes philologiques et critiques destinées à éclairer les points obscurs ou qui appellent commentaire ensuite. A côté de leur caractère d'érudition, ces notes vont aussi permettre à l'académicien de remettre à jour et de compléter les informations

scientifiques du *De architectura*, et même de donner son avis sur des points de doctrine controversés.

A cette double tâche de clarification et de commentaire va s'ajouter la conception de nouvelles illustrations destinées à restituer le plus fidèlement possible les détails d'ordonnance et de construction, les édifices et les machines dont parle Vitruve. Perrault va recourir pour cela aux services d'artistes comme Sébastien Leclerc qui vont travailler à partir de ses schémas et de ses croquis [7]. La gravure des planches qui fait suite à ce patient travail d'élaboration s'échelonnera quant à elle de 1668 à 1673 environ. Elle ne coûtera pas moins de 9 400 livres [8], ce qui permet de mesurer l'importance de l'opération.

Au même titre que les *Mémoires pour servir à l'histoire naturelle des animaux*, la traduction de Vitruve fait partie de ces éditions de prestige commanditées par le pouvoir royal et destinées à annoncer au monde sa magnificence.

Que trouve-t-on maintenant dans la traduction de Perrault qui paraît pour la première fois en 1673 avant d'être republiée en 1684 avec un matériel critique considérablement développé ? Un texte français très supérieur à la version de Jean Martin tout d'abord. Confronté aux obscurités du texte, l'académicien s'est livré à un patient travail philologique, en mettant à contribution sa connaissance des auteurs anciens ainsi que les traductions et les commentaires de ses devanciers, italiens notamment, comme Giocondo, Cesariano, Caporali, Philander, Barbaro et Baldi. Grâce à un labeur impressionnant, Perrault offre au public un Vitruve beaucoup plus lisible. Remarquable pour l'époque par ses précautions méthodologiques et par sa fidélité au texte latin, sa traduction fera autorité jusqu'à la fin du XIXe siècle.

Mais l'ouvrage de Perrault ne se limite pas à la restitution de la pensée vitruvienne. Ses nombreuses notes constituent un véritable traité à l'intérieur du traité de l'ingénieur romain. Elles permettent à Perrault de faire étalage de son érudition qui ne se limite pas aux traducteurs de Vitruve, puisqu'Alberti, le père Kircher, Palladio, Scamozzi, Serlio, Vignole ou Villalpande sont aussi mis à contribution. La culture architecturale de l'académicien est difficile à prendre en défaut, on le voit, d'autant plus que la connaissance des humanistes comme Budé ou Scaliger vient la compléter.

A la lecture des notes de son Vitruve, l'intérêt d'un savant comme Perrault pour l'architecture devient beaucoup plus compréhensible. L'architecture et l'art de bâtir peuvent en effet servir de support aux interrogations scientifiques les plus diverses. Au livre II du *De architectura* consacré aux principaux matériaux de construction, Perrault peut par exemple traiter longuement de la chaux dans le droit fil de son mémoire lu à l'Académie en 1667 [9]. Le médecin et l'anatomiste transparaissent un peu plus loin lorsque Perrault s'étonne des proportions données par Vitruve à certaines parties du corps humain [10]. Les considérations accoustiques auxquelles se livre l'ingénieur romain à propos de la forme à donner aux théâtres permet au traducteur d'exposer sa propre conception du son, bien avant la parution du deuxième tome des *Essais de physique* [11].

En marge du texte principal, on trouve ainsi des notes portant sur les sujets les plus divers, sur les principales hypothèses de la physique corpusculaire, sur le mécanisme de la vision ou sur la bonté des eaux minérales [12]. Prolongeant le tour d'horizon des sciences et des techniques de l'Antiquité proposé par Vitruve s'élabore une description autrement plus fournie des théories et des expériences, des hypothèses scientifiques et des réalisations de l'âge classique. La coexistence de ces deux ordres de description n'est jamais aussi frappante qu'au chapitre des machines où figurent aussi bien la reconstitution des engins de levage, des horloges, de l'orgue hydraulique ou de la catapulte des anciens, que des inventions de Perrault et de ses contemporains [13].

Mais l'intérêt de l'académicien pour l'architecture procède également de raisons plus profondes. L'architecture ne représente-t-elle pas en effet le plus noble des arts, le seul dont les productions se parent d'une complexité suffisante pour évoquer, bien modestement il est vrai, l'ordre du vivant ? Cette évocation passe par un certain nombre d'intuitions auxquelles Perrault se montre attaché et qui semblent circuler d'un domaine à l'autre. Une notion de texture pourrait bien se révéler par exemple commune au savant qui se penche sur les tissus vivants et à l'amateur d'architecture scrutant les propriétés de la pierre et du bois. Le terme « structure » désigne à la fois quant à lui l'organisation des corps et l'économie générale des bâtiments. Le caractère organique que de nombreux historiens d'art s'accordent à reconnaître à l'ornementation classique à la suite d'Emil Kaufmann revêt enfin un caractère beaucoup plus littéral chez Perrault que chez d'autres théoriciens et praticiens de l'architecture [14]. Ce dernier ne décrit-il pas avec la même minutie les circonvolutions d'un intestin et le tore d'un chapiteau ionique ? Le vocabulaire de l'architecture fait souvent écho aux formes étranges et délicates du vivant.

Qu'on ne s'y trompe pas toutefois, les productions de l'architecture n'imitent pas pour autant les êtres vivants. La coupure entre l'inorganique et l'organique interdit de toute manière de voir dans les analogies précédentes autre chose que l'expression d'une même curiosité dans des champs qui demeurent distincts. Mais de même que la réflexion mécaniste permet de simuler bon nombre de fonctions végétales ou animales, de même l'étude de l'architecture vient affirmer la compréhension de certains problèmes scientifiques. Elle peut même préfigurer leur solution le cas échéant. C'est ainsi que la typologie des différents temples décrits par Vitruve annonce très certainement aux yeux de Perrault ce que pourrait être une classification des espèces zoologiques pleinement efficace, comme tend à le souligner un mode de

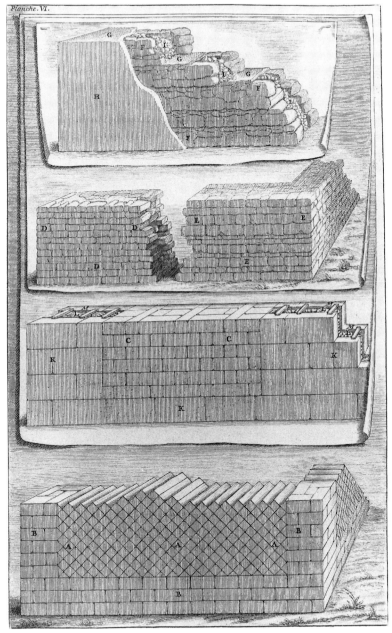

*82. Cl. Perrault, trad. Vitruve (1673), les sept espèces de maçonnerie des anciens. Une planche représenta-tive de l'intérêt de l'académicien pour les textures et les matériaux.*

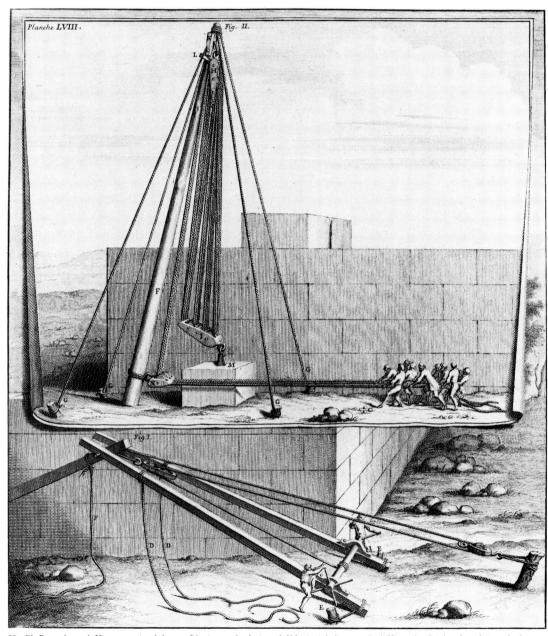

83. *Cl. Perrault, trad. Vitruve, engins de levage. L'univers technologique de l'Antiquité n'est pas très différent de celui dans lequel vivent les hommes de l'âge classique.*

84. *Cl. Perrault, trad. Vitruve, horloges à eau.*

85. *Cl. Perrault, trad. Vitruve, orgue hydraulique des anciens.*

86. *Cl. Perrault, trad. Vitruve, catapulte.*

*87, 88. Cl. Perrault, trad. Vitruve, temples amphiprostyle, hypaethre.*

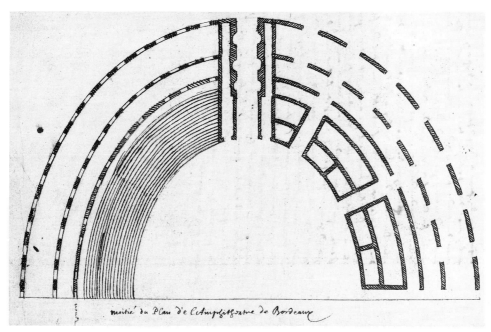

moitié du Plan d'e L'Ampithéatre de Bordeaux

89, 90. Cl. Perrault, Voyage à Bordeaux (1669), B.N. MS F 24713, moitié de plan et scénographie de l'amphithéâtre de Bordeaux. La vue cavalière employée ci-contre constitue un mode de représentation particulièrement apprécié par Perrault.

présentation conforme au principe de partition de l'image adopté dans les *Mémoires pour servir à l'histoire naturelle des animaux*, et qui correspond à la distinction entre structure interne et apparence extérieure. Sur la voie de la formalisation, l'architecture précède l'histoire naturelle, car il est plus facile de définir des types d'édifices qui ne diffèrent que par leur forme rectangulaire ou circulaire, par la disposition et le nombre de leurs colonnes, que de constituer un tableau raisonné des espèces animales.

Le caractère expérimental de l'architecture est encore plus sensible dans les productions de l'Antiquité que dans celles des contemporains de Louis XIV. Pour Perrault, la simplicité programmatique des temples, des basiliques ou des portiques se prête mieux en effet à la spéculation intellectuelle que la complexité des édifices de son temps. Il faut souligner à ce propos l'ambiguïté de son attitude à l'égard de l'héritage architectural gréco-romain. Plus intéressé par les édifices que par les écrits des anciens, l'académicien se montre beaucoup moins critique à l'égard des premiers que des seconds. Les notes et les gravures de son Vitruve laissent même transparaître une certaine admiration pour la grandeur de la construction romaine dont il avait pu observer des exemples au cours de son voyage à Bordeaux [15]. N'est-ce point cette grandeur que prétend rappeler l'ordonnance sévère de l'Observatoire dont Perrault se sert pour illustrer les différentes manières de représenter un bâtiment selon Vitruve, comme s'il s'agissait d'un monument contemporain d'Auguste [16] ? En même temps, l'académicien ne perd aucune occasion de souligner les perfectionnements successifs apportés par les modernes à l'art de bâtir et l'Observatoire entend bien faire oublier les réalisations augustéennes en servant à son tour « de modèle à la postérité ».

Oscillant entre l'admiration et la condescendance, Perrault utilise parfois l'Antiquité comme un prétexte à des reconstitutions d'un caractère plus théorique qu'archéologique. Le théâtre qu'il imagine d'après la description donnée au livre V du *De architec-*

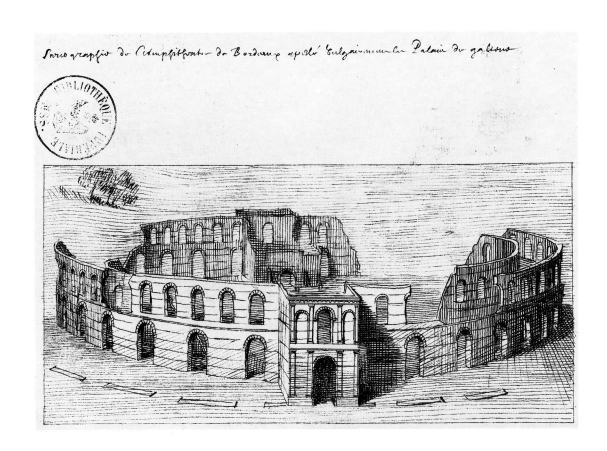

*tura* participe par exemple d'une double réflexion : sur la notion de monumentalité tout d'abord, sur la possibilité de contrôler les phénomènes physiques au moyen de l'édification ensuite. L'ordonnance du mur de scène renvoie en effet au problème de l'architecture des palais et Perrault évoquera à ce propos le projet du Louvre dans l'édition de 1684 de sa traduction [17]. Avec les questions accoustiques s'introduit parallèlement l'idée d'un édifice-machine permettant de maîtriser le parcours et la réception du son, de la même façon que l'Observatoire s'empare symboliquement du mouvement des astres grâce à son orientation et à sa géométrie, comme on le verra par la suite. Monumentalité et fonctionnement machinique — le luxe de détails donné par Perrault à propos du théâtre des anciens dont les modernes n'ont pourtant aucun usage s'explique mieux au carrefour de ces deux préoccupations.

Plus qu'un modèle investi d'une légitimité absolue, l'Antiquité représente en définitive une voie d'accès commode aux principes constitutifs de l'architecture. Par là-même, Perrault annonce l'un des courants de la pensée architecturale des Lumières qui cherchera précisément à conjuguer archéologisme et exploration des fondements de l'art de bâtir.

Très attendue, comme en témoigne la curiosité manifestée par le secrétaire de la Royal Society Henry Oldenburg dans ses lettres [18], la nouvelle traduction de Vitruve va connaître un succès immédiat dans les milieux savants, même si plusieurs reconstitutions de Perrault semblent assez vite sujettes à caution [19]. Du côté des architectes, l'accueil va se révéler un peu moins chaleureux cependant. Le ton général de l'académicien, ainsi que certaines de ses remarques ne peuvent qu'irriter en effet les hommes de l'art.

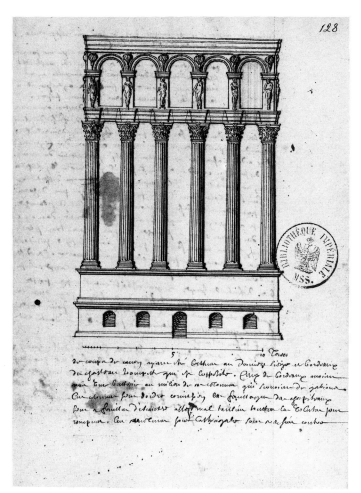

*91, 92. Cl. Perrault,* Voyage à Bordeaux *et trad.* Vitruve *(1684), les piliers de Tuteles. Gravé dans la seconde édition de la traduction de Vitruve, le monument romain prend valeur de modèle.*

93. *Cl. Perrault, trad. Vitruve, sciographie et scénographie. D'une grandeur digne de l'Antiquité, l'Observatoire peut tout à fait figurer dans la traduction de Vitruve.*

94. Cl. Perrault, trad. Vitruve, frontispice. L'ambition de surpasser les anciens se révèle ici avec la présence de l'arc de triomphe du faubourg Saint-Antoine, de la colonnade du Louvre et de l'Observatoire dans le lointain. Au premier plan à gauche figure même le chapiteau de l'ordre français inventé par Perrault.

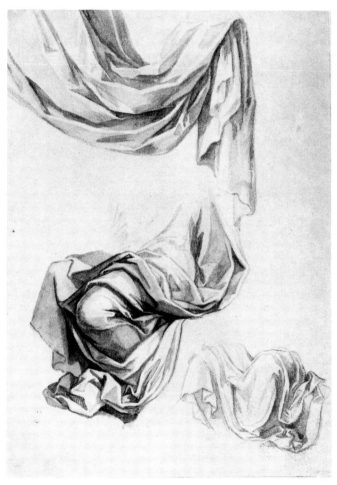

95. S. Leclerc, étude de draperie pour le frontispice de la traduction de Vitruve, Alb. inv. 27677.

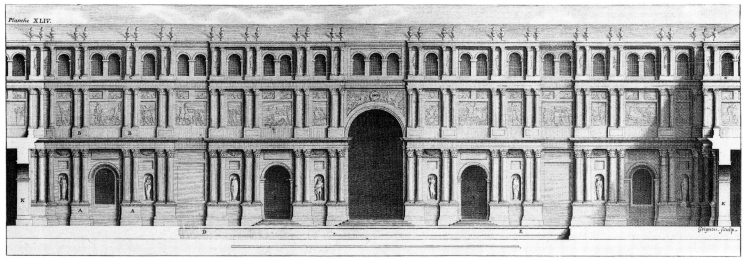

96. *Cl. Perrault, trad. Vitruve, mur de scène du théâtre romain représentant la façade d'un palais. « Il est aisé de conclure (...) qu'il doit y avoir autre chose que la grandeur de l'exhaussement qui fasse la différence d'un palais royal d'avec une maison particulière qui a des fenêtres sur la principale entrée, au lieu qu'un palais ne doit avoir que des colonnes, des statues et des balustrades », écrit Perrault en commentant le mur de scène du théâtre romain. L'absence de fenêtres ainsi que le motif de la porte centrale rappelant les arcs de triomphe des anciens font songer au péristyle du Louvre, même si la composition se montre par ailleurs plus proche des façades de la cour carrée avec ses ordres superposés.*

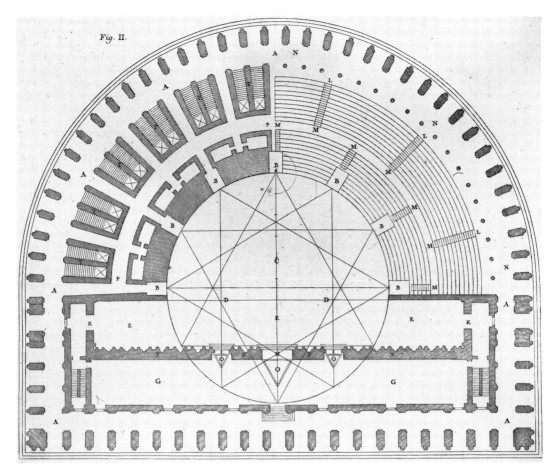

97, 98. Cl. Perrault, trad. Vitruve, plan et coupe du théâtre romain. La reconstitution du théâtre romain permet à l'académicien d'exposer sa conception du bruit.

99. *Cl. Perrault, trad. Vitruve, portique proche d'un théâtre servant de promenoir. La gravure illustre parfaitement le mélange de fascination et de perplexité qu'éprouve souvent Perrault devant l'architecture antique. Les colonnes doriques et corinthiennes placées sur un même niveau constituent une licence discutable. On ne peut qu'être sensible à la majesté des rangées de colonnes, toutefois.*

100. *Cl. Perrault, trad. Vitruve, intérieur d'une basilique. D'un classicisme sévère, de nombreuses planches de la traduction de Vitruve participent d'un état d'esprit assez voisin de celui de la colonnade.*

101. *Cl. Perrault, trad. Vitruve, bain des anciens. Archéologisme et projet se mêlent dans la démarche de l'académicien qui décore ici le bain des anciens dans le goût du Grand Siècle.*

102. *J. Martin, trad. Vitruve (1547), planche se rapportant à la nécessité d'incliner vers l'avant les objets situés en hauteur. A l'appui des corrections optiques, on admettait généralement que la taille apparente des objets dépendait de l'angle visuel sous lequel ils étaient aperçus.*

## Une pensée provocatrice

Spécialement satisfait de son travail, Perrault n'a pas montré la même modestie que dans son œuvre strictement scientifique. Bien qu'il se défende dans sa préface de posséder « ce génie, qui dans l'architecture, de même que dans tous les beaux-arts, est quelque chose de pareil à cet instinct différent que la nature seule donne à chaque animal, et qui les fait réussir dans certaines choses avec une facilité qui est déniée à ceux qui ne sont pas nés pour cela [20] », on sent percer plus d'une fois le contentement de soi dans ses propos. L'édition de 1673 ne s'ouvre-t-elle pas en outre sur un sonnet de Charpentier qualifiant l'académicien de nouveau Vitruve [21] ? Tant de présomption de la part d'un amateur, même éclairé, a de quoi indisposer les professionnels rompus à toutes les subtilités de l'art de bâtir.

Dans le commentaire du texte de Vitruve, on trouve d'autre part l'exposé d'idées qui ressemblent fort à de la provocation. Perrault commence par mettre en doute le caractère naturel des proportions architecturales. Loin de se parer de la nécessité des lois de la nature, ces dernières pourraient bien procéder en réalité de la « fantaisie » des hommes [22]. Plus précisément, il se pourrait que les inventions des premiers architectes aient pris, l'habitude aidant, l'apparence de règles inviolables [23]. Sur des points plus précis, l'académicien prend également le contre-pied de l'opinion courante. C'est ainsi qu'il défend le principe des colonnes accouplées, pratiquement inconnu des anciens et comme tel critiqué par de nombreux architectes, avec des arguments pour le moins discutables, puisqu'il souligne l'inspiration gothique d'un tel dispositif en même temps que le droit de se démarquer de l'Antiquité en inventant de nouvelles combinaisons conformes au génie national [24]. Il condamne enfin la pratique pourtant recommandée par Vitruve d'augmenter les parties hautes des édifices et plus généralement de corriger les proportions en fonction de la distance à laquelle elles doivent être appréciées [25].

Ces différentes idées ont quelque chose de choquant pour un architecte. Le caractère naturel des proportions n'a-t-il pas été constamment réaffirmé par tous les auteurs de traités depuis Vitruve ? Aussi critique qu'il ait pu parfois se montrer à l'égard de l'héritage antique, Philibert Delorme lui-même n'avait jamais songé à remettre en cause l'un des postulats fondamentaux de la théorie architecturale, puisque l'une de ses ambitions consistait à découvrir au contraire les « divines proportions » dont s'était servi le grand architecte de l'univers pour ordonner la création, et qu'il avait ensuite transmises aux saints pères de l'Ancien Testament [26]. Sans souscrire forcément à cet idéal de fusion entre les préceptes de l'art et les enseignements de la religion, la plupart des architectes demeurent persuadés que les proportions ainsi que la beauté qu'elles confèrent aux édifices s'enracinent dans une nature nécessaire et immuable, dans une architecture générale du monde voulue par le créateur.

L'argumentation développée par Perrault à propos de l'emploi des colonnes accouplées lui permet de renouer avec ses prises de positions hostiles à l'imitation servile de l'Antiquité. Mais elle pose également la question du goût et de ses vicissitudes, car l'académicien fait observer au passage que les modernes préfèrent les ordonnances dégagées dans le droit fil de la tradition gothique, tandis que les anciens étaient surtout sensibles à l'effet de masse produit par des rangées de colonnes serrées les unes contre les autres [27]. Déjà coupés de la nature, les canons de la beauté architecturale pourraient bien évoluer qui plus est, au même titre que les mœurs, le langage ou le costume.

Pour condamner le précepte donné par Vitruve d'augmenter les proportions des objets situés en hauteur ou vus à quelque distance, Perrault s'appuie sur des arguments d'ordre physiologique intimement liés à sa conception animiste de la perception. Selon lui, ce n'est jamais la vue qui se trompe, mais le jugement de la vue, et ce jugement est moins défectueux qu'on ne se l'imagine communément, car l'âme apprend à rectifier la plupart de ses erreurs d'appréciation spontanées [28]. Il est par conséquent inutile de donner à une statue placée au sommet d'un édifice des proportions différentes de celles qu'elle devrait avoir au niveau du sol, comme le veut la célèbre histoire de Phidias et d'Alcamène dont Vitruve semble s'être inspiré, parce qu'on risque surtout de la faire paraître difforme en agissant de la sorte [29]. Il est de la même façon ridicule d'incliner vers l'avant les entablements et les membres supérieurs d'une ordonnance comme le recommande également le *De architectura* [30].

En prenant le contre-pied de l'opinion commune fidèle à Vitruve sur la question des corrections optiques, l'académicien rejette en réalité les rapports entre théorie et pratique consacrés par l'usage, en même temps qu'il s'attaque à l'une des prérogatives essentielles des hommes de l'art, ce qui confère à son attitude sa vérita-

ble portée. A l'âge classique, l'application de la théorie repose en effet sur une négociation permanente entre la rigueur des règles et les circonstances particulières à chaque projet, négociation qui se traduit le plus souvent par l'augmentation ou la diminution des parties d'ouvrage. Or la critique de Perrault porte précisément sur l'un des cas les plus représentatifs d'adaptation des règles aux impératifs de l'édification. Elle dénie du même coup à l'architecte la possibilité de ce patient travail de négociation entre théorie et pratique qui le différencie à la fois de l'amateur éclairé, instruit seulement des préceptes de l'art, et du technicien maîtrisant uniquement les questions constructives. Au modèle de l'artiste servant de médiateur entre la culture humaniste et le monde de la production, le traducteur de Vitruve cherche à substituer une figure qui lui ressemble étrangement, à l'articulation d'un savoir livresque beaucoup plus étendu que celui de l'architecte ordinaire et de réelles connaissances scientifiques et techniques.

Dispersées dans les notes de son édition de Vitruve, les idées de Perrault sont encore loin de posséder toute leur force polémique, cependant. Elles prennent un tour déjà beaucoup plus radical dans l'*Abrégé des dix livres d'architecture de Vitruve* publié en 1674 par l'académicien sous prétexte de résumer la pensée architecturale de l'auteur latin en l'allégant de ses digressions inutiles. La préface de ce résumé tendancieux laisse tout d'abord transparaître une ironie qui prend tout son sel pour qui connaît les opinions véritables de Perrault sur l'Antiquité.

« Il se trouve tant de choses dans Vitruve qui n'appartiennent pas directement à l'architecture, qu'il semble que ce livre soit moins propre à instruire ceux qui ont dessein d'apprendre les préceptes de cet art, qu'à persuader à tout le reste du monde que son auteur a été le plus savant architecte qui ait jamais été, et que personne ne pouvait mériter mieux que lui, l'honneur qu'il a eu de servir Jules César et Auguste, les deux plus grands et plus magnifiques princes de la terre, dans un siècle où toutes les choses ont été au souverain degré de leur perfection [31]. »

Ce ton caustique cède ensuite la place à une franchise brutale. Perrault réaffirme en effet avec netteté le caractère artificiel des proportions. Ce caractère artificiel justifie pleinement à ses yeux les préoccupations normatives qui s'exprimaient déjà dans sa traduction de Vitruve et qui se renforcent à présent.

« Car l'architecture étant un art qui n'a presque point d'autre règle en tout ce qui fait la beauté dont ses ouvrages sont capables, que ce que l'on appelle le bon goût (...), il est absolument nécessaire que l'on soit persuadé que le goût que l'on suit est meilleur qu'un autre, afin que cette persuasion s'insinuant dans les esprits de tous ceux qui étudient, elle forme une idée correcte et réglée, qui sans cette persuasion demeurerait toujours vague et incertaine. De sorte que pour établir ce bon goût dont il faut convenir, on a besoin d'avoir quelqu'un à qui s'en rapporter, qui mérite beaucoup de créance, à cause de la grande doctrine qui paraît dans ses écrits, et qui fasse croire qu'il a toute la suffisance qui est nécessaire pour bien choisir dans l'Antiquité tout ce qu'il y a de plus solide et de plus capable de fonder les préceptes de l'architecture [32]. »

Plus encore que l'ingénieur romain dont les insuffisances sont notoires, ce personnage « qui présente beaucoup de créance, à cause de la grande doctrine qui paraît dans ses écrits » ne serait-il pas Perrault lui-même ? Aucun doute ne subsiste plus à cet égard lorsque l'académicien se livre par la suite à une véritable manipulation du texte vitruvien qui en altère considérablement le sens, afin sans doute de dégager « ce qu'il y a de plus solide et de plus capable de fonder les préceptes de l'architecture » dans le fatras de connaissances dont se compose le *De architectura*.

Les grandes lignes de l'édifice théorique dont Perrault donnera la formulation définitive dans son *Ordonnance des cinq espèces de colonnes selon la méthode des anciens* commencent à se faire jour. Aux origines de l'architecture on trouve les premières cabanes construites par les hommes à l'imitation des abris des animaux. L'humanité prenant ensuite ses propres réalisations comme modèle, en passant ainsi « de l'imitation du naturel à celle de l'artificiel », a inventé « tous les ornements des édifices les plus artistement ouvragés [33] ». Au récit des origines succède alors l'étude des principaux concepts de la théorie qui dépendent de la triade solidité/commodité/beauté reprise de Vitruve [34]. Mais l'*Abrégé* comporte surtout le premier exposé complet de la double définition de la beauté architecturale qui sera reprise dans l'*Ordonnance*.

Selon l'académicien, « les édifices peuvent avoir deux sortes de beautés ; l'une est positive, et l'autre est arbitraire. La beauté positive est celle qui plaît nécessairement par elle-même. La beauté arbitraire est celle qui ne plaît pas nécessairement, mais dont l'agrément dépend des circonstances qui l'accompagnent ». « La beauté positive consiste en trois choses principales ; savoir, en l'égalité du rapport que les parties ont les unes aux autres, que l'on appelle symétrie ; en la richesse de la matière, et dans la propreté, la netteté et la justesse de l'exécution [35]. » A cette beauté indiscutable parce que fondée sur des considérations uniquement matérielles, s'oppose la seconde espèce de beauté « qui ne plaît que par les circonstances qui l'accompagnent » et qui repose sur l' « usage raisonnable des beautés positives » encore appelé sagesse, ainsi que sur la régularité qui « dépend de l'observation des lois qui sont établies pour les proportions de tous les membres de l'architecture [36] ». Tandis que les beautés positives s'imposent à tous, les beautés arbitraires nées de la régularité ne plaisent guère qu'aux « intelligents en architecture ». Elles s'appuient en partie sur le bon sens qui prescrit par exemple que les parties inférieures d'une ordonnance soient plus fortes que celles qu'elles doivent soutenir. Mais leur principale origine demeure tout de même la prévention « qui est l'un des plus ordinaires fondements de la beauté des choses : car de même que l'on aime la forme des habits que portent les personnes de la cour, bien que cette forme n'ait aucune beauté positive, mais seulement à cause du mérite positif de ces personnes ; on s'est aussi accoutumé à aimer les proportions des membres de l'architecture plutôt à cause de la bonne opinion que l'on a de ceux qui les ont inventées, et à cause des autres beautés positives qui sont dans les ouvrages des anciens, où ces proportions se trouvent observées, que par aucun autre motif [37]. »

Relayant l'affirmation selon laquelle les beautés architecturales sont dans une large mesure issues de la fantaisie des hommes, cette distinction entre beautés positives et beautés arbitraires n'est pas entièrement originale. Son principe est même assez répandu dans certains milieux intellectuels, chez les cartésiens en particulier qui se montrent sensibles au phénomène de l'accoutumance, capable d'ériger en règles les préventions les moins fondées [38]. Dans son *Traité de la vraie et de la fausse beauté dans les ouvrages de l'esprit,* Nicole reconnaît par exemple l'existence de beautés qui dépendent de l'opinion et de l'usage, même s'il leur oppose les beautés essentielles qui naissent de la vérité [39].

Aussi répandue soit-elle, la distinction entre beautés positives et beautés arbitraires demeure toutefois gênante pour les architectes qui se méfient spontanément des opinions risquant de conduire au relativisme esthétique. Les idées de Perrault vont en particulier rencontrer l'opposition de l'Académie d'Architecture créée en 1671 et de son premier directeur François Blondel.

## L'Académie d'Architecture, François Blondel et Claude Perrault

La création de l'Académie d'Architecture participe pleinement de la politique colbertiste. Surintendant des Bâtiments depuis 1664, le ministre avait éprouvé de longue date le besoin de s'entourer des conseils d'hommes de l'art, à côté de ceux des intellectuels membres de la petite Académie ou gravitant autour d'elle. C'est à cette fin qu'est fondée en décembre 1671 une compagnie réunissant les architectes François Le Vau, Libéral Bruant, Daniel Gittard, Antoine Le Pautre, Pierre Mignard et François d'Orbay, sous la direction du mathématicien, ingénieur et architecte François Blondel, tandis qu'André Félibien est nommé secrétaire de la nouvelle académie [40].

Par sa composition et son orientation très professionnelles, cette dernière diffère assez sensiblement de l'Académie française, de l'Académie de Peinture et de Sculpture et de l'Académie des Sciences, ses aînées. Elle se voit confier une triple mission : l'élaboration d'une doctrine officielle, la mise sur pied d'un enseignement destiné à la propager, tâches auxquelles se consacrera principalement François Blondel, une fonction de contrôle technique enfin qui l'amènera à effectuer des enquêtes sur la qualité des carrières parisiennes, sur l'état des églises de la capitale ou sur la construction des ponts [41]. A ce programme défini par Colbert s'adjoignent des préoccupations plus corporatistes, car l'Académie entend aussi représenter la profession d'architecte et la défendre contre les prétentions des entrepreneurs [42]. Par son intermédiaire s'esquisse ainsi la figure de l'architecte libéral moderne, détenteur d'une culture spécifique qui le distingue du monde de la production et au nom de laquelle il cherche à régenter ce dernier.

Les objectifs officiels et les intérêts propres de l'Académie d'Architecture ne peuvent que contrarier les ambitions de Claude Perrault passé un certain stade. Composée de professionnels chevronnés, animée d'un désir de contrôle de la production du bâti, la compagnie n'est pas prête en effet à reconnaître l'autorité d'un amateur, fût-il même traducteur de Vitruve. La position des Perrault, celle de Charles en particulier qui exerce une véritable tutelle sur l'Académie au nom de Colbert incite toutefois cette dernière à la prudence.

Sans appartenir à la compagnie, Claude Perrault se trouve fréquemment en contact avec elle [43], et ses idées sur l'architecture sont connues et discutées avant même que paraisse sa traduction de Vitruve. C'est à son influence qu'il faut sans doute attribuer la question que se pose l'Académie dès sa seconde séance, le 7 janvier 1672 : « savoir ce que c'est qu'on nomme le bon goût [44] ». Comme pour donner raison à Perrault, les académiciens reconnaissent au cours de la séance suivante la nécessité de s'en remettre à ce propos « aux personnes intelligentes, dont le mérite s'est fait connaître par leurs ouvrages ou par leurs écrits [45] », mais lorsqu'ils se demandent un peu plus tard si la juste proportion qui caractérise le bon goût est fondée sur une règle positive ou si elle est arbitraire, une écrasante majorité tranche en faveur d'une règle positive [46]. Pour ne pas heurter de front le frère du puissant premier commis des Bâtiments, l'Académie décide alors de ne pas poursuivre le débat.

On retrouve la même circonspection lors de l'examen de la traduction de Perrault [47]. S'il faut considérer Vitruve comme « le premier et le plus savant de tous les architectes » qui « doit avoir la principale autorité parmi eux [48] », si l'Académie ne peut qu'admirer l'érudition dont son traducteur a fait preuve dans ses notes [49], la compagnie est bien obligée de buter sur le passage « qui veut qu'il n'y ait aucune augmentation ni diminution des proportions des objets vus à quelque distance que ce puisse être [50] ». Là encore, la discussion est ajournée sans autre forme de procès.

C'est au directeur de l'Académie, François Blondel, que va finalement échoir le redoutable honneur de répondre aux arguments de Perrault dans son *Cours d'architecture* publié de 1675 à 1683. Étonnant personnage que François Blondel que ses multiples talents semblent tout naturellement désigner pour faire pièce au traducteur de Vitruve. Tour à tour ingénieur, diplomate et architecte, membre de l'Académie des Sciences comme Perrault, précepteur du Dauphin, il se révèle tout aussi difficile à cerner que son adversaire. Ne lui doit-on pas un traité d'artillerie : *L'art de jetter les bombes*, une *Comparaison de Pindare et d'Horace* en même temps que des édifices aussi célèbres que la porte Saint-Denis et la corderie de Rochefort [51] ? A la différence de son homonyme de la Faculté de Médecine, Blondel est loin d'être hostile aux idées de son temps. Il utilise par exemple les résultats de Galilée et de Toricelli pour déterminer la trajectoire des projectiles dans *L'art*

Table des Cinq Ordres d'Architecture
Suiuant la doctrine de Vitruue ou de ses anciens Imitateurs
Pour donner vne idée de Chacun d'eux, et les faire distinguer l'vn
de l'autre et par la proportion de la grosseur de la Colonne
a sa hauteur et par certains Caracteres Specifiques comme
Sont la Simple nudité du Toscan, Les Triglyphes du Dorique,
Les volutes de l'Ionique, Les fueilles du Corinthien et les
Volutes Sur les fueilles du Composé.

COMPOSE.

CORINTHIEN.

IONIQUE.

DORIQUE.

TOSCAN.

De la Boissiere fecit

103.  F. Blondel, Cours d'architecture (1675-1683), les cinq ordres d'architecture.

# ARCHITECTURE

## HARMONIQUE,

### OU

### APPLICATION DE LA DOCTRINE

*des Proportions de la Musique*

*à l'Architecture.*

### A PARIS,

Chez ROBERT JEAN BAPTISTE DE
LA CAILLE, ruë Saint Jacques,
aux trois Cailles.

M. DC. LXXIX.

### AVEC PRIVILEGE DV ROY.

104. *R. Ouvrard,* Architecture harmonique *(1679), page de garde.*

*de jetter les bombes* [52]. Aussi ouvert soit-il aux conceptions nouvelles, il ne saurait admettre cependant que l'on traite à la légère l'application de la géométrie à l'architecture. A côté des enjeux institutionnels et professionnels qu'elle recouvre, son opposition à Perrault correspond aussi au choc de deux sensibilités : celle d'un mathématicien persuadé de la validité des proportions et celle d'un spécialiste du vivant beaucoup moins convaincu par les propriétés de la figure et de l'étendue.

Dans son *Cours d'architecture* Blondel va procéder à une réfutation assez systématique des idées de Perrault. Il affirme tout d'abord chaque fois qu'il en a l'occasion le caractère naturel des proportions, en même temps que l'utilité des règles qui les concernent, même si ces règles varient quelque peu d'un auteur à un autre. A l'appui de ses positions Blondel invoque notamment l'analogie entre architecture et musique, traditionnelle depuis l'Antiquité, à laquelle le musicien René Ouvrard redonne un nouveau souffle dans son *Architecture harmonique* de 1679. Plus précisément, considérant que les rapports qui plaisent à l'oreille plaisent nécessairement à l'œil, ce dernier préconise l'emploi de proportions musicales en architecture [53]. L'analogie entre l'ouïe et la vue lui semble suffisamment démontrée par l'expérience du monochorde : la hauteur des sons n'est-elle pas en effet inversement proportionnelle à la longueur de la corde pincée par le musicien ? Sur le même principe Ouvrard imagine ensuite des édifices transformés en vastes résonnateurs par la seule vertu de leurs proportions, des édifices-machines dont le pouvoir irait bien au-delà des propriétés accoustiques du théâtre antique reconstitué par Perrault. Le modèle de ces édifices ne peut être que le fameux temple de Salomon qui fait l'objet des spéculations les plus diverses depuis Villalpande [54]. Sans suivre l'auteur de l'*Architecture harmonique* jusque là, Blondel voit dans l'analogie entre architecture et musique la preuve irréfutable du caractère naturel des proportions [55].

Dans le *Cours d'architecture* du directeur de l'Académie on trouve également une longue discussion du principe des colonnes accouplées auquel Blondel se montre résolument hostile, même s'il reconnaît aux modernes le droit « d'ajouter aux inventions des anciens comme il a été permis à Hermogène d'ajouter aux pratiques de ceux qui l'avaient précédé [56] ». Mettant à profit sa connaissance de la mécanique, il entreprend de démontrer que le doublement des colonnes ne renforce en rien le porte-à-faux de l'architrave, contrairement aux allégations des partisans d'un tel dispositif. Mais l'accouplement des colonnes pèche avant tout contre l'exigence de simplicité et de naturel à laquelle doit toujours se conformer l'architecture [57].

Dans la dernière partie de son *Cours* publiée en 1683, Blondel réfute enfin les raisons apportées par le traducteur de Vitruve contre l'augmentation ou la diminution des parties afin de rendre aux ouvrages « la beauté que la différence des lieux, de l'usage et de l'apparence pourrait avoir altérée [58] ». Qualifiant de trop « métaphysique » pour les architectes l'argumentation physiologique développée par Perrault, il invoque à nouveau l'exigence de naturel qui conduit à modifier les proportions en fonction de la perception naïve qu'en ont par exemple les animaux ou les enfants [59]. Bien qu'il s'entoure de précautions oratoires en affirmant n'avoir eu aucun dessein de heurter « les personnes d'un très grand mérite [60] » qui sont d'un avis contraire au sien, Blondel blesse profondément Perrault qui se plaint peu après à Huygens de la manière dont il est traité dans le *Cours d'architecture* [61]. Le débat théorique se double alors d'un conflit aux résonnances beaucoup plus personnelles. Il est vrai que la publication de l'*Ordonnance des cinq espèces de colonnes selon la méthode des anciens* en 1683 n'arrange rien à l'affaire. Dans la préface de l'ouvrage Perrault reprend et développe en effet ses principales thèses sans aucune concession.

## La formulation définitive de la théorie

L'*Ordonnance* à laquelle Wolfgang Hermann consacrait il y a quelques années l'essentiel de sa monographie sur Claude Perrault constitue sans nul doute l'expression la plus achevée des conceptions théoriques de ce dernier. Les préoccupations normatives du traducteur de Vitruve s'y révèlent en pleine lumière, puisque son traité propose un système de proportions dont l'adoption doit simplifier la conception architecturale tout en imprimant au projet la marque du bon goût.

Perrault adopte pour cela un nouveau point de départ qui lui est suggéré par la parution en 1682 des *Édifices antiques de Rome* d'Antoine Desgodets. Envoyé à Rome par Colbert, Desgodets en avait ramené les mesures d'un ensemble de monuments célèbres aux-

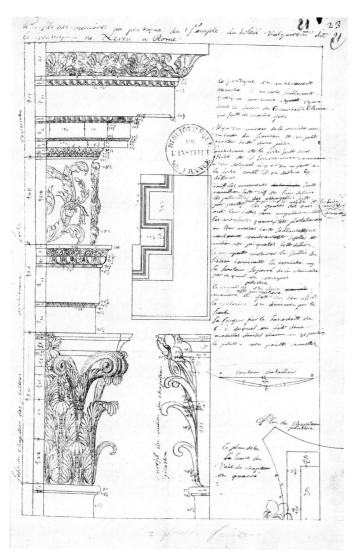

105. *A. Desgodets*, Recueil des études d'architecture que iay fait à Rome pendant l'espace de seize mois que iy ay demeuré dans les années 1676 et 1677, *B.I. MS 2718, relevé du frontispice de Néron. C'est à partir de ce type de relevé que Desgodets publie ses* Édifices antiques de Rome.

106. A. Desgodets, Les édifices antiques de Rome *(1682), frontispice de Néron. Perrault s'inspire de l'architrave de ce monument pour l'ordre composite de son* Ordonnance des cinq espèces de colonnes selon la méthode des anciens.

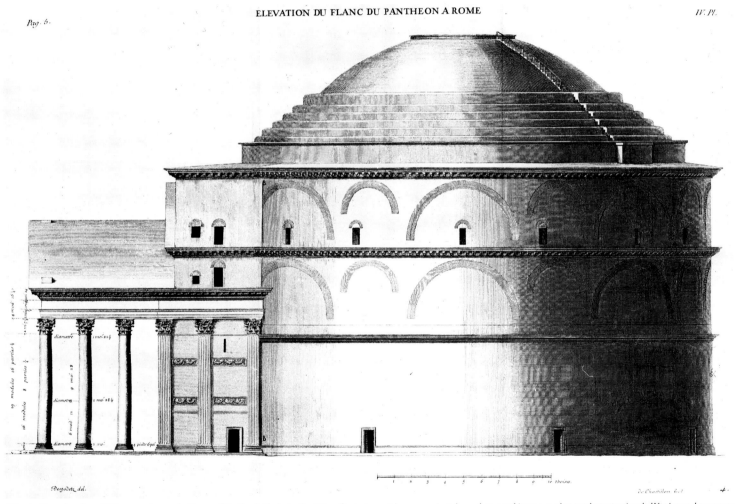

107. A. Desgodets, Les édifices antiques de Rome, *élévation latérale du Panthéon. Contrairement à ce que croient de nombreux architectes, ce n'est pas la proportion de l'épaisseur des murs au diamètre intérieur du sanctuaire qui fait la beauté du Panthéon, affirme Perrault dans l'*Ordonnance.

quels les auteurs de traités s'étaient constamment référé depuis la Renaissance. Son travail lui avait tout d'abord permis de constater l'inexactitude des relevés donnés avant lui par Palladio, Labacco, Serlio ou Fréart de Chambray. Plus scrupuleux que ses prédécesseurs, Desgodets avait ensuite observé sans pouvoir se l'expliquer les variations considérables des proportions suivies par les anciens d'un édifice à un autre. Certains membres d'architecture s'avéraient même contraires aux enseignements de Vitruve ; leur étrangeté contrastait avec la sagesse des interprétations habituelles de l'architecture antique figurant dans les traités [62].

Au tout début de son *Ordonnance* Perrault tire argument de ces variations et de cette étrangeté pour affirmer le caractère imprécis de la beauté architecturale, puisque tous les monuments romains, aussi différents soient-ils, peuvent être considérés comme autant de modèles [63]. Procédant par analogie avec le corps humain, il en déduit que sorti du respect de quelques règles générales au contenu assez flou, la beauté d'un édifice « ne consiste pas tant dans l'exactitude d'une certaine proportion, et dans le rapport que les grandeurs des parties ont les unes aux autres, que dans la grâce de la forme qui n'est rien autre chose que son agréable modification, sur laquelle une beauté parfaite et excellente peut être fondée, sans que cette sorte de proportion s'y rencontre exactement observée [64] ». De même que deux visages avec des proportions différentes peuvent avoir une égale beauté, « on voit aussi dans l'architecture des ouvrages avec des proportions différentes avoir des grâces pour se faire également approuver par ceux qui sont intelligents et pourvus du bon goût de l'architecture [65] ».

L'allure générale et le caractère de solidité ou de légèreté des différents ordres sont en réalité les seules choses que l'architecture ait bien déterminées, sans y mettre d'ailleurs « beaucoup d'exactitude et de précision [66] ». Cette imprécision contraste avec la justesse des accords musicaux et Perrault rejette par conséquent la doctrine d'Ouvrard sur laquelle Blondel avait cru pouvoir s'appuyer [67]. L'exactitude de certains effets mécaniques est également étrangère à l'architecture. On ne saurait par exemple comparer l'impression d'équilibre produite par une belle ordonnance architecturale avec l'équilibrage des plateaux d'une balance [68]. Au même titre que les proportions différentes données par les anciens à leurs monuments, les divergences que l'on constate entre les règles édictées par les auteurs de traités comme Alberti, Scamozzi, Vignole ou Palladio témoignent de la latitude dont s'accompagne l'usage des ordres en architecture [69].

Quelle peut être l'origine de cette beauté architecturale qui se dérobe pour l'instant à l'analyse ? Continuant à éliminer les fausses pistes, Perrault considère que ni l'imitation de la nature, ni la raison, ni le bon sens ne sont le fondement « de ces beautés, qu'on croit voir dans la proportion, dans la disposition, et dans l'arrangement des parties d'une colonne [70] ». La beauté d'une colonne ne saurait provenir à l'évidence de l'imitation du corps humain, puisque son chapiteau qui est censé correspondre à la tête n'est pas en proportion avec elle [71]. Contrairement à ce qu'affirme Vitruve à propos de l'ordre dorique, l'évocation de la construction primitive n'est pas non plus la source de la beauté architecturale, puisque « les colonnes ne sont point approuvées suivant le goût le plus ordinaire, plus elles ressemblent au tronc des arbres qui servaient de poteaux aux premières cabanes, qui ont été bâties [72] ». De nombreuses règles choquent par ailleurs la raison et le bon sens — pourquoi faut-il par exemple que les corniches ioniques soient moins ornées que celles de l'ordre dorique, alors qu'un ordre plus délicat devrait avoir davantage d'ornements que celui qui est le plus grossier [73] ?

Ayant éliminé les analogies musicales et mécaniques, l'imitation du corps de l'homme ou celle de ses premiers abris, la raison et le bon sens, comme sources de la beauté architecturale, Perrault peut revenir à sa distinction entre beautés positives et beautés arbitraires en supposant qu'il y a deux sortes de beautés dans l'architecture, « savoir celles qui sont fondées sur des raisons convaincantes, et celles qui ne dépendent que de la prévention [74] ». L'existence de beautés positives qui plaisent naturellement au regard, comme la richesse de la matière, la grandeur et la magnificence de l'édifice, la propreté de l'exécution et la symétrie, n'est guère douteuse et ne nécessite aucune explication particulière [75]. Il ne reste plus alors qu'à s'interroger sur le fondement de la prévention, ou ce qui revient au même du goût qui s'attache aux ordres d'architecture.

Plutôt que d'avoir recours à une hypothétique essence du goût ou à son contraire, à ce « je ne sais quoi » dépourvu de toute ambition théorique auquel se réfère par exemple constamment le père Bouhours [76], l'auteur de l'*Ordonnance* préfère une approche en termes de genèse et de développement. Mettant encore une fois ses connaissances physiologiques à contribution, il se réfère à deux phénomènes qu'il connaît bien : la liaison des idées et l'accoutumance.

Mentionnée par Descartes dans *Les passions de l'âme*, fréquemment invoquée par Malebranche dans *La recherche de la vérité*, la liaison des idées permet d'expliquer que l'on soit prévenu en faveur de certaines choses dont on ignore la valeur par leur association spontanée avec d'autres qui sont connues et appréciées [77]. C'est pour cette raison que l'on aime la forme des habits des personnes de la cour à cause du seul « mérite positif » de ces personnes, comme le faisait déjà remarquer l'*Abrégé des dix livres d'architecture de Vitruve*. L'accoutumance dont Perrault mesure pleinement le pouvoir vient ensuite fortifier ce genre de disposition. Liaison des idées et accoutumance sont ainsi à l'origine de la plupart de nos préventions.

Pour revenir à l'architecture, il semble bien que les proportions nées de la fantaisie des premiers architectes se soient fait tout d'abord aimer parce que l'esprit les associait aux beautés positives des édifices où on les rencontrait. Ces édifices ont ensuite servi de modèle sans que l'on croie possible de leur faire subir des modifications, et leurs proportions ont été du même coup érigées en règles, « de la même manière que quand on aime passionnément un visage, quoiqu'il n'ait rien de parfaitement beau que le teint, on ne laisse pas d'en trouver la proportion tellement agréable, que l'on ne saurait croire, qu'il put devenir plus beau, si cette proportion était changée [78] ». Si la liaison des idées et l'accoutumance qui vient la renforcer sont très probablement à l'origine de la beauté des ordres d'architecture, les variations observées d'un édifice à un autre viennent quant à elles rappeler le caractère arbitraire de cette beauté.

Il ne s'agit surtout pas d'en conclure à la supériorité des beautés positives sur l'arbitraire des proportions. Par un spectaculaire renversement de perspective, Perrault affirme au contraire la prééminence des beautés arbitraires dont la connaissance raisonnée qui forme ce que l'on appelle le bon goût distingue seule les architectes de ceux qui ne le sont pas, « parce que pour connaître la plupart des beautés positives, c'est assez que d'avoir du sens commun ; n'y ayant pas grande difficulté à juger qu'un grand édifice de marbre taillé avec justesse et propreté, est plus beau qu'un petit fait de pierres mal taillées, où il n'y a rien qui soit exactement à niveau, ni à plomb, ni à l'équerre [79] ».

Une seconde surprise attend toutefois le lecteur de l'*Ordonnance*. Après avoir démontré en effet l'arbitraire des proportions, après s'être réclamé de la liberté laissée aux architectes « d'augmenter ou de diminuer les dimensions des parties, suivant les besoins que plusieurs occurrences peuvent faire naître [80] », Perrault déplore à présent l'existence de cette liberté qu'aucun de ses devanciers n'a su résorber, faute d'une autorité suffisante « pour faire des lois qui fussent inviolablement observées [81] ».Refusant encore un fois des rapports entre théorie et pratique fondés sur une négociation toujours subsistant sous les prescriptions en apparence autoritaires des traités, il propose d'adopter à la place des proportions « probables et vraisemblables [82] » à l'instar de ses systèmes de physique. D'inspiration moins tolérante qu'en matière scientifique, cette exigence de vraisemblance le conduit à proposer une normalisation des ordres encore plus poussée que celle à laquelle s'était livrée Vignole dans sa *Règle des cinq ordres d'architecture* [83].

Concrètement, Perrault introduit un nouveau module égal au tiers du diamètre de la colonne, au lieu de la moitié traditionnellement prise comme référence. Ce changement lui permet d'exprimer en nombres entiers de modules les tailles des colonnes. Du toscan au corinthien ces tailles forment une suite arithmétique de raison deux. Les piédestaux suivent également une progression arithmétique, à l'exception du piédestal de l'ordre toscan. De manière plus radicale encore, la hauteur des entablements est fixée uniformément à six modules pour les cinq ordres.

Ce processus de rationalisation se poursuit à différents niveaux. Abandonnant très vite son module, Perrault préfère donner les dimensions des détails sous forme de fractions élémentaires des principaux membres de l'ordre comme l'avait déjà fait Vitruve avant lui, plutôt que de tout exprimer en minutes et en fractions de minutes de modules en manipulant des chiffres compliqués comme la plupart de ses devanciers. Plus étonnant, il normalise même la succession des moulures, ordinairement conçue en fonction d'un plaisir de l'œil difficilement réductible aux lois de l'arithmétique. La base du piédestal toscan comporte ainsi deux moulures, celle du dorique trois, celle de l'ionique quatre, celle du corinthien cinq et celle du composite six. De la même manière, la corniche du piédestal toscan compte trois moulures, celle du dorique quatre, et ainsi de suite jusqu'à celle du composite qui en possède sept [84].

*108. Cl. Perrault, Ordonnance des cinq espèces de colonnes selon la méthode des anciens (1683), Ars. Fol. SA 1568 (Réserve), dessin préparatoire pour la planche montrant les cinq ordres d'architecture. La progression régulière des piédestaux et des colonnes est ici évidente. D'une grande qualité, les dessins ayant servi à la gravure des planches de l'*Ordonnance *et qui sont collés dans un exemplaire imprimé de l'ouvrage conservé à la Bibliothèque de l'Arsenal pourraient bien être de Sébastien Leclerc.*

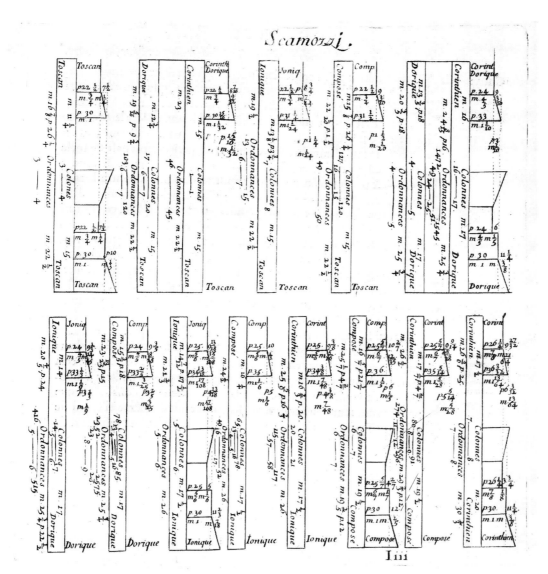

109. *F. Blondel*, Cour d'architecture, *proportions de Scamoz-zi. La simplicité des proportions données par Perrault aux ordres d'architecture contraste avec la complication des systèmes de ses devanciers auxquels Blondel consacre de longs développements dans son* Cours.

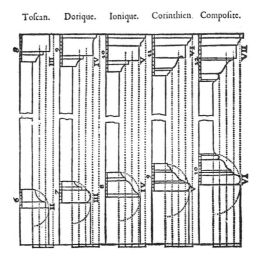

110. *Cl. Perrault*, Ordonnance, *les piédestaux des cinq ordres avec le détail de leurs différentes moulures.*

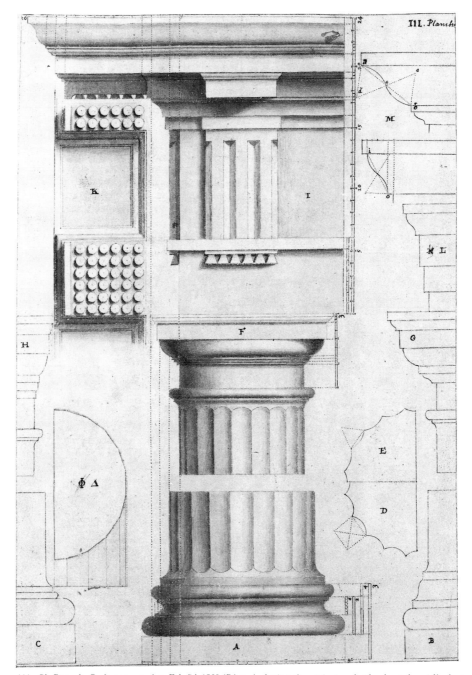

*111. Cl. Perrault,* Ordonnance, *Ars. Fol. SA 1568 (Réserve), dessin préparatoire pour la planche analysant l'ordre dorique. Le dorique choisi par Perrault est très proche de celui de Vitruve, bien que son entablement soit un peu plus haut. Les « proportions moyennes » de l'académicien sont ombrées. Elles sont entourées de sections et de profils au trait tirés de monuments romains ou de traités d'architecture.*

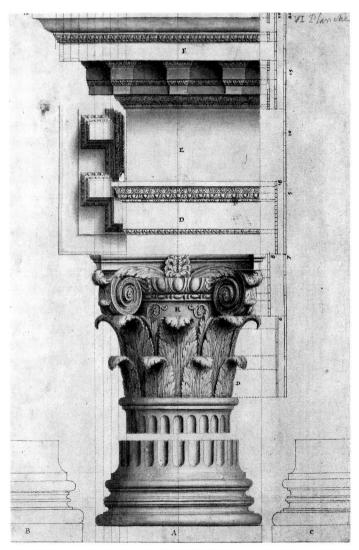

112. *Cl. Perrault,* Ordonnance, *Ars. Fol. SA 1568 (Réserve), dessin préparatoire pour la planche analysant l'ordre corinthien. Plus haut que celui de Vitruve, le chapiteau corinthien de Perrault s'orne de feuilles d'olivier au lieu de feuilles d'acanthe. Les proportions diffèrent de celui qui est utilisé au péristyle du Louvre.*

113. *Cl. Perrault,* Ordonnance, *Ars. Fol. SA 1568 (Réserve), dessin préparatoire pour la planche analysant l'ordre composite. L'ordre composite de Perrault cherche à réaliser l'alliance de l'ancien et du nouveau, avec son architrave qui reprend les principales dispositions du frontispice de Néron à Rome, tandis que son chapiteau suit « les proportions et le caractère que nos sculpteurs lui donnent depuis peu ; où les choses les plus remarquables sont la hauteur des feuilles d'acanthe, et la légèreté des volutes qui sont vidées avec beaucoup de grâce ».*

Cette mise aux normes débouche finalement sur un système de rapports parfaitement intelligibles, un système auquel fait toutefois défaut une partie de la richesse visuelle née de ce patient travail de modulation des volumes, de cet art de profiler dans lequel les architectes étaient passés maîtres depuis la Renaissance [85]. Devant un tel résultat il est alors intéressant d'examiner les justifications avancées par Perrault à l'appui de son système.

La première qualité de ce système réside bien sûr dans sa simplicité. Selon l'auteur de l'*Ordonnance*, les architectes qui l'ont précédé en donnant tantôt des exemples d'édifices illustres, tantôt des règles d'une complexité discutable, ont fait la même chose que si « pour prescrire les proportions d'un beau visage, on donnait exactement celles des visages d'Hélène, d'Andromaque, de Lucrèce, ou de Faustine, dans lesquels par exemple le front, le nez et l'espace qu'il y a depuis le nez jusqu'à l'extrémité du menton, étaient égaux à quelques minutes près, mais différemment dans chacun de ces visages », ou si « pour donner les proportions d'un beau visage on disait qu'il doit avoir dix-neuf minutes et demie depuis la racine des cheveux jusqu'au commencement du nez ; vingt minutes et trois quarts depuis le commencement du nez jusqu'à son extrémité, et dix-neuf minutes et trois quarts depuis l'extrémité du nez jusqu'à celle du menton ». Rompant avec ces chicaneries, Perrault s'est quant à lui résolu à « faire ces trois espaces égaux, en leur donnant chacun vingt minutes [86] ».

Son attitude n'est possible que parce que l'œil n'est pas prisonnier de rapports absolument fixes comme l'oreille qui ne peut souffrir le moindre manquement aux règles de l'harmonie. C'est en ce sens que les proportions architecturales sont arbitraires, tandis que les accords musicaux correspondent à la structure naturelle de la perception auditive, étudiée par Perrault dans le cadre de la préparation de son « Traité du bruit ». Est-ce-à dire que la vue est inférieure à l'ouïe ? Non sans doute, car l'oreille naturellement touchée par les proportions musicales est incapable de les faire connaître à l'esprit, tandis que la vue permet à ce dernier d'analyser les rapports qu'il observe, d'en prendre la mesure, de les raisonner en un mot, surtout quand ils sont simples [87].

La simplicité ne saurait suffire cependant au système de Perrault pour qu'il présente de l'intérêt aux yeux des hommes de l'art. Les proportions préconisées dans l'*Ordonnance* doivent aussi correspondre aux canons du goût architectural dominant qui aime à se référer aux édifices antiques, aussi étranges qu'ils puissent paraître parfois. Afin de concilier ces deux exigences, l'académicien les rapporte à une même origine en reprenant une division de l'histoire de l'architecture qu'il avait déjà esquissée dans l'*Abrégé*. Selon lui il convient de distinguer l'architecture ancienne dont Vitruve traite en maint passage et dont on peut encore voir des exemples en Grèce, de l'architecture antique qui englobe les édifices bâtis à partir de l'époque augustéenne à Rome, à Constantinople et en France, sur le modèle des précédents [88]. Tout en admirant les monuments romains Perrault décide de les considérer pour les besoins de sa cause comme des copies d'un art plus ancien dont les principes se seraient graduellement altérés, jusqu'à donner naissance aux bizarreries que rapporte Desgodets. Cet art ancien n'aurait eu recours quant à lui qu'aux proportions les plus élémentaires, qu'à des rapports entiers avec lesquels entend précisément renouer l'*Ordonnance*. Le titre complet de l'ouvrage : *Ordonnance des cinq espèces de colonnes selon la méthode des anciens* devient alors pleinement compréhensible. En remontant aux véritables anciens par-delà leurs imitateurs maladroits, Perrault veut concilier son désir de rationalisation avec les données de l'héritage gréco-romain, une ambition quelque peu paradoxale qui n'est pas sans évoquer encore une fois l'archéologisme des Lumières, même si la « méthode des anciens » à laquelle se réfère l'académicien est encore très éloignée de ce « goût grec » que Soufflot, Dumont, Cochin et Leroy ramèneront de Paestum et d'Athènes [89].

Bien qu'il se réfère à une architecture autrement plus vénérable que celle des romains, Perrault demeure avant tout un moderne. La critique des sectateurs de l'Antiquité l'emporte largement dans son esprit sur le désir de renouer avec l'origine de l'édification. Cette origine est d'ailleurs en grande partie hypothétique ; elle représente avant tout une fiction commode destinée à répondre aux détracteurs éventuels de l'académicien, comme le révèle à l'évidence le procédé employé pour la retrouver. Plutôt que de se livrer à une longue et patiente recherche d'indices, l'auteur de l'*Ordonnance* se contente de prendre la moyenne des proportions mesurées sur les édifices antiques ou données par les théoriciens qui l'ont précédé. Dans les tableaux comparatifs qu'il dresse à cet effet, Perrault n'hésite pas à manipuler les chiffres, voire même à les changer lorsqu'ils ne s'accordent pas avec son système, un traitement cavalier qui rappelle étrangement l'ambiguïté

LA THÉORIE ARCHITECTURALE

de son rapport à l'expérience [90]. En faisant apparaître ses propositions comme autant de moyennes prises entre des valeurs extrêmes, l'académicien se réfère bien entendu à cette recherche de la « médiocrité » caractéristique de l'âge classique. Comme l'avaient déjà souligné Descartes et Pascal, le juste milieu est presque toujours préférable aux extrêmes [91]. Mais en prenant la moyenne d'un ensemble de proportions, Perrault ne peut garantir la conformité absolue de son système avec les rapports utilisés par les anciens. C'est en ce sens que ses propositions sont seulement vraisemblables et probables.

Consistant à se laisser guider par le bons sens en choisissant les rapports les plus évidents, les seuls que l'œil est d'ailleurs capable d'apprécier spontanément, la méthode des anciens constitue en réalité l'unique élément de certitude. L'importance de l'idée de méthode renvoie encore une fois aux prises de positions modernes de Claude Perrault qui se sert de cette idée pour critiquer le caractère désordonné des proportions suivies par les romains. Au tome 2 de ses *Parallèles*, son frère Charles insistera de la même façon sur la clarté de *La logique* de Port-Royal, en complète rupture avec la confusion des raisonnements de la philosophie antique [92]. Par rapport aux écrits de Charpentier, Desmarets de Saint-Sorlin ou Charles Perrault, l'une des originalités de l'*Ordonnance* consiste tout de même à ériger en modèle la simplicité inaugurale de l'architecture. Mais l'originalité n'est qu'apparente ; il n'est possible de se référer aux anciens que parce que les ordres d'architecture ne sont pas susceptibles de progrès, à la différence de l'art du raisonnement, de ce qui appartient à la solidité et à la commodité des bâtiments, du tracé des fortifications ou du dessin des machines [93]. On retrouve au passage l'ambiguïté qui caractérise bien souvent les modernes face à la question du progrès.

Mais pourquoi vouloir normaliser à tout prix les ordres d'architecture si aucun progrès n'est possible dans ce domaine et si par conséquent toutes les proportions sont valables à l'intérieur de certaines limites ? L'ultime justification apportée par l'académicien à l'appui de son système réside dans la simplicité d'essence combinatoire qu'il confère à la conception architecturale en rendant les divisions de la colonne plus faciles à opérer et à mémoriser [94]. A la normalisation morphologique succède ainsi une ambition de rationalisation du processus de conception. L'accent que met Perrault sur la cohérence conceptuelle de son projet au détriment des qualités plastiques de l'ordre est en réalité tout à fait représentative de l'attitude brutale qu'il adopte parfois lorsqu'il se trouve confronté à des matières dont il maîtrise mal les subtilités. Au même titre que ses conceptions physiques, les proportions préconisées par l'*Ordonnance des cinq espèces de colonnes selon la méthode des anciens* semblent procéder des réflexions d'un ingénieur avant tout préoccupé d'efficacité.

Comme le notait très justement Wolfgang Herrmann, l'assurance de Perrault a quelque chose de profondément déconcertant dans son ingénuité [95]. Faut-il y voir de l'inconscience, l'effet d'une sorte de griserie affectant un savant plutôt modeste dans le cours ordinaire de ses occupations ? Il se pourrait aussi que l'académicien sacrifie à ce goût de la provocation que révèle son œuvre burlesque. Revenant à l'avant-dernier chapitre de l'*Ordonnance* sur sa critique des corrections optiques, n'annonce-t-il pas son intention de « finir ce traité par un paradoxe, comme je l'ai commencé par un autre [96] ». Paradoxe alors que le caractère arbitraire des proportions ? Il semble assez difficile de suivre Wolfgang Herrmann sur ce terrain, même si le désir de contredire l'opinion commune entraîne parfois l'académicien un peu plus loin qu'il ne le souhaiterait [97]. Le ton dogmatique de l'*Ordonnance* contraste en tout cas avec la modération dont Perrault fait preuve dans ses écrits scientifiques. Ses propositions vont recevoir par la suite un accueil pour le moins réservé de la part des architectes. Certes, Blondel écrit dans sa réédition de l'*Architecture françoise des bastimens particuliers* de Savot que l'*Ordonnance* « contient une manière infiniment plus aisée que toutes les autres pour l'usage des cinq ordres d'architecture [98] », mais ce propos lénifiant lui est sans doute dicté par des considérations diplomatiques. Membres tous deux de l'Académie des Sciences, Blondel et Perrault sont bien obligés de se ménager [99]. Abandonnant toute retenue aussitôt après la mort de Perrault, l'Académie d'Architecture déclarera quant à elle n'avoir rien trouvé « qui pût servir à l'instruction de ceux qui s'appliquent à l'architecture [100] » dans la préface de l'*Ordonnance*.

## *Théorie architecturale et préoccupations scientifiques*

Au terme de ce rapide survol des principaux aspects de la pensée architecturale de Perrault il peut être intéressant de revenir à présent sur les liens unissant cette pensée à la réflexion scientifique et technique développée par l'académicien, de ses premiers mémoires sur l'anatomie et la botanique à ses *Essais de physique*. Les préoccupations scientifiques de l'auteur de l'*Ordonnance* sont tout d'abord décelables dans son attitude désinvolte à l'égard du « mystère des proportions [101] » que les architectes comme Blondel admirent tant. L'étude du vivant joue certainement un rôle dans cette attitude. Les dimensions variables des différents organes d'une espèce à une autre, mais aussi entre les individus d'une même espèce, ne démontrent-t-elles pas à l'évidence que les proportions qui se rencontrent dans la nature s'accommodent d'une certaine marge de tolérance ? Par là-même, les questions structurales et fonctionnelles l'emportent bien souvent sur les rapports purement géométriques. Dans le droit fil de la remarque des *Mémoires pour servir à l'histoire naturelle des animaux* selon laquelle le corps humain n'est pas « absolument mieux proportionné que la plus difforme de toutes les bêtes », puisque la « perfection de chaque chose dépend du rapport qu'elle a à la fin pour laquelle elle a été faite », Perrault subordonne les proportions données aux différents ordres d'architecture « aux diverses intentions que l'on a de rendre un bâtiment plus massif ou plus délicat [102] », c'est-à-dire à une économie avant tout structurale et fonctionnelle du projet.

Lorsque l'académicien écrit que la beauté d'un édifice « a encore cela de commun avec celle du corps humain, qu'elle ne consiste pas tant dans l'exactitude d'une certaine proportion (...), que dans la grâce de la forme qui n'est rien autre chose que son agréable modification », on songe invinciblement à cette autre modification qu'imprime la mère à l'enfant pendant la grossesse, modification responsable selon Perrault des ressemblances héréditaires. Dans l'un et l'autre cas une expression particulière est en quelque sorte surimposée à une structure obéissant à d'autres lois. La distinction entre le positif et l'arbitraire est déjà contenue tout entière dans ce parallèle possible entre le travail de gestation, interprété comme un remodelage partiel de l'enfant en cours de croissance, et l'art d'ordonnancer.

De manière paradoxale, la contamination de la théorie architecturale de Perrault par des thèmes issus de sa réflexion sur le vivant le conduit à proposer une normalisation des ordres qui leur fait perdre une partie de ce caractère organique qu'ils possèdent ordinairement. Le paradoxe n'est qu'apparent cependant. L'auteur des *Essais de physique* décrit tout d'abord le vivant en des termes mécanistes qui ne sont pas incompatibles avec son souci de rationalisation. Les cinq espèces de colonnes dont l'*Ordonnance* contient la description sont sans doute un peu machiniques, mais les organes des animaux le sont aussi aux yeux de l'académicien. Visuellement plus discrète que chez d'autres auteurs, la référence au vivant est en réalité plus prononcée chez ce dernier. Il faut toutefois se rappeler que les analogies entre l'inorganique et l'organique jouent un rôle avant tout heuristique dans la pensée de Perrault. A ses yeux les ordres d'architecture ne sont nullement du ressort du vivant, même s'il se plaît à comparer leur effet à celui que produit un beau visage. C'est au sein de l'ambiguïté née de la connivence et de l'écart simultanés entre l'architecture et les manifestations de la vie que se déploie en réalité le projet de rationalisation de l'*Ordonnance*. Ce projet ne transgresse les interdits traditionnels de la théorie architecturale au nom de l'analogie avec le vivant que pour abandonner ce point de vue aussitôt dévoilées ses préoccupations normatives. Les ordres de Perrault portent aussi l'empreinte de cette volte-face.

Pour balayer certaines objections, comme l'analogie entre architecture et musique, l'auteur de l'*Ordonnance* s'appuie très concrètement, on l'a vu, sur les résultats de son travail scientifique, sur l'étude comparative de l'œil et de l'oreille qu'il avait eu l'occasion de mener à l'Académie des Sciences par exemple. De façon similaire, le recours à la liaison des idées et à l'accoutumance s'inspire directement de ses conceptions physiologiques.

L'opposition entre beautés positives et beautés arbitraires pourrait bien s'enraciner quant à elle dans la distinction du fait et du droit déjà présente dans le « Projet pour les expériences et observations anatomiques » de 1667. Si les vérités de fait ont quelque chose à voir avec la fascination éprouvée par l'académicien devant la diversité des matériaux et des textures, les vérités de droit sont par contre liées à l'analyse des fonctions vitales. A l'image de cette opposition qui traverse toute l'œuvre anatomique et physiologique de Perrault, les beautés positives semblent se rapporter à la structure intrinsèque de l'édifice, tandis que les beautés arbitraires concernent plutôt son fonctionnement à l'intérieur du système du goût. Il reste à préciser cependant les modalités de ce fonctionnement socialisé.

La manière dont Perrault étudie les cinq ordres d'architecture, en les envisageant comme un système global de ressemblances et de différences plutôt que comme une succession d'entités isolées, rappelle par ailleurs les problèmes de taxinomie auxquels il se trouve confronté en tant qu'anatomiste. Indissociable de sa conception des ordres comme des « espèces de colonnes », son désir de simplifier la conception architecturale n'est pas non plus sans équivalent dans le champ scientifique. Dans ses *Élémens de botanique* de 1694, Tournefort insistera par exemple sur l'excellence de sa méthode de classement en des termes qui rappellent les préoccupations de l'auteur de l'*Ordonnance*. Déterminer rapidement le genre et l'espèce d'une plante donnée ou composer une façade en choisissant les rapports les plus accessibles et en s'orientant du même coup avec sûreté dans la multitude des combinaisons possibles procèdent d'impératifs méthodologiques assez voisins. Chez Perrault l'apologie des règles de bon sens rejoint ainsi l'une des tendances les plus profondes de la science de son époque, partie à la recherche de critères à la fois simples et fiables permettant de se repérer au sein de la diversité de la création.

Si la pensée architecturale de l'auteur de l'*Ordonnance* se laisse contaminer par des thèmes issus de sa réflexion scientifique, l'inverse se produit également, en des occasions plus rares il est vrai. Au début des *Mémoires pour servir à l'histoire naturelle des animaux* la métaphore architecturale surgit tout naturellement sous la plume de Perrault, lorque « considérant tout l'univers comme un grand et superbe édifice », il décide de rapporter la grandeur, la forme et la situation des parties des animaux à celles de l'homme, de même que l'on convient d'un module en architecture. Abordant les problèmes soulevés par la transfusion au tome 4 de ses *Essais de physique*, il voit dans l'introduction d'un sang étranger dans un corps vivant une difficulté assez comparable à celle que rencontrerait un architecte cherchant à faire usage de pierres dépareillées pour construire un palais [103].

En dépassant maintenant la simple métaphore, on peut considérer le Dieu-ouvrier du traité de la pesanteur comme le type même de l'architecte idéal. Le créateur n'a-t-il pas eu recours en effet à des principes justes et immuables, d'une simplicité exemplaire, pour régler le monde ? Ces principes ne sont-ils pas à l'origine de cette variété, de ce mouvement permanent qui constituent la véritable beauté de l'univers, comme le souligne avec lyrisme Malebranche dans *La recherche de la vérité* [104] ? Simplicité des principes et complexité de l'exécution, rareté des règles et diversité des résultats : ces oppositions ne sont pas étrangères aux préoccupations dont s'inspire l'*Ordonnance*.

Aussi serrée soit-elle, la trame des influences et des analogies entre pensée architecturale et réflexion scientifique et technique ne saurait suffire cependant à la compréhension de la théorie développée dans l'*Ordonnance*. On est alors tenté de poursuivre l'interprétation de cette théorie en étudiant de plus près la distinction entre beautés positives et beautés arbitraires sur laquelle elle repose en partie.

## *Positif et arbitraire : l'institution du beau en architecture*

Afin de saisir toutes les implications d'une telle distinction, il n'est pas inutile de la confronter à la division entre beautés sensibles, passionnelles et rationnelles à laquelle se réfère, on l'a vu, le « Traité de la musique des anciens ». Sans qu'elles puissent pour autant passer d'une rubrique à une autre, les beautés positives sont tantôt sensibles, s'agissant par exemple de la qualité des matériaux, tantôt rationnelles lorsqu'elles concernent l'adaptation de l'édifice à son usage. Les beautés arbitraires sont par contre plus difficiles à cerner, dans la mesure où elles se révèlent ambivalentes. L'ordonnance d'une façade peut en effet parler aux sens ou à la raison selon son raffinement plus ou moins grand et le degré de culture du spectateur qui la contemple. Face à cette situation, l'architecte peut rester esclave de ses préventions en choisissant de satisfaire uniquement les sens ou décider de s'adresser au contraire aux intelligents en architecture en leur présentant une composition fondée sur des rapports simples et rationnels. Le projet de Perrault consiste à doter l'architecte des moyens de cette seconde ambition. La mise en œuvre de ces moyens doit permettre de passer d'une pensée esthétique confuse à une pensée expresse, c'est-à-dire affranchie de toute animalité et pleinement consciente, en empruntant cette opposition aux conceptions physiologiques de l'académicien. Il reste à déterminer toutefois les modalités concrètes de ce passage du confus à l'exprès, du sensible au raisonnable.

A ce stade intervient une notion de règle à laquelle les modernes attachent l'importance que l'on sait. A côté des préoccupations scientifiques dont elle porte l'empreinte, la distinction entre le positif et l'arbitraire à laquelle a recours Claude Perrault évoque aussi le couple beautés naturelles/beautés d'invention utilisé par

Desmarets de Saint-Sorlin au début de *La comparaison de la langue et de la poésie françoise avec la grecque et la latine* [105]. A la différence des beautés naturelles qui suivent leur propre destin, les beautés d'invention obéissent à des règles plus ou moins précises. C'est dans cette même perspective qu'il convient d'interpréter la référence constante aux beautés positives et aux beautés arbitraires que l'on trouve dans les *Parallèles*, à propos de l'architecture, mais aussi de la rhétorique et de la poésie [106]. Si Charles Perrault n'éprouve aucune peine à étendre et à systématiser la réflexion de son frère Claude, c'est bien parce qu'elle correspond à l'un des axes essentiels de la doctrine du parti des modernes.

La nécessité de définir des règles s'exprimait déjà sans ambiguïté dans la préface de la traduction de Vitruve, lorsque Perrault déclarait que « la beauté n'ayant guère d'autre fondement que la fantaisie, qui fait que les choses plaisent selon qu'elles sont conformes à l'idée que chacun a de leur perfection, on a besoin de règles qui forment et qui rectifient cette idée : et il est certain que ces règles sont tellement nécessaires en toutes choses, que si la nature les refuse à quelques-unes, ainsi qu'elle a fait au langage, aux caractères de l'écriture, aux habits et à tout ce qui dépend du hasard, de la volonté et de l'accoutumance, il faut que l'institution des hommes en fournisse, et que pour cela on convienne d'une certaine autorité qui tienne lieu de raison positive [107] ».

Comme le fait remarquer Wolfgang Herrmann, tout le programme de l'*Ordonnance* se trouve résumé dans ces quelques lignes. L'analogie entre architecture, langage et écriture constitue certainement l'un des traits les plus saillants de la déclaration de Perrault. Elle fait aussitôt songer à la réflexion sur le signe menée par les classiques. Le couple beautés positives/beautés arbitraires n'évoque-t-il pas à ce propos la distinction qu'établit Cordemoy entre signes naturels et signes d'institution dans son *Discours physique de la parole* de 1668, distinction que l'on retrouve également dans *La logique* de Port-Royal [108] ? Fondés sur les mouvements du corps et les expressions spontanées du visage, les signes naturels ne sont pas susceptibles d'être raisonnés et réglés comme ceux dont conviennent les hommes afin de pouvoir communiquer leurs pensées. Le parallèle avec les deux espèces de beautés architecturales semble aller de soi. Mais un tel rapprochement, aussi séduisant soit-il, ne saurait se poursuivre passé un certain stade. Ainsi que le soulignent Alain Guiheux et Dominique Rouillard, « ce n'est pas parce que Perrault écrivant sur l'architecture parle aussi de langage que l'architecture est un langage [109] ». Là encore l'analogie ne possède qu'une fonction heuristique, ce que souligne à sa manière l'hétérogénéité d'une liste juxtaposant les habits au langage et à l'écriture.

Le commun dénominateur de cette liste pourrait bien résider en réalité dans l'idée d'institution, avec ses connotations politiques et juridiques. L'auteur de l'*Ordonnance* n'écrit-il pas qu'il y a dans l'architecture des règles que le seul usage a établies, « ainsi que dans les lois civiles il y en a qui dépendent de la volonté des législateurs, et du consentement des peuples, que la lumière naturelle de l'équité ne découvre point [110] ».

En bon serviteur de Colbert, Perrault privilégie à n'en point douter la volonté du législateur sur le consentement des peuples. Aux yeux de l'auteur de l'*Ordonnance* l'alliance de l'autorité et du prestige intellectuel donne seule le droit de légiférer sur l'architecture. Fort de l'appui du surintendant des Bâtiments et de la réputation que lui a valu sa traduction de Vitruve, l'académicien se sent investi d'une mission. Il lui appartient d'instituer des règles destinées à affirmer le caractère rationnel des beautés arbitraires.

Cette idée d'institution n'est pas sans rappeler encore une fois le Dieu augustinien auquel croit Perrault, ce Dieu qui est à l'origine de l'accord entre les esprits, qui institue la possibilité de cet accord, laissant ensuite aux hommes le soin de le mettre en œuvre concrètement [111]. Si l'institution du beau est l'analogue de cette institution par excellence que représente le langage, c'est qu'elle s'enracine dans une vérité qui la dépasse infiniment : les déterminations premières de la raison en l'occurrence que l'académicien se propose d'exprimer sans détour [112].

Un tel dessein se heurte toutefois à une difficulté majeure. Comment concilier en effet l'appel à l'universel que ressent la raison et la nécessité de conserver à l'architecture une matérialité synonyme de particularismes en cascade ? Chez Charles et Claude Perrault la beauté rationnelle est aussi une beauté libre de toute entrave, comme l'exprime crûment l'auteur des *Pensées chrétiennes et pensées morales, physiques métaphysiques et autres qui regardent la philosophie* dans le droit fil de ses *Parallèles*.

« L'idée de beauté n'est attachée à rien de particulier en ceux qui ont l'esprit un peu éclairé. Ceux qui l'ont fort borné et qui ne sont pas accoutumés à faire des abstractions attachent cette idée aux premières choses qui leur semblent belles, après quoi presque rien ne leur semble beau que ce qui ressemble à ces choses-là. De là vient que la plupart des peintres, des sculpteurs et des architectes qui ont fort étudié l'antique dans leur jeunesse ne trouvent beau que l'antique ou que ce qui lui ressemble que la plupart des orateurs n'admirent que Démosthène et Cicéron et ceux qui les imitent [113]. »

Aux beautés esclaves de la prévention dont se contentent la plupart des artistes, aux beautés statiques qu'ils recherchent, s'oppose ainsi une beauté délocalisée, rendue en quelque sorte à la circulation incessante qui l'environne. On songe à nouveau à ce passage de *La recherche de la vérité* dans lequel Malebranche déclare que la variété et le changement constituent la principale beauté de l'univers. Une telle conception ne peut que séduire un savant comme Perrault qui recourt constamment à des modèles circulatoires dans les *Essais de physique*.

Instituer des règles c'est aussi sanctionner l'existence d'un ou plusieurs mouvements. Concrètement, on retrouve les préoccupations circulatoires de l'auteur de l'*Ordonnance* dans une approche des cinq ordres d'architecture comme un système dans lequel chaque espèce de colonne renvoie aux autres par l'intermédiaire des suites arithmétiques dans lesquelles elle se trouve prise et comme entraînée. Au caractère absolu, intangible, de la norme architecturale répond d'autre part, dans une perspective qui rappelle étrangement Alberti, la succession des besoins des hommes et celle des programmes qui sont destinés à les satisfaire dans la suite des temps. Circulation des rapports simples qui se répondent d'un ordre à un autre, évolution des besoins, tels sont en définitive les processus dont l'*Ordonnance* prétend rendre compte, comme système de ressemblances et de différences morphologiques et comme matrice de compositions architecturales diversifiées.

## Retour sur la querelle de Blondel et Perrault

En dépit de ses prétentions, la théorie qui s'élabore progressivement sous la plume de Perrault, de la traduction de Vitruve à l'*Ordonnance*, est-elle encore du ressort de l'architecture ? Telle est la question que se posent consciemment ou inconsciemment la plupart des architectes qui se trouvent confrontés aux propositions de l'académicien. Le refus d'augmenter les parties hautes des édifices ainsi que la recherche systématique de rapports simples conduisent à privilégier une cohérence conceptuelle extérieure à l'univers traditionnel de la culture architecturale. D'une importance cruciale pour les hommes de l'art, la notion d'échelle disparaît au profit de considérations purement arithmétiques. Plus généralement, la théorie de Perrault dénonce les liens qui sont censés unir les lois mathématiques et optiques à la perception du spectateur [114]. Du même coup l'édifice habituellement considéré comme la matérialisation de ces liens ne peut plus servir de référent ultime. Subordonnant sans nuances le sensible au rationnel, l'*Ordonnance* opère en réalité un déplacement : elle transfère le centre de gravité de la discipline architecturale de l'édifice à sa conception, une conception d'essence abstraite qui n'entend plus négocier avec la perception naïve, mais bien la soumettre à ses exigences propres.

A la lumière des éléments précédents, la querelle de Blondel et Perrault prend un nouveau relief. Plus qu'une question institutionnelle ou professionnelle, plus que l'affrontement de deux personnalités, elle représente l'opposition de deux philosophies de l'architecture qui reconnaissent leur incompatibilité.

Conçue par Blondel comme le reflet d'un ordre naturel du monde qui la dépasse, l'architecture renvoie pour Perrault à l'autonomie de la raison humaine et au pouvoir d'institution que détient cette dernière. L'ordre naturel auquel se réfère le directeur de l'Académie d'Architecture vient unifier les lois objectives de l'optique et les données subjectives de la vision. Rien de tel chez l'auteur de l'*Ordonnance* pour qui la confrontation des lois optiques avec la structure de la perception s'opère sous l'égide de la raison qui n'éprouve nul besoin de résorber leur écart.

Chez Blondel et Perrault les rapports entre science et architecture diffèrent également. Tandis que Blondel considère que la théorie architecturale doit s'adresser prioritairement aux mathématiques, mobilisant toutes les ressources de la géométrie la plus sophistiquée, Perrault dont on connaît par ailleurs l'intérêt pour le vivant n'utilise guère que l'arithmétique et la géométrie élémentaire. Une rapide comparaison entre la *Résolution des quatre principaux problèmes d'architecture* du directeur de l'Académie d'Architecture et l'*Ordonnance* est à cet égard tout à fait instructive. Rompant avec les raffinements de la tradition mathématique pour se conformer aux évidences comptables du bon sens, Perrault redéfinit simultanément de nouvelles relations entre architecture et rationalité scientifique et technique, des relations fondées sur l'enquête technologique plus que sur l'herméneutique des proportions, des relations plus volontiers analogiques qu'inductives ou déductives. La fragilité du régime de l'analogie laisse entrevoir du même coup la menace d'une irrémédiable gratuité de la discipline architecturale. C'est cette menace que perçoivent Blondel et ses collègues de l'Académie d'Architecture malgré les protestations d'innocence de Perrault.

Le conflit entre Blondel et Perrault ne doit pas faire oublier cependant le désir de rationalisation de la production architecturale qu'ils ont en commun. Fréquentant les mêmes cercles, commissionnés l'un et l'autre par Colbert, les deux adversaires partagent un certain nombre de préoccupations normatives. Mais tandis que le directeur de l'Académie d'Architecture cherche à rationaliser l'objet architectural, l'auteur de l'*Ordonnance* réfléchit plutôt aux moyens de simplifier les procédures de conception.

La rationalisation de l'objet architectural constitue à coup sûr l'un des fils directeurs de l'enseignement de Blondel. Que l'auteur du *Cours d'architecture* s'attache aux relations géométriques constitutives des différents ordres ou qu'il s'interroge sur l'utilité des frontons dans un esprit qui annonce par moments l'abbé Laugier, qu'il expose sa méthode pour diminuer les fûts des colonnes ou qu'il réfléchisse à la distance qui doit les séparer, son souci demeure toujours le même : par delà les effets de l'accoutumance et de la mode dont Perrault a beau jeu de souligner l'empire, il s'agit de définir des règles d'édification cohérentes afin d'instaurer une architecture sobre et logique dont la cabane primitive symbolise la possibilité [115]. La sobriété et la logique de la composition doivent être toutefois conquises de haute lutte par l'architecte confronté à des problèmes autrement plus complexes que ceux que rencontraient les premiers hommes au moment de construire leurs abris. A la rigueur de l'édifice répond le foisonnement des prescriptions de la théorie que Blondel explore avec un luxe de détails que ses successeurs ne manqueront pas de lui reprocher [116].

Chez Perrault le contenu de la théorie se trouve au contraire singulièrement réduit. Son rôle prescriptif sort renforcé de cet appauvrissement conçu à des fins d'efficacité. Là où le *Cours d'architecture* raisonne en multipliant les cas de figure et les exemples l'*Ordonnance* propose une méthode. Cette méthode ne se rapporte pas à l'édifice mais aux facultés raisonnables de l'homme. Il ne s'agit plus de renouer avec la cohérence intrinsèque de l'édification mais plutôt de répondre aux attentes de la société. On voit alors s'introduire ce bon goût dont se réclame si volontiers l'académicien qui annonce en cela la réflexion esthétique et architecturale du XVIIIᵉ siècle. « On dit en général du goût que c'est un certain je ne sais quoi qui plaît », déclarera par la suite Boffrand en ajoutant aussitôt que « cette idée est bien vague [117] ». L'auteur de l'*Ordonnance* croit savoir quant à lui ce que c'est que le goût et comment s'y conformer sans peine. Son étrange présomption n'est pas sans rappeler l'état d'esprit avec lequel les ingénieurs des Lumières se croiront chargés de « donner les détails d'après lesquels on doit statuer sur le bonheur de ses semblables [118] ». Tour à tour libérale et autoritaire, nuancée et brutale, la théorie de Perrault se veut l'expression fidèle d'une aspiration collective à laquelle elle entend répondre coûte que coûte, quitte à bousculer les préventions et à froisser les amours propres [119]. Dénonçant l'arbitraire des proportions et les errements des architectes, elle laisse surtout présager une crise profonde de la discipline architecturale, confrontée à l'incertitude de ses fondements et à l'ambiguïté de son rapport à la société.

# L'Affaire
## de la Colonnade
## du Louvre

*Une controverse déjà ancienne*

Claude Perrault est-il l'auteur de la colonnade du Louvre ? La question a fait couler beaucoup d'encre depuis près de trois siècles. Plus qu'un simple bâtiment la colonnade représente en effet un symbole, celui d'une architecture française parvenue à maturité qui possède au plus haut degré ces qualités d'ordre, de mesure et d'équilibre que l'on associe ordinairement au classicisme. Un amateur aurait-il pu donner le dessin d'une œuvre aussi accomplie ? Force est de constater l'extrême discrétion observée par Perrault au sujet de son éventuelle paternité. Les quelques allusions à la façade orientale du Louvre que l'on trouve dans ses deux éditions de Vitruve ne fournissent aucune indication sur son rôle dans l'affaire ; elles comportent même qui plus est de surprenantes inexactitudes [1]. Certes, l'académicien s'attribue tout le mérite du projet au cours d'une conversation avec Leibniz remontant au début de l'année 1676 et résumée par ce dernier dans ses notes [2]. Mais ne s'agirait-il pas d'une vantardise sans fondement, s'expliquant par la nationalité étrangère du philosophe qui ôte toute gravité aux confidences de Perrault, à moins que celui-ci ne cède simplement au désir de briller sur un terrain où son interlocuteur ne peut pas le suivre ? Cette revendication demeure en tout cas isolée. Traitant de l'ordre corinthien, l'*Ordonnance des cinq espèces de colonnes selon la méthode des anciens* ne mentionne même pas les proportions suivies au Louvre, proportions d'ailleurs très différentes de celles que recommande Perrault [3].

A la mort de ce dernier des voix s'élèvent déjà pour contester sa paternité. Dans ses *Réflexions critiques sur quelques passages du rhéteur Longin* Boileau se fait l'écho, on l'a vu, des réclamations élevées par François d'Orbay au nom de Louis Le Vau son ancien patron. Claude Perrault, l'intellectuel féru d'architecture, ou Louis Le Vau, le professionnel chevronné, premier architecte du Roi de 1654 à sa mort en 1670 ? Comme le font remarquer la plupart des partisans du traducteur de Vitruve depuis le XVIIIᵉ siècle, l'attribution de la colonnade à Le Vau, si elle ne manque pas d'une certaine vraisemblance, pose tout de même un difficile problème stylistique dans la mesure où l'élégance un peu froide et hautaine du projet contraste avec les formes plus généreuses, avec les licences empreintes de baroquisme qui caractérisent bien souvent l'œuvre du premier architecte.

La retenue dont fait preuve la façade orientale du Louvre ne serait-elle pas imputable dans ce cas à l'influence du principal collaborateur de Le Vau, à François d'Orbay qui étudie à Rome en 1660 avant de participer à presque tous les grands projets du règne, en tant que chef d'agence des Bâtiments du Roi [4] ? Claude Perrault, Louis Le Vau ou François d'Orbay : tels sont les principaux noms avancés jusqu'à aujourd'hui à propos de la colonnade.

Après Boileau, Germain Brice qui avait tout d'abord attribué l'ouvrage à Perrault change d'avis dans la cinquième édition de sa *Description nouvelle de la ville de Paris* en écrivant que « ces grands travaux ont été commencés en 1667, et conduits en l'état où l'on les voit à présent en 1670, par les soins et sur les dessins de Louis Le Vau, né à Paris, premier architecte du Roi (...). François d'Orbay qui était son élève ne contribua pas peu à la perfection de ce bel ouvrage, et c'est à ces deux excellents architectes à qui on doit attribuer toute la gloire du dessin et de l'exécution de ce superbe édifice, malgré tout ce que l'on a publié de contraire [5] ». Même opinion dans l'édition de 1724 de l'*Histoire et recherche des antiquités de la ville de Paris* d'Henri Sauval [6].

Au cours du XVIII<sup>e</sup> siècle, l'attribution de la colonnade à l'académicien l'emporte toutefois dans l'esprit de la plupart des historiens et des architectes, sur la foi des affirmations de Charles Perrault notamment. S'élevant contre les insinuations de François d'Orbay en faveur de Le Vau rapportées par Boileau dans ses *Réflexions critiques*, Piganiol de la Force déclare dans sa *Description historique de la ville de Paris et de ses environs* que « d'Orbay aurait bien dû nous dire où sont les bâtiments construits par Le Vau, où l'on trouve la moindre ressemblance de leur architecture avec celle-ci [7] ». Jacques-François Blondel, le plus grand professeur d'architecture de son temps, prend à son tour la défense de Perrault dans son *Architecture françoise* parue de 1752 à 1756, après avoir consulté sur autorisation de Marigny les deux recueils dans lesquels Charles Perrault avait rassemblé tous les dessins attribués à son frère Claude [8]. Clairement influencé par les vues de l'auteur de l'*Ordonnance des cinq espèces de colonnes selon la méthode des anciens* et persuadé d'avoir affaire à l'auteur de la colonnade, Pierre Patte publie quant à lui pour la première fois les *Mémoires de ma vie* de Charles Perrault qui viennent à l'appui de son opinion [9]. Sous une forme tantôt dialoguée, tantôt plus didactique, les écrits de Lafont de Saint-Yenne expriment la même conviction [10].

Les doutes concernant l'attribution de la colonnade ne ressurgissent vraiment qu'au XX<sup>e</sup> siècle, grâce aux travaux menés par Louis Hautecœur qui conduisent à réévaluer le rôle joué par Le Vau [11]. Paru en 1948, le livre d'Armand Sigwalt : *Une mystification de Charles Perrault : la colonnade du Louvre* s'engouffre dans la brèche ouverte de la sorte, en dénonçant le travail de propagandiste mené par l'auteur des *Contes* en faveur de son frère afin d'abuser le public. Mais la controverse est surtout relancée par le *François d'Orbay* publié par Albert Laprade en 1960. Très bien documenté et favorable au premier dessinateur de Le Vau, l'ouvrage trace un portrait au vitriol de la famille Perrault dont les manigances auraient privé d'Orbay de la gloire qui aurait dû normalement lui revenir, en tant qu'auteur de la façade orientale du Louvre, mais aussi de l'Observatoire et de l'arc de triomphe. Certains passages sont assez représentatifs de l'agacement que peuvent encore provoquer les Perrault à trois siècles de distance. S'il semble difficile de souscrire à toutes ses hypothèses, le livre n'en permet pas moins de faire le point sur les différents éléments

114. *Le pavillon de l'horloge de Lemercier, d'après J.-F. Blondel*, Cours d'architecture *(1771-1777).*

115. *Façade ouest de la cour carrée. A gauche l'aile de Lescot, à droite son prolongement par Lemercier.*

dont se compose le dossier. Cela n'empêche par Michael Petzet de prendre le contre-pied complet de l'interprétation de Laprade dans ses deux articles consacrés en 1967 et 1982 à l'Observatoire et à l'arc de triomphe [12]. Moins affirmatif, Wolfgang Herrmann se contente de souligner les difficultés que soulève l'attribution de la colonnade dans son livre sur la théorie architecturale de l'académicien [13]. Aux yeux de Robin Middleton et David Watkin la paternité de Perrault ne fait guère de doute par contre [14].

Aucun élément ne permettant à ce jour de clore le débat, il faut peut-être se contenter de reprendre le dossier pour en tirer des hypothèses « probables » dans le droit fil de l'enseignement de Perrault. Avant cela, il n'est pas inutile de rappeler les principales étapes menant au projet et à la construction de la façade orientale du Louvre.

## Le Louvre, de la naissance du « grand dessein » au séjour parisien du Bernin

L'histoire complexe du Louvre a été décrite avec précision par Louis Hautecœur dans *Le Louvre et les Tuileries de Louis XIV* et dans son *Histoire de l'architecture classique en France*, aussi peut-on se contenter d'un rapide survol de ses éléments les plus saillants.

Les origines du Louvre moderne remontent à la décision prise par François 1er de s'installer de manière permanente à Paris et d'aménager pour ce faire l'ancien château de Philippe-Auguste et Charles V. Le donjon de la forteresse médiévale est rasé en 1527 et en 1546 Pierre Lescot est chargé de donner le projet d'un nouveau bâtiment dans le goût de la Renaissance. Entrepris sous Henri II, les travaux se poursuivent jusque sous Henri IV avec la réalisation de l'aile sud qui donne sur la Seine. Parallèle-

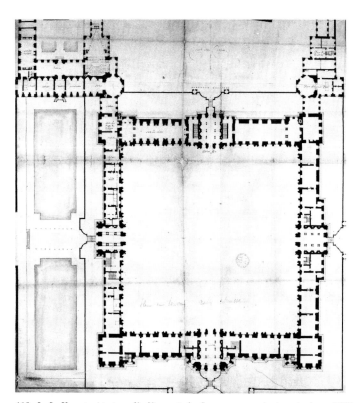

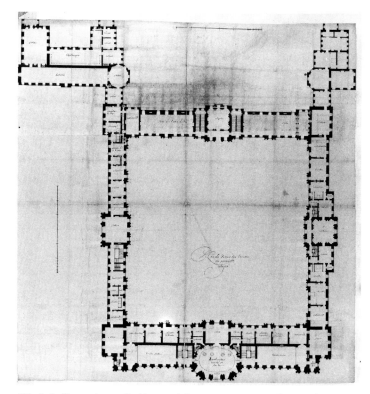

116. L. Le Vau, projet pour l'achèvement du Louvre au rez-de-chaussée (vers 1661), A.N. F²¹ 3567, n° 7. L'un des projets de Le Vau antérieurs à la prise de fonction de Colbert comme surintendant des Bâtiments.

117. L. Le Vau, projet pour l'achèvement du Louvre au premier étage (vers 1663), B.N. Est. Va 440a. Le Vau double cette fois l'aile orientale de la cour carrée, tandis que le vestibule et le salon qui le surmonte deviennent ovales.

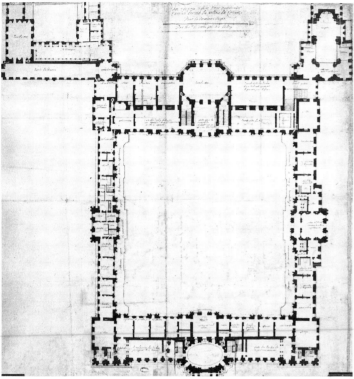

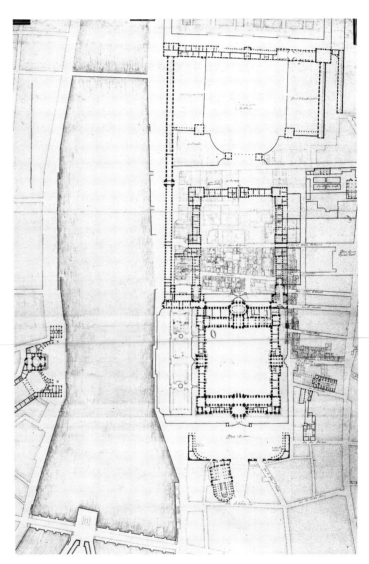

118. *L. Le Vau, projet pour l'achèvement du Louvre au premier étage (vers 1664), A.N. O¹ 1666, nº 1. L'aile occidentale de la cour est doublée à son tour, ce qui permet de créer un deuxième salon d'apparat derrière le pavillon de l'horloge. D'après A. Braham, M. Whiteley et A. Erlande-Brandenburg, ce serait un plan assez comparable à celui-ci qui aurait été envoyé aux architectes italiens consultés par Colbert pour servir de base à leurs réflexions.*

119. *L. Le Vau, projet pour l'achèvement du Louvre au premier étage (vers 1664), A.N. F¹³ 3567, nº 9. En reprenant sensiblement les mêmes dispositions que sur le plan précédent pour les bâtiments situés autour de la cour carrée, Le Vau imagine cette fois un véritable projet d'urbanisme comprenant une place régulière devant la façade orientale du Louvre. La cour carrée s'intègre à un ensemble monumental plus vaste dont le centre de gravité se déplace en direction des Tuileries. D'après A. Erlande-Brandenburg, ce plan annonce celui auquel travaillera Le Vau en juillet 1665 pour faire pièce à celui du Bernin.*

ment commence à se faire jour le « grand dessein » qui prévoit sous sa forme définitive le quadruplement de la surface de la cour du vieux Louvre de manière à donner naissance à la cour carrée et sa liaison avec le palais des Tuileries édifié par Catherine de Médicis à partir de 1563. La construction de la grande galerie par Henri IV s'inscrit déjà dans cette perspective.

Suspendus à la mort du Roi, les travaux du Louvre reprennent sous le règne de son fils avec le même objectif : la constitution d'un ensemble monumental imposant digne des rois de France. Le chantier du quadruplement de la cour du Louvre est ouvert par Louis XIII qui confie la tâche à Jacques Lemercier. Ce dernier réalise tout d'abord le pavillon de l'horloge, destiné à permettre le doublement vers le nord de l'aile ouest dessinée par Lescot en servant de centre à la nouvelle composition. Lemercier procède à ce doublement en reprenant l'ordonnance de son prédécesseur, sauf pour le pavillon central conçu en fonction des dimensions définitives de la cour. A la mort de Louis XIII on est loin du quadruplement prévu, car l'aile ouest est seule achevée. Interrompus cette fois par les troubles de la Fronde, les travaux recommencent avec le retour triomphal de Louis XIV à Paris en 1652. Soucieux de la gloire du jeune Roi, Mazarin puis Colbert vont s'efforcer de réaliser en son nom le « grand dessein » de ses prédécesseurs. A partir de 1657 le chantier du Louvre est confié à Louis Le Vau. Bientôt assisté de François d'Orbay, Le Vau achève l'aile sud et poursuit la construction de l'aile nord. Mais il lui faut surtout donner au palais sa physionomie définitive en renforçant sa liaison avec les Tuileries et en projetant l'aile orientale qui doit dominer une place régulière conçue pour lui servir d'écrin en célébrant la grandeur de la monarchie française [15]. Politique à l'extrême, l'entreprise va se révéler plus difficile que prévu.

Entre 1657 et 1664 Le Vau élabore plusieurs projets pour le Louvre conçus comme autant de variantes d'un même parti général. Pour l'aile orientale l'architecte prévoit une façade comportant des colonnes à demi engagées animée en son centre par les courbes d'un vestibule surmonté d'un grand salon [16]. Les fondations de cette aile sont jetées en 1663 et les murs atteignent déjà près de dix pieds lorsque Colbert devient surintendant des Bâtiments le 1er janvier 1664.

Le nouveau surintendant n'aime guère Le Vau auquel il reproche les nombreuses malfaçons qui déparent ses ouvrages. Les projets du premier architecte pour la façade orientale du Louvre ne lui plaisent pas non plus, et sans égards pour sa susceptibilité il décide de les faire examiner par d'autres hommes de l'art [17]. Loin de calmer ses appréhensions, les avis divergents qu'il recueille le poussent à demander des dessins à François Mansart et à examiner avec soin les propositions qui lui parviennent de tous côtés [18]. François Le Vau, le frère du premier architecte, Jean Marot et Pierre Cottard lui soumettent ainsi leurs idées [19]. A en croire Charles Perrault, ce serait à ce moment-là que son frère le médecin aurait présenté pour la première fois, sans succès il est vrai, le dessin d'une colonnade à Colbert [20]. De plus en plus perplexe sur le parti à prendre, ce dernier décide de consulter également les artistes italiens. L'Italie ne fait-elle pas figure de mère des arts aux yeux de l'Europe entière depuis la Renaissance ? Par l'intermédiaire de l'abbé Benedetti des projets sont demandés à Pierre de Cortone, Carlo Rainaldi, Candiani et bien sûr au plus célèbre de tous les artistes de la péninsule : le Bernin. Sculpteur mais aussi architecte, responsable des embellissements de la Rome papale, le Bernin est alors au faîte de sa gloire [21]. Ne vient-il pas de donner l'ovale parfait de la place Saint-Pierre dont la construction laisse déjà entrevoir la splendeur ? Le 25 juin 1664 l'artiste expédie un premier projet à Colbert [22]. Bien que très critiqué pour ses imperfections, ce projet est déclaré supérieur à tous ceux qu'avaient remis entre temps les autres concurrents et une abondante correspondance s'ensuit afin de persuader son auteur de venir à Paris donner le dessin définitif de ce qui doit devenir le plus beau palais de la chrétienté [23]. Tout d'abord réticent à l'idée de quitter l'Italie, le Bernin finit par céder aux instances de ses interlocuteurs français et il se prépare à séjourner en France au cours de l'année 1665.

Les réticences du Bernin sont bien compréhensibles. Les relations entre Louis XIV et le Saint-Siège ne sont guère brillantes en effet depuis l'incident survenu en 1662 entre les gardes corses pontificaux et le personnel de l'ambassade de France. Comme pour démentir les craintes de l'artiste, un accueil princier lui est réservé par la France.« C'est une chose qui n'est pas croyable que les honneurs que l'on fit au cavalier Bernin [24] », déclarera non sans quelque dépit Charles Perrault dans ses *Mémoires*. Fêté dans les villes du royaume situées sur sa route, le Bernin fait l'objet de toutes sortes d'attentions à son arrivée à Paris. Afin de faciliter son séjour on lui affecte même un gentilhomme parlant ita-

NEC PLVRIBVS
IMPAR

Dessin du S.<sup>r</sup> Le Vau lejeune pour le
Grand Portail du Louvre suivant sa pensée

Durant Sculp.

120. F. Le Vau, « Dessin (...) pour le grand portail du Louvre suivant sa pensée », gravé par C. Olry de Loriande (1664). Le Nationalmuseum de Stockholm possède la vue d'ensemble de ce projet qui annonce certaines caractéristiques du dessin définitif de la façade orientale du Louvre en prévoyant un péristyle formé de colonnes accouplées de part et d'autre de cette composition centrale un peu chargée.

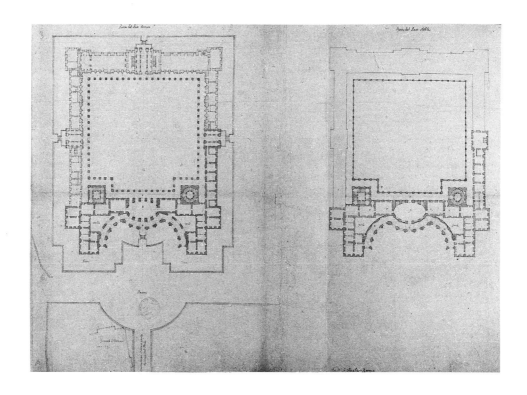

*121, 122. Le Bernin, plans et élévation principale du premier projet pour le Louvre (1664), C.D.L. Recueil du Louvre, t. 1, nos 3, 4. Limité à l'aile orientale et à une partie de l'aile nord de la cour carrée, le premier projet du Bernin préserve encore les constructions existantes de Lescot, Lemercier et Le Vau. L'audace de la façade séduit Louis XIV et Colbert, ce qui n'empêche pas le surintendant de critiquer l'absence de commodité de la proposition.*

lien : Paul Fréart de Chantelou, cousin de l'ancien surintendant des Bâtiments Sublet des Noyers et frère de Roland Fréart de Chambray, l'auteur du *Parallèle de l'architecture antique avec la moderne*. Avec un guide fin et cultivé comme Chantelou, le séjour parisien du Bernin débute sous les meilleurs auspices.

Très vite, les choses vont toutefois se gâter. L'arrivée du Bernin ne peut manquer de susciter en effet la jalousie des architectes français, dépités de se voir préférer un étranger, aussi prestigieux soit-il. Conscient de sa valeur, l'italien multiplie les erreurs en critiquant sans ménagement les monuments parisiens qu'il juge très inférieurs à ceux de Rome. Le *Journal de voyage du cavalier Bernin en France* fidèlement tenu par Chantelou rapporte bon nombre de ces jugements péremptoires qui vont progressivement desservir l'artiste en facilitant la tâche de ses détracteurs [25]. Parmi ces derniers on trouve bien sûr Louis Le Vau, mais aussi Charles et Claude Perrault qui n'aiment guère l'Italie et les italiens. Dans la préface de sa traduction de Vitruve, Claude Perrault déplorera encore à ce propos la modestie mal placée de ses compatriotes « naturellement enclins à présumer tout à l'avantage des étrangers, par ce principe d'humanité, d'hospitalité et de courtoisie qui les a fait autrefois appeler xénomanes, c'est-à-dire admirateurs passionnés du mérite et des ouvrages des autres nations [26] ».

Impossible de taxer Charles Perrault de « xénomanie » tandis qu'il multiplie les attaques contre le Bernin en faisant circuler sous le manteau toutes sortes de mémoires destinés à prouver le caractère impraticable des projets de ce dernier pour le Louvre. Ses menées sournoises sont facilitées par sa situation de premier commis des Bâtiments mais aussi, il faut bien le dire, par l'incompatibilité d'humeur qui se fait très vite jour entre Colbert et l'artiste qu'il a fait venir à grands frais d'Italie. Grand amateur de parallèles, Charles Perrault décrit de manière saisissante les différences de tempéraments entre les deux hommes dans ses *Mémoires*.

« Il aurait été malaisé de trouver deux génies plus opposés. Le cavalier n'entrait dans aucun détail, ne songeait qu'à faire de grandes salles de comédie et de festins, et ne se mettait en nulle peine de toutes les commodités, de toutes les sujettions et de toutes les distributions de logements nécessaires, choses qui sont sans nombre et qui demandent une application que le cavalier Bernin n'avait pas et ne pouvait avoir, du naturel prompt et vif

dont il était. (...) M. Colbert, au contraire, voulait de la précision, voulait voir où et comment le Roi serait logé, comment le service se pourrait faire commodément, et persuadé comme il était, et avec raison, qu'il fallait parvenir non seulement à bien loger la personne du Roi et toutes les personnes royales, mais donner des logements commodes à tous les officiers, jusques aux plus petits, qui ne sont pas moins nécessaires que les plus importants ; il se tuait de faire et de faire faire des mémoires de tout ce qu'il fallait observer dans la construction de tous ces logements, et fatiguait extrêmement le cavalier avec tous ces mémoires où il n'entendait rien et ne voulait rien entendre, s'imaginant mal à propos qu'il était indigne d'un grand architecte comme lui de descendre dans ces minuties [27]. »

Si Charles Perrault exagère à n'en point douter avec cette opposition qui semble sortir d'une fable de La Fontaine, le dialogue n'en devient pas moins de plus en plus difficile entre l'artiste italien et la surintendance. Le projet auquel aboutit le Bernin à la fin de l'été 1665 ne fait que renforcer l'insatisfaction de Colbert. Avec une souveraine indifférence pour l'œuvre de Lescot, Lemercier et Le Vau, ce projet prévoit en effet la démolition de tous les bâtiments existants pour leur substituer une énorme composition d'inspiration très romaine. Aussi hostile au Bernin que son frère, Claude Perrault attribuera par la suite, avec une mauvaise foi évidente, ce parti à « la jalousie italienne qui enviait à la France un bâtiment aussi prodigieux que le Louvre » et qui se proposait de le faire démolir dans l'espoir qu'abattu il ne serait jamais rebâti [28]. A la fois fascinés et secrètement effrayés par l'ampleur de la conception, le ministre et le Roi hésitent à se lancer dans pareille entreprise. Cela n'empêche pas Colbert de procéder le 31 août 1665 au tracé des fondations et de faire placer le 17 octobre suivant une médaille commémorative dans les premières assises en présence de Louis XIV. Rien n'est encore décidé cependant lorsque le Bernin repart pour Rome peu après la cérémonie en chargeant son élève Mattia Rossi du suivi de l'affaire. Confronté aux réticences grandissantes de ses interlocuteurs, ce dernier va très vite comprendre la vanité de ses efforts. Souvent présenté comme l'acte de naissance d'une architecture française enfin pleinement émancipée de la tutelle de ses modèles italiens, l'échec du Bernin est avant tout lié au caractère radical de son projet qui exclut tout compromis avec l'existant. Même s'il est moins prononcé que ne le prétend Charles Perrault, le

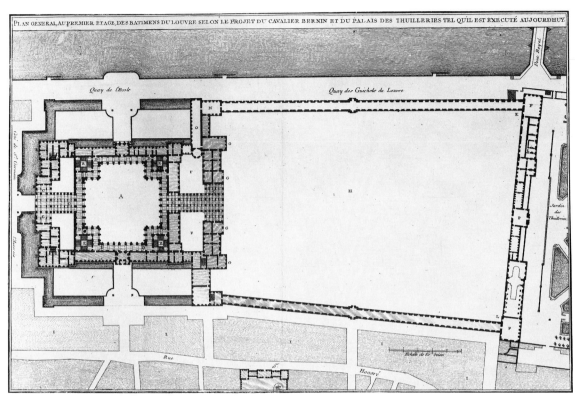

*123. Plan du projet définitif du Bernin pour le Louvre (1665), d'après J.-F. Blondel,* Architecture françoise *(1752-1756). Les bâtiments conservés figurent en blanc, les nouvelles constructions prévues par l'artiste sont en grisé. Le Bernin envisage cette fois la reconstruction complète du Louvre.*

contraste entre les exigences de commodité de Colbert et la recherche permanente de la magnificence qui caractérise la démarche du Bernin joue aussi un rôle, souligné à l'envi par tous les commentateurs. L'art spécifiquement français de la distribution s'esquisse dans les recommandations tâtillonnes du surintendant qui suscitent l'incompréhension de son interlocuteur [29]. Paradoxalement, l'élimination du Bernin va toutefois conduire à l'adoption d'un dispositif encore plus théâtral que ses propositions.

Faut-il construire le projet de l'italien en dépit de l'obstacle bien réel que représente son coût ? La question occupe encore les esprits au cours de l'année 1666. Dans l'intervalle, Le Vau a soumis de nouveaux plans dont l'exécution paraît plus réaliste.

D'après Charles Perrault, son frère ressort à ce moment-là son projet de colonnade de ses cartons. Le dessin plaît beaucoup au Roi et à Colbert, mais il leur semble étrange de préférer les pensées d'un médecin à celles de leur premier architecte. Les calomnies des hommes de l'art qui s'en vont répétant que l'architecture doit être bien malade puisqu'on la met entre les mains des médecins achèvent de les dissuader [30]. La véracité de l'anecdote, par trop favorable à Claude Perrault, semble sujette à caution. Pour sortir de l'impasse, Colbert décide finalement de réunir un petit conseil formé de Le Vau, Le Brun et Claude Perrault. Des discussions de ces trois hommes va émerger le principe de la colonnade que nous connaissons.

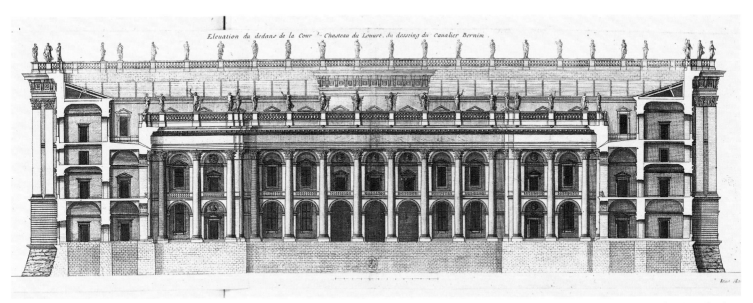

*Eleuation du dedans de la Cour d.e Chasteau du Louure, du desseing du Cavalier Bernim*

124. « *Élévation du dedans de la cour du chasteau du Louvre du desseing du cavalier Bernin* », gravé par J. Marot. *Comme dans le premier projet pour le Louvre, la cour comporte deux étages de galeries couvertes.*

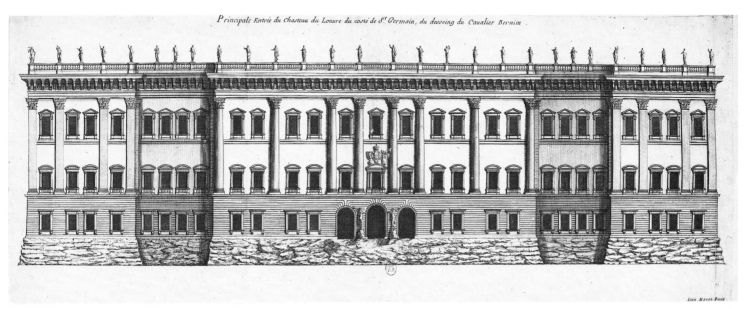

*Principale Entrée du chasteau du Louure du costé de S.t Germain, du desseing du Cavalier Bernim*

125. « *Principale entrée du chasteau du Louvre du costé de Saint-Germain, du desseing du cavalier Bernin* », gravé par J. Marot. *Très romaine d'esprit, la façade du projet définitif se développe au-dessus d'un socle affectant la forme d'un banc rocheux. En dépit de ses qualités plastiques, Claude Perrault lui reprochera dans sa traduction de Vitruve un air d'habitation qui ne sied point à un grand palais.*

## Les délibérations et résolutions du conseil du Louvre

Ce conseil pour l'achèvement du Louvre se réunit pour la première fois en avril 1667 et Colbert lui assigne ses objectifs qui nous sont connus grâce à un extrait du *Registre ou journal des délibérations et résolutions touchant les Bâtiments du Roi*, publié par Piganiol de la Force à partir d'un original aujourd'hui perdu [31]. Avec les *Mémoires* de Charles Perrault, cet extrait constitue la seule trace que l'on possède des travaux du conseil.

« Monseigneur le surintendant ayant considéré qu'aucun des architectes tant de France que d'Italie, n'avait entièrement réussi dans les dessins du Louvre qu'ils ont donné, et ayant estimé que cet ouvrage demandait le génie, la science et l'application de plusieurs personnes qui joignant ensemble leurs différents talents, se secoureraient l'un l'autre et s'aideraient mutuellement, et pour cet effet ayant jeté les yeux sur Messieurs Le Vau, Le Brun et Perrault, il les manda et fit venir chez lui le ... avril 1667, et après leur avoir expliqué son intention, et fait entendre qu'il désirerait qu'ils travaillassent unanimement et conjointement à tous les dessins qu'il y aurait à faire pour l'achèvement du palais du Louvre, en sorte que ces dessins seraient regardés comme l'ouvrage d'eux trois également, et que pour conserver l'union et bonne intelligence, aucun ne pourrait s'en dire l'auteur particulièrement au préjudice des autres, il leur ordonna de travailler incessamment en commun à former un plan et une élévation de la façade vers Saint-Germain [32]. »

En poursuivant la lecture de l'extrait publié par Piganiol, on apprend que faute de tomber d'accord, Le Vau, Le Brun et Perrault élaborent deux dessins, l'un « orné d'un ordre de colonnes formant un péristyle ou galerie au-dessus du premier étage », l'autre « plus simple et plus uni sans ordre de colonnes [33] ». Les deux partis sont présentés au Roi le 14 mai et ce dernier choisit aussitôt la solution comportant un péristyle. A la suite de cette décision, les événements se précipitent. Colbert fait rouvrir le chantier de la façade orientale du Louvre sur la base des plans qui viennent d'être approuvés. Un modèle en bois de la nouvelle façade doit être construit et mis en place sur la grande maquette du Louvre conservée chez Le Vau afin de voir comment cette façade se relie aux bâtiments existants ou en cours de réalisation. Le premier architecte est enfin chargé de faire deux copies du dessin présenté au Roi, « un pour M. Le Brun, l'autre pour M. Perrault, afin que chacun d'eux fasse un dessin conforme en gros à celui-là, suivant les mesures et proportions qui lui sembleront les plus belles, pour de ces trois dessins en être fait un seul, en choisissant ce qui sera jugé le meilleur de tous les trois [34] ».

Les revendications exprimées quelques années plus tard par les Perrault et François d'Orbay au sujet de la paternité de la colonnade sont en complète contradiction on le voit avec le principe du travail collégial exigé de ses trois conseillers par Colbert. Il n'empêche que l'on s'interrogera sans doute toujours sur les auteurs respectifs du dessin « orné d'un ordre de colonnes formant un péristyle ou galerie » et de son concurrent « plus simple et plus uni sans ordre de colonnes ». L'attribution de la façade orientale du Louvre dépend dans une large mesure de la réponse apportée à cette question.

Dans ses *Mémoires*, Charles Perrault affirme bien entendu que son frère est l'unique auteur du projet de colonnade, tandis que Le Vau se serait opposé avec la dernière énergie à l'adoption d'un parti aussi audacieux. Au XVIIIe siècle, Piganiol de la Force, Blondel et Patte suivront sa version des faits sans la critiquer. Plus récemment, les historiens se sont tout de même interrogés sur les discordances que l'on constate entre l'extrait du *Registre* des Bâtiments publié par Piganiol de la Force dont l'authenticité ne semble guère douteuse et le témoignage du premier commis des Bâtiments. Comment croire en effet que le médecin soit l'auteur d'un projet que Le Vau est chargé de copier à son intention ? En réalité, l'argument n'est pas décisif, puisque disposant de dessinateurs régulièrement appointés, le premier architecte est le plus à même de faire copier des dessins approuvés par le Roi.

A ce stade, plusieurs hypothèses sont envisageables. On peut tout d'abord attribuer le dessin comportant un péristyle à Le Vau et à ses collaborateurs. Comme le faisait déjà observer Louis Hautecœur dans « L'auteur de la colonnade du Louvre », et dans *Le Louvre et les Tuileries de Louis XIV*, l'ordre colossal n'est pas étranger à Le Vau qui l'emploie en plusieurs occasions, à l'hôtel Lambert, à Meudon et au château de Saint-Sépulchre notamment [35]. Mais on peut aussi continuer à défendre la paternité de Claude Perrault, même si le *Registre ou journal des délibérations et résolutions touchant les Bâtiments du Roi* semble contredire cette opinion. Une troisième hypothèse consiste enfin à attribuer conjointement à Le Vau et Perrault la conception du péristyle, en laissant à Le Brun la responsabilité du dessin sans ordre de colonnes

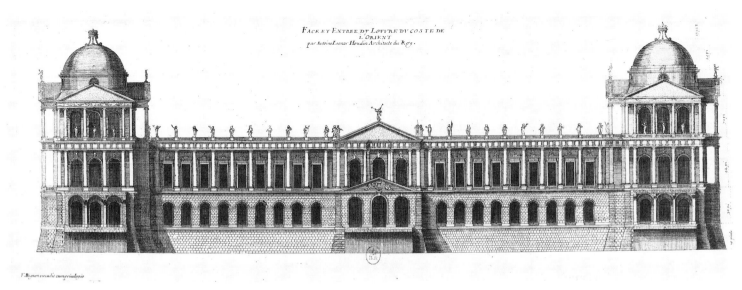

126. A.-L. Houdin, « Face et entrée du Louvre du costé de l'Orient », gravé par F. Bignon (1661).

présenté à Louis XIV. On possède en effet plusieurs projets de façade simples et unis, traditionnellement donnés comme étant de Le Brun [36]. Dans ce dernier cas de figure, Le Vau et Perrault se seraient mis d'accord pour présenter un projet commun, sans doute mis au net par les dessinateurs du premier architecte. Une telle convergence de vues n'aurait rien d'étonnant en réalité. Comme le rappelle Louis Hautecœur, l'idée de colonnade était depuis longtemps « dans l'air », et l'architecte Antoine-Léonor Houdin en avait déjà imaginé une pour la façade orientale de son ambitieux projet de reconstruction du Louvre et des Tuileries de

1661 [37]. Cet air du temps aurait bien pu inspirer également à Claude Perrault un dessin de colonnade dès 1664.

Bien qu'il prévoie un péristyle, le projet approuvé en 1667 diffère sur plus d'un point de la colonnade que nous connaissons. Moins long que la façade actuelle, il comporte deux pavillons d'angle ainsi qu'un pavillon central surmonté d'un dôme destiné à faire pièce à celui dont Lemercier avait couronné le pavillon de l'horloge [38]. Commencée en 1667, sa réalisation va être interrompue l'année suivante pour permettre d'importantes transformations.

127. *J.-B. Delamonce, le Louvre, gravé par G. Scotin. Quoique très inexacte, cette représentation du Louvre permet de comprendre les problèmes posés par le doublement de l'aile sud du palais et par les toits pentus et les dômes de Lemercier et Le Vau. Contrairement à ce qu'indique la gravure, l'aile nord ne sera jamais doublée.*

## Le doublement de l'aile sud de la cour carrée et les transformations apportées à la colonnade

On se souvient qu'une place monumentale avait été prévue devant la façade orientale du Louvre et que les appartements royaux devaient donner sur cette place. Progressivement, Colbert se rend compte de la difficulté de libérer les terrains situés devant le palais. Aussi prend-il en 1668 la décision de loger le Roi dans l'aile sud de la cour carrée qui regarde la rivière et qui offre ainsi une vue plus agréable que les vieux hôtels situés du côté de Saint-Germain l'Auxerrois. Pour conférer aux appartements du monarque et de ses proches ces commodités auxquelles le surintendant des Bâtiments tient tant, on se résout également à doubler l'aile sud construite par Le Vau.

Ce doublement nécessite la révision du projet de colonnade approuvé l'année précédente qui doit être prolongé du côté de la Seine, ce qui entraîne des modifications importantes de son ordonnance. Reste à trouver la personne à qui confier la responsabilité des transformations nécessaires. De plus en plus absorbé par les travaux de Versailles, Louis Le Vau n'a guère le temps de se consacrer à cette tâche. Dans ce contexte, il n'est pas impossible que l'on ait songé à Claude Perrault pour donner un nouveau dessin de la façade orientale du Louvre et pour veiller surtout à sa bonne exécution. Les *Comptes des Bâtiments du Roi* révèlent en effet qu'il touche 4 000 livres « pour le travail qu'il a fait et l'application qu'il a donnée aux bâtiments en 1669 et 1670 [39] », alors qu'il n'avait touché et qu'il ne touchera plus par la suite que 2 000 livres par an comme membre actif de l'Académie des Sciences.

A la suite des transformations de 1668, le projet pour la façade orientale du Louvre commence à prendre son aspect définitif. Les pavillons extrêmes sont tout d'abord élargis et redessinés après bien des tâtonnements. Cet élargissement a pour effet de régulariser la situation du côté de la Seine, mais il fait apparaître par contre un important décrochement que l'on peut encore observer aujourd'hui entre la façade nord du palais et le pavillon sur lequel elle s'appuie. Le nombre de colonnes change également. Tandis que le projet de 1667 prévoyait huit paires de

170

128. « *Face principale du Louvre* », gravé par J. Marot (1676). Les attiques de Perrault figurent sur cette version de la colonnade qui montre également le soubassement qu'on avait pourtant renoncé à laisser à découvert à cette date.

colonnes accouplées de part et d'autre du pavillon central, il n'y en a plus que six dans le nouveau parti. La portée des linteaux se voit du même coup considérablement augmentée, ce qui rend indispensable l'usage d'armatures en fer pour les soutenir. Le dôme qui surmontait le pavillon central disparaît enfin et l'impression d'horizontalité que donne le péristyle s'en trouve renforcée d'autant.

S'il n'est pas sûr que Claude Perrault soit bien l'auteur des modifications apportées au projet de la colonnade, il semble de plus en plus concerné par sa réalisation dans les années 1670-1680. Multipliant les interventions et les propositions, on le voit par exemple solliciter le 25 juin 1674 l'approbation de l'Académie d'Architecture à propos de la suppression des mufles de lion qui devaient servir de gargouilles dans la corniche du grand fronton de la façade [40]. Il s'attaque un peu plus tard au difficile problème posé par les toits pentus et les dômes de Lemercier et Le Vau, par ceux de l'aile sud conservés après le doublement notamment, qui dépassent de manière disgracieuse sur le côté droit du péristyle. Cherchant à rendre compatibles les lignes horizontales de la colonnade avec ces toits et ces dômes, il dessine deux attiques au-dessus des pavillons latéraux de la façade. Soumis à plusieurs reprises à l'Académie, ces attiques d'une esthétique discutable ne seront jamais exécutés [41].

Associé aux différentes étapes de l'élaboration du projet, responsable par la suite d'un ensemble de propositions d'une valeur inégale, Perrault n'a certainement pas dessiné lui-même tous les plans nécessaires à l'exécution de la colonnade. Son importante activité scientifique ne lui laissait guère le loisir de procéder à ce patient travail de mise au point, ce qui explique ses incertitudes ultérieures concernant les mesures exactes du péristyle. On retrouve alors François d'Orbay qui signe de nombreux dessins en tant que chef de l'agence des Bâtiments et dont l'expérience professionnelle a certainement pesé de tout son poids en l'absence puis après la mort de Louis Le Vau. Est-ce à dire que la contribution du médecin puisse être tenue pour négligeable ? Albert Laprade a cru pouvoir l'affirmer avec des arguments qui n'emportent pas toujours l'adhésion.

L'une des principales pièces d'archives invoquée par ce dernier

129. *Projet d'élévation de la cour carrée, A.N. O¹ 1667, n° 71, détail montrant l'un des attiques prévus par Perrault au-dessus des pavillons de la façade orientale du Louvre. Destinés à s'harmoniser avec les toits et les dômes de Lemercier et Le Vau, ces attiques sont surmontés de belvédères d'une facture un peu naïve qui seront assez vite supprimés.*

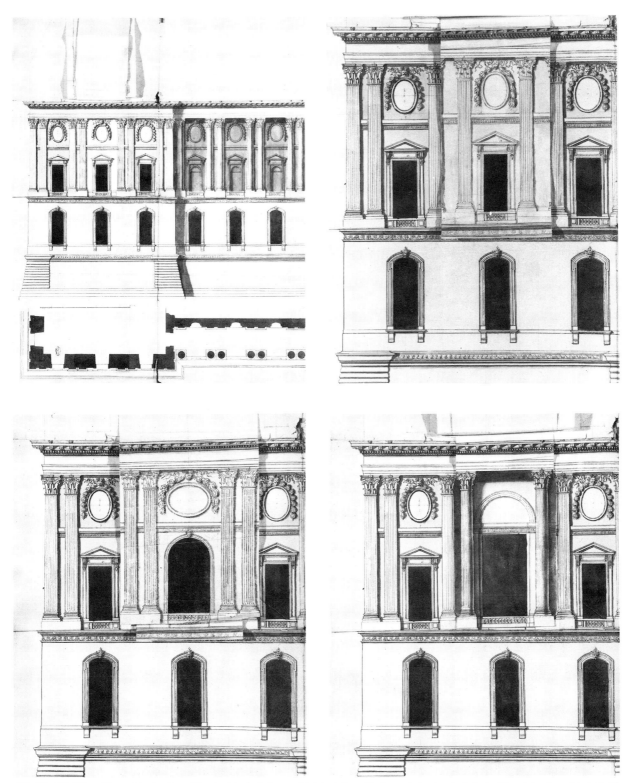

130, 131, 132, 133. « *Plan et élévation du pavillon du péristyle du Louvre côté de la rivière* » (*étude pour la travée centrale des pavillons de la colonnade*), A.N. O¹ 1667, nº 73. *Chacun des rabats correspond à une solution différente. Les pilastres accouplés encadrant la fenêtre centrale sont tout d'abord écartés (ill. 131), puis la forme de la fenêtre change (ill. 132, 133).*

à l'appui de sa thèse est constituée par un mémoire relatif aux modifications proposées pour la colonnade en 1668 et intitulé *Advis de M. Le Vau le jeune sur le nouveau dessein du Louvre* [42]. Ce mémoire se présente sous la forme d'objections élevées contre « le nouveau dessein du Louvre », en regard desquelles sont portées des réponses destinées à défendre ce dernier. Selon Albert Laprade qui prend le contre-pied de l'interprétation traditionnelle du document, les critiques émaneraient de Charles ou Claude Perrault, tandis que François d'Orbay serait l'auteur de leurs réfutations circonstanciées, François Le Vau « le jeune » servant en l'occurrence de prête-nom au dessinateur de l'agence des Bâtiments du Roi [43]. Il se fonde pour cela sur plusieurs indices, à commencer par l'analogie qui existe entre certaines positions théoriques de Claude Perrault, exprimées notamment dans sa traduction de Vitruve, et les objections contenues dans l'*Advis de M. Le Vau le jeune* [44]. Les analogies relevées par Laprade sont troublantes il est vrai et l'on est plus d'une fois tenté de suivre son interprétation. Mais en admettant que les Perrault s'expriment bien par la bouche du censeur auquel répond François d'Orbay, quelles conclusions doit-on tirer du document ?

Les objections élevées contre les modifications proposées pour le Louvre sont de plusieurs types. L'exhaussement que nécessite le transfert des appartements du Roi sur la Seine est tout d'abord critiqué pour des raisons de bienséance et de commodité. La bienséance veut que l'on évite d'écraser l'étage noble en plaçant un grand étage ou deux petits au-dessus de lui. L'accès à un grand étage situé au-dessus des appartements royaux risque de se révéler par ailleurs peu commode, les escaliers prévus à cet effet étant notoirement insuffisants. Deux petits étages ne valent guère mieux, car ils sont plus appropriés à une maison de communauté qu'à un palais où tout doit respirer la majesté [45].

Le censeur du nouveau dessin pour le Louvre est également hostile à l'usage « vicieux » d'un ordre de pilastres colossal sur la façade sud du palais, jugeant que si l'ordre colossal convient aux temples, aux basiliques et même aux grands vestibules qui sont des édifices simples, ceux « qui sont faits pour être habités et qui sont composés comme de plusieurs maisons les unes sur les autres, doivent avoir chacun son ordre, n'étant pas raisonnable que le plancher du second étage soit soutenu par des colonnes et que les poutres du premier soient fichées dans le milieu de ces colonnes qui soutiennent le second [46] ».

Laprade souligne à juste titre que ce raisonnement, pour le moins surprenant de la part de l'un des auteurs présumés de la colonnade, figure aussi dans la traduction de Vitruve de Claude Perrault [47]. L'ordre colossal est vicieux parce qu'il bafoue le principe d'imitation raisonnée qui fait de la décoration des édifices le reflet de la construction primitive en bois. Plusieurs remarques s'imposent toutefois. Il faut en premier lieu se rappeler qu'aux yeux d'un théoricien qui affirmera bientôt le caractère arbitraire de certaines beautés architecturales, tout n'est pas logique dans les questions de décoration, loin s'en faut. Bien que l'emploi d'un ordre colossal pour une habitation comportant plusieurs étages constitue une licence discutable, cet usage n'est pas absolument prohibé. Il faut ensuite garder présent à l'esprit que la condamnation de l'ordre colossal ne vaut que pour les pilastres qui rencontrent des corniches correspondant aux planchers et symbolisant les poutres de l'habitation primitive. L'objection précédente ne s'applique par conséquent qu'à l'ordre colossal de pilastres de la façade sud auquel les Perrault pourraient bien s'être opposés dans un premier temps. Une note de la traduction de Vitruve indique les raisons du ralliement ultérieur de Claude à cette solution : en dépit de ses défauts, le parti adopté se justifie essentiellement selon lui par le rappel qu'il permet de l'ordonnance de la colonnade [48].

En abordant justement le chapitre de la colonnade, le censeur qui s'exprime dans l'*Advis de M. Le Vau le jeune* juge excessif l'allongement donné aux pavillons situés aux extrémités de la façade qui risque de faire paraître étriquée la place du devant du Louvre. Mais sa principale objection porte sur le péristyle lui-même dont les proportions lui semblent défectueuses. Si ce péristyle est l' « un des plus beaux ornements du Louvre », le nouveau dessin le prévoit aréostyle, c'est-à-dire avec un entrecolonnement égal à trois fois le diamètre de l'ordre, « ce qui ne s'exécute que dans les bâtiments chétifs d'ordre toscan, où les architraves sont de bois, parce que ceux de pierre auraient une trop grande portée ». De plus, ajoute le censeur, « sa profondeur sera beaucoup moindre que l'espace d'un entrecolonnement qui est tout le contraire de ce qui doit être, par la raison que la grande hauteur d'un péristyle qui n'a pas de profondeur proportionnée à la pluie fait qu'il ne donne point de couvert, pour peu qu'elle tombe obliquement. C'est pourquoi les anciens faisaient leurs grands péristyles diptères ou pseudodiptères, c'est-à-dire à deux rangs de colonnes, ou

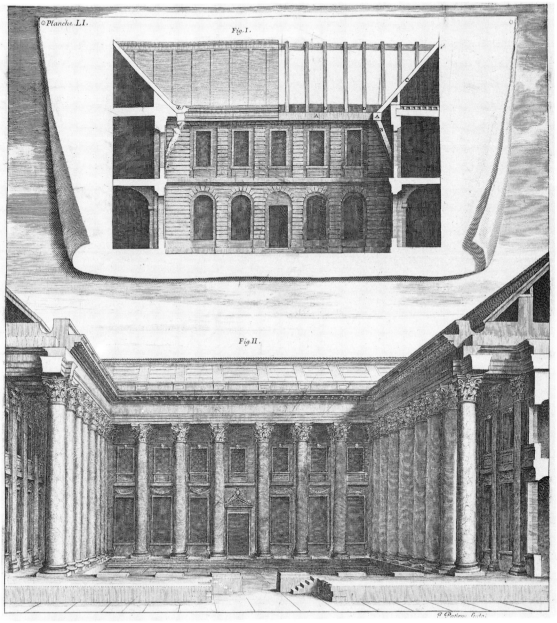

134. *Cl. Perrault, trad. Vitruve, cour toscane et cour corinthienne des anciens.* « *Je crois que la manière licencieuse que les architectes modernes ont mis en usage, qui est de faire des demi-colonnes ou des pilastres qui soutiennent l'entablement et qui descendent jusqu'en bas, comprenant plusieurs étages, est une représentation des cours corinthiennes des anciens* », déclare l'académicien qui ajoute que cette manière est contre la raison qui veut « *que les colonnes étant faites pour porter le bout des poutres des planchers, il y ait autant d'ordres de colonnes qu'il y a de planchers* ».

135.  *Façade sud du Louvre donnant sur la Seine. L'emploi d'un ordre de pilastres colossal se justifie en définitive aux yeux de Perrault par le rappel qu'il permet de l'ordonnance de la colonnade.*

qui avaient en profondeur deux fois la largeur de l'entrecolonnement [49]. »

La référence aux anciens qui avaient su parfaitement traiter le problème architectural somme toute assez simple posé par les péristyles rappelle à nouveau le type de réflexion mené par le traducteur de Vitruve. La réponse apportée à la critique précédente est quant à elle particulièrement révélatrice des enjeux en présence. A l'idéal antiquisant du péristyle s'oppose en effet le modèle de la galerie « qui sert pour la décoration d'un palais où il y a toutes autres sujétions à garder et observer que celle d'un temple [50] ». Parmi ces sujétions, l'éclairement des appartements ouvrant sur la galerie explique la faible largeur qu'on s'est contenté de lui donner. Péristyle ou galerie : la démarche antiquisante du censeur de l'*Advis de M. Le Vau le jeune* est en complète contradiction avec le pragmatisme de son interlocuteur.

Ce censeur peut-il vraiment représenter Claude Perrault qui reconnaît volontiers l'importance des commodités apportées par les modernes aux bâtiments ? Oui, si l'on songe à l'attrait qu'exercent sur lui les monuments romains, même s'il ne se gêne pas pour les critiquer. Au même titre que l'Observatoire ou l'arc de triomphe du faubourg Saint-Antoine, l'aile orientale du Louvre semble bien faire partie de ces édifices destinés à servir de modèle à la postérité en se parant de cette grandeur dont les constructions antiques avaient longtemps possédé le monopole. Tel est bien le sens que revêt sa présence au frontispice de la traduction de Vitruve. Quelles conclusions tirer alors de l'*Advis de M. Le Vau le jeune* sur lequel Laprade croit pouvoir s'appuyer pour dénoncer le caractère « malfaisant » de l'intervention des Perrault [51] ?

De deux choses l'une, soit les Perrault ne sont pas les inspirateurs des objections que l'on vient de passer brièvement en revue, et une bonne partie de l'argumentation de Laprade s'écroule du même coup, soit elles émanent de Charles et surtout Claude Perrault, et il devient alors difficile de négliger l'influence des deux frères. Loin d'être entièrement négative, cette influence explique dans ce cas quelques-unes des qualités du péristyle réalisé.

Au lieu de constituer une liste de propositions hétéroclites, les critiques contenues dans l'*Advis de M. Le Vau le jeune* procèdent d'une vision cohérente de ce que doit être la façade orientale du *Louvre*, une vision antiquisante on vient de le voir qui conduit à dramatiser l'opposition entre le mur et la colonne en référence au modèle du temple. Cette dramatisation réclame que l'on donne au péristyle une profondeur au moins égale à l'entrecolonnement, ce qui n'est pas le cas du projet examiné par le censeur. A la différence de ce projet, le péristyle définitif possède une profondeur égale à l'entrecolonnement qui est fixé quant à lui à quatre diamètres. Cette grande profondeur sera par la suite considérée comme l'une des principales beautés de la colonnade, comme le note par exemple David Leroy dans son *Histoire de la disposition et des formes différentes que les chrétiens ont données à leurs temples, depuis le règne de Constantin le Grand jusqu'à nous* de 1764 [52].

Ainsi que le fait également remarquer David Leroy, la profondeur d'un péristyle incite le spectateur à se déplacer pour jouir du spectacle changeant qu'offre une rangée de colonnes placée à bonne distance du mur qui lui sert de toile de fond [53]. A côté de ses références à l'Antiquité, la volonté de détacher les colonnes de la façade orientale du Louvre pourrait bien rejoindre le désir de mettre en harmonie l'édifice et la mobilité naturelle des hommes qui le contemplent, ce qui serait une façon de répondre dans le domaine de l'architecture à la question de l'articulation entre structure et mouvement qui préoccupe on le sait Perrault.

Quelle que soit l'identité réelle des protagonistes qu'il met en scène, l'*Advis de M. Le Vau le jeune sur le nouveau dessein du Louvre* se rapporte à un état intermédiaire du projet élaboré en 1668, ce qui limite singulièrement la portée des conclusions auxquelles il permet d'aboutir. Délaissant l'exégèse de ce document, aussi intéressant soit-il, il faut peut-être récapituler à présent les éléments que l'on possède concernant le rôle joué par Claude Perrault dans l'élaboration de la colonnade.

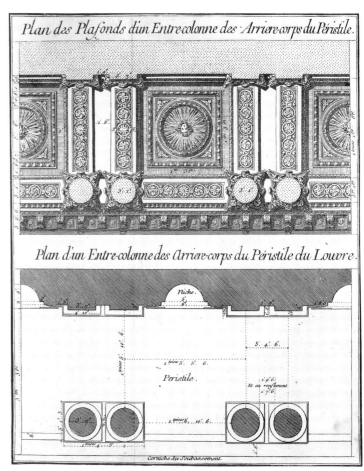

136, 137. P. Patte, Mémoires sur les objets les plus importants de l'architecture (1769), relevés du péristyle du Louvre.

138. *Le premier étage de la colonnade du Louvre.*

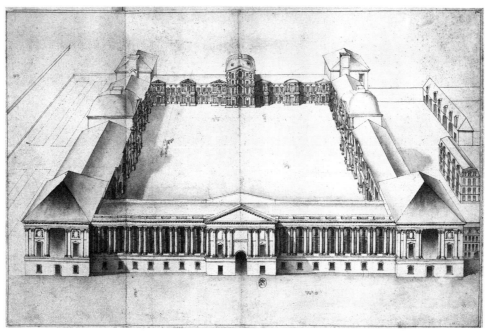

139. *Vue cavalière du Louvre, B.N. Est. Va 217c. Cette vue cavalière pourrait bien être de Claude Perrault d'après Michael Petzet qui y voit l'exemple parfait de la manière de dessiner « douce et agréable » de l'académicien. Il pourrait s'agir dans ce cas d'une esquisse élaborée au cours de l'année 1668, après que la décision eût été prise de doubler l'aile sud du palais. On notera la suppression pour le moins surprenante de l'attique de Lescot qui accentue encore la différence de hauteur entre l'aile orientale et l'aile occidentale du Louvre.*

## Quelques hypothèses sur le rôle de Claude Perrault

Ce rôle est certainement moins important que celui que lui prêtent les *Mémoires* de Charles. Il n'est pas impossible toutefois que Claude Perrault ait songé dès 1664 à un péristyle pour la façade orientale du Louvre, même si ce premier projet devait être assez différent du dessin approuvé en 1667. On peut aussi supposer que ses qualités intellectuelles, sa vaste culture et son imagination, sont à l'origine de sa nomination au conseil du Louvre, plus encore que la recommandation du premier commis des Bâtiments son frère. Claude Perrault devait posséder une compétence bien réelle en matière d'architecture pour que Colbert qui s'abusait rarement sur le compte des hommes ait songé à s'assurer de son concours. C'est cette compétence qui lui vaut presque simultanément la responsabilité de traduire Vitruve.

En s'appuyant sur les quelques dessins d'une facture hésitante que l'on peut attribuer à coup sûr à Perrault, Laprade a cru pouvoir nier purement et simplement les talents du médecin. C'est oublier qu'au XVIIe siècle, comme aujourd'hui d'ailleurs, la compétence architecturale ne se résume pas à l'art de dessiner. Perrault est d'ailleurs loin d'être aussi maladroit que le prétend son détracteur, même s'il confie très souvent le rendu définitif de ses compositions à Sébastien Leclerc [54]. En conversant avec Leibniz il fait même allusion à la manière « douce et agréable » avec laquelle il représente l'architecture [55]. On possède à ce propos un ensemble de lavis d'une qualité inférieure à ceux de Leclerc, mais tout de même très honorables, qui pourraient bien être de sa main [56]. Quoiqu'il en soit, l'argument du dessin ne résiste pas longtemps à l'examen. S'il fallait soupçonner de plagiat tous les architectes dont on ne possède que quelques croquis maladroits, l'histoire de l'architecture fourmillerait d'énigmes. En l'absence de nouveaux documents, il est impossible de se prononcer avec certitude sur la répartition des rôles à l'intérieur du conseil du Louvre et sur l'auteur véritable du projet de péristyle approuvé en mai 1667. En se fondant sur l'extrait du *Registre ou journal des délibérations et résolutions touchant les Bâtiments du Roi* publié par Piganiol de la Force, on serait tout de même tenté de voir dans cet auteur Le Vau ou l'un de ses collaborateurs immédiats. Perrault qui avait peut-être déjà songé à une colonnade en 1664 a bien pu s'entendre avec le premier architecte et soutenir ce projet au cours de l'entrevue avec le Roi. Ne fait-il pas allusion à une entente de ce type au cours de sa conversation avec Leibniz, même s'il prétend avoir gagné Le Vau à ses vues et non le contraire [57].

Le médecin semble avoir joué un rôle plus actif l'année suivante, en critiquant les nouveaux plans fournis par l'agence de Le Vau et en proposant des modifications de son cru. Le projet définitif de la façade orientale du Louvre se serait dégagé dans ce cas au terme de discussions et d'allers et retours entre Claude Perrault et l'agence des Bâtiments du Roi. Si les objections contenues dans l'*Advis de M. Le Vau le jeune* émanent bien du médecin, celui-ci n'est certainement pas à l'origine de la nouvelle façade sud du Louvre avec son ordre colossal de pilastres, contrairement à ce que l'on peut lire parfois. La colonnade lui doit par contre quelques-uns de ses traits de physionomie, comme sa grande profondeur et son caractère un peu théâtral. Critiqué par Viollet-le-Duc [58], ce caractère théâtral est tout à fait à l'image des préoccupations antiquisantes du traducteur de Vitruve. C'est sans doute à Perrault qu'il faut attribuer le remplacement des fenêtres initialement prévues au premier étage par des niches destinées à recevoir des statues, niches évoquant bien entendu la décoration donnée par les anciens à leurs temples. Les fenêtres seront rétablies sous Napoléon, mais la façade orientale du Louvre demeure malgré cela un beau « décor », selon l'expression de Louis Hautecœur [59].

Est-il raisonnable d'attribuer à un seul homme la responsabilité d'un tel décor ? Louis Le Vau, Claude Perrault et François d'Orbay comptent certainement parmi les principaux protagonistes de l'affaire, mais bien d'autres architectes ont été consultés en cours de route, comme Pierre Cottard ou François Le Vau [60]. On ignore par ailleurs le rôle joué par Charles Le Brun au conseil du Louvre. Pourquoi chercher un auteur unique pour un projet qui conforme en cela aux vœux exprimés par Colbert en 1667 demeure avant tout le résultat d'un travail collectif de longue haleine ? Tous les chefs-d'œuvre n'émanent pas forcément de la réflexion d'un artiste solitaire, surtout en architecture. La colonnade est en outre le fruit d'une histoire et de circonstances indépendantes de la volonté de ses auteurs. Son dépouillement et sa grandeur sont aussi liés à son inachèvement, à l'absence de certains éléments décoratifs pourtant prévus au départ. Que l'on imagine seulement des trophées surmontant la balustrade supérieure de l'édifice au droit des colonnes, comme le montrent certains dessins de l'époque, et l'on obtiendra un effet déjà beaucoup plus proche de Versailles que des temples antiques.

Le contraste entre la multiplicité des intervenants, les vicissitudes de la réalisation et la cohérence du résultat final vaut en réalité pour l'ensemble du Louvre de Louis XIV. Dans un article paru en 1969, Hubert Damisch attirait l'attention sur les rapports unissant la colonnade aux façades sud et nord du Louvre [61]. Les trois façades forment en effet un véritable système déclinant les trois types fondamentaux d'ordonnance architecturale : colonne isolée à l'est, pilastre au sud, mur nu enfin au nord. On se trouve là encore en présence d'une cohérence conquise de haute lutte, au terme de bien des tâtonnements. De la colonnade au palais tout entier, l'impression d'unité pourrait bien procéder de l'interaction de deux niveaux de contraintes : des contraintes d'ordre programmatique et symbolique tout d'abord, qui intègrent à un même dessein les propositions successives des architectes, le corpus des règles architecturales en vigueur qui s'impose ensuite aux différents projets. Construire le palais des rois de France en relation avec la ville qui l'entoure, construire en utilisant un vocabulaire formel soumis à des règles d'emploi précises oblige les concepteurs les plus divers à se conformer à une même logique, à se couler dans un système d'oppositions qui confèrent au Louvre et à sa façade orientale sa pleine signification.

En contact permanent avec Colbert, réfléchissant parallèlement aux fondements de l'art d'ordonnancer repris de Vitruve, Claude Perrault se trouve bien placé pour jouer avec ce système d'oppositions signifiantes. Même s'il commet de nombreuses erreurs de jugement, même si la mise en forme spatiale lui échappe en grande partie pour être confiée aux professionnels de

140. F. d'Orbay, « *Élévation d'un des pavillons de la fasse du Louvre du costé de St-Germain* », O¹ 1667, n° 84. *Les statues placées dans les niches, le décor sculpté des médaillons et les trophées situés au droit des colonnes auraient conféré une toute autre allure à la colonnade s'ils avaient été réalisés.*

*141, 142. La colonnade du Louvre aujourd'hui. Des fenêtres ont remplacé les niches de Perrault. Le dégagement des fossés de 1964 à 1967 a accentué l'impression de sobriété que donne la façade. Ses grandes lignes horizontales contrastent avec les ressauts, les pavillons et les dômes qu'affectionnaient les architectes de la première moitié du XVII<sup>e</sup> siècle.*

l'agence des Bâtiments, il pourrait bien avoir rempli au total une fonction de catalyseur, grâce à ses critiques et à ses suggestions dont on aurait tort de minimiser la portée. Avec toutes les précautions qui s'imposent, il n'est pas interdit de souscrire dans ce cas au jugement d'Hubert Damisch voyant dans Perrault « un homme de savoir et de pensée », « non pas peut-être l'inventeur de la colonnade, mais celui en tout cas qui en aura conçu l'idée la mieux cohérente et expressive [62] ».

Perrault aura pu mesurer ce faisant toutes les contradictions d'un projet à la fois ouvert et fermé, transparent et opaque, faisant face à la ville et refusant de se laisser contaminer par elle. Rappelant en cela les péristyles des temples antiques qui tournent autour du mur aveugle de la cella, reflétant surtout l'ambiguïté de l'attitude de Louis XIV envers Paris et le mélange d'ostentation et de méfiance qui caractérise cette dernière, la colonnade sert à la fois de façade et de rempart, elle annonce la cour carrée tout en la dérobant au regard et en ne laissant rien deviner de son organisation interne.

Par un étrange renversement de perspective, l'exigence de commodité que la surintendance des Bâtiments avait opposée aux ambitieux desseins du Bernin aura conduit à un projet qui en constitue la négation, à une pure structure, un tour de force. Ce paradoxe est un peu à l'image du conflit qui existe dans la pensée de Perrault entre les considérations pratiques, seules synonymes de progrès, et les rêves de grandeur s'inspirant de l'Antiquité pour mieux la détrôner.


## Un chantier expérimental

Ces rêves de grandeur n'expliquent pas à eux seuls l'intérêt porté par Perrault à la colonnade. Sa construction présente en effet un caractère expérimental aux yeux de l'académicien.

Rouvert en 1667, le chantier de la façade orientale du Louvre progresse régulièrement jusqu'à l'achèvement du gros œuvre en 1670. Les matériaux sont choisis avec soin : pierre de Saint-Cloud pour les soubassements et pour les colonnes, pierres de Trossy et Saint-Leu pour les chapiteaux [63]. Ce soin s'explique par la nature exceptionnelle de l'ouvrage, avec ses grands linteaux réalisés par claveaux et soumis du même coup à des efforts latéraux. Pour permettre leur réalisation, la construction est entièrement armée de fer. Les claveaux sont reliés entre eux par des agrafes en forme de Z ; chaque colonne est traversée par un mandrin vertical tandis que des tirants horizontaux la relient au mur [64]. Contraire aux canons traditionnels de la solidité, le recours au métal sera très critiqué à l'époque et Perrault s'en fera à plusieurs reprises le défenseur [65]. Il semble bien que sa passion de l'anatomie ait trouvé à se satisfaire d'un mode de construction fonctionnant sur l'opposition entre squelette et membrure. La compression que le métal fait subir à la pierre rappelle également la conception du corps comme une structure tendue qu'expose l'académicien dans ses *Essais de physique*. Au ressort naturel des muscles répond d'une certaine façon le ressort artificiel que les tirants confèrent aux linteaux de la colonnade.

D'autres dispositifs retiennent également l'attention de Perrault. Ce dernier imagine de placer un grand réservoir servant à recueillir l'eau de pluie au sommet de l'avant-corps central. Autre innovation, la descente des eaux s'opère ensuite par un puits pratiqué dans l'épaisseur de la maçonnerie, ce qui évite les chéneaux extérieurs.

C'est enfin à Perrault que l'on doit probablement l'idée d'utiliser deux énormes pierres monolithes longues de 50 pieds pour servir de rampants au fronton central de la colonnade. Amenées des carrières de Meudon par la Seine au cours de l'été 1673, les pierres seront posées en septembre 1674 grâce aux machines du charpentier Ponce Cliquin. Une fois encore, la référence aux grandes réalisations de l'Antiquité est évidente, et l'académicien fera d'ailleurs figurer les machines de Cliquin dans l'édition de 1684 de sa traduction de Vitruve [66].

D'un point de vue technique, la colonnade est assez déconcertante pour un ingénieur ou un architecte d'aujourd'hui habitué à plus de franchise dans l'expression des contraintes structurelles. Les claveaux découpent la frise et l'architrave, tandis que des arcs de décharge se dissimulent derrière le fronton. Les procédés de construction les plus sophistiqués sont ainsi mobilisés en référence à la simplicité antiquisante du parti général. Simplicité des principes et complexité de l'exécution : on retrouve du même coup une opposition chère à Perrault. Les colonnes accouplées marquent quant à elles l'impossibilité de rejoindre tout à fait, fût-ce même au plan des apparences, le modèle du péristyle des anciens. Par là-même la colonnade inaugure une longue série

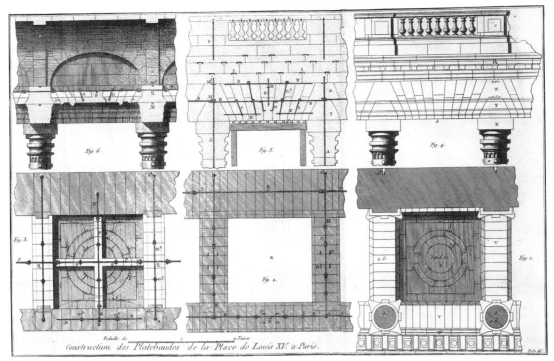

143. *P. Patte*, Mémoires, *construction des plates-bandes de la place Louis XV à Paris. Les bâtiments de Gabriel font un peu figure d'héritiers de la colonnade avec leurs plates-bandes armées.*

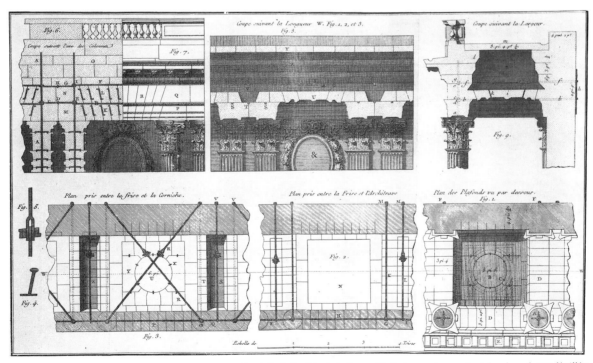

144. *P. Patte*, Mémoires, *construction des plates-bandes et des plafonds du péristyle du Louvre. Toutes les armatures en fer de la colonnade sont détaillées sur cette planche.*

145. *S. Leclerc*, « Représentation des machines qui ont servi à eslever les deux grandes pierres qui couvrent le fronton de la principale entrée du Louvre » (1677).

d'ouvrages, comme les bâtiments de Gabriel pour la place Louis XV ou l'église Sainte-Geneviève de Soufflot, qui vont permettre d'explorer sans cesse plus avant la fragilité du compromis entre modèles architecturaux et techniques de réalisation [67].

## Claude Perrault et le « grand dessein » : du troisième ordre de la cour carrée à la liaison Louvre-Tuileries

Se conformant en cela à la mission qui avait été impartie aux membres du conseil du Louvre, Claude Perrault ne limite pas ses propositions à la colonnade. Il se penche aussi sur l'ordonnance de la cour carrée et sur la liaison Louvre-Tuileries qui redevient d'actualité au début des années 1670. A propos de la cour carrée, l'académicien observe tout d'abord avec un souci de l'échelle architecturale assez peu fréquent chez lui que l'aile de Lescot avait été conçue pour une cour quatre fois moins étendue et que les ordres et les ornements de sa façade risquent de paraître mesquins dans un espace trop important. En invoquant l'exemple de l'Escurial, il propose de diviser la cour carrée en cinq cours plus petites de 26 toises de diamètre chacune, dont celle du milieu serait circulaire et les autres de forme irrégulière. Cette proposition est heureusement refusée par Colbert, mais Perrault ne se tient pas pour battu et il suggère ensuite de construire une terrasse haute de trois marches et large de 18 pieds sur le pourtour de la cour afin de diminuer sa grandeur apparente. Philibert Delorme avait déjà songé à un artifice du même type dans le projet des Tuileries publié par Jacques-Androuet du Cerceau en 1579 dans *Les plus excellens bastiments de France*. Cette seconde proposition est également refusée par le surintendant qui tient à préserver l'unité et la majesté du lieu. Une dernière suggestion consistant à prévoir des galeries ouvertes au rez-de-chaussée des bâtiments donnant sur la cour carrée ne connaît guère plus de succès [68].

Le raccordement des terrasses de la colonnade avec les combles déjà construits constitue par contre un problème plus sérieux. L'aile orientale est en effet beaucoup plus haute que les autres. Faut-il exhausser par conséquent les façades de la cour carrée prévues sur le gabarit de l'aile de Lescot en rompant ainsi avec une ordonnance à laquelle s'étaient conformés Lemercier et Le

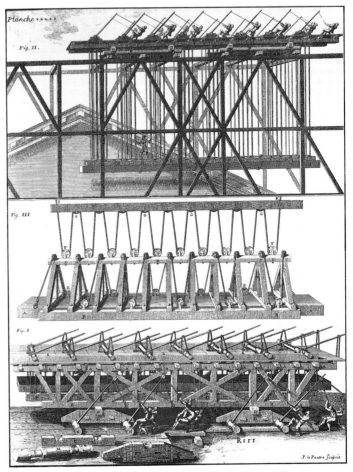

146. *Cl. Perrault, trad. Vitruve (1684), machines utilisées au fronton du Louvre.*

Vau ? La plupart des architectes sont favorables à cette solution qui passe par la réalisation d'un second étage au-dessus de l'étage noble, en remplacement de l'attique de Lescot. Claude Perrault s'oppose quant à lui à cette solution avec des arguments qui rappellent étrangement les critiques de l'*Advis de M. Le Vau le jeune*. Il n'est pas convenable à ses yeux d'édifier un second étage au-dessus du premier qui doit abriter les appartements du Roi, aussi propose-t-il de s'en tenir à un attique [69]. A nouveau il n'est pas écouté, et on décide de construire un second étage.

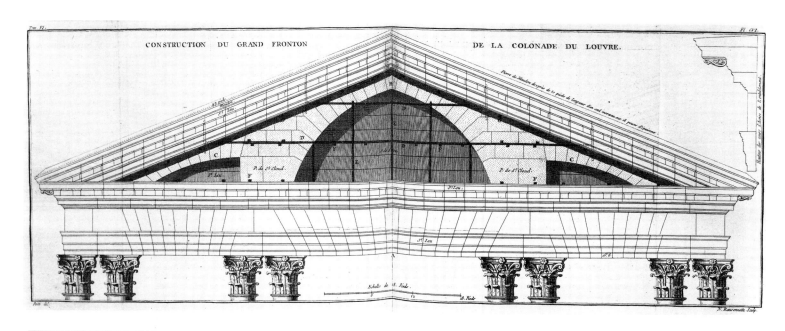

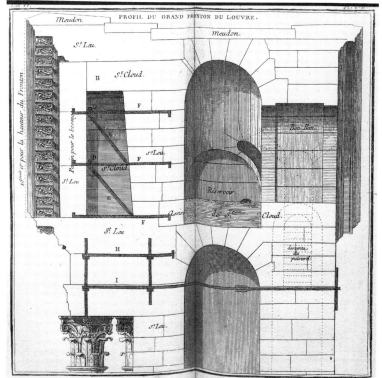

PROFIL DU GRAND FRONTON DU LOUVRE.

147. *P. Patte, suite donnée au* Cours d'architecture *de J.-F. Blondel, construction du grand fronton de la colonnade du Louvre. Arcs de décharge et ferraillages composent une structure plus complexe que ne le laisserait supposer l'apparence de l'ouvrage.*

148. *P. Patte, suite donnée au* Cours *de J.-F. Blondel, profil du grand fronton du Louvre. La coupe permet d'apercevoir le grand réservoir servant à recueillir l'eau de pluie aménagé dans l'épaisseur du fronton.*

Reste à fixer toutefois la décoration de ce nouvel étage. Quel ordre doit-on en particulier utiliser, sachant que le rez-de-chaussée est corinthien et que l'ordre composite règne au premier étage ? Le vocabulaire architectural ne prévoit aucun ordre plus léger que le composite et par conséquent susceptible d'être placé au-dessus de lui. Pour tourner la difficulté, Claude Perrault propose dans un premier temps des caryatides. Mais les architectes craignent l'effet de répétition produit par près de 140 figures placées sur une même ligne et dont les attitudes ne sont pas susceptibles d'être variées à l'infini [70]. Après bien des débats, on débouche sur l'idée d'un ordre français dont il reste à donner le dessin. Pour cela, un concours doté de 3 000 livres de prix est ouvert en 1671 par Colbert. Claude Perrault y participe aux côtés de Cottard, Girardon et Le Brun. Reprenant pour l'essentiel les dispositions du chapiteau corinthien, il substitue des plumes d'autruche aux feuilles d'acanthe et il rajoute une couronne princière sur l'astragale [71]. Les autres dessins n'étant guère plus convaincants que cette composition au symbolisme un peu naïf, l'ordre français ne voit finalement pas le jour. Le deuxième étage de la cour carrée devra finalement se contenter d'un ordre corinthien d'un module inférieur au composite du premier étage.

En supposant la cour carrée achevée, Perrault imagine vers 1674 deux projets pour relier le Louvre aux Tuileries. Conservés dans les recueils de dessins de la Bibliothèque du Louvre, il ne nous sont plus connus que grâce à Jacques-François Blondel qui les fait figurer au tome 2 de son *Architecture françoise*. Le premier de ces projets s'organise autour d'une grande cour octogone, ornée d'un ordre corinthien colossal embrassant deux étages, sur laquelle donnent des appartements de cérémonie pour l'été et pour l'hiver. Un escalier d'honneur et une chapelle rappelant le Val-de-Grâce aux dires de Blondel flanquent cette cour conçue pour éclipser la cour carrée. Un véritable dédale de bâtiments et de cours secondaires vient ensuite remplir l'espace disponible entre le Louvre et les Tuileries. Sans trop s'inquiéter du coût de l'opération, Perrault prévoit une véritable cité à côté de laquelle le Louvre du Bernin fait bien pâle figure. On retrouve la même démesure dans un second projet qui comporte cette fois un amphithéâtre imité des anciens dont l'ellipse permet de racheter l'angle formé par l'axe de la cour carrée et celui des Tuileries [72]. Aux dires de Louis Vitet qui avait encore pu examiner les recueils de dessins de Claude Perrault, ces deux projets sont tout

à fait représentatifs de la manière de l'académicien, « toujours riche et brillant dans ses élévations, subtil et chimérique dans ses plans [73] ». Conscients de leur démesure, les frères Perrault devaient tenter de les défendre en proposant à Colbert d'utiliser tous les bâtiments prévus par les plans pour faire un grand nombre de beaux appartements « à la manière de toutes les nations célèbres qui sont au monde, à l'italienne, à l'allemande, à la turque, à la persane, à la manière du Mogol, du Roi de Siam, de la Chine, etc ; non seulement à cause de la beauté que causerait cette diversité si curieuse et si étrange, mais afin que quand il viendrait des ambassadeurs de ces pays-là, ils pussent dire que la France est comme l'abrégé du monde, et qu'ils se retrouvassent en quelque façon chez eux, après s'en être éloigné de tant de lieues [74] ». A la fois folle et séduisante, cette suggestion est bien dans le goût des Perrault prêts à multiplier les parallèles, persuadés qu'ils sont qu'ils tourneront toujours en faveur de la France de Louis XIV, cet « abrégé du monde ».

A côté de l'affectation donnée aux différents bâtiments, le morcèlement de l'espace auquel se livre Claude Perrault dans ses deux projets de réunion du Louvre aux Tuileries peut aussi nous renseigner sur certaines de ses tendances, surtout si on le rapproche de la suggestion qu'il avait faite quelques années auparavant de diviser la cour carrée. Sa démarche semble procéder en réalité d'une recherche de la complexité, d'un ordre compact qui n'est pas sans rapport avec la structure du vivant telle que peut la concevoir l'auteur des *Essais de physique*. Cet ordre naît de la juxtaposition de formes machiniques qui sont serrées et empaquetées comme les parties d'un corps entre les deux grandes galeries qui relient directement le Louvre aux Tuileries. Sa compacité pourrait bien renvoyer à des procédures fines de description morphologique et d'analyse des usages représentant l'analogue de l'anatomie et de la physiologie.

De même que le scalpel de l'anatomiste révèle le caractère délié de certaines parties des animaux en complet contraste avec la forme ramassée dont elles sont extraites, de même des élévations aérées, pleines de majesté, peuvent naître de plans sursaturés. C'est ce qui se produit avec les deux propositions de réunion du Louvre aux Tuileries de Perrault auxquelles se rattachent deux remarquables projets d'escaliers, visiblement inspirés de l'escalier des ambassadeurs de Versailles. Comme le notait Ragnar Josephson qui les avait découverts dans les collections du Natio-

149, 150, 151. *Études pour le troisième ordre de la cour carrée, A.N. O¹ 1667, n° 80, 81, 20.*

152. *Projet d'élévation de la cour carrée, A.N. O¹ 1667, nº 71. Deux variantes sont figurées à droite et à gauche de l'avant-corps central.*

153. *C. Daviler,* Cours d'architecture *(éd. 1720), chapiteau français de Perrault à gauche et chapiteau du Temple de Jérusalem de Villalpande à droite. En désaccord complet avec la reconstitution du Temple de Villalpande, Perrault n'aurait guère apprécié ce rapprochement.*

154. *Façade nord de la cour carrée avec le troisième ordre finalement réalisé.*

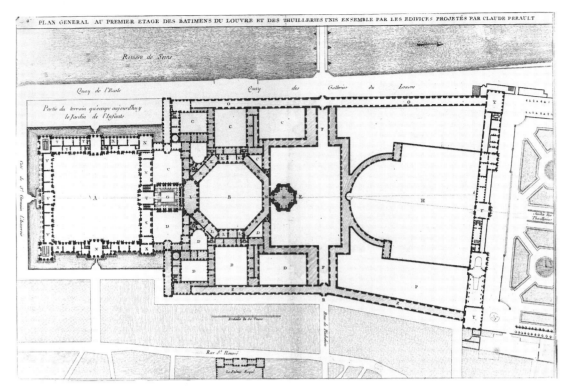

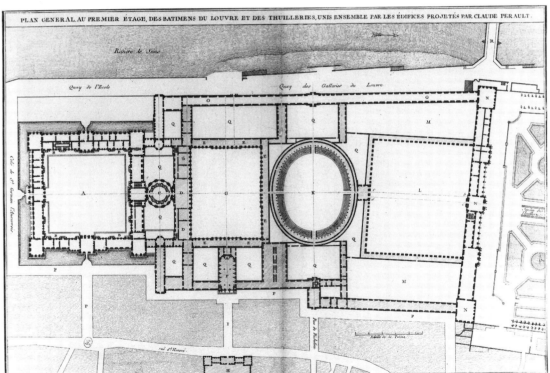

155, 156. *Cl. Perrault, projets pour relier le Louvre aux Tuileries d'après J.-F. Blondel,* Architecture françoise *(1752-1756).*

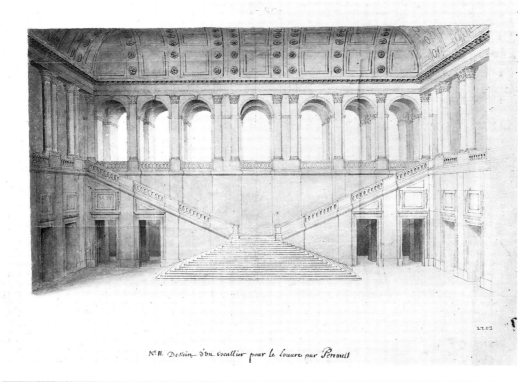

N° 11. Dessein d'un escallier pour le Louvre par Perrault

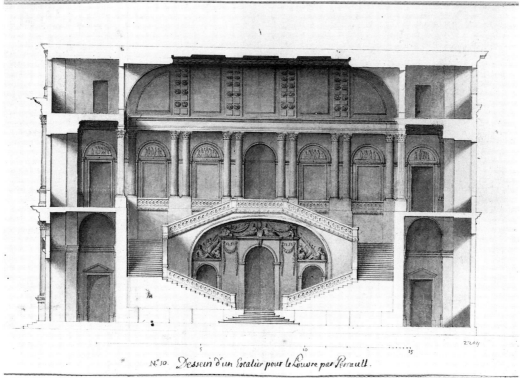

N° 10. Dessein d'un escalier pour le Louvre par Perrault.

*157, 158. Cl. Perrault, deux projets d'escalier pour le Louvre, C.D.N.S. T.-H. 2203, 2204.*

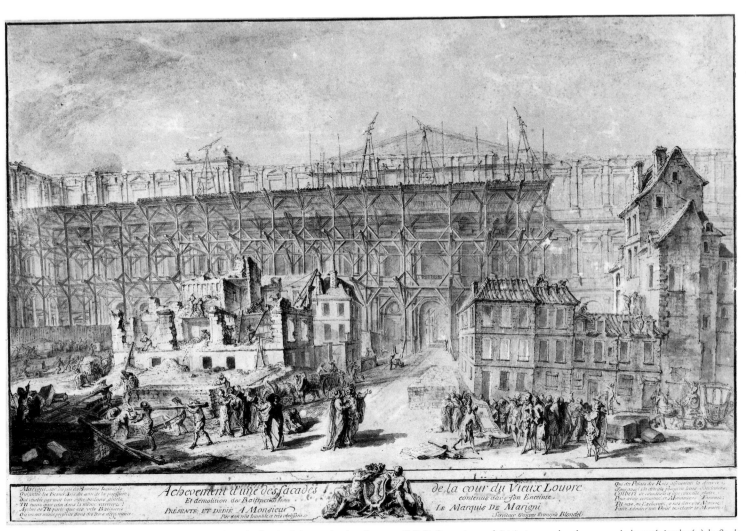

Achèvement d'une des façades de la cour du Vieux Louvre
Et démolition des Bâtimens contenus dans son Enceinte.
PRÉSENTÉ ET DÉDIÉ A Monsieur Le Marquis DE Marigni
Par son très humble à très obéissant Serviteur Georges François Blondel.

159. G.-F. Blondel, G. de Saint-Aubin, « Achèvement d'une des façades de la cour du vieux Louvre », C.E.C. Des maisons subsistaient encore dans la cour carrée demeurée inachevée à la fin du XVII<sup>e</sup> siècle. Marigny et Soufflot font procéder à leur démolition en même temps que reprennent les travaux du Louvre.

nalmuseum de Stockholm : « ces immenses vestibules s'apparentent parfaitement, comme ensemble artistique, à la façade de la colonnade. Cette architecture abstraite, aux grandes dimensions, aux larges surfaces, finement mais sobrement décorées, aux colonnes accouplées, au caractère à la fois sévère et léger, possède une grandeur de composition et une noblesse de style que nous reconnaissons dans la colonnade du Louvre [75]. »

En dépit de leur séduction, les grands projets de Claude Perrault pour la réunion du Louvre et des Tuileries vont rester lettre morte. Le Louvre demeure lui-même inachevé, car Louis XIV se détourne progressivement de sa demeure parisienne pour ne plus s'intéresser qu'à Versailles. Si le gros œuvre de la colonnade est pratiquement terminé, sa décoration laisse encore à désirer. La façade donnant sur la Seine ne possède ni balustrade supérieure, ni fronton. Côté nord, une partie de la toiture manque. Sur la cour carrée enfin, le second étage n'est que partiellement réalisé. Au lieu d'abriter les rois de France, le Louvre va héberger pen-

dant près d'un siècle les différentes académies, des grands seigneurs, des artistes pensionnés, des employés des Bâtiments, une population hétéroclite de protégés du pouvoir assez peu respectueuse de son architecture [76]. Il faut attendre en réalité la surintendance de Marigny pour que la situation commence à évoluer. La colonnade qui s'était beaucoup dégradée depuis l'époque de sa construction est restaurée par Soufflot à partir de 1756 à la grande satisfaction de Lafont de Saint-Yenne [77]. On continue la réalisation du second étage de la cour carrée , mais les travaux doivent bientôt s'arrêter, faute d'une volonté politique suffisante. La colonnade et la cour carrée ne recevront leur ordonnance définitive que sous le premier Empire par les soins de Percier et Fontaine [78]. L'achèvement du « grand dessein » devra attendre quant à lui la seconde moitié du XIXe siècle et les projets de Visconti et Lefuel [79]. A l'image de la colonnade, l'ensemble Louvre-Tuileries demeure avant tout une œuvre collective, ce qui n'aurait pas déplu à Colbert.

# L'OBSERVATOIRE
# ET L'ARC DE TRIOMPHE

## Des programmes complémentaires

« Arc de triomphe pour les conquêtes de terre — observatoire pour les cieux [1] », note Colbert en 1669, soulignant ainsi la parenté qui peut exister entre des programmes à première vue étrangers l'un à l'autre. Il s'agit d'affirmer dans les deux cas la prépondérance française, sur les champs de bataille, mais aussi dans les sciences. La fortune des armes ne saurait suffire en effet à la gloire de Louis XIV. Quel meilleur objet proposer alors à sa sollicitude que l'astronomie qui ne s'occupe que de ce qu'il y a de plus grand dans l'univers, comme le fait remarquer l'abbé Picard [2] ? En moderne convaincu, Claude Perrault ne peut manquer d'être sensible à cette volonté de célébrer le siècle de Louis. Aussi n'est-on pas surpris de le voir donner le projet de l'Observatoire de Paris en 1667 et remporter deux ans plus tard le concours organisé pour l'arc de triomphe du faubourg Saint-Antoine.

## Le projet d'Observatoire de 1667

La création d'un observatoire était souhaitée depuis longtemps par le milieu scientifique parisien, mais elle ne pouvait être envisagée qu'avec l'aide du pouvoir. Tel était bien le sens de la dédicace au Roi de l'*Éphéméride du comète* publié en 1665 par l'astronome Adrien Auzout dans laquelle ce dernier pressait le souverain de faire ordonner « quelque lieu pour faire à l'avenir toutes sortes d'observations célestes », ajoutant qu'il y allait de sa gloire et de la réputation de la France [3]. Cette requête va rencontrer un écho favorable chez Colbert qui est persuadé « que les sciences et

les beaux-arts ne contribuent pas moins à la gloire d'un règne que les armes et toutes les vertus militaires [4] ». Peu après la fondation de l'Académie des Sciences, le surintendant annonce aux savants choisis pour en faire partie que le Roi entend leur fournir tous les secours qu'ils peuvent désirer. Pour obtenir un observatoire, ils n'ont qu'à chercher un lieu qui leur paraisse convenable et l'on construira aussitôt un édifice digne de la magnificence du prince leur protecteur [5].

Forts de cette promesse, les académiciens se mettent aussitôt en quête d'un terrain propice aux observations astronomiques. Ayant songé tout d'abord à Montmartre, ils doivent renoncer à cette idée car les fumées qui s'élèvent de la capitale rendent impossible toute observation du côté du midi [6]. Appartenant à un certain Antoine de Valles, le terrain idéal est finalement trouvé au sud de Paris, non loin du Val-de-Grâce, et le Roi l'achète le 7 mars 1667 pour la somme de 6 604 livres tournois [7]. Reste à donner le projet du nouvel édifice qui ne doit pas seulement être utilisé pour les observations astronomiques, mais qui est aussi destiné à servir de lieu de réunion à l'Académie et d'entrepôt pour ses collections. Bien qu'elle soit assez vite abandonnée, cette volonté de répondre aux différents besoins de l'Académie des Sciences permet de mieux comprendre les conditions d'élaboration du bâtiment.

Le nom de Claude Perrault s'impose tout naturellement à Colbert pour donner le dessin de l'Observatoire. Le surintendant n'avait-il pas eu l'occasion d'apprécier ses qualités au moment de l'affaire de la colonnade ? Cette marque de confiance ne le dispense nullement de consulter ses collègues de l'Académie, Auzout en particulier qui avait depuis longtemps des idées bien arrêtées sur ce que devait être un observatoire [8]. On ignore toute-

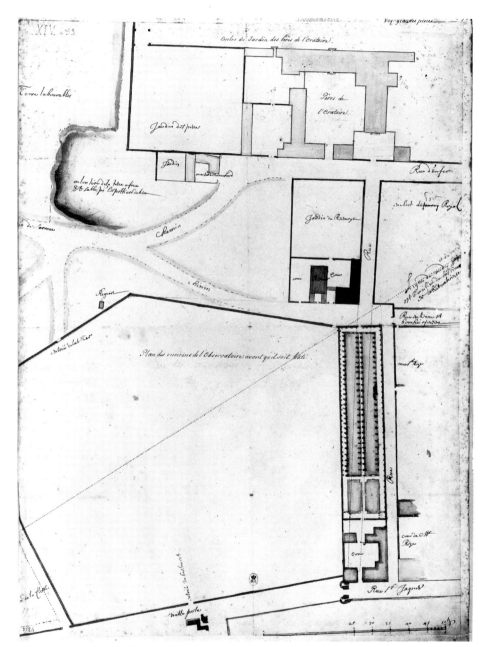

160. « *Plan des environs de l'Observatoire avant qu'il soit bâti* », *B.N. Est. Va 304/1. De forme pentagonale, le terrain acheté en 1667 restera inchangé jusqu'au début de ce siècle.*

*161. J. Picard,* Voyage d'Uranibourg *(1680), vignette de S. Leclerc représentant l'Observatoire de Paris entouré de ses deux prédécesseurs danois : Uraniborg et la Tour ronde de Copenhague.*

fois l'influence qu'ont pu exercer les suggestions de l'astronome. Pour projeter l'Observatoire de Paris, Perrault ne dispose guère que de deux références, danoises toutes deux : l'observatoire d'Uraniborg et la Tour ronde de Copenhague. Construit de 1576 à 1581 sur l'île de Hven située au large de Copenhague, Uraniborg ou le palais d'Uranie, la muse de l'astronomie, était le fruit des efforts conjugués du célèbre astronome Tycho Brahe et de son protecteur le roi Frédéric II. Cette petite cité scientifique était dominée par la masse de l'observatoire, composé d'un carré central flanqué de deux tours semi-circulaires et surmonté d'une lanterne dans le goût chargé de la Renaissance du nord. Beaucoup moins complexe, la Tour ronde avait été édifiée de 1637 à 1642 par Christian IV pour les astronomes de l'Université de Copenhague. A l'époque de Perrault, Uraniborg tombé en ruine après le départ de Brahe en 1597 n'est plus depuis longtemps qu'un souvenir. Si son programme comprenant des laboratoires, une bibliothèque et différents appartements rappelle celui de l'Observatoire de Paris, son architecture chargée peut difficilement servir de modèle à l'académicien nourri de Vitruve. Trop simple, la Tour ronde ne convient pas non plus [9].

L'exemple d'Uraniborg hante tout de même les astronomes du XVIIe siècle, d'autant plus que Brahe y avait effectué la plupart des observations astronomiques auxquelles son nom demeure attaché et qui allaient permettre à Kepler de calculer ses *Tables Rudolphines* [10]. Comme le souligne la vignette du *Voyage d'Uranibourg* de Picard en montrant l'Observatoire de Paris encadré par ses deux prédécesseurs danois qu'il domine majestueusement, le bâtiment conçu par Perrault se veut à la fois le continuateur d'une longue tradition et le point de départ d'une nouvelle ère de progrès pour l'astronomie.

D'un point de vue formel, le nouvel observatoire se caractérise par une géométrie abrupte, sans concession aucune au pittoresque. Il se compose d'un bloc cubique auquel sont accolées trois tours octogonales, deux aux angles de sa façade sud, une au milieu de sa façade nord. Adossé à une vaste terrasse, le bâtiment se compose de trois niveaux : un rez-de-chaussée invisible de la terrasse, un premier étage un peu plus haut sous plafond que le rez-de-chaussée et situé de plain-pied avec la terrasse, un second étage enfin, beaucoup plus haut que les deux précédents [11]. La hauteur du second étage constitue l'un des traits qui confèrent à l'Observatoire sa physionomie si particulière. Elle se rattache à l'exigence de nette hiérarchisation des niveaux exprimée à plusieurs reprises par Perrault à propos du Louvre. A la différence des appartements royaux situés dans l'aile sud de la cour carrée,

162. *Cl. Perrault, esquisse pour la planche III de la traduction de Vitruve montrant le projet d'Observatoire de 1667 avec la tour nord octogonale, B.N. Est. Va 304/1.*

SCIOGRAPHIE.

SB Le Clerc. SCENOGRAPHIE

*163, 164. S. Leclerc, « Sciographie » et « Scénographie », B.N. Est. Va 304/1 et C.E.C. inv. D 1736. Réalisés en se conformant aux indications de l'esquisse précédente, ces deux dessins permettent de se faire une idée assez précise du type de collaboration qui pouvait exister entre Perrault et Leclerc.*

l'étage noble de l'Observatoire règne sans partage sur le bâtiment.

L'absence de tout ordre d'architecture, à l'exception de deux paires de pilastres ioniques qui encadrent la baie centrale de la façade sud et qui disparaîtront par la suite, constitue une autre caractéristique du projet. Mais ce dernier s'écarte surtout des canons architecturaux en vigueur par son parti à la fois complexe et ramassé qui fait songer à une forteresse médiévale ou encore, en plus rigoureux, aux emboîtements polygonaux des plans pour la réunion du Louvre aux Tuileries. Rappelant en même temps l'austérité de l'architecture militaire et la compacité que l'académicien attribue au vivant, l'Observatoire est une grande machine pleine d'organes.

Ce caractère machinique correspond bien aux intentions de Perrault qui voit dans l'Observatoire un véritable instrument scientifique, comme le révèle une note qui servait de commentaire au plan principal de l'édifice dans la collection de dessins aujourd'hui perdue de la Bibliothèque du Louvre.

« Le bâtiment de l'Observatoire est construit de telle sorte qu'il peut suppléer tout seul à tous les principaux instruments d'astronomie dont on se sert pour les observations. Sa situation donne une ligne méridienne dans l'étage haut, depuis la fenêtre du milieu qui regarde le midi jusqu'à celle qui regarde le septentrion, de 17 toises de longueur, la plus juste qui se puisse faire. Les deux pavillons octogones sont coupés de manière qu'un de leurs pans donne le lever du soleil au solstice d'hiver, et l'autre son coucher au même solstice ; qu'un autre donne le lever du soleil à l'équinoxe et l'autre le coucher au même équinoxe ; que les deux autres pans donnent l'un le lever du soleil l'été et l'autre le coucher du même soleil [12]. »

Grâce aux ressources d'une géométrie pourtant assez simple, l'Observatoire sert en quelque sorte de réceptacle aux mouvements célestes, en indiquant du même coup une nouvelle solution à la question du rapport entre l'architecture et la mobilité qui l'environne très différente de celle que pouvait proposer la colonnade. Traversé par une ligne méridienne, indiquant au moyen de ses pans coupés la direction de la course du soleil en des moments précis de l'année astronomique, l'édifice se pare d'une dimension symbolique que viennent encore souligner les opérations menées sur le terrain par Auzout, Buot, Frénicle, Picard et Richer en juin 1667 pour déterminer son orientation

exacte, opérations qui prennent l'allure d'une véritable cérémonie, d'une « consécration ».

« Rien ne fut plus solennel que les observations qui se firent le 21 juin 1667, jour du solstice. Le Roi, pour favoriser pleinement les sciences et particulièrement l'astronomie, avait résolu de faire bâtir un observatoire et la place en était déjà marquée au faubourg Saint-Jacques. Comme ce bâtiment devait être tout savant, et qu'il était principalement destiné aux observations astronomiques, on voulut qu'il fut posé sur une ligne méridienne, et que tous ses angles répondissent à certains azimuths. Les mathématiciens se transportèrent donc sur le lieu le 21 juin. Ils tirèrent une méridienne et huit azimuths avec tout le soin que leur pouvaient inspirer des conjectures si particulières. Ils trouvèrent la hauteur méridienne du soleil de 64°41' au moins, ce qui donne pour la hauteur du pôle à l'Observatoire 48°49'30'' en supposant que la vraie déclinaison du soleil fût de 23°30' et la réfraction à cette hauteur d'une demi-minute seulement. On trouva que la déclinaison de l'aiguille aimantée était de 15' à l'Occident ; toutes ces observations furent la consécration du lieu [13]. »

Intérieurement, l'édifice comprend à chaque étage une grande galerie en forme de T largement ouverte sur le midi. De part et d'autre de la barre verticale du T se distribuent trois pièces destinées à servir de salles de réunion et de laboratoires ainsi que l'escalier qui doit constituer l'une des principales beautés du bâtiment. Trois autres pièces octogonales correspondent aux tours. Liée à la diversité des activités que doit abriter l'Observatoire, cette partition de l'espace va être remise en cause à l'arrivée de Cassini en 1669.

En attendant, les travaux commencés dès le mois de juin 1667 vont bon train. La tâche la plus urgente consiste à consolider le sol, rendu peu sûr par la présence de carrières souterraines. Après avoir craint un moment que le terrain ne soit pas apte à porter l'édifice projeté, on se résout à remplir les carrières de maçonnerie malgré la dépense que cela représente, et l'on finit même par se féliciter de leur présence, « parce que cela donnerait des lieux souterrains où l'on pourrait faire plusieurs expériences pour la physique et les mathématiques [14] », précise Charles Perrault.

La maçonnerie du bâtiment proprement dit est confiée à André Mazière et Antoine Bergeron, également responsables du Louvre. Près de 60 000 livres sont déboursées la première année pour

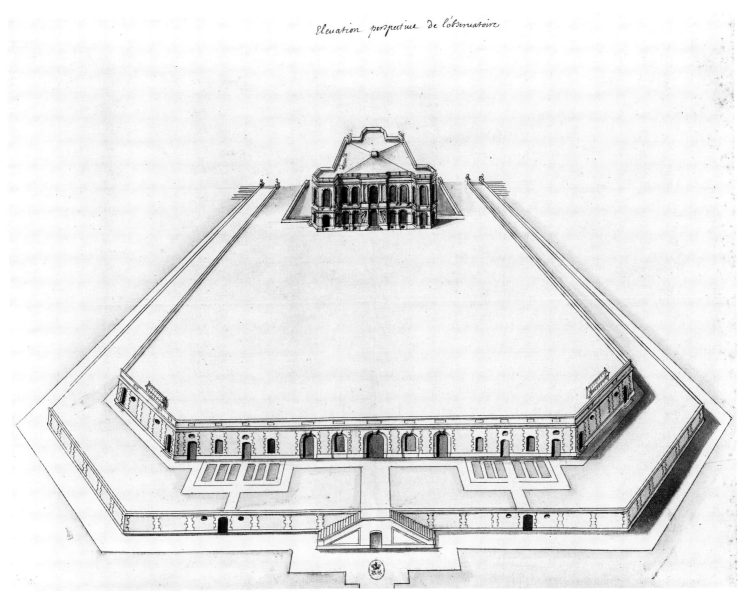

*Elevation perspective de l'observatoire*

165. Cl. Perrault, « *Élévation perspective de l'Observatoire* » (1667), B.N. Est. Va 304/1. *La terrasse à laquelle s'adosse le bâtiment fait songer aux remblais de l'architecture militaire. L'avant-corps de la façade sud s'orne encore au premier étage de deux paires de pilastres appelées à disparaître par la suite.*

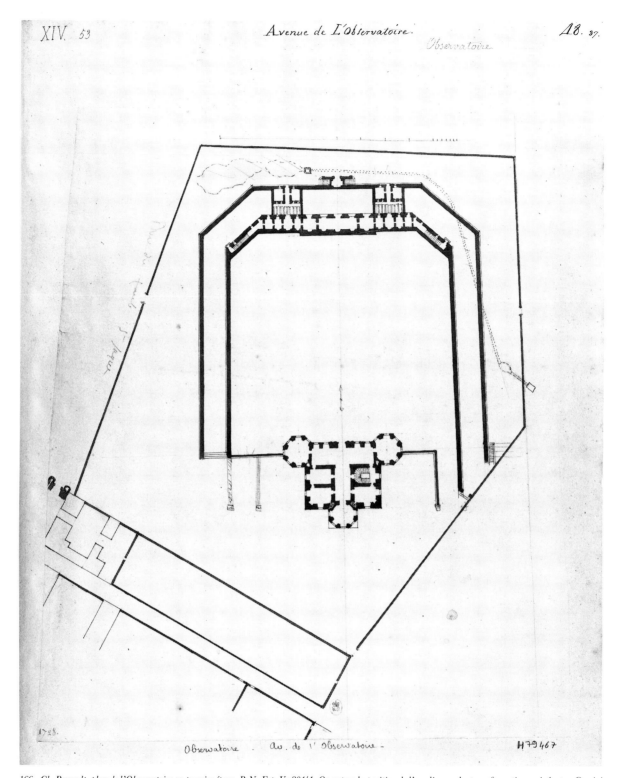

166. Cl. Perrault, plan de l'Observatoire au premier étage, B.N. Est. Va 304/1. On notera la position de l'escalier que les transformations exigées par Cassini feront par la suite pivoter de 90°.

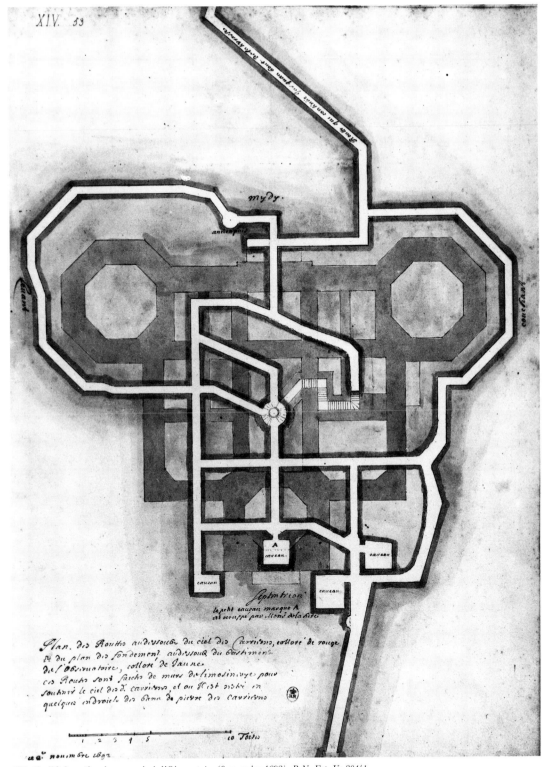

167. *F. d'Orbay, plan des sous-sols de l'Observatoire (8 novembre 1692), B.N. Est. Va 304/1.*

le chantier, 100 000 environ la seconde année, 135 000 en 1669 [15]. Au début de l'année 1669 les murs s'élèvent déjà à hauteur du premier étage lorsque Cassini entre en scène. L'astronome italien que Colbert à fait venir à grands frais de la péninsule pour renforcer l'Académie des Sciences va très vite s'opposer à Perrault à propos de l'Observatoire.

## Les critiques de Cassini et les modifications apportées au projet de 1667

Claude Perrault semble condamné à se heurter régulièrement aux italiens. S'il ne possède pas la célébrité du Bernin, Jean-Dominique Cassini est loin d'être un inconnu dans son domaine. Né en 1625 dans le comté de Nice, il se fait rapidement remarquer pour ses talents d'astronome qui lui valent une chaire à l'Université de Bologne dès 1650. Auteur de nombreux mémoires sur Vénus, Mars et Jupiter, il devient astronome du pape Clément IX, tandis que sa réputation s'étend progressivement à l'Europe savante tout entière [16].

Contacté par l'entremise de Pierre de Carcavy qui le convainc de passer au service de la France, Cassini arrive à Paris le 4 avril 1669. Peu après son installation, Adrien Auzout lui présente au nom de l'Académie les plans de l'Observatoire en cours de réalisation, afin de recueillir ses suggestions. Au grand dam de Perrault, convaincu de l'excellence de son projet, l'astronome italien émet de sérieuses réserves sur le parti adopté.

Cassini regrette tout d'abord que les trois tours octogonales prévues au milieu de la façade nord et aux deux angles de celle qui regarde le midi empêchent selon ses propres termes « l'usage important qu'on aurait pu faire de ces murailles, en y appliquant quatre grands quarts de cercle capables par leur grandeur de marquer distinctement, non seulement les minutes, mais même les secondes [17] ». A l'édifice-machine de Perrault répond une autre machine, plus frustre d'un point de vue géométrique, mais conçue au fond selon le même principe consistant à s'approprier les mouvements du ciel. A la déclinaison des différents points forts de l'année astronomique qui transforme l'Observatoire en un véritable résumé de la course annuelle du soleil s'oppose toutefois une interprétation plus littérale du caractère instrumental du bâtiment. Cherchant à concilier l'établissement de ses cadrans solaires avec l'état d'avancement des travaux, l'astronome propose d'arrêter les tours en cours de construction à hauteur du plancher de l'étage noble, une suggestion qui ne risque guère de recueillir l'assentiment de Perrault, on s'en doute.

Le reproche le plus grave adressé par Cassini au projet de 1667 réside dans le fait qu'aucune pièce ne permet de voir le ciel de tous côtés, de sorte qu'il est impossible de « suivre d'un même lieu le cours entier du soleil et autres astres, d'Orient en Occident, ni les observer avec le même instrument sans le transporter d'une tour à l'autre [18] ». Réclamant la création d'une grande salle d'observation à l'étage noble du bâtiment, l'astronome ajoute dans le droit fil de ses remarques précédentes : « une grande salle me paraissait encore nécessaire pour avoir la commodité d'y faire entrer le soleil par un trou et pouvoir faire sur le plancher la description du chemin journalier de l'image du soleil [19]. »

Bien que Cassini se plaigne ensuite de ne pas avoir été écouté, parce que « ceux qui avaient travaillé au dessin de l'Observatoire opinaient de l'exécuter conformément au premier plan qui en avait été proposé [20] », ses critiques vont conduire à d'importantes modifications du projet initial. Cela n'ira pas sans mal toutefois, car Perrault va s'opposer de toutes ses forces aux suggestions de l'astronome italien et le débat va très vite s'envenimer. Le différend sera finalement tranché en présence du Roi, comme le rapporte une anecdote sans doute colportée de génération en génération dans la famille Cassini et que Cassini IV, l'arrière-petit-fils du fondateur de la dynastie, fait figurer dans une lettre adressée en 1785 au comte d'Angiviller.

« Jean-Dominique Cassini arriva à Paris le 4 avril 1669 ; il n'eut pas plutôt été présenté à Louis XIV, que Sa Majesté ordonna qu'on lui communiqua tous les plans et projets de l'Observatoire qui n'était encore qu'au premier étage, afin qu'il en pût dire son avis. Cassini comme de raison, trouva que le plan n'avait pas le sens commun ; jour pris avec M. Perrault pour en raisonner devant le Roi et M. Colbert, l'éloquent Perrault défendit en fort jolies phrases son plan et son architecture ; mon grand-père qui ne savait que fort mal le français, écorchait les oreilles du Roi, de M. Colbert et de Perrault en voulant plaider la cause de l'astronomie, et ce fut au point que Perrault dans la vivacité de la dispute dit au Roi : « Sire, ce baragouineur-là ne sait ce qu'il dit » [21]. »

Aussi en colère soit-il contre l'astronome italien, Perrault doit finalement se résoudre à composer avec lui. Si Cassini n'obtient pas la suppression des trois tours de l'Observatoire, la tour septentrionale devient carrée à sa demande afin que le bâtiment jouisse d'une meilleure exposition au nord. La tour orientale est quant à elle laissée découverte pour permettre l'observation des astres proches du zénith. Mais la principale transformation concerne le plan de l'étage noble, avec le remplacement de la galerie en T prévue initialement par une grande salle carrée conforme aux vœux de l'astronome. La création de cette salle entraîne de nombreux problèmes. C'est toute la logique du plan de 1667 qui se trouve en réalité bouleversée. L'une des trois pièces qui devaient flanquer la barre verticale du T se trouve réduite à la portion congrue. L'escalier qui lui fait face sort également très amoindri de l'opération et il doit en outre pivoter de 90° pour parvenir à se loger dans le nouvel espace qui lui est alloué. D'autres difficultés se font jour en élévation. La voûte permettant de couvrir la salle demandée par Cassini entraîne un exhaussement du bâtiment qui se pare désormais d'une sorte d'attique au-dessus de la grande corniche. Dans la tour nord dont la voûte d'une portée très inférieure s'élève aussi beaucoup moins haut, cet attique permet d'établir un petit cabinet pour les astronomes travaillant sur la terrasse. Mais en dépit de cette facilité supplémentaire, les modifications apportées au projet initial nuisent plutôt à la cohérence du bâtiment, même si Perrault peut ensuite faire remarquer avec orgueil que la voûte de la grande salle de l'Observatoire ne le cède en rien à celle de la basilique de Fano construite par Vitruve [22].

Bien des tâtonnements seront nécessaires pour que Perrault parvienne à maîtriser les problèmes soulevés par l'intervention de Cassini. On possède à ce propos plusieurs dessins montrant les phases intermédiaires du nouveau projet conçu à la suite des critiques de l'astronome. Après avoir envisagé un moment de surbaisser considérablement la voûte de la grande salle, Perrault se résout à créer un attique au-dessus de la corniche du bâtiment. Il songe également à surélever la tour nord afin de créer une petite salle d'observation de plain-pied avec la terrasse supérieure de l'édifice. Quelques dessins conservés au Département des Estampes de la Bibliothèque Nationale montrent enfin un projet de façade avec des bossages probablement élaboré vers la même époque [23].

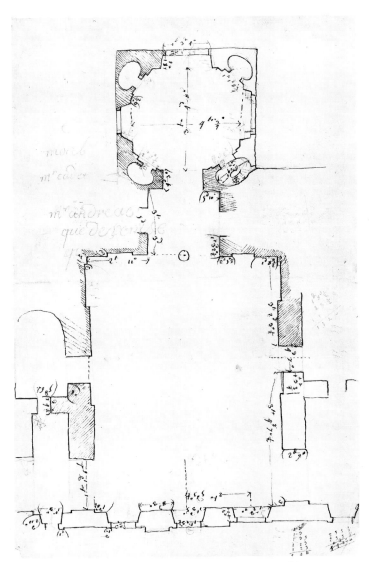

*168. Esquisse concernant les modifications apportées au second étage de l'Observatoire, attribuée à Cl. Perrault par M. Petzet, B.N. Est. Va 304/1. La création de la grande salle réclamée par Cassini ne va pas sans mal.*

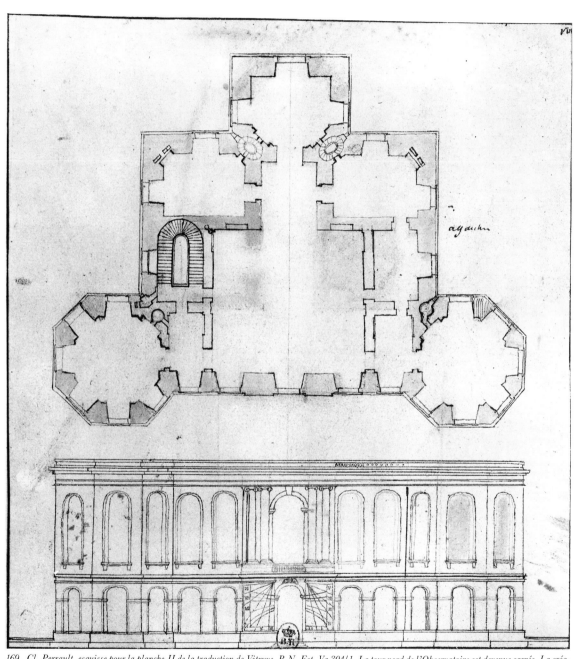

169. *Cl. Perrault, esquisse pour la planche II de la traduction de Vitruve, B.N. Est. Va 304/1. La tour nord de l'Observatoire est devenue carrée. La créa-tion de la grande salle de Cassini a entraîné le pivotement de l'escalier.*

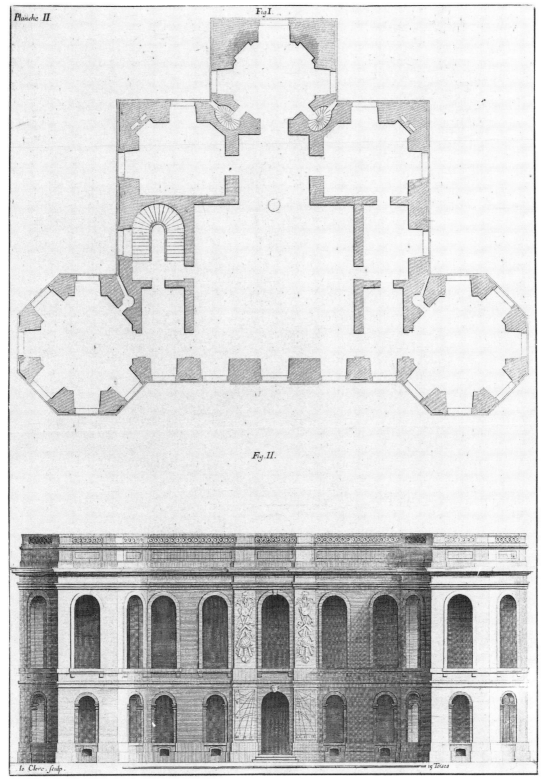

Fig. I.

Fig. II.

le Clerc. sculp.                                    15 Toises

170. *Cl. Perrault, trad. Vitruve, planche II représentant l'Observatoire. Sur la façade sud deux bas-reliefs de F. Temporiti ont remplacé les pilastres ioniques prévus à l'origine.*

H79561

171, 172. *Élévation de la façade nord de l'Observatoire avec une tour de trois étages, attribuée à Cl. Perrault par M. Petzet, B.N. Est. Va. 304/1. S. Le-clerc, coupe de l'Observatoire avec une tour nord de trois étages, B.N. Est. Va 304/1. Sans doute élaborée au cours de l'année 1669, cette proposition permettait de créer une salle d'où l'on puisse voir tout le ciel, comme le souhaitait Cassini.*

173. *Élévation de la façade sud de l'Observatoire comportant des bossages, B.N. Est. Va 304/1. Au-dessus de la fenêtre centrale de l'étage noble on voit le trou du gnomon ou cadran solaire percé par Cassini peu après son installation à l'Observatoire.*

Les critiques de Cassini étaient-elles justifiées ? D'après l'astronome italien, Claude Perrault avait trop sacrifié à la magnificence au détriment de la commodité. Charles Perrault semble lui donner involontairement raison dans ses *Mémoires*, lorsque récapitulant les inconvénients entraînés par les transformations de 1669, il regrette surtout que l'on ait « gâté » l'escalier en diminuant le volume de sa cage et en rendant ses dernières volées beaucoup trop raides par suite de l'exhaussement donné au bâtiment, une opinion qui reflète à coup sûr celle de son frère. Charles déplore également un peu plus loin l'entêtement mis par Cassini à refuser qu'on représente en guise de pavage « les douze signes du zodiaque, en marbre et par pièces de rapport, quoique M. Colbert y eût consenti, ce qui eût été fort beau [24] ».

Bien que l'opposition de Claude Perrault aux transformations souhaitées par Cassini trouve certainement son origine dans des choix d'ordre esthétique, il n'est pas certain qu'il faille pour autant suivre l'astronome dans sa dénonciation des erreurs commises par l'auteur du projet de 1667. Comme le faisait remarquer Charles Wolf dans son *Histoire de l'Observatoire de Paris* publiée en 1902, la construction de l'Observatoire intervient certes à une époque de transformation de l'astronomie qui voit se substituer aux anciens instruments de Tycho Brahe ceux de Picard et d'Auzout, mais ce n'est qu'en 1668 que l'abbé Picard observe les étoiles en plein jour ; c'est en 1668 qu'il applique les lunettes aux instruments divisés ; c'est vers la même époque enfin qu'il a l'idée de faire servir l'heure du passage des astres au méridien à la détermination des ascensions droites. « Comment Perrault aurait-il pu tenir compte en 1666 et 1667, dans son dessin de l'Observatoire, de procédés et de méthodes d'observation qui n'existaient pas encore ? » se demande Charles Wolf avec quelque apparence de raison. Lorsque Flamsteed et Wren donneront les plans de l'Observatoire de Greenwich, près de huit ans après la fondation de celui de Paris, il se contenteront encore d'une tour octogonale à deux étages. En 1667, « les astronomes de l'Académie ne pouvaient donc demander, et Perrault ne pouvait dessiner, autre chose qu'un bâtiment élevé, très solidement construit, d'où l'on put apercevoir tout le ciel [25] ».

## La construction de l'Observatoire

Comme la colonnade, l'Observatoire sert de terrain d'expérimentation à Claude Perrault. Pour rendre l'édifice indestructible, toutes les salles sont voûtées. Même après avoir été « gâté » par l'intervention de Cassini, l'escalier demeure un chef-d'œuvre de stéréotomie qui doit sans doute beaucoup à l'intérêt porté par les Perrault à la coupe des pierres, qualifiée dans les *Parallèles* de « ce qu'il y a de plus fin et de plus artiste dans l'architecture [26] ». Conformément à la division du travail en vigueur sur les chantiers de l'âge classique, le tracé exact et le détail des voûtes et de l'escalier ne sont sans doute pas le fait de l'académicien. Des maîtres appareilleurs ont dû se charger des épures et de la réalisation des parties voûtées sous la surveillance d'Antoine Foucault de Sainte-Marie, « commis et préposé au contrôle de l'Observatoire » de 1668 à 1675.

Dans la plupart des descriptions de Paris publiées à la fin du XVIIᵉ et au cours de la première moitié du XVIIIᵉ siècle, on peut lire que par un tour de force en quelque sorte opposé à celui de la colonnade, on n'avait employé à l'Observatoire ni bois, ni métal, rien que de la pierre et du mortier. A l'occasion des travaux de réfection effectués en 1777, Cassini IV constatera qu'il n'en était rien et que la construction comportait du fer en guise de renfort [27]. Comme c'est souvent le cas, la virtuosité stéréotomique dont les bâtisseurs de l'Observatoire ont fait preuve n'exclut nullement l'usage d'artifices dissimulés dans l'épaisseur de la maçonnerie. Malgré cela, le monument reste remarquable par la qualité de ses pierres et la précision de leur appareillage qui en fait le prototype même de ces édifices aussi recommandables par leurs « beautés positives », par la richesse de la matière et la propreté de l'exécution, que par les « beautés arbitraires » nées des proportions et de l'emploi des ordres d'architecture.

Au début des années 1670, les travaux de l'Observatoire vont bon train et le gros œuvre est bientôt achevé, à l'exception du pavage de la terrasse supérieure qui doit attendre 1676-1677. Pour réaliser cette terrasse, Perrault s'inspire du procédé de « rudération » décrit par Vitruve au début de son livre VII [28]. Une chape épaisse de ciment vient recouvrir tout d'abord les voûtes ; on pose au-dessus un pavé de petits carreaux de pierres à fusil lui-même noyé dans une nouvelle couche de ciment destinée à le protéger. A côté des indications de Vitruve, l'académicien a

174, 175. *Voûte de la galerie du premier étage et escalier de l'Observatoire. Beauté positive par excellence, la stéréotomie triomphe à l'Observatoire.*

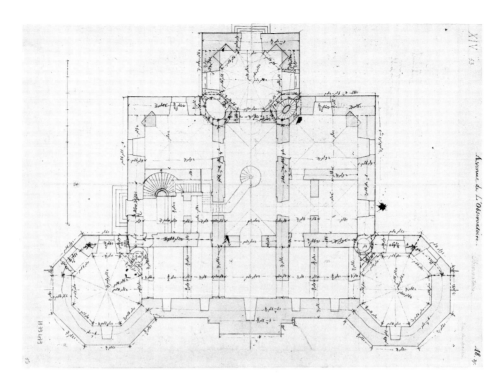

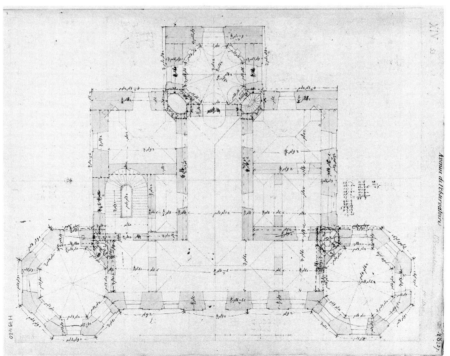

*176, 177, 178. Plans d'exécution de l'Observatoire au rez-de-chaussée, au premier et au deuxième étage, B.N. Est. Va 304/1.*

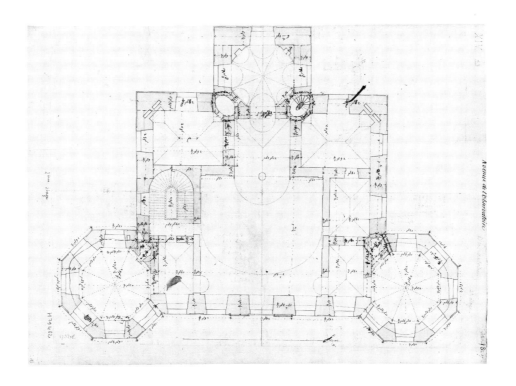

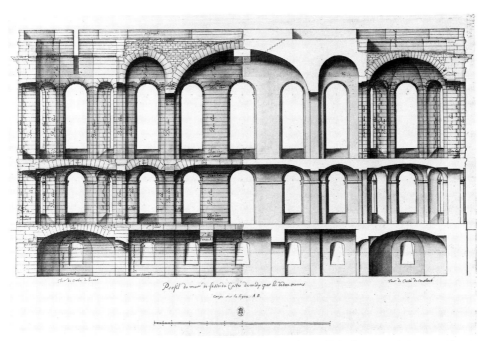

179. *Coupe de l'Observatoire indiquant la nature des pierres employées, B.N. Est. Va 304/1. La tour du levant a été laissée découverte à la demande de Cassini. Elle sera couverte à la fin du XVIIIᵉ siècle pour protéger des infiltrations la voûte du premier étage.*

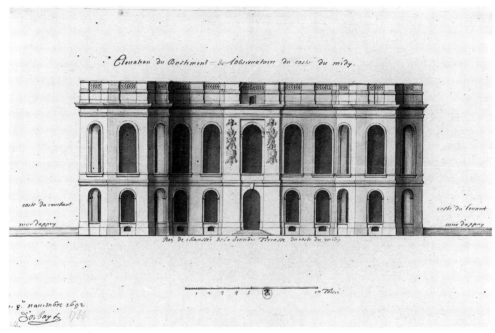

180. F. d'Orbay, « Élévation du bastiment de l'Observatoire du costé du midy » (8 novembre 1692), B.N. Est. Va 304/1.

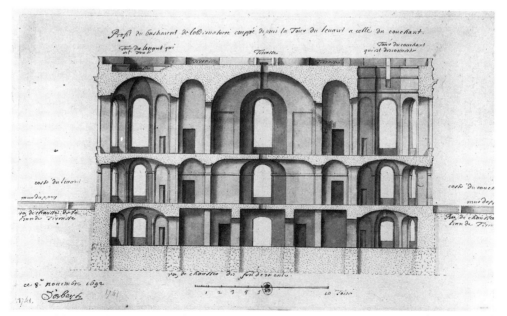

181. F. d'Orbay, « Profil du bastiment de l'Observatoire couppé depuis la tour du levant à celle du couchant » (8 novembre 1692), B.N. Est. Va 304/1. Contrairement à ce qui est indiqué sur cette coupe, c'est bien la tour du levant qui est laissée découverte.

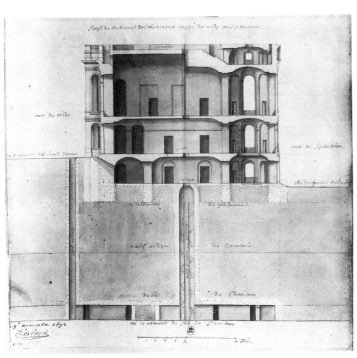

182. F. d'Orbay, « *Profil du bastiment de l'Observatoire couppé du midy au septentrion* » *(8 novembre 1692), B.N. Est. Va 304/1. On distingue le petit cabinet destiné aux astronomes travaillant sur la terrasse de l'Observatoire ménagé dans l'attique du bâtiment. Le puits vertical qui traverse tous les étages pour rejoindre les sous-sols constitue l'élément le plus remarquable de cette coupe. Prévu au départ pour des observations zénithales, il n'a servi qu'à des expériences sur la chute des corps menées en 1683 par Mariotte et de La Hire.*

certainement dû mettre à profit ses connaissances sur la nature et le comportement de la chaux afin de mettre au point ce système de couverture. Comme au Louvre, l'évacuation des eaux de pluie s'effectue par des descentes situées dans l'épaisseur des murs.

En dépit des précautions prises dans la construction de l'Observatoire, quelques désordres se produisent tout de même. D'après Charles Perrault, la voûte de la grande salle et la chape de ciment qui la recouvre se fendent par suite d'efforts latéraux beaucoup trop importants [29]. Les dégâts sont assez rapidement réparés cependant et l'usage du bâtiment ne s'en ressent pas. Il en ira tout autrement près d'un siècle plus tard, lorsqu'il faudra refaire toutes les voûtes supérieures par suite d'un entretien insuffisant de l'édifice. Craignant les infiltrations, on en profitera pour remplacer la terrasse de Perrault par de grandes dalles de pierre avec une pente considérable pour l'écoulement des eaux de pluie [30].

D'après le relevé des comptes des Bâtiments du Roi effectué par Charles Wolf, la construction de l'Observatoire aura coûté 713 954 livres de 1667 à 1683 [31], une somme tout de même assez importante, même si elle fait pâle figure à côté des quelques 80 millions absorbés par Versailles tout au long du règne de Louis XIV [32]. Sous l'angle des découvertes scientifiques et du prestige qu'elles confèrent, l'opération est une réussite. Il suffit d'évoquer à ce propos la découverte de la division en deux de l'anneau de Saturne par Cassini ou la note de Römer de 1675 relative à la vitesse de la lumière [33]. Mais le bénéfice que retirent Louis XIV et Colbert de la nouvelle institution ne s'arrête pas là. A l'âge classique, astronomie et cartographie sont intimement liées, et c'est de l'Observatoire que part le vaste mouvement de repérage qui va se poursuivre tout au long du XVIIIᵉ siècle pour déboucher sur une meilleure connaissance de la réalité territoriale française, en commençant par les alentours immédiats de la capitale. Cassini et l'abbé Picard seront les premiers promoteurs de cette entreprise à laquelle se rapporte l'anecdote bien connue du roi-soleil se plaignant de ce que les savants de l'Académie lui avaient repris plus de terres à eux seuls que tous ses ennemis, après la publication du premier contour exact des côtes du royaume en 1693 qui le rétrécissait notablement [34].

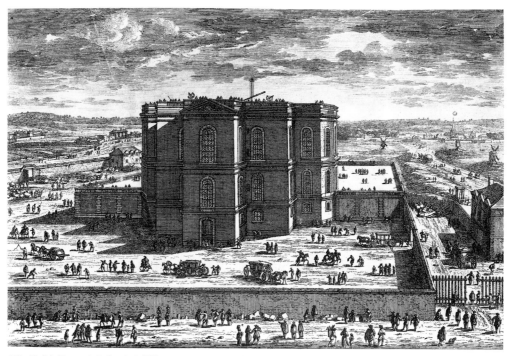

*183. N. Pérelle, vue de la façade de l'Observatoire qui regarde le faubourg Saint-Jacques.*

*184. A. Coquart, « Vue de l'Observatoire de Paris » (1705). La tour haute de 40 mètres placée devant le bâtiment avait été construite à Marly pour l'adduction des eaux de Versailles avant d'être transportée à l'Observatoire en 1685. Les deux observateurs que l'on distingue sur la gravure utilisent des « lunettes sans tuyau » composées d'un objectif fixé en hauteur et d'un oculaire séparé tenu à la main. Ce dispositif peu commode correspond à l'importante distance focale nécessaire pour obtenir de bonnes images avec les verres disponibles à l'époque. C'est avec ce type de télescope rudimentaire que Cassini découvrira par exemple la division de l'anneau de Saturne qui porte son nom.*

185. *J. Picard,* La mesure de la terre *(1671), vignette de S. Leclerc montrant une opération de triangulation de nuit. Utilisant un quart de cercle, deux astronomes mesurent la distance séparant deux points matérialisés par des feux à l'horizon.*

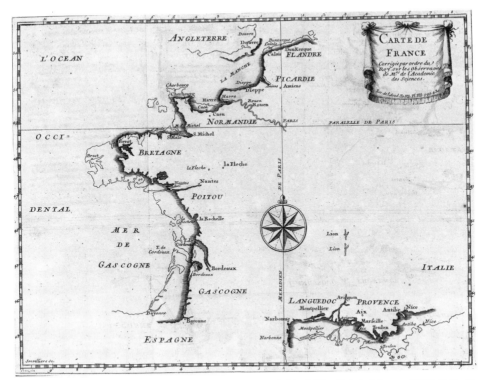

186. *« Carte de France corrigée par ordre du Roy sur les observations de Mrs de l'Académie des Sciences » (1693). Cette célè-bre carte présentée à l'Académie des Sciences en 1682 et éditée en 1693 dans les* Recueils d'observations *de l'Académie surimpose le nouveau tracé établi par les soins de Picard et de La Hire à la carte de Sanson qui faisait autorité jusque-là. C'est la première carte établie sur le méridien origine de Paris.*

## Un monument singulier

Au terme de ce rapide survol des principaux événements se rapportant à la construction et aux premières années de fonctionnement de l'Observatoire, essayons de mieux cerner la singularité de l'édifice. Cette singularité est tout d'abord morphologique, on l'a dit. L'aspect massif du bâtiment évoque plutôt le donjon d'une forteresse médiévale que l'étagement des plans de référence, la gradation recherchée par la plupart des architectes classiques dans leurs compositions. Si la géométrie de Perrault renvoie aux mouvements du soleil, elle évoque également les tracés polygonaux des ingénieurs militaires dont Vauban et Louvois coordonneront bientôt l'action. A la différence de leurs fronts bastionnés qui procèdent d'une logique échappant pour l'essentiel aux prescriptions architecturales, les projets de bâtiment conçus par les ingénieurs se révèlent toutefois beaucoup plus conformistes que le monument imaginé par l'académicien.

Le caractère exceptionnel de ce monument provient dans une certaine mesure de son indifférence aux conventions en vigueur parmi les architectes. Certes, les théoriciens de l'architecture affirmaient volontiers que l'usage d'ordres et de pilastres n'était nullement obligatoire et qu'il valait mieux s'en passer que de les employer mal à propos. Jamais cependant un édifice d'un rang comparable à celui de l'Observatoire ne s'était réclamé aussi ostensiblement de la muralité et du bel appareillage. De ce point de vue le bâtiment de Perrault évoquerait presque l'austère grandeur des ouvrages d'art des XVII<sup>e</sup> et XVIII<sup>e</sup> siècles.

Les analogies qui peuvent exister entre les fortifications, les ouvrages d'art et l'Observatoire pourraient bien reposer en réalité sur l'idée de l'édifice-machine, de l'édifice régulateur de circulations, qui leur est commune, qu'il s'agisse de commander les mouvements des troupes et la trajectoire des projectiles, de canaliser le flot de la rivière ou encore d'incarner le trajet du soleil au moyen d'une géométrie aussi simple que possible.

De ce point de vue, l'académicien préfigure des recherches formelles qui ne seront menées à bien dans le domaine de l'architecture qu'au cours de la seconde moitié du XVIII<sup>e</sup> siècle, au moment où se fera jour une nouvelle réflexion autour de la notion d'équipement qui voudra réconcilier l'édifice avec les parcours et les flux de tous ordres qui l'environnent. Au Siècle des Lumières, ces parcours et ces flux seront avant tout économiques. Il s'agira

d'adapter la production du bâti au discours ambiant sur la mobilisation des ressources et la mise en circulation des richesses [35]. Perrault n'en est pas encore là quant à lui ; prisonnier d'un idéal de magnificence, son Observatoire tourne le dos aux impératifs mercantiles. Il n'empêche que son projet se trouve déjà pris dans un ensemble d'oppositions prémonitoires entre structure et mouvement, architecture et circulation.

D'autres oppositions renvoient aux différents projets auxquels Perrault s'est trouvé mêlé. L'Observatoire constitue en particulier une sorte de contrepoint de la colonnade permettant de tester certaines alternatives : colonnes isolées d'un côté, mur nu de l'autre, emploi systématique du fer ou recherches stéréotomiques tendant à s'en passer au contraire. Aux beautés arbitraires de la façade orientale du Louvre répondent les beautés positives de l'Observatoire. L'influence des conceptions anatomiques de l'académicien s'exerce également dans des directions opposées. Dans un cas, l'accent est mis sur la lisibilité de la structure, sur le squelette en quelque sorte, dans l'autre sur la compacité du bâtiment et sur l'effet de texture des parois extérieures assimilables à une peau. Le désir de surpasser les anciens constitue par contre un trait commun aux deux réalisations.

La singularité du bâtiment de Perrault pourrait bien provenir de son échelle intermédiaire entre le pavillon et le palais. Au registre du pavillon se rattache le faible nombre de pièces dont se compose l'édifice ou encore le rythme des percements de ses façades. La taille des pièces et la hauteur démesurée de l'étage noble évoquent par contre l'architecture palatine. Le programme de l'Observatoire est en partie responsable de cette échelle un peu déconcertante. Mais il faut aussi tenir compte de la sensibilité architecturale si particulière de l'académicien, sensibilité dont ses conceptions théoriques portent l'empreinte.

Comme on l'a déjà souligné, Perrault approche les problèmes de dimensionnement d'une manière beaucoup plus abstraite que la plupart des hommes de l'art, ainsi que le révèle son refus des corrections optiques. On serait tenté de parler à ce propos d'une certaine étrangeté du regard de l'académicien, voire même d'une « bizarrerie » expliquant par exemple son idée de division de la cour carrée du Louvre. Dans le cas de l'Observatoire, cette « bizarrerie » aurait bien pu conduire à un chef-d'œuvre superbement indifférent aux précautions dont s'entourent d'ordinaire les architectes. Qu'un bâtiment aussi surprenant ait pu par la suite

*187, 188, 189 (page précédente), 190. L'Observatoire aujourd'hui. Les sculptures ornant le fronton de la façade nord ont disparu. La porte centrale de la façade sud a été élargie en 1801 pour permettre le passage d'un instrument particulièrement encombrant. La tour orientale est coiffée d'une coupole depuis 1845.*

222

faire figure de modèle, comme s'il incarnait une sorte de quintessence de l'architecture classique, renvoie peut-être aux connivences secrètes qui se tissent à toutes les époques entre la règle architecturale et l'exception.

## L'arc de triomphe du faubourg Saint-Antoine

L'arc de triomphe du faubourg Saint-Antoine occupe une place privilégiée parmi les projets de Perrault. L'académicien s'y réfère plusieurs fois dans sa traduction de Vitruve, lui qui se montre d'habitude si discret sur son œuvre architecturale. C'est que l'arc de triomphe réalise, on y reviendra, une synthèse des préoccupations de l'académicien, à mi-chemin entre la colonnade du Louvre et l'Observatoire.

L'idée d'ériger un arc de triomphe à la gloire de Louis XIV avait dû se faire jour depuis longtemps dans l'esprit de Colbert. Mais ce n'est qu'après les conquêtes de Flandre et de Franche-Comté en 1667-1668 que la décision est prise d'ériger un monument permanent sur la place du Trône, située à l'extrémité du faubourg Saint-Antoine, où l'on avait déjà élevé un arc de triomphe provisoire à l'occasion de l'entrée solennelle du Roi et de la Reine à Paris en 1660 [36].

D'après Charles Perrault, Colbert aurait commencé par demander des dessins à Le Brun et Le Vau. Stimulé par le sujet, Charles aurait adressé, toujours selon ses dires, un « griffonnement » au surintendant. Cette esquisse ayant beaucoup plu à son destinataire, Claude s'en serait alors servi comme d'un canevas pour élaborer le projet auquel son nom demeure associé [37]. Sans se prononcer sur l'existence d'un tel « griffonnement », on peut toutefois retenir l'idée d'une collaboration assez étroite entre les deux frères Perrault. Charles aurait bien pu arrêter par exemple le contenu du programme statuaire, tandis que Claude se serait chargé de la partie plus spécifiquement architecturale. Une division des tâches de ce genre est en tout cas compatible avec ce que l'on sait des aptitudes de l'un et de l'autre [38].

Quoi qu'il en soit, Charles Le Brun, Louis Le Vau et Claude Perrault sont bien les principaux protagonistes de la consultation de l'arc de triomphe en 1668-1669, ce qui n'empêche pas d'autres architectes de soumettre des dessins au surintendant, sans grand résultat cependant [39]. A la différence des instructions qui leur avaient été données pour le Louvre, les trois hommes sont mis cette fois en compétition. Il semble néanmoins que, fidèle à ses principes, Colbert ait exigé d'eux une certaine collaboration, comme en témoigne la similitude frappante qui existe entre le projet final de Le Brun et celui de Perrault. Ces projets ont dû être précédés de débats et de choix effectués en commun.

Une rapide comparaison entre Le Brun et Perrault permet de recenser les choix effectués pour l'arc de triomphe. Beaucoup plus allongé que les arcs antiques, celui-ci comprend une arcade centrale et deux arcades latérales plus basses séparées par des colonnes accouplées reposant sur des stylobates. Au-dessus règne un attique surmonté de la statue équestre du Roi.

Ce parti ne s'est imposé que très progressivement, à en juger par les variantes de Le Brun conservées au Cabinet des Dessins du Musée du Louvre que Michael Petzet a étudiées en détail dans son article sur l'arc de triomphe [40]. On ne possède par contre aucun dessin qui soit à coup sûr de Le Vau, et il est ainsi difficile de se faire une idée de son cheminement et de l'état final de ses réflexions, bien que Michael Petzet croie reconnaître son influence dans les variantes de Le Brun, dans son projet d'arc de triomphe comportant deux grands obélisques notamment [41].

Au cours de l'année 1669 les propositions de Perrault finissent par l'emporter sur celles de ses rivaux dans l'esprit de Colbert. Mais pour bien juger de son projet qui doit de toute manière être approuvé par le Roi avant de recevoir un commencement d'exécution, le surintendant décide d'en faire réaliser un « grand modèle », à l'échelle 1. Cette procédure peu courante lui est sans doute dictée par l'ampleur exceptionnelle du monument. Long de 168 pieds, haut de 150 et profond de 48, soit respectivement 56, 50 et 16 mètres, ce dernier surpasse en effet tous les arcs de triomphe laissés par les anciens. On se fera une idée assez exacte de ce que représentent de telles dimensions en songeant que l'arc de triomphe de l'Étoile dessiné par Chalgrin mesure approximativement 45 mètres de long sur 50 de haut.

Commencé au milieu de l'année 1669, non loin de l'emplacement prévu pour le monument définitif, le grand modèle est construit avec un soin tout particulier par l'architecte Gittard, afin qu'il dure plus longtemps que les décors des entrées royales ou des fêtes [42]. Il est pratiquement achevé en avril 1670, et Louis XIV vient aussitôt se rendre compte de l'effet qu'il produit. Favorablement impressionné, comme le rapporte Charles Perrault dans

191. *C. Le Brun, projet d'arc de triomphe pour le faubourg Saint-Antoine, C.D.L. inv. 30303. D'après M. Petzet, il pourrait s'agir d'une composition de Le Vau décorée par les soins de l'atelier de Le Brun.*

192. *C. Le Brun, projet d'arc de triomphe, C.D.L. inv. 30304. Une seconde proposition déjà plus proche du projet défi-nitif.*

193. *C. Le Brun, projet définitif pour l'arc de triomphe du faubourg Saint-Antoine, C.D.L. inv. 3049.*

*194. S. Leclerc, arc de triomphe du faubourg Saint-Antoine du dessin de Cl. Perrault, C.D.L. R.F. 5286.*

*195. « Dessein d'un petit arc de triomphe sans rapport à aucun lieu particulier », C.D.N.S. T.-H. 1195. Beaucoup plus modeste que l'arc de triomphe du faubourg Saint-Antoine, cette composition pourrait bien être de Perrault, à en juger par son allure générale et la forme de l'amortissement qui la surmonte.*

ses *Mémoires*, le Roi émet tout de même quelques réserves sur la largeur des arcades après avoir consulté son entourage [43].

De nombreux débats vont avoir lieu dans les années 1670-1680 sur la question de la largeur à donner aux arcades. La plupart des architectes trouvent en effet celles-ci trop étroites et Claude Perrault doit se résoudre à les élargir, non sans avoir opposé auparavant une longue résistance aux arguments de ses détracteurs [44]. Un compromis est finalement trouvé avec l'Académie d'Architecture en décembre 1678 [45]. Il permet à Sébastien Leclerc de dessiner et de graver le monument d'après les indications de son auteur au début de l'année suivante.

Sous sa forme définitive l'arc de Perrault s'orne de colonnes corinthiennes de proportions semblables à celles de la façade orientale du Louvre. Des rangées de médaillons ovales rappellent également la colonnade. Devant l'attique se détachent des groupes d'esclaves enchaînés à des trophées. Au-dessus s'élève un grand amortissement décoré en son centre d'un médaillon fleurdelisé que soutiennent deux victoires et agrémenté de chutes de feuillages sur ses côtés. Deux lions couchés encadrent le socle de la statue du Roi. Dominant le tout Louis XIV à cheval contemple l'Europe qu'il a su soumettre à ses lois.

La somptuosité de la composition n'est pas exempte d'une certaine lourdeur, cependant. C'est cette lourdeur que ressentent confusément les architectes qui s'inquiètent de l'ouverture insuffisante de l'arc de triomphe. Les dimensions de la statue du Roi posent également un problème épineux. Ne risque-t-elle pas de paraître mesquine juchée au sommet d'une telle masse de pierres et d'ornements ? Pour pallier ce défaut, Perrault lui donne une taille colossale, près de 30 pieds, soit 10 mètres de haut. Au plus fort de sa querelle avec l'académicien, Blondel lui fera observer qu'en agissant ainsi il ne fait que se conformer aux recommandations de Vitruve concernant les corrections optiques [46]. A cela Perrault s'empresse de répondre qu'en accord avec ses conceptions sa statue est bien destinée à paraître colossale et qu'il n'a nullement cherché à corriger ses proportions en fonction de la distance [47]. Son argumentation se révèle toutefois spécieuse et le malaise persiste parmi les hommes de l'art confrontés à un monument qui leur paraît à bien des égards critiquable.

Ce malaise latent explique sans doute la lenteur avec laquelle avancent les travaux confiés à Gittard et commencés en 1670 [48]. Les techniques employées sur le chantier sont toutefois intéres-santes. Dans sa traduction de Vitruve Perrault décrit par exemple la façon dont sont posées à sec et sans mortier les grandes pierres d'assises qui sont tout d'abord taillées avec soin, puis polies en les frottant les unes contre les autres afin d'éviter qu'elles ne se cassent par la suite sous l'effet de l'énorme pesanteur de l'édifice [49]. Des machines spéciales ont été inventées pour mettre en œuvre un procédé pourtant repris des anciens, mais à une échelle inconnue d'eux. Les pierres de l'arc de triomphe ne mesurent-elles pas en effet 10 à 12 pieds de long, 3 à 4 de large et 2 d'épaisseur ? Procédé repris des anciens, machines nouvelles et gigantisme : autant d'éléments qu'affectionne, on le sait, l'académicien.

Il est maintenant possible de comprendre l'intérêt que porte ce dernier à l'arc de triomphe. Somptueusement décoré, paré de toutes les ressources de l'art, et en même temps construit avec un soin qui doit le rendre impérissable, ne réalise-t-il pas plus que tout autre édifice l'alliance entre beautés arbitraires et beautés positives ? Joignant la sveltesse de l'ordre corinthien au fini de la maçonnerie, il prend bien place entre la colonnade du Louvre et l'Observatoire.

Véritable synthèse des préoccupations de Perrault, l'arc de triomphe porte aussi la marque de toutes les ambiguïtés qui caractérisent la démarche de l'académicien. On notera tout d'abord le mélange d'archéologisme et d'innovations qui préside à sa conception. C'est une forme de fidélité à l'exemple antique qui conduit probablement Perrault à rechercher l'effet de masse né de l'étroitesse relative des arcades qui permet de rapprocher les colonnes comme aimaient à le faire les anciens, à la différence des modernes qui préfèrent les ordonnances plus dégagées. Ce n'est pas un hasard si Perrault choisit un point de vue oblique pour représenter l'arc de triomphe au frontispice de sa traduction de Vitruve ; un tel point de vue permet de souligner la beauté de l'alignement des colonnes situées à faible distance les unes des autres. Mais l'accouplement de ces dernières rompt par contre avec les enseignements de l'Antiquité, au même titre que l'amortissement incurvé qui surmonte la composition. Les rapports entre l'arc de triomphe du faubourg Saint-Antoine et ses modèles romains sont ainsi contrastés.

Un autre conflit se joue entre les exigences de circulation auxquelles doit satisfaire un arc de triomphe, qui n'est jamais qu'une porte, et la recherche d'une sorte de densité architecturale

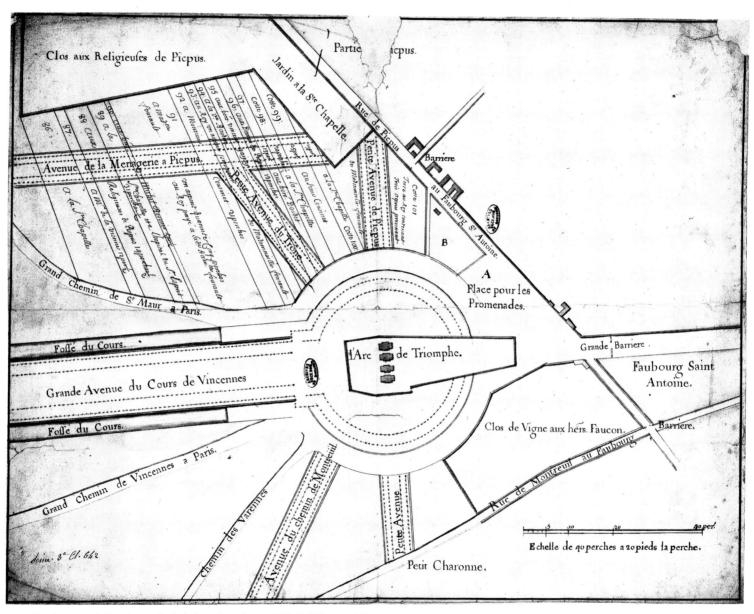

Clos aux Religieuses de Picpus.

Partie ... Picpus.

Jardin a la Ste Chapelle.

Rue de Picpus

Petite Avenue de Picpus

au Faubourg St Antoine.

Barriere

96
97
95 ...
94 ...
93 ...
92 ...
91 ...
90 a la
89 ...
88 ...
87
86

Côté 99.

Côté 98.

Carte 101

Côté 100

B

A
Place pour les
Promenades.

Avenue de la Menagerie a Picpus.

Belle Avenue du Trône.

Grand Chemin de St Maur a Paris.

Fossé du Cours.

Grande Avenue du Cours de Vincennes

Fossé du Cours.

l'Arc de Triomphe.

Grande Barriere

Faubourg Saint
Antoine.

Clos de Vigne aux hers. Faucon.

Barriere.

Rue de Montreuil au Faubourg

Grand Chemin de Vincennes a Paris.

Chemin des Varennes.

Avenue du chemin de Montreuil.

Petite Avenue

Petit Charonne.

Echelle de 40 perches a 20 pieds la perche.

dessin 3e Cl. 642

196. Plan de situation de l'arc de triomphe du faubourg Saint-Antoine, A.N. N III Seine, n° 642.

197. *Cl. Perrault, trad. Vitruve, détail du frontispice. Au frontispice de la traduction de Vitruve, l'arc de triomphe semble plutôt se recommander de l'âpreté et du serrement des colonnes qui faisait la principale beauté des péristyles aux yeux des anciens, que du goût des modernes pour les ordonnances dégagées.*

comparable à celle de l'Observatoire. Assez paradoxalement, c'est l'Observatoire qui se rapproche le plus de la logique des ouvrages d'art, bien qu'il ne comporte pas d'arcade. Au faubourg Saint-Antoine, plongé dans ses rêves antiquisants, Perrault ne parvient pas à concilier véritablement architecture et mobilité de l'environnement. Tout se passe comme si l'opposition entre mur et colonne l'emportait à ses yeux sur la fonction première de l'arc de triomphe.

En dépassant la personne de l'académicien et la forme qu'il donne à son projet, d'autres ambiguïtés sont liées au programme. Quel sens revêt un arc de triomphe en plein XVIIe siècle ? Formulée de la sorte, la question rejoint les grandes interrogations de l'époque concernant l'imitation des anciens. A propos de l'arc de triomphe du faubourg Saint-Antoine se déroule dans les années 1670-1680 la querelle du français et du latin qui oppose François Charpentier à l'abbé de Bourzeis afin de savoir en quelle langue doivent être rédigées les inscriptions du monument, querelle qui sert en quelque sorte de préambule à celle des anciens et des modernes [50]. Aux hésitations des hommes de l'art et aux flottements de Perrault vient ainsi s'ajouter un nouveau sujet d'incertitude.

Les travaux se poursuivent toutefois, mais à un tel rythme que l'arc sort à peine de terre à la mort de Colbert en 1683. Deux ans plus tard, Louvois qui lui succède à la tête des Bâtiments et qui n'apprécie guère Charles et Claude Perrault décide de consulter l'Académie d'Architecture au sujet de l'arc de triomphe dont le chantier est pratiquement arrêté. L'Académie n'affectionne pas non plus l'auteur de l'*Ordonnance des cinq espèces de colonnes selon la méthode des anciens* qui a cherché à la bousculer à plusieurs reprises. Aussi est-elle trop heureuse de prendre sa revanche, une revanche d'autant plus agréable qu'elle lui paraît entièrement justifiée par la maladresse du dessin de Perrault.

L'avis rendu le 20 juillet 1685 est sans appel. Rien ne trouve grâce aux yeux des académiciens. La proportion de l'arcade centrale haute comme deux fois sa largeur qu'ils avaient pourtant approuvée en 1678 leur paraît maintenant défectueuse. Les trois arcades sont de toute manière trop étroites ; il y a trop de colonnes, trop de décrochements, trop de détails « plus propres pour les ornements d'une fête que pour servir dans un ouvrage de cette nature qui, se faisant pour être consacré à l'immortalité, ne veut rien que de grand et de fort [51] ». En résumé : « on peut dire que le modèle de l'arc de triomphe que l'on a projeté de faire à la porte de Saint-Antoine serait très riche et très magnifique, si l'on ne considérait les ouvrages que par leur grandeur et leurs ornements ; mais parce que dans l'architecture la principale beauté consiste uniquement en ce que toutes les parties conviennent à l'usage pour lequel un édifice est fait, on ne peut pas approuver cette richesse et cette magnificence. [52] »

Si cette charge impitoyable est dictée dans une large mesure par l'animosité des architectes à l'égard de Perrault, elle n'en reprend pas moins des reproches adressés de longue date au projet. « Un arc de triomphe n'est autre chose qu'une porte faite exprès, non seulement pour honorer l'entrée des conquérants après de grandes victoires remportées, mais pour servir d'un monument éternel à leurs belles actions [53]. » Entouré de colonnes comme un temple, l'arc du faubourg Saint-Antoine semble refuser ce statut, tandis que sa décoration trop abondante contrevient aux règles implicites d'une architecture mâle et robuste.

Au cours de l'année 1685, les membres de l'Académie d'Architecture, Blondel, Bruant, Bullet et Gittard notamment, élaborèrent des propositions alternatives conçues sur un pied beaucoup plus modeste que le grand arc [54]. Aucune ne sera réalisée néanmoins. Quant à l'arc de triomphe de Perrault dont les travaux avaient déjà coûté la somme considérable de 555 788 livres, entre le grand modèle et les premières assises de pierres posées sans mortier, son sort est assez vite scellé, même si Lister qui visite Paris en 1698 peut encore croire que les travaux sont sur le point de reprendre [55]. Élevé jusqu'à hauteur des piédestaux, l'arc fait figure de curiosité jusque dans les premières années du XVIIIe siècle. Situé à peu de distance, le grand modèle permet de se faire une idée du projet. Finalement, le modèle est détruit en 1716, en même temps que les parties du monument déjà édifiées. Il faudra attendre Napoléon 1er pour que reprenne la construction d'un arc de triomphe géant, à l'autre extrémité de Paris cette fois [56].

## Un projet d'obélisque pour le Pré aux Clercs

Un autre projet de Claude Perrault, conçu pour exalter la grandeur du règne de Louis XIV, aura connu encore moins de succès que son arc de triomphe. Il s'agit d'un dessin d'obélisque élaboré à la fin de l'année 1666 et soumis à l'approbation de Colbert. « Reçu par Monseigneur qui a trouvé ce dessin très beau et me l'a rendu pour le garder le 30 août 1667 », peut-on lire en tête du manuscrit conservé au Département des Manuscrits de la Bibliothèque Nationale [57]. Le Nationalmuseum de Stockholm possède une variante de ce curieux projet [58].

La version parisienne comprend un grand socle massif, à l'exception de la cage d'escalier permettant d'accéder aux niveaux supérieurs, orné sur chacune de ses faces de quatre bas-reliefs représentant quatre actions mémorables du Roi. Sur ce socle repose un globe terrestre affermi par quatre sphinx de marbre noir. Au-dessus s'élève un obélisque retenu par quatre dragons de bronze et surmonté d'une boule de cuivre doré. Dans la version de Stockholm, le socle reçoit un traitement plus architectural, avec un péristyle et des pilastres à l'étage. L'ensemble qui ne mesure pas moins d'une centaine de mètres de haut doit se dresser sur le Pré aux Clercs, non loin du Louvre.

Dans le texte accompagnant le dessin de la Bibliothèque Nationale, Perrault précise ses intentions. « L'inclinaison vraiment royale que S.M. a pour toutes les grandes choses se trouvant tout à fait proportionnée aux puissants moyens qu'il a de les exécuter [59] », pourquoi ne pas construire à l'imitation des anciens ces édifices destinés à la pompe et à l'éclat que constituent les obélisques, les colonnes, les pyramides et les arcs de triomphe ? Laissant pour l'instant de côté les deux dernières catégories de monuments, Perrault hésite entre les obélisques et les colonnes. Il finit par se décider en faveur de l'obélisque, « la colonne ne pouvant être élevée que sur un seul piédestal, au lieu que l'obélisque peut être posé sur d'autres édifices qui donneront occasion à beaucoup d'ornements [60] ».

Un empilement d'édifices donnant occasion à beaucoup d'ornements, telle est bien l'apparence que revêt le projet d'obélisque. En complet contraste avec le caractère ramassé et profondément unitaire de l'Observatoire, il permet d'illustrer une autre facette de la sensibilité architecturale de Claude Perrault qui ne répugne pas aux juxtapositions les plus étranges au nom d'intentions symboliques plus ou moins maîtrisées. L'obélisque pour le Pré aux Clercs fait songer à ce propos aux devises patiemment ciselées par la petite Académie à laquelle appartient Charles Perrault, ou encore à ces portraits, ces bouts-rimés et ces charades qu'affectionnent les milieux précieux. Le collage n'est pas non

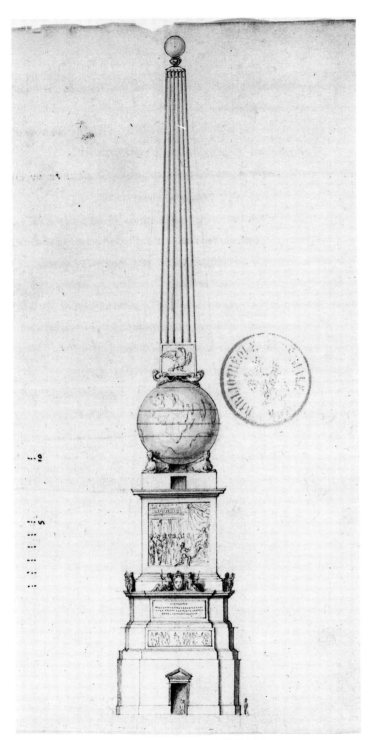

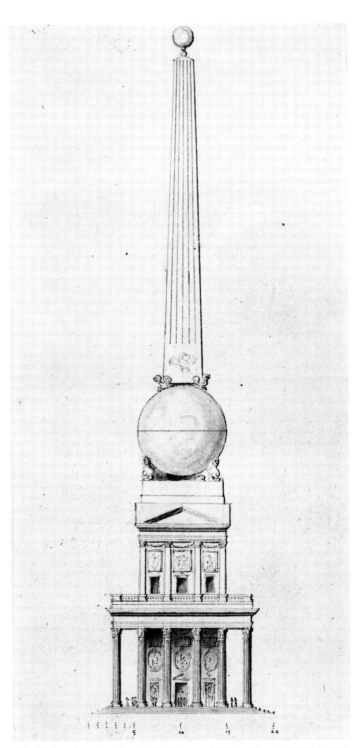

198. *Cl. Perrault, « Dessein d'un obélisque », B.N. MS F 24713.*

199. *Cl. Perrault, variante du projet d'obélisque pour le Pré aux Clercs, C.D.N.S. C. 2824.*

plus étranger aux préoccupations formelles de l'académicien.

« Enfin, si le Roi veut faire un monument digne de sa grandeur, comme il le peut, l'architecte qui l'aura conduit sera le plus célèbre du siècle [61] », déclare également Perrault en commentant son projet d'obélisque. Cette ambition, bien différente de la modestie avec laquelle l'académicien envisage son travail scientifique, pourrait bien expliquer certains aspects de son comportement dans le champ de l'architecture, son désir d'originalité, son goût de la grandeur, mais aussi son obstination et la maladresse dont il fait preuve parfois.

Claude Perrault ne sera jamais l'architecte « le plus célèbre du siècle », mais plutôt un cas unique d'intellectuel suffisamment doué pour participer à l'élaboration du nouveau Louvre et pour se voir confier deux importants projets dont l'un sera réalisé.

Créature de Colbert qui appréciait ses suggestions, il a peut-être donné quelques dessins pour Sceaux, pour la chapelle en parti-culier, même s'il semble difficile de lui attribuer comme on le fait parfois le pavillon de l'Aurore [62]. Toujours généreux envers son frère, Charles Perrault prétend dans ses *Mémoires* qu'il aurait également dessiné la grotte de Thétis, l'allée d'eau et plusieurs vases en marbre et en bronze pour Versailles [63]. L'information doit être accueillie avec la plus extrême prudence. Certes, Claude Perrault participe à un concours d'idées pour Versailles au printemps 1669 aux côtés de Jacques II Gabriel, Thomas Gobert, Antoine Le Pautre et Carlo Vigarani, mais il n'apparaît plus qu'en de rares occasions après cette date dans la correspondance officielle relative au château [64].

Son goût antiquisant l'éloigne de toute manière des recherches formelles de l'architecture de la seconde moitié du règne de Louis XIV. L'inclinaison vraiment royale que S.M. avait pour les grandes choses n'aura pas profité à l'académicien autant qu'il l'espérait.

# LA RECONSTITUTION DU TEMPLE DE JÉRUSALEM ET LA RECONSTRUCTION DE L'ÉGLISE SAINTE-GENEVIÈVE À PARIS

## Le Temple de Jérusalem

La plupart des dessins de Perrault ont été perdus, on le sait, dans l'incendie de la Bibliothèque du Louvre en 1870, ce qui rend d'autant plus précieux les quelques témoignages que l'on possède encore de son activité architecturale. A côté des projets de réunion du Louvre aux Tuileries, de l'Observatoire, de l'arc de triomphe et de l'obélisque pour le Pré aux Clercs, deux autres compositions de Claude Perrault sont parvenues jusqu'à nous. Il s'agit d'une reconstitution du Temple de Jérusalem effectuée à la demande d'un érudit hébraïsant, Louis Compiègne de Veil, pour illustrer sa traduction de la *Mishneh Torah* de Maïmonide et d'un projet de reconstruction de l'église Sainte-Geneviève à Paris [1].

Ces deux projets possèdent un certain nombre de caractéristiques communes. L'un et l'autre appartiennent tout d'abord au domaine de l'architecture religieuse, même si l'époque de leur construction et le type de culte rendu les séparent. Contrairement à l'Observatoire et à l'arc de triomphe, tous deux sont plutôt destinés à approfondir des questions d'histoire et de théorie architecturale qu'à répondre à une commande précise. Comparables sous certains aspects, ils sont en même temps profondément différents et ils permettent de constituer un réseau d'oppositions aussi éclairantes que celles que l'on a pu mettre en évidence à propos du Louvre, de l'Observatoire et de l'arc de triomphe.

Traditionnelles depuis le Moyen Âge, les spéculations sur le Temple de Jérusalem avaient connu un certain renouveau avec la redécouverte de l'architecture gréco-romaine. Quels liens pouvait entretenir cette architecture avec l'art de bâtir des anciens hébreux ? A travers cette interrogation se posait en réa-lité toute la question des rapports entre l'humanisme et les vérités révélées de la foi.

L'histoire des reconstitutions du Temple de Jérusalem à partir de la Renaissance est avant tout marquée par le travail du jésuite espagnol Villalpande publié de 1596 à 1604 en s'appuyant principalement sur la vision d'Ezéchiel. Le Temple de Villalpande se présente comme un énorme édifice d'inspiration résolument vitruvienne. Un premier portique entoure une composition en grille faisant songer à l'Escurial au milieu de laquelle se dresse le sanctuaire proprement dit. L'ensemble ne comprend pas moins de 9 cours ; il s'orne de 1 500 colonnes appartenant à un ordre dessiné pour l'occasion et qui constitue un étrange compromis entre le dorique et le corinthien [2].

Persuadé de l'origine divine des règles architecturales que les grecs et les romains auraient reçues des hébreux, le jésuite espagnol exerce une certaine influence sur les théoriciens de l'âge classique, même si la plupart d'entre eux sont loin de partager son enthousiasme. Fréart de Chambray fait par exemple figurer l'ordre de Villalpande dans son *Parallèle de l'architecture antique avec la moderne,* tout en restant assez vague sur ses possibilités d'utilisation dans les édifices de son temps [3].

L'accueil est encore plus mitigé chez les théologiens et les érudits qui s'interrogent sur la valeur historique de la reconstitution de Villalpande. Peut-on se fier à la vision du Temple d'Ezéchiel qui se présente plutôt comme une suite ordonnée de symboles que comme la description d'un édifice réel ? Le Temple de Salomon devait être en réalité beaucoup plus modeste que l'ambitieuse composition du jésuite espagnol. Son architecture devait être également très différente de celle des grecs et des romains postérieure de plusieurs siècles [4].

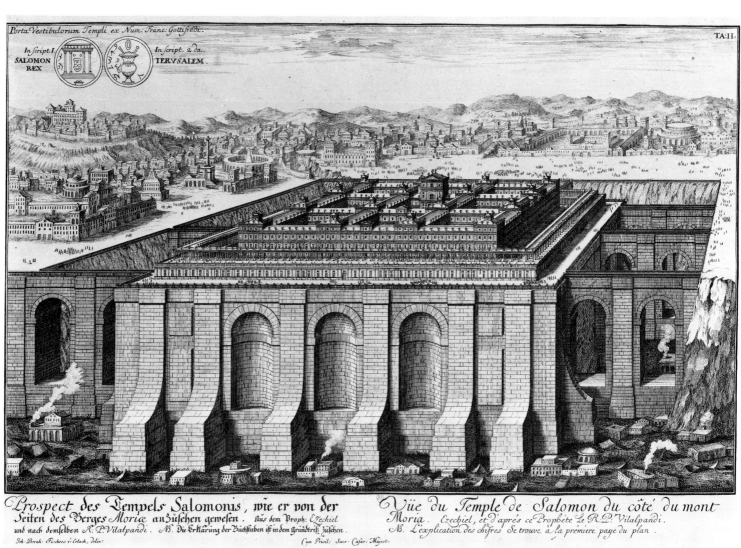

200. *J.-B. Villalpande, reconstitution du Temple de Jérusalem, d'après J.-B. Fischer von Erlach,* Entwurff einer historischen Architectur *(1721).*

201. *R. Fréart de Chambray,* Parallèle de l'architecture antique avec la moderne *(1650), ordre du Temple de Jérusalem de Villalpande. « Voici une espèce d'ordre particulière, mais d'une excellente composition », déclare Fréart de Chambray qui réserve ce curieux mélange de corinthien et de dorique, de sveltesse virginale et de virilité, « à ces généreuses vierges, qui dès leur jeunesse soutinrent la cruauté des tyrans pour la défense du christianisme ».*

Ces arguments ont tout pour entraîner l'adhésion d'un moderne comme Claude Perrault qui prend toujours soin de distinguer les résultats auxquels parvient la raison des vérités éternelles de la foi. Dans son traité *De l'origine des fontaines* son frère Pierre résume assez bien cette attitude, lorsqu'il déclare que « l'Écriture Sainte n'a pas été donnée aux hommes pour leur enseigner la physique ou l'astronomie [5] ». Si les sciences ne sont pas du ressort de l'Écriture, il est encore moins vraisemblable qu'elle puisse leur apprendre les règles de la bonne architecture comme le pensait Villalpande. Proche des milieux jansénistes, l'académicien adhère en outre à leur idéal de rigueur dans l'interprétation des textes sacrés qui les conduit à prendre leurs distances par rapport au goût du merveilleux auquel avaient sacrifié tant de commentateurs. Dépassant le cadre janséniste, cet idéal participe d'une tendance générale de l'époque qu'incarne parfaitement l'*Histoire critique du Vieux Testament* de l'oratorien Richard Simon parue en 1678, dans laquelle on peut trouver une analyse serrée du texte biblique qui en démystifie de nombreux aspects [6]. C'est à une démystification du même ordre que va se livrer Perrault à propos de l'architecture du Temple de Jérusalem.

L'occasion lui en est offerte par la traduction latine de cette vaste synthèse de la législation, de la morale et de la théologie juives que constitue la *Mishneh Torah* de Maïmonide. Le traducteur Louis Compiègne de Veil a eu en effet l'idée de demander à l'académicien de procéder à une reconstitution du Temple fondée principalement sur les indications contenues dans le texte du philosophe juif. Publié en 1678 comme l'*Histoire critique* de Simon, l'ouvrage comprend trois planches gravées d'après les dessins de Perrault.

Le résultat est très différent de Villalpande. Au lieu de couvrir toute l'esplanade du Temple de constructions permettant de décliner l'ensemble du vocabulaire architectural classique, l'académicien imagine un édifice relativement modeste, n'occupant guère qu'un dixième de la superficie disponible, décentré qui plus est par rapport à son enceinte extérieure, conformément au texte de Maïmonide.

Comme le fait remarquer Wolfgang Herrmann dans l'article très complet qu'il a consacré à cette reconstitution, le plan de Perrault est assez proche de ceux qu'avaient donnés les érudits hébraïsants Constantin L'Empereur en 1630, John Lightfoot en 1650 et surtout Louis Cappel en 1657. Une telle convergence n'a

202. *L. Compiègne de Veil, trad. Maïmonide (1678), façade principale et élévation latérale du Temple d'après Cl. Perrault. Le sanctuaire entouré des chambres des prêtres.*

203. *L. Compiègne de Veil, trad. Maïmonide, plan du Temple de Jérusalem d'après Cl. Perrault.*

204. *L. Compiègne de Veil, trad. Maïmonide, table des pains d'oblation et autel des holocaustes du Temple d'après Cl. Perrault. La reconstitution de Perrault prend en compte tous les aspects rituels.*

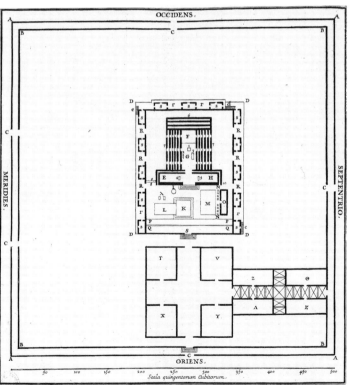

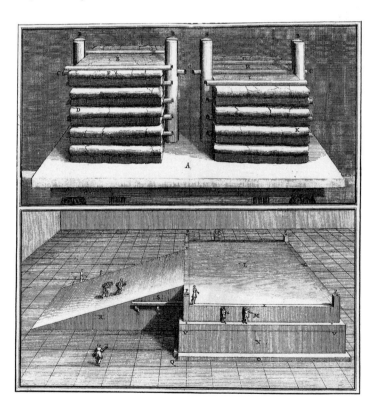

rien de fortuit ; elle s'explique par la priorité accordée à la tradition juive sur les images somptueuses et les indications souvent obscures de la vision d'Ezéchiel [7].

Le trait le plus remarquable de la reconstitution de Perrault demeure l'extrême dépouillement de son Temple, avec sa façade orientale carrée dépourvue de tout ornement, qui paraît remonter aux premiers âges de l'architecture, juste après l'invention de la maçonnerie et la découverte des effets plastiques de la régularité. C'est bien de ces premiers âges et des beautés positives de l'appareil et de la symétrie la plus élémentaire que nous parle l'académicien. Cela n'empêche pas sa façade de posséder une réelle grandeur, comparable à celle dont se pare l'Observatoire dont elle semble pousser le principe de muralité à l'extrême. Plus sophistiquée, l'élévation latérale du Temple se rapproche par contre du profil des églises du XVIIᵉ siècle. Ses grandes baies séparées par des contreforts semblent appartenir à une époque beaucoup plus récente où le goût se serait affiné. A l'image des ambiguïtés du parti des modernes face à la question de l'histoire et du progrès, le Temple de Jérusalem reconstitué par Perrault semble procéder d'une sorte de court-circuit entre les origines et l'état présent de l'architecture.

Cet aspect ne retiendra guère toutefois les quelques spécialistes qui se pencheront sur la version du Temple donnée par l'académicien au début du XVIIIᵉ siècle. Dans son grand ouvrage de 1720 : *De tabernaculo foederis, de sancta civitate Jerusalem, et de Templo ejus*, le père Bernard Lamy sera surtout sensible à la modestie de l'édifice imaginé par Perrault, modestie imputable selon lui à une documentation principalement fondé sur des sources juives enclines à négliger les aspects architecturaux [8]. Si Villalpande s'était montré trop ambitieux dans sa reconstruction du Temple de Jérusalem, si l'architecture gréco-romaine dont il avait fait usage était en outre déplacée dans une construction infiniment plus ancienne que les monuments décrits par Vitruve, le Temple de Perrault paraît bien trop pauvre pour abriter la majesté divine.

## Le projet pour l'église Sainte-Geneviève

La magnificence qui fait défaut au Temple des hébreux caractérise par contre le projet de reconstruction de l'église abbatiale Sainte-Geneviève, située non loin du dernier domicile parisien de Charles et Claude Perrault. Aux anciens une simplicité en rapport avec les moyens dont ils pouvaient disposer, aux modernes toutes les ressources de l'art.

Cette magnificence demeure néanmoins mesurée. Elle réside dans un portail orné d'un péristyle, dans une longue nef et dans un dôme où l'on devrait représenter en peinture la procession de Sainte-Geneviève et son couronnement dans le ciel. Accompagné d'un mémoire de présentation de Charles Perrault daté de 1697, le projet a très probablement été extrait des papiers de Claude après sa mort pour être offert aux moines de l'abbaye Sainte-Geneviève [9].

Charles Perrault insiste dans son mémoire sur le portail qui peut être réalisé indépendamment du reste de la composition et dont le faible coût peut s'accommoder des restrictions du temps de guerre [10]. Mais « comme il pourrait arriver qu'après avoir bâti le portail l'envie pourrait prendre de bâtir une église qui eût quelque rapport et quelque proportion avec son portail [11] », Charles présente également, plus brièvement il est vrai, la nef conçue par son frère.

Le portail destiné à l'église Sainte-Geneviève possède un piédestal formé de six colonnes corinthiennes qui soutiennent une terrasse. La façade située en retrait de ce péristyle est scandée par des pilastres. Elle s'orne au rez-de-chaussée de médaillons rappelant l'arc de triomphe, tandis que deux niches garnies de statues encadrent une grande fenêtre à l'étage. Conçue comme une succession de plans définis sans ambiguïté et qui s'ordonnent avec une rigueur toute analytique, la composition s'écarte des modèles du baroque italien, préférant s'inspirer de l'exemple antique dont elle transpose assez librement les leçons pour déboucher sur une expression d'un classicisme épuré qui ne manque pas de séduction. Un dessin conservé au Nationalmuseum de Stockholm présente une façade d'église assez comparable à celle-ci, et il n'est pas interdit d'y voir un autre projet de Perrault à la suite de Ragnar Josephson et Michael Petzet [12].

Bien que le portail conçu par l'académicien soit déjà intéressant, la nef de l'église Sainte-Geneviève constitue l'élément le plus novateur de ses propositions. Surmontée d'une voûte en berceau, la travée centrale est séparée des bas-côtés couverts d'une voûte plate à caissons par des rangées de colonnes isolées supportant un entablement. Au-dessus de cet entablement on trouve succes-

205. *Cl. Perrault, portail pour l'église Sainte-Gene-viève,* in *Nouvelle église de S. Geneviève, B.S.G. Res. W 376.*

206. *Portail d'église, C.D.N.S. T.-H. 6594. Une composition attribuée à Cl. Perrault par R. Josephson et M. Petzet.*

*207, 208. Cl. Perrault, vue perspective de la nef de la nouvelle église Sainte-Geneviève sans et avec jubé, B.S.G. Res. W 376.*

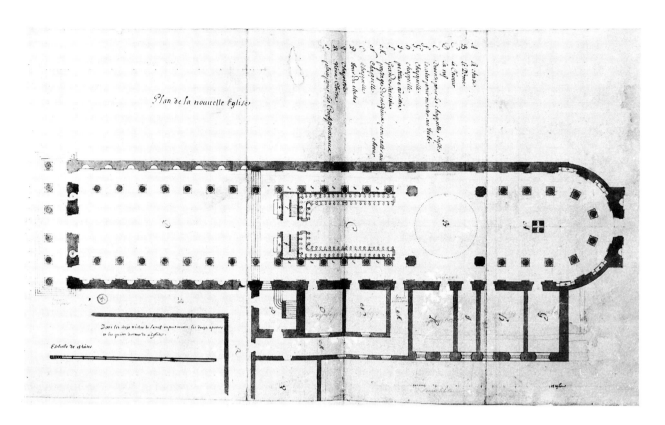

sivement un étage attique puis des fenêtres hautes. L'ensemble évoque à la fois la basilique de Fano et la salle égyptienne de Vitruve. Mais la référence antique ne prend véritablement effet qu'au travers du modèle que constitue la colonnade du Louvre. Comme l'explique Charles Perrault, c'est parce qu'il a été possible de construire des plafonds de douze pieds au Louvre que les plafonds de huit pieds prévus pour reposer sur les colonnes de Sainte-Geneviève présentent des garanties de solidité suffisantes. Dans son mémoire, Charles détaille ensuite les armatures métalliques nécessaires à la réalisation du projet, armatures s'inspirant également de celles de la façade orientale du Louvre [13].

Avec ses colonnes isolées qui viennent se substituer aux lourds piliers quadrangulaires employés d'ordinaire dans la construction des églises, ce projet se rattache à l'un des courants essentiels de la réflexion architecturale des Lumières, que jalonnent les écrits de Frémin, Cordemoy, Laugier, Leroy ou Avril, les réalisations de Boffrand, Contant d'Ivry et bien sûr Soufflot.

Cette réflexion se caractérise par une attaque en règle contre la structure massive et peu lisible des églises modernes qui contraste avec la légèreté des constructions gothiques. Dans ses *Mémoires critiques d'architecture* publiés en 1702, Michel de Frémin loue déjà les églises médiévales pour leurs qualités spatiales et constructives bien différentes de la lourdeur des lieux de culte construits par la suite [14]. L'argumentation se précise avec

les deux éditions de 1706 et 1714 du *Nouveau traité de toute l'architecture* de Jean-Louis de Cordemoy dans lequel apparaît explicitement le thème d'une réconciliation souhaitable entre l'élégance de l'architecture gréco-romaine et la beauté de la structure gothique, thème qui conduit à mettre l'accent sur le dispositif de la colonne isolée supportant un entablement. Il n'est guère étonnant dans ces conditions de voir ressurgir la colonnade du Louvre comme le prototype de la bonne architecture. « On ne peut douter que je ne sois un peu pour les colonnes » déclare Cordemoy qui ajoute aussitôt qu'il regarderait « une église dans le goût du portique de l'entrée du Louvre (...) comme la plus belle chose du monde [15] ». Publié en 1753, l'*Essai sur l'architecture* de Marc-Antoine Laugier poursuit dans la même voie en donnant la description de l'église idéale dans laquelle ne règnent plus que des colonnes et des linteaux à la place des piliers et des arcades d'antan [16]. Dans son *Histoire de la disposition et des formes différentes que les chrétiens ont données à leurs temples, depuis le règne de Constantin le Grand jusqu'à nous* David Leroy défend également les églises à colonnes en se référant au péristyle du Louvre comme Cordemoy. Dans les *Temples anciens et modernes* de Louis Avril, on peut lire enfin qu'« en matière d'édifices publics, il n'y a de vraie, de belle architecture que celle où il y a des colonnes, où les colonnes portent l'entablement, où l'entablement sert à porter les voûtes et les plafonds [17] ».

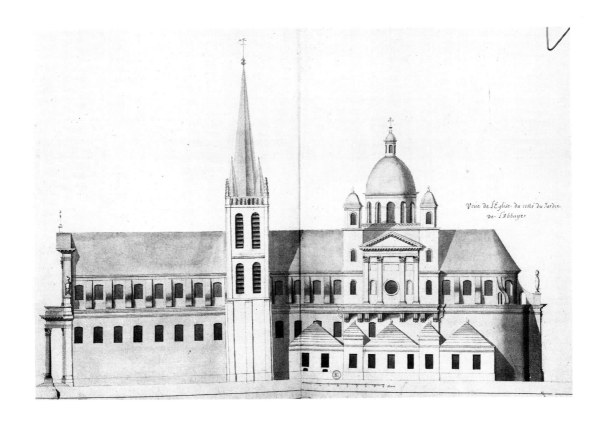

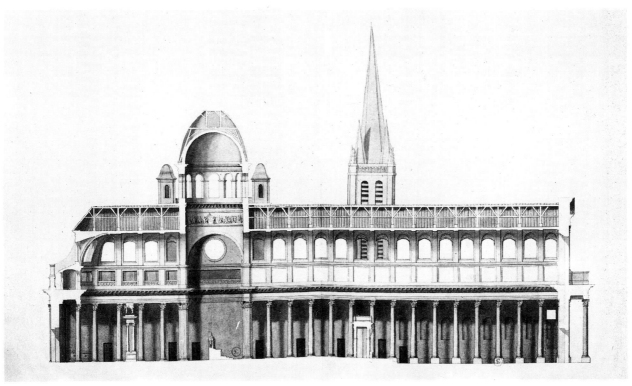

*209, 210, 211. Cl. Perrault, plan, coupe longitudinale et élévation latérale de la nouvelle église Sainte-Geneviève, B.S.G. Res. W 376.*

212, 213. *Cl. Perrault, trad. Vitruve, basilique de Fano et salle égyptienne. Colonnes isolées supportant une voûte en berceau, éclairage en hauteur et voûtes plates à caissons : tous ces éléments utilisés dans le projet d'église Sainte-Geneviève sont déjà présents dans les gravures de la traduction de Vitruve.*

*214. G. Boffrand, chapelle de Lunéville, vers 1720. L'un des premiers exemples d'église à colonnes isolées du XVIIIᵉ siècle.*

*215. P. Contant d'Ivry, église Saint-Vaast d'Arras, vers 1755.*

216, 217. *J.-G. Soufflot, Vues intérieures de l'église Sainte-Geneviève. « Le principal objet de M. Soufflot en bâtissant son église a été de réunir sous une des plus belles formes la légèreté de la construction des édifices gothiques avec la pureté et la magnificence de l'architecture grecque ».*

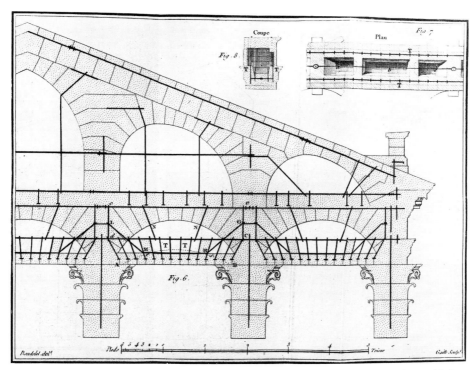

Au plan des réalisations, la chapelle de Versailles construite à partir de 1698 par Jules Hardouin-Mansart et Robert de Cotte et la chapelle de Lunéville édifiée vers 1720 par Germain Boffrand comptent parmi les premiers exemples d'églises à colonnes isolées conformes aux vœux des théoriciens. Les projets de grande ampleur comme l'église Saint-Vaast d'Arras construite vers 1755 par Pierre Contant d'Ivry viennent ensuite [18]. L'édifice le plus célèbre de la série demeure sans conteste l'église Sainte-Geneviève de Soufflot, l'actuel Panthéon, dont les premiers projets datent de 1755 et qui ne sera achevée après bien des modifications qu'au début du XIXᵉ siècle. Comme le rappelle Brébion : « le principal objet de M. Soufflot en bâtissant son église a été de réunir sous une des plus belles formes la légèreté de la construction des édifices gothiques avec la pureté et la magnificence de l'architecture grecque [19]. » Est-ce un hasard si Soufflot restaure la façade orientale du Louvre, dont le traducteur de Vitruve avait souligné autrefois l'ascendance à la fois gréco-romaine et gothique, au moment où il donne les dessins de la nouvelle église Sainte-Geneviève ? Sans se montrer catégorique sur ce point, il est permis d'y voir en tout cas le symbole d'une évolution de l'architecture française dont participe le projet d'église de Perrault.

Ce projet intervient au tout début de cette évolution qui mène ainsi d'une église Sainte-Geneviève à une autre. La nef imaginée par l'académicien tire clairement les leçons de la colonnade du Louvre. Ces leçons sont de plusieurs ordres. La colonnade indique tout d'abord les moyens de parvenir à une lisibilité parfaite de l'espace qui incite le spectateur à le parcourir, grâce à l'opposition entre mur et colonne ainsi qu'à l'articulation entre colonne et linteau, toutes deux reprises des anciens. Cette recherche de la lisibilité conduit ensuite à mettre l'accent sur les questions structurelles, quitte à devoir affronter les graves distorsions qui se font nécessairement jour entre apparence et réalisation.

L'usage d'armatures en fer rend possible en réalité une approche des problèmes constructifs fondée sur une perception plus dynamique de la circulation et du report des efforts, une perception seule capable de contrebalancer efficacement la gêne née du décalage entre le modèle idéal et les techniques de mise en œuvre. La notion moderne de structure qui émerge progressivement au cours du XVIIIᵉ siècle n'est-elle pas précisément liée à la possibilité de canaliser les forces qui parcourent la matière autrement que sous la forme élémentaire de la descente de charge verticale [20] ? On aimerait s'imaginer à ce propos que l'intérêt porté par l'académicien à la notion de circulation, de la physiologie animale et humaine à la physique, a pu le mettre sur la voie de cette nouvelle manière d'envisager la structure des édifices. Certes, son dessin pour l'église Sainte-Geneviève est encore techniquement très rudimentaire à côté de l'appareil complexe des tirants, des contreforts et des arcs-boutants utilisés pour construire l'église de Soufflot, mais une même intuition de la circulation des forces permet peut-être de rassembler les deux projets sous une même rubrique.

On pourrait s'interroger à présent sur l'influence qu'a pu exercer Perrault sur la conception de la chapelle de Versailles. En s'appuyant sur les ressemblances morphologiques qui peuvent exister entre l'élévation latérale du Temple de Jérusalem, le projet de Sainte-Geneviève et l'édifice conçu par Jules Hardouin-Mansart et Robert de Cotte à partir de 1688, Wolfgang Herrmann et Michael Petzet ont supposé l'un et l'autre que cette influence avait été déterminante [21]. Faute d'évidences tangibles, il est malheureusement impossible de se prononcer avec certitude. La faible part prise semble-t-il par l'académicien aux travaux de Versailles incite néanmoins à la prudence.

Entre les deux projets d'architecture religieuse de Perrault comme entre la colonnade du Louvre, l'Observatoire et l'arc de triomphe peut s'établir tout un système de différences significatives. A la simplicité de l'édifice des anciens hébreux répond par exemple la magnificence contrôlée de l'église Sainte-Geneviève ; au thème de la muralité s'oppose celui de la colonne et du linteau. Tout se passe en réalité comme si Perrault explorait assez systématiquement les potentialités d'un certain nombre d'alternatives architecturales.

On a déjà rencontré la plupart de ces alternatives : mur ou colonnes, colonnes serrées à la manière des anciens ou espacées comme le veulent les modernes héritiers de la tradition gothique. Tantôt l'académicien recherche un parti compact comme à l'Observatoire, tantôt on le voit recourir à des procédures d'association qui tiennent du collage à l'instar de son obélisque pour le Pré aux Clercs. A travers ces oppositions en apparence irréconciliables se dessine en filigrane plus qu'un style : un tempérament, une sensibilité que l'on devine complexe et divisée. A l'image du paradoxe qu'il y a à se réclamer avec obstination des anciens lorsqu'on appartient au parti des modernes, Perrault hésite entre l'austérité et la richesse, entre ses rêves de grandeur s'inspirant de l'Antiquité et le goût précieux de son temps. L'impression de correction un peu froide que l'on retire des illustrations de son Vitruve se voit fréquemment contredite par des idées un peu étranges, par un souci de l'expérimentation formelle et constructive qui l'entraîne parfois assez loin. L'académicien est bien de son époque en réalité, de ce siècle de Louis où le mythe de la plénitude dissimule à grand peine l'existence de changements profonds dont certains laissent déjà présager les Lumières.

En s'appuyant principalement sur la colonnade du Louvre, l'Observatoire et l'arc de triomphe, les architectes du XVIIIᵉ siècle vont s'empresser de faire du « Vitruve français » l'un des représentants éminents de la tradition classique, en neutralisant au passage certaines des questions qu'il s'était posé et qui pouvaient encore les concerner. A ce personnage quelque peu compassé, qu'il nous soit permis de préférer l'intellectuel animé d'impulsions contradictoires, « toujours riche et brillant dans ses élévations, subtil et chimérique dans ses plans », comme le caractérisait Louis Vitet après avoir consulté ses deux recueils de dessins.

# CLAUDE PERRAULT ET LA POSTÉRITÉ

## Une renommée scientifique honorable

« Celui dont je vais parler était tellement né pour les sciences, et particulièrement pour les beaux-arts, qu'il n'y en avait presque point qu'il ne possédât à un degré qui étonnait ceux qui en faisaient une profession particulière ; sans néanmoins avoir jamais eu de maîtres qui les lui eussent appris [1]. » C'est en ces termes que débute l'éloge de Claude Perrault par son frère Charles dans *Les hommes illustres qui ont paru en France pendant ce siècle*. Dans *Les hommes illustres*, Claude figure aux côtés de Descartes, Gassendi ou François Mansart, parmi ceux qui ont le plus contribué au progrès des sciences et des arts. Par-delà l'image exagérément flatteuse que veut transmettre Charles Perrault en réponse aux attaques portées par Boileau, que va retenir la postérité des multiples talents, des contributions de l'académicien à l'anatomie, à la physiologie et à l'architecture ?

Compte tenu de la diversité d'une œuvre où se retrouvent de nombreux thèmes issus de la pensée scientifique, technique et artistique du Grand Siècle, la réponse n'est pas simple, on s'en doute. Afin de tenter d'y voir un peu plus clair, il faut peut-être commencer par distinguer l'influence qu'a pu exercer le travail scientifique de Claude Perrault sur les savants venus après lui de l'impact de ses conceptions théoriques et de ses projets sur la culture architecturale des Lumières.

Aux yeux de la communauté scientifique, les recherches anatomiques auxquelles le nom de Perrault demeure associé constituent sa réussite la plus indiscutable. L'*Encyclopédie* renvoie presque systématiquement aux *Mémoires pour servir à l'histoire naturelle des animaux*, ce qui montre bien le prestige que conserve l'ouvrage, même si l'anatomie comparée ne connaît plus la même vogue

qu'à l'époque de la création de l'Académie des Sciences, comme en témoigne la désinvolture avec laquelle le chevalier de Jaucourt parle de la « zootomie ». Il faudra attendre Cuvier pour que les méthodes d'analyse et les résultats des académiciens de la fin du XVIIe siècle soient vraiment dépassés. Les travaux de ce dernier permettront à l'auteur de son éloge historique prononcé devant l'Institut en 1834 de déclarer que « l'histoire de l'anatomie comparée compte trois époques nettement marquées : l'époque d'Aristote, celle de Claude Perrault, et celle de Cuvier », en ajoutant peu après que « c'est en effet des *Mémoires* de Claude Perrault sur l'anatomie des animaux que date la véritable renaissance de l'anatomie comparée [2] ».

Il est plus délicat d'évaluer la réception des idées physiologiques de Perrault par le XVIIIe siècle. Certes, la qualité de son travail sur la physiologie de l'oreille ou sur le fonctionnement des muscles de l'œil n'est contestée par personne. Ses *Essais de physique* sont d'ailleurs republiés en 1721 par l'éditeur hollandais van der Aa, preuve s'il en était besoin de l'actualité qu'ils conservent encore dans certains domaines. Il n'empêche que l'on sait peu de chose concernant l'influence réelle de la philosophie du vivant développée par l'académicien sur la réflexion des Lumières.

L'animisme de Perrault annonce celui du médecin allemand Georg-Ernst Stahl, sans que ce dernier reconnaisse une quelconque dette à l'égard de l'auteur des *Essais de physique* [3]. Bien avant la *Theoria medica vera* de Stahl, les *Essais* voient par exemple l'une des causes de la maladie dans l'inattention de l'âme qui néglige ses tâches d'entretien du corps au profit d'autres préoccupations [4]. Sur ces indices et bien d'autres semblables, Haller verra en Perrault le véritable auteur de la doctrine animiste de Stahl [5]. Il n'est pas certain que l'académicien soit pour autant l'inspirateur direct du médecin allemand. Leur remarquable convergence de vues pourrait bien n'être qu'une conséquence de la façon dont ils envisagent tous deux les limites de l'approche mécaniste du vivant.

Une difficulté assez comparable se présente à propos de l'étude des sensations internes. Cette étude s'esquisse chez Perrault par l'intermédiaire de sa conception de la sensation comme prise en compte par l'âme de la séparation des particules en un point quelconque du corps, conception qui lui permet de rapporter à une même cause la diversité des manifestations sensibles. Intimement liée à ses convictions animistes, la distinction entre pensées expresses et pensées confuses le conduit à évoquer par la suite une « connaissance naturelle » du corps qui se fait sans réflexion et dont le contenu est bien proche de la notion moderne de cénesthésie. En dépit de ses limitations et de ses erreurs, la physiologie de Perrault préfigure de la sorte certaines réflexions de Bordeu ainsi que les travaux de Reil en Allemagne et de Cabanis en France. Dans son « Histoire physiologique des sensations » publiée dans les *Rapports du physique et du moral de l'homme*, Cabanis ne mentionne nullement Perrault cependant, si bien que l'on peut douter qu'il ait pris connaissance des *Essais de physique* ou du moins que l'ouvrage l'ait marqué [6].

L'accent mis par l'académicien sur le phénomène de l'accoutumance frappe par contre plus durablement les esprits, comme peuvent encore en témoigner après la Révolution Maine de Biran et surtout Ravaisson. Maine de Biran évoque à plusieurs reprises « l'exemple que Perrault rapporte d'un tronc de vipère qui, après l'amputation de la tête, rampait encore droit vers le trou d'un mur assez éloigné où ce reptile avait coutume de se retirer [7] », tandis que Ravaisson cite l'auteur des *Essais de physique*, bien que ce soit pour le critiquer, dans son mémoire *De l'habitude* paru pour la première fois en 1838 [8].

En dépit de ces quelques allusions, l'influence des *Essais de physique* sur la conception du vivant au XVIIIᵉ siècle et jusque dans la première moitié du XIXᵉ siècle semble avoir été assez superficielle. La pensée de l'académicien n'en présente pas moins d'indéniables affinités avec le vitalisme des Lumières, sans qu'il soit possible de mettre en évidence une filiation directe qui mènerait par exemple de Perrault à Stahl ou de Perrault à Bordeu et Cabanis. Dans une histoire des sciences s'attachant à la transmission effective des concepts, la physiologie de Claude Perrault ne consti-

tue peut-être pas une étape essentielle de l'évolution de la connaissance du vivant. Si l'on s'intéresse par contre à ce contexte plus général, plus diffus également, qui rend possible la marche des idées en préparant à chaque stade de leur évolution l'étape ultérieure, les *Essais de physique* revêtent un caractère véritablement prémonitoire ; ils constituent un témoignage tout à fait digne d'intérêt.

On serait tenté de porter le même type de regard sur la physique de Claude Perrault qui révèle assez bien l'ampleur des problèmes rencontrés par la philosophie corpusculaire à la fin du XVIIᵉ siècle. Les machines de l'académicien participent également des interrogations d'une époque de transition qui cherche à résoudre par exemple le problème du frottement ou à construire des ponts en bois d'une seule arche sans pile intermédiaire afin d'abaisser les coûts des infrastructures de transport. En retrait de l'image de génie universel que Charles Perrault aurait souhaité que l'on gardât de son frère, se fait jour une figure de savant un peu plus modeste, mais dont les conceptions sont à la fois originales et représentatives de leur époque.

Aux yeux des savants du XVIIIᵉ siècle, Claude Perrault jouit en définitive d'une réputation scientifique tout à fait honorable, comme responsable de l'histoire naturelle des animaux tout d'abord, mais aussi comme auteur d'hypothèses ingénieuses sur le vivant, même si Condorcet déplore dans ses éloges des académiciens qu'« une teinte de cet esprit systématique qu'on confondait alors avec l'esprit philosophique [9] » dépare les *Essais de physique*. Pour qui s'intéresse aujourd'hui à l'histoire des idées, cet « esprit systématique », par les nombreuses questions qu'il permet de soulever, n'est pas l'aspect le moins stimulant de l'œuvre scientifique de Claude Perrault.


## Le « Vitruve Français » et l'homme de goût

Le nom de Claude Perrault est beaucoup plus connu chez les architectes du XVIIIᵉ siècle que parmi les savants. L'académicien n'est-il pas le traducteur du *De architectura*, le « Vitruve français » dont l'érudition provoque encore l'admiration des hommes de l'art. A cela s'ajoute la colonnade du Louvre qu'on lui attribue généralement, l'Observatoire et l'arc de triomphe, trois projets qui font partie du corpus de références de tout traité d'architecture digne de ce nom.

On mesure mieux le prestige de l'académicien lorsque l'on voit Soufflot proposer par exemple à Marigny d'orner son salon des bustes de Vitruve et de Perrault placés en regard l'un de l'autre. La réaction de Marigny qui craint que ces bustes ne sentent un peu leur pédant est non moins significative [10]. Le nom de Perrault évoque un registre de réflexions sérieuses qui risque de paraître déplacé parmi les grâces enjouées d'un salon.

Dans son *Cours d'architecture* publié de 1771 à 1777, Jacques-François Blondel porte un regard du même type sur l'académicien. Même s'il reconnaît à l'Observatoire un certain « caractère d'originalité [11] » qui l'éloigne des édifices ordinaires, Blondel voit dans Perrault l'un des rares artistes ayant excellé dans la réunion des règles au bon goût de l'architecture, comme le démontre la façade du péristyle du Louvre, « ouvrage savant dans la construction, admirable dans l'ordonnance, et sublime dans la distribution des ornements [12] ».

Représentant par excellence de la grande manière classique, l'académicien avait tout de même professé des vues pour le moins dérangeantes sur la double nature du beau et sur le caractère arbitraire des proportions, ce qui ne l'avait pas empêché d'élaborer sa propre version des cinq ordres d'architecture. Sur ce volet pourtant essentiel de son activité, les architectes des Lumières se montrent d'une discrétion qui traduit pour une part leur gêne devant une pensée dont les motivations profondes leur échappent.

## L'influence des conceptions théoriques de Perrault sur le débat architectural des Lumières

Les prises de position théoriques de Claude Perrault, l'affirmation du caractère arbitraire des proportions en particulier, sont interprétées par de nombreux auteurs du XVIIIᵉ siècle comme une volonté d'avoir à tout prix raison, quitte à proférer des contre-vérités. Telle est par exemple l'opinion de l'abbé Laugier qui écrit dans son *Essai sur l'architecture* que Perrault n'a combattu la nécessité des proportions que par esprit de contradiction : « il sentait toute l'absurdité de son paradoxe qu'il n'a soutenu que par pur entêtement [13]. » Soufflot est du même avis dans son *Mémoire sur les proportions de l'architecture*, lu le 9 décembre 1739 devant l'Académie des Beaux-Arts de Lyon, où il attribue l'entêtement du traducteur de Vitruve à ce travers des savants consistant à « ne vouloir point se rétracter de ce qu'ils ont une fois avancé bien qu'intérieurement ils sentent leur tort et agissent conséquemment aux principes contre lesquels ils déclament ».« Pour moi j'ai toujours déféré au sentiment de M. Blondel plus qu'à ceux de M. Perrault, au moins pour les proportions générales et même pour quelques-unes des particulières [14] », ajoute-t-il peu après.

A l'exception de Briseux qui consacre un volume entier de son *Traité du beau essentiel dans les arts* à la réfutation détaillée, encore qu'assez confuse, de l'argumentation développée dans la préface de l'*Ordonnance des cinq espèces de colonnes selon la méthode des anciens* [15], les théoriciens se contentent d'expédier généralement en quelques lignes les thèses de Perrault qu'ils jugent outrancières. Les proportions données dans l'*Ordonnance* ne connaissent pas non plus une grande faveur. En dépit de l'admiration qu'il voue à l'auteur de la colonnade du Louvre et de l'Observatoire, Jacques-François Blondel lui-même ne les mentionne qu'en passant dans son *Cours*. Vignole demeure la grande référence en matière de proportions. Reconnue officiellement par l'Académie d'Architecture, « la liberté d'augmenter ou de diminuer les dimensions des parties, suivant les besoins que plusieurs occurrences peuvent faire naître », dans des limites raisonnables bien sûr, rend par ailleurs difficilement compréhensible pour la majorité des hommes de l'art le dessein normatif qui s'exprime dans l'*Ordonnance des cinq espèces de colonnes selon la méthode des anciens* [16]. Il y a des proportions et celles-ci sont d'origine naturelle, sans toutefois que la nature les ait déterminées avec une exactitude absolue : c'est au nom de ce constat tout à fait représentatif de l'empirisme des Lumières que la théorie de Perrault se voit rejetée, bien que chacun s'accorde à reconnaître l'imprécision des proportions, comme pour donner raison sur le fond à l'académicien.

On aurait tort de minimiser l'influence exercée par Claude Perrault sur la pensée architecturale du XVIIIᵉ siècle, cependant. Si ses prises de positions ne troublent guère la majorité des architectes, elle n'en influencent pas moins des auteurs importants comme Cordemoy, Frézier ou Patte. Contrairement à l'œuvre scientifique de l'académicien, les idées exprimées dans l'*Ordonnance* vont connaître une postérité qui permet d'éclairer utilement l'évolution du débat architectural et la crise des fondements théoriques de l'architecture qui se prépare.

Cordemoy est certainement l'un des premiers auteurs marqués par la lecture de l'*Ordonnance* au point d'en reprendre intégralement le système des ordres. Les préoccupations normatives de son *Nouveau traité de toute l'architecture* expliquent son choix d' « une règle certaine et bien aisée pour les mesures », une règle accessible aux ouvriers, qui doit permettre d'améliorer l'exécution des ouvrages en favorisant le dialogue entre l'architecte et la main-d'œuvre. S'il se montre un fervent partisan de la normalisation des ordres proposée par Perrault, Cordemoy trouve néanmoins l'académicien « trop diffus, embarrassé, et un peu obscur en établissant ses principes ; en sorte que c'est tout ce que peut faire une personne déjà versée dans cette science que de les débrouiller et de les faire entendre [17] ». En cherchant à débrouiller les principes de Perrault, l'auteur du *Nouveau traité* les ampute considérablement, en laissant par exemple de côté la distinction entre beautés positives et beautés arbitraires pour se concentrer sur la seule question des ordres et de leurs proportions. Cordemoy reprend à ce propos l'hypothèse avancée par Perrault de la simplicité des proportions employées par les anciens, avant que l'imitation brouillonne de leurs productions ne vienne tout compliquer inutilement [18]. Il se prononce plus loin en faveur des colonnes accouplées avec des arguments repris presque littéralement de la traduction de Vitruve et de l'*Ordonnance* [19].

A l'inverse du *Nouveau traité de toute l'architecture*, le *Traité d'architecture* de Sébastien Leclerc publié en 1714 ne retient guère de la doctrine de l'académicien que le principe d'une origine arbitraire des ordres de colonnes et le recours à l' « approbation universelle », au goût, comme critère du beau [20].

Plus profonde est l'influence exercée par Perrault sur l'ingénieur Amédée Frézier, l'une des autorités reconnues du XVIIIe siècle en matière de stéréotomie et de construction, qui se pique également d'architecture et fait figurer dans son grand ouvrage : *La théorie et la pratique de la coupe des pierres et des bois* paru en 1737-1739 une « Dissertation sur ce genre de décorations qu'on appelle les ordres d'architecture » qui sera republiée séparément en 1769.

Au début de sa « Dissertation » Frézier adopte un point de vue qui rappelle l'*Ordonnance* lorsqu'il insiste sur la nécessité d' « asservir les ordres d'architecture aux lois de la raison », en condamnant « tout ce qui n'y est pas conforme, même l'anti-

que [21] ». Il souligne ensuite le rôle joué par la prévention née de l'habitude en des termes que n'aurait pas désavoués Perrault. Ce rôle explique à ses yeux la diversité des formes données aux édifices d'un pays à un autre, mais aussi en un même lieu à différentes époques.

« Les orientaux, les occidentaux, les habitants du septentrion et ceux du midi ont leurs usages en fait de bâtiments, et des décorations à leur gré : sommes-nous les seuls peuples qui ayons en partage le meilleur goût et le bon sens ? (...) Quelle différence entre les édifices des anciens grecs et égyptiens à ceux des mahométans qui leur ont succédé dans le même pays ? Quelle différence de ceux des maures à ceux des espagnols nés comme eux en Espagne ? Enfin quelle différence des bâtiments gothiques dont la France et les Pays-Bas sont pleins, à ceux des français de nos jours ? Nos ancêtres avaient-ils raison ? L'avons-nous ? C'est une question qu'il n'est pas plus facile de décider que celle que l'on pourrait agiter sur la différente façon de nos habits ;(...) les lois de la mode ne sont pas bornées à la façon de nos habits, elles s'étendent sur tout, et les bâtiments n'y sont pas moins assujettis [22]. »

Comme dans l'*Ordonnance*, cette leçon de relativisme dissimule en réalité des préoccupations normatives. Frézier ne dénonce l'empire de l'habitude et de la mode que pour proposer qu'on en revienne aux règles d'une « architecture naturelle » dont les premiers abris de l'humanité offrent l'exemple [23]. Sans pour autant revenir en arrière, il s'agit de renouer avec la rigueur du dessein qui inspirait ces abris, en utilisant correctement les techniques de construction, et en procédant surtout à l'analyse raisonnée des fonctions que doivent assurer les bâtiments. Cette approche fonctionnaliste diffère assez profondément de la démarche de Perrault par ses résonances primitivistes et par la faible importance qu'elle accorde aux détails des ordres que l'*Ordonnance* avait cherché à normaliser au même titre que leurs proportions d'ensemble. Frézier néglige ostensiblement les détails de l'ornementation qu'il juge indignes de son attention. Sa « Dissertation » comporte par contre quelques directives générales concernant les ordres d'architecture qui s'inspirent en partie de Perrault. Si l'ingénieur ne reconnaît plus que trois ordres : le solide encore appelé dorique, l'ordre moyen ou l'ionique, l'ordre délicat ou le corinthien, les proportions qu'il leur donne se présentent sous forme de séries arithmétiques dont le principe est repris de l'*Ordonnance* [24].

Les divergences qui se font jour entre Frézier et Perrault sont tout aussi révélatrices que leurs points d'accord. L'accent mis par l'ingénieur sur les aspects constructifs et fonctionnels renvoie en effet à l'une des alternatives majeures sur lesquelles débouchent la reconnaissance du rôle joué par l'accoutumance et l'affirmation du caractère arbitraire des proportions. Au processus de normalisation morphologique, au contrôle total de l'ordonnance proposé par Perrault s'oppose une perspective utilitariste qui conduit à fixer simplement les grandes lignes de l'ornementation dont les détails se trouvent du même coup radicalement dissociés des enjeux véritables du projet. C'est cette dissociation qui se trouve en germe dans la logique machinique de l'*Ordonnance des cinq espèces de colonnes selon la méthode des anciens*, bien que l'académicien n'en ait pas pleinement conscience [25].

Encore plus marqué par Perrault que Frézier, Patte reprend la plupart des thèses de l'*Ordonnance* dans ses *Mémoires sur les objets les plus importants de l'architecture*. La diversité des proportions des monuments antiques, le rôle de l'accoutumance, l'absurdité des corrections optiques figurent tour à tour dans la « Dissertation sur les proportions générales des ordres » incluse dans les *Mémoires* [26].

Comme Frézier, Patte propose de s'en tenir aux trois ordres grecs : le dorique, l'ionique et le corinthien, mais la gamme de leurs effets ne lui paraissant pas assez étendue, il les dédouble en considérant à chaque fois une version simple et mâle et une version riche et élégante de l'ordre, de manière à obtenir six espèces d'ordonnances [27]. Bien qu'il précise par la suite les proportions de toutes les parties de ses six ordonnances, l'architecte se montre sceptique sur la possibilité de fixer tous les détails avec une précision absolue comme avait voulu le faire Perrault. Entre la rigoureuse exactitude souhaitée par ce dernier et l'indifférence de Frézier, Patte recherche une voie moyenne bien dans l'esprit du siècle de l'*Encyclopédie*. Il envisage en effet la constitution d'une sorte de répertoire de « toutes les proportions les plus universellement employées » et des « divers membres d'architecture dont le bon effet de l'exécution a cimenté la réputation [28] ». Utilisé dans le cadre général défini par les six ordonnances prévues par l'auteur des *Mémoires sur les objets les plus importants de l'architecture*, ce répertoire devrait permettre d'éviter les fautes de goût. Moins étendu qu'on pourrait le supposer, puisqu'il comprend essentiellement les proportions de Palladio, Scamozzi et Vignole, ainsi que les mesures de quelques monuments romains, un tel répertoire serait de surcroît aussi facile à manier qu'un unique système de proportions.

A l'instar de Frézier, l'éclectisme de Patte s'accompagne d'un accent particulier mis sur la partie technique de l'art de bâtir. L'assainissement urbain, l'art de dresser les devis, les fondations des édifices, la construction des plates-bandes appareillées constituent l'essentiel des *Mémoires sur les objets les plus importants de l'architecture*. A l'affût des innovations les plus récentes, comme la nouvelle manière de fonder les ouvrages d'art utilisée par l'ingénieur de Voglie au pont de Saumur [29], l'architecte se montre le digne héritier de Perrault et de sa curiosité technologique.

Comme le souligne très justement Françoise Choay, les *Mémoires* marquent en réalité un éclatement de la figure du traité classique directement lié à la perte de sens des fondements de la théorie architecturale [30]. En soumettant le beau à l'habitude, en réduisant surtout les prescriptions esthétiques à une sorte de catalogue, Patte se conforme à une logique de la déconstruction dont son livre tout entier, conçu comme une juxtaposition de sujets dictés par des préoccupations essentiellement techniques, porte la marque. On pourrait se demander à ce propos si cette logique ne travaille pas déjà la traduction de Vitruve de Perrault, avec sa prolifération de notes qu'endigue tout juste le texte de l'ingénieur romain.

Loin de se limiter à la France, l'influence de Perrault se fait aussi sentir en Angleterre, avec les traités de William Chambers et Isaac Ware. Dans son traité d'architecture civile publié pour la première fois en 1759, Chambers reconnaît par exemple le caractère arbitraire des proportions et il rejette le principe des corrections optiques tout comme le traducteur de Vitruve. Ware transcrit quant à lui presque mot pour mot certains passages de l'*Ordonnance* dans son *Complete body of architecture* de 1756, sans toutefois reprendre à son compte les préoccupations normatives de l'académicien [31].

En Angleterre comme en France, la réception des idées de Perrault participe en réalité d'une évolution beaucoup plus générale de la réflexion esthétique. Délaissant les spéculations mathématiques et optiques dans lesquelles s'étaient complu la Renaissance et le XVIIe siècle, les Lumières mettent volontiers l'accent sur le caractère subjectif de la perception du beau. La montée en régime du sensualisme, de Locke à Condillac, joue certainement un rôle dans cette évolution, au même titre que l'intérêt renouvelé du XVIIIᵉ siècle pour les questions de physiologie de la vision et de l'audition. Au « beau essentiel » fondé sur des rapports mathématiques dont se réclame encore Briseux se rajoute un beau naturel résidant dans une relation sujet-objet dont les modalités restent à éclaircir. La perception de plus en plus aiguisée des effets de mode conduit enfin à se poser à la suite de Perrault la question du goût et de ses variations, dans une perspective sensiblement différente il est vrai de celle qu'avait adoptée l'académicien. Sous d'autres formes, avec une toute autre portée, le couple positif/arbitraire conserve une certaine actualité.

Paru en 1741 et republié en 1759 après s'être attiré les éloges de Diderot, l'*Essai sur le beau* du père André se présente comme une tentative habile de conciliation entre des définitions du beau qui divergent déjà. L'auteur distingue en effet « un beau essentiel et indépendant de toute institution », « un beau naturel et indépendant de l'opinion des hommes » et « une espèce de beau d'institution humaine, et qui est arbitraire jusqu'à un certain point [32] ». Cette tripartition lui permet de combiner une approche intellectualiste héritée de l'âge classique avec des préoccupations plus directement liées aux interrogations physiologiques et à la prise en compte du goût et de la mode qui caractérisent l'époque à laquelle il écrit.

En architecture, ce compromis n'est guère viable, toutefois. Confrontée au discours utilitariste des administrateurs et des ingénieurs qui s'interrogent sur la validité de ses fondements, la discipline architecturale ne saurait se satisfaire d'un jeu de nuances subtiles, permettant de décliner toutes les acceptions possibles du beau. Faute de pouvoir démontrer le caractère positif des principes sur lesquels elle repose, elle risque de se voir taxer de gratuité et d'être soumise sans aucune contrepartie aux exigences d'efficacité technico-économique d'un art de bâtir en pleine mutation.

Au cours de la seconde moitié du XVIIIᵉ siècle, les théoriciens français prennent progressivement conscience du fait que la survie de l'architecture comme discipline autonome, en prise directe sur les grandes décisions du pouvoir, passe par une redéfinition radicale de ses principes destinée à les mettre en accord avec les canons de l'utilité sociale dont se préoccupent de plus en plus les élites éclairées et les ingénieurs qu'elles emploient [33].

Dans ce contexte, on n'est guère surpris de voir Etienne-Louis Boullée revenir sur la querelle entre Blondel et Perrault dans son *Essai sur l'art* rédigé dans les années 1780-1790. Cette querelle pose selon lui la question des fondements naturels de la discipline architecturale, fondements dont Blondel avait affirmé l'existence sans en apporter la preuve, tandis que Perrault préférait voir dans l'architecture « un art fantastique et de pure invention [34] ».L'interprétation de la position de l'académicien est déjà révélatrice des craintes qui agitent Boullée. Pour les conjurer, la seule parade possible consiste à découvrir les fondements naturels de l'architecture qui avaient échappé à Blondel. Nature et utilité sont en effet intimement liées, puique c'est l'étude de la nature qui permet de cerner les besoins véritables de l'homme.

Dans l'*Essai sur l'art*, Boullée tire toutes les conclusions de l'imprécision des proportions qu'avait soulignée l'auteur de l'*Ordonnance*. « Ce qui constitue parfaitement les principes sur lesquels un art est fondé, c'est quand il n'est aucun moyen de s'écarter de ces principes [35] », écrit-il pour justifier l'abandon pur et simple de la doctrine des proportions comme fondement de la beauté architecturale. En se réclamant du sensualisme condillacien, Boullée cherche ensuite à asseoir cette beauté sur l'analogie naturelle que présentent les corps réguliers avec l'organisation du corps humain [36]. Il envisage une géométrie à base de formes simples qui correspondent à une sorte d'alphabet de la sensation dont les combinaisons doivent constituer autant de messages conférant au projet une signification sociale.

Les temples, les muséums, les palais gouvernementaux ou les cénotaphes conçus par l'architecte peuvent alors parler la langue du beau et de l'utile.

Rien de plus éloigné de la démarche de Perrault que les recherches de cette « architecture révolutionnaire » dont le géométrisme de Boullée et Ledoux constitue l'expression la plus connue et qui annonce le néo-classicisme. On peut néanmoins considérer les opinions hétérodoxes de l'académicien comme un signe avant-coureur d'une crise dont les effets ne se font vraiment sentir que dans les années précédant la Révolution, crise à laquelle Boullée et Ledoux cherchent à remédier, sans y parvenir cependant.

Cette crise s'achève par le retour de Durand, qui avait pourtant été l'élève de Boullée, à une théorie des ordres d'architecture. Professeur à l'École Polytechnique à partir de 1797, Durand ne peut plus se satisfaire d'un recours à la sensation dont les modali-

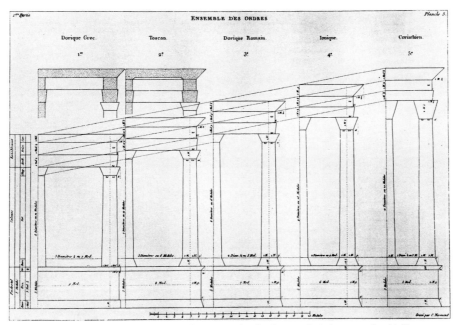

219. *J.-N.-L. Durand*, Précis *(éd. 1817-1819), les cinq ordres d'architecture dessinés sur une même échelle.*

tés concrètes demeurent assez floues en dépit des déclarations de Boullée. Chargé en effet d'enseigner aux futurs ingénieurs d'État formés par l'École « l'art de composer et d'exécuter tous les édifices publics et particuliers [37] », dans « le peu de temps qu'ils peuvent y consacrer [38] » étant par ailleurs occupés à des travaux de mathématiques et de physique, il lui faut en effet disposer d'une méthode de composition à la fois simple et rigoureuse. Ce désir de simplicité et de rigueur le conduit tout naturellement à proposer une normalisation encore plus poussée que celle de Perrault dans son *Précis des leçons d'architecture données à l'École Polytechnique* paru pour la première fois en 1802-1805 et republié régulièrement par la suite. A l'instar des ordres de Perrault, les cinq espèces de colonnes décrites dans le *Précis* sont reliées par des suites arithmétiques contraignantes, tandis que leurs proportions sont simplifiées à l'extrême [39]. En commentant ce système, l'ingénieur Navier qui avait été l'élève de Durand à l'École Polytechnique pourra écrire que : « M. Durand a su le premier fonder les principes de l'architecture sur des bases solides. Il n'en reconnaît d'autres que la convenance, c'est-à-dire qu'un parfait rapport établi entre la disposition d'un édifice et l'usage auquel il est destiné ; en sorte que projeter un édifice, c'est résoudre un problème dont les données se trouvent dans les conditions de solidité, d'économie et d'utilité, auquel il est assujetti [40]. » Avec Durand, dont on connaît l'influence sur les ingénieurs de la première moitié du siècle dernier, les détails de l'ordonnance et de la composition des projets, les questions de décoration et l'économie générale des édifices achèvent de se scinder. Du même coup se dévoile un nouveau paysage, en rupture avec celui de l'architecte classique et de la tradition qui pouvait encore s'en réclamer au cours du XVIIIᵉ siècle. Jamais Perrault n'aurait pu imaginer cette rupture. Il n'empêche que sa façon de donner aux règles des ordres d'architecture « la précision, la perfection, et la facilité de les retenir qui leur manquent [41] », annonce le mode de résolution des problèmes d'ordonnance de Durand.

## Sciences, techniques et architecture dans l'œuvre de Claude Perrault

Ce rapide survol de la postérité scientifique et architecturale de Claude Perrault incite à se reposer la question de sa place dans l'histoire des relations entre sciences, techniques et architecture. Comme on l'a déjà souligné, l'œuvre de l'académicien marque à la fois une sorte de paroxysme de ces relations et l'amorce de leur déclin. Les liens nombreux qui se tissent entre les différents volets de son activité de chercheur et ses préoccupations architecturales ne sauraient faire oublier en effet la fragilité des analogies sur lesquelles ils reposent.

Le changement de perspective auquel se livre Perrault en négligeant les références mathématiques traditionnelles de la discipline architecturale au profit des analogies qu'elle peut présenter avec le vivant débouche en pratique sur une attitude que l'on serait tenté de qualifier de « technologique », en prenant ce terme dans l'acception que lui donnent Jacques Guillerme et Jan Sebestik [42]. Abandonnant l'herméneutique des proportions, l'académicien semble plutôt se fixer comme objectif la constitution d'un discours sur les règles de l'art et les techniques de réalisation calqué sur celui de la science. L'*Ordonnance des cinq espèces de colonnes selon la méthode des anciens*, les dessins d'engins de levage ou l'étude des propriétés de la chaux participent de ce programme qui annonce encore une fois l'encyclopédisme des Lumières.

Le contraste qui existe entre ce point de vue didactique et les prises de position d'un homme engagé dans la polémique donne aux notes de la traduction de Vitruve et à l'*Ordonnance* un ton entre tous reconnaissable. La modestie du savant Claude Perrault tranche de la même façon sur le besoin pressant qu'éprouve l'amateur d'architecture de voir ses idées et ses projets appréciés à leur juste valeur. On est surpris de voir l'auteur des *Essais de physique* reconnaître sereinement l'importance des expériences de physiologie végétale effectuées par Mariotte, alors que l'ancien membre du conseil du Louvre se déclare le seul auteur de la colonnade, affirmant même à Leibniz qu'on lui aurait offert la charge de premier architecte du Roi peu après le départ du Bernin [43]. Aussi déroutante soit-elle de prime abord, cette différence de comportement s'explique assez bien en réalité. Si Perrault investit une part importante de son temps et de son énergie dans la recherche scientifique, son amour-propre s'attache plutôt à ses compétences architecturales. Le caractère collectif des recherches effectuées par l'Académie des Sciences avant la réforme de 1699 [44] trouve sa contrepartie dans l'affirmation d'un talent qui le distingue de ses pairs, lui apportant de surcroît l'assurance de survivre dans la mémoire des hommes.

Ce désir de survivre au travers d'une production artistique constitue l'un des traits les plus aisément déchiffrables de la psychologie de Claude Perrault. Tandis que la science lui paraît vouée au vraisemblable et au probable, l'architecture offre une carrière plus gratifiante. La science n'institue rien ; elle ne fait que lever par endroits le voile épais qui dissimule les décrets divins. La science ne crée rien ; elle se contente d'observer, de supposer et de vérifier. Les vérités scientifiques demeurent l'apanage d'un petit nombre d'esprits suffisamment exercés pour en saisir la teneur [45]. Le beau architectural est par contre susceptible d'institution ; l'architecture se dessine et se construit ; ses productions sont enfin compréhensibles par les honnêtes gens. C'est la possibilité d'instituer le beau architectural qui retient surtout l'attention de Perrault. Dans la hiérarchie des niveaux d'institution, l'académicien se verrait volontiers, toutes proportions gardées bien sûr, à la suite du Dieu créateur de l'univers et du Roi dont la volonté est capable de faire surgir de terre le nouveau Louvre et Versailles.

Il y a quelque chose de singulièrement moderne dans la tension que l'on devine entre le savant et l'amateur d'architecture, entre la recherche de la vérité à laquelle sacrifie le premier et les rêves de grandeur du second. C'est cette tension qui pousse peut-être Claude Perrault à multiplier les systèmes et les expériences, et à accumuler les dessins, tout en sachant que « la nouveauté est presque tout ce que l'on peut prétendre dans la physique », et que rien n'est plus difficile que de faire accepter un projet. A trois siècles de distance, l'appel à la postérité qui s'exprime de la sorte peut encore nous toucher.

# NOTES

## NOTES DU CHAPITRE 1

1. Cf. J. Rouger, sommaire biographique de Ch. Perrault, *Contes* (éd. 1981), p. LV.

2. Ch. Perrault, *Mémoires de ma vie* (éd. 1909), p. 19.

3. *Ibid.*

4. Dans l'avertissement de *La morale des jésuites, extraite fidèlement de leurs livres* (1667) de Nicolas Perrault, il est par exemple précisé que ce père « avait eu un soin tout particulier de fortifier de bonne heure ses enfants contre les erreurs populaires, de leur inspirer les maximes les plus pures de l'Évangile, et de leur ouvrir l'esprit aux plus belles connaissances ». Son sens de l'économie se manifeste notamment lorsqu'il juge superflu de faire soutenir une thèse à Charles Perrault en classe de philosophie « à cause de la dépense où engage cette cérémonie, dépense la plus inutile qu'on puisse faire ». Ch. Perrault, *op. cit.* p. 20.

5. *Ibid.*, p. 22. Sur le goût des Perrault pour le burlesque, voir par ailleurs : M. Soriano, *Les contes de Perrault : Culture savante et traditions populaires* (éd. 1984), p. 242 et suivantes.

6. Beaurain, Ch. Perrault, Cl. Perrault, *Les murs de Troye ou l'origine du burlesque* (1653), « A la jatte de Mr Scarron ». La Bibliothèque de l'Arsenal conserve le manuscrit du second chant dû à la plume de Claude Perrault sous la côte : MS 2956. Ce chant a été publié par P. Bonnefon, « Un poème inédit de Claude Perrault », in *Revue d'Histoire littéraire de la France* (1900), pp. 449-472.

7. C'est en particulier le cas des deux ouvrages consacrés par Marc Soriano à Charles Perrault : *Les contes de Perrault, Le dossier Perrault* (1972), dont certaines interprétations, psychanalytiques notamment, paraissent pour le moins hasardeuses.

8. Ch. Perrault, *Mémoires*, p. 36.

9. Charles Perrault rapporte à ce propos : « J'eus bien de la peine à faire consentir votre oncle à être de cette Académie, non point qu'il ne se tînt très honoré qu'on eût songé à lui, mais parce, disait-il, qu'il n'avait point les qualités nécessaires pour être mis avec tant d'excellents hommes. » *Ibid.*, p. 44. L'anecdote est révélatrice de la modestie bien réelle de Claude en matière scientifique.

10. J.-B. Bossuet, *Introduction à la philosophie, ou de la connaissance de Dieu et de soi-mesme* (éd. 1722). Sur Bossuet anatomiste, lire : A.-F. Le Double, *Bossuet anatomiste et physiologiste* (1913).

11. Hindret avait été envoyé en Angleterre par Colbert afin d'étudier le métier à tricoter les bas inventé par William Lee en 1589. La machine installée au château de Madrid se trouve décrite dans un recueil factice de planches datant approximativement de 1664 : *Métier à faire des bas dessiné dans toutes ses parties*, B.N. Est. Lh 32 ; voir la notice de *Dessin et Sciences, XVIIᵉ-XVIIIᵉ siècles* (1984), pp. 83-85. Ayant appartenu à l'abbé de Marolles avant d'être acheté par Colbert, ce recueil qui annonce les représentations encyclopédiques des arts et métiers du XVIIIᵉ siècle est parfois attribué à Perrault ; cf. *Collections de Louis XIV. Dessins, albums, manuscrits* (1977), notice p. 320. Même si elle est peu vraisemblable, une telle attribution est révélatrice du rôle de conseiller technique qu'il a dû probablement jouer en cette occasion. Perrault fait d'autre part allusion au métier à tricoter du château de Madrid dans ses « observations et propositions » sur les « machines d'invention nouvelle » contenues dans la lettre adressée à Colbert par un certain Cabart sur les moyens de développer le commerce : « Missive de M. Cabart contenant plusieurs observations et propositions sur le commerce très importantes données par M. Perrault », 8 avril 1665, in *Recueil sur le commerce*, Ars. MS 4068, pp. 308-344, pp. 324-326 notamment. Le métier à bas figure enfin dans la planche du *Cabinet des beaux-arts* (1690) de Charles et Claude Perrault destinée à illustrer l'art de la mécanique.

12. Cl. Perrault, « Relation du voyage fait en 1669 de Paris à Bordeaux par Messr de St Laurent, Gomont, Abraham et Perrault », in *Papiers de Nicolas et Claude Perrault*, B.N. MS F 24713. Ce manuscrit a été publié par P. Bonnefon en 1909 à la suite des *Mémoires* de Charles.

13. Cl. Perrault, *Essais de physique* (1680-1688), t. 2, p. 354.

14. Cl. Perrault, *Ordonnance des cinq espèces de colonnes selon la méthode des anciens* (1683), p. xvij.

15. Cf. lettres de Leibniz à Huygens du 15/25 juillet 1690, in C. Huygens, *Œuvres complètes* (1888-1910), t. 9, pp. 448-452, 470-473.

16. Le parallèle entre Wren et Perrault est d'ailleurs fréquent chez les historiens de l'architecture. Voir par exemple : M. Tafuri, « "Architectura artificialis" : Claude Perrault, Sir Christopher Wren e il dibattito sul linguaggio architettonico », in *Barocco europeo, barocco italiano, barocco salentino* (1969), pp. 375-398.

17. N. Boileau, « Réflexions critiques sur quelques passages du rhéteur Longin », in *Œuvres complètes* (éd. 1966), p. 495.

18. M. Petzet, « Claude Perrault als Architeckt des Pariser Observatoriums », in *Zeitschrift für Kunstgeschichte* (1967), pp. 1-54, « Das Triumphbogenmonument für Ludwig XIV auf der Place du Trône », in *Zeitschrift für Kunstgeschichte* (1982), pp. 145-194.

19. Ch. Perrault, *Les hommes illustres qui ont paru en France pendant ce siècle* (1696-1700), p. 68.

20. Les bibliothèques de l'Institut et du Muséum National d'Histoire Naturelle conservent toutefois des recueils réunissant les feuilles déjà tirées pour l'édition de 1688, voir bibliographie.

21. « Mᵉ Claude Perrault de l'Académie Royale des Sciences et docteur en médecine a été pris en sa maison dans la place de Fourcy autrefois dite de l'Estrapade et inhumé en l'église, le onzᵉ jour d'octobre mille six cent quatre-vingt-huit en présence de M. Perrault ancien contrôleur des Bâtiments du Roi et l'un des quarante de l'Académie française, son frère, de M. Hector-Hermand Guichon et autres qui ont signé : Perrault, Guichon, Charles Perrault, Pierre Perrault », extrait des registres de Saint-Benoît cité par A. Jal, *Dictionnaire critique de biographie et d'histoire* (1872), p. 957. Avant de venir résider place de Fourcy, Perrault avait habité dans le quartier des Halles, cf. le bail qu'il consent à Charles Leclerc, marchand, le 2 novembre 1682, A.N. M.C. LXIX, 110.

22. Portrait de Claude Perrault par G. Edelinck d'après une peinture de Vercelin. Un médaillon représentant une lampe allumée vient compléter ces quatre vers. Sur les différents portraits de Claude Perrault, lire par ailleurs : N. Schiller, « L'iconographie de Claude Perrault (1613-1688) », in *Comptes rendus du 91ᵉ Congrès national des Sociétés Savantes* (1967), pp. 215-234.

23. Corneillau, *Le voiage de Viry par le Sr C. Reveu, corrigé et augmenté par l'auteur en cette seconde édition* (1637), B.L. MS Add. 20,087.

24. Cf. lettre de Huygens à son frère Lodewijk du 28 juillet 1673, *op. cit.*, t. 7, pp. 348-349. Voir également : J. Barchilon, « Les frères Perrault à travers la correspondance et les œuvres de Christian Huygens », in *XVIIᵉ siècle* (1962), pp. 19-36. Parmi les familiers de Viry on trouve par ailleurs bon nombre d'hommes de lettres ayant partie liée avec les milieux précieux comme Pinchesne, le neveu de Voiture, les sœurs Melson ou Quinault. Séduit par l'ambiance de Viry, Pinchesne essayera même de convaincre Pierre et Charles d'y accueillir son académie bachique, « une société badine qui avait réalisé l'alliance intime de la cuisine et des belles-lettres » selon l'expression de P. D'Estrée, « Une académie bachique au XVIIᵉ siècle », in *Revue d'Histoire littéraire de la France* (1895), pp. 491-522, p. 502 notamment. Comprenant une grande maison, une maison de jardinier, une remise à carosse et un jardin « consistant en parterre, potager planté de bons arbres fruitiers, un bassin d'eau jaillissante », la propriété de Viry sera finalement vendue en 1684, acte de vente du 30 juin 1684, A.N. M.C. LII, 107.

25. Ch. Perrault, *Mémoires*, p. 31.

26. Sur les goûts littéraires de Pierre Perrault et sa critique de Cervantès, lire : M. Bardon, « Pierre Perrault sa vie et ses ouvrages », introduction à P. Perrault, *Critique du livre de Dom Quichotte de la Manche* (1930).

27. Lire : S. Delorme, « Pierre Perrault auteur d'un traité. *De l'origine des fontaines* et d'une théorie de l'expérimentation », in *Archives Internationales d'Histoire des Sciences* (1948), pp. 388-394.

28. Ch. Perrault, *op. cit.*, p. 25. Selon Charles Perrault, une conversation entre Nicolas et ses frères « dans le temps que l'on s'assemblait en Sorbonne pour condamner M. Arnauld » aurait été à l'origine des lettres provinciales de Pascal, Pierre Perrault ayant rapporté peu après les arguments développés à cette occasion à Vitart, l'intendant du duc de Luynes, qui demeurait à Port-Royal, *Ibid.*, pp. 28-29. Si l'anecdote paraît peu vraisemblable quant au fond, elle révèle par contre assez bien l'influence de la pensée janséniste sur la famille Perrault. Cela n'empêchera tout de même pas Charles de compter par la suite de nombreux jésuites parmi ses amis.

29. Cf. G. Namer, *L'abbé Le Roy et ses amis. Essai sur le jansénisme extrémiste intramondain* (1964), p. 46 et suivantes. Les perspectives théoriques de cet ouvrage dans lequel Nicolas Perrault tient une place importante s'inspirent par ailleurs de : L. Goldman, *Le dieu caché : Étude sur la vision tragique dans les pensées de Pascal et dans le théâtre de Racine* (1959).

30. Selon Varet sa passion pour les mathématiques était même la seule chose qu'il avait eu à combattre dans son dessein de se consacrer à Dieu, car pendant longtemps « il ne pouvait s'empêcher de s'y appliquer et de s'occuper à inventer quelque nouvelle machine », au lieu de chercher uniquement la vérité dans l'Écriture Sainte. A. Varet, avertissement de *La morale des jésuites*.

31. Ce « Sentiment » contraire au principe du doute méthodique, puisqu'« on ne doit jamais renoncer pour peu de temps que ce puisse être à la connaissance de Dieu », figure à la fin du tome 4 des *Parallèles des anciens et des modernes* (1688-1697), p. 297 et suivantes.

32. Cl. Perrault, *Voyage à Bordeaux* (1909), p. 159.

33. L'expression apparaît plusieurs fois sous la plume de Claude et surtout Charles Perrault.

34. Le goût du merveilleux est également décelable dans le traité *De l'origine des fontaines* de Pierre Perrault qui fait plus d'une fois référence aux légendes et aux superstitions populaires concernant les sources.

35. Ch. Perrault, *op. cit.*, t. 3, p. 149. Perrault partage cet intérêt pour les romans avec sa nièce Marie-Jeanne L'Héritier de Villandon, précieuse notoire, grande admiratrice de Mademoiselle de Scudéry et auteur de nombreux récits d'une veine qui rappelle parfois les *Contes* de son oncle.

36. Sur les menées rationalisatrices des Le Tellier et Colbert, lire par exemple : A. Corvisier, *Louvois* (1983) ainsi que *Colbert 1619-1683* (1983).

37. Sur les détails de cette affaire, lire : Ch. Perrault, *Mémoires*, p. 188 et suivantes. Pierre Perrault s'était trouvé à court d'argent par suite des libéralités du roi qui avait pris l'habitude de remettre au peuple les restes des tailles qui étaient encore dus au receveurs généraux. Les intrigues du trio de financiers Denis Martin, Claude Coquille et Pierre de La Croix l'avaient ensuite contraint à des manœuvres frauduleuses que Colbert ne lui avait pas pardonnées. Cf. D. Dessert, *Argent, pouvoir et société au Grand Siècle* (1984), pp. 331, 669.

38. L'accusation de bizarrerie portée par Boileau se trouve dans l'édition originale de 1693 de son *Discours sur l'ode* accompagnant son *Ode sur la prise de Namur*. Supprimée dans l'édition de 1694 elle avait provoqué la fureur de Perrault qui l'avait trouvée trop forte et excédant « toutes les libertés et toutes les licences que les gens de lettres prennent dans leurs disputes ». Ch. Perrault, *Lettre à Monsieur D... touchant la préface de son ode sur la prise de Namur*, p. 14.

39. Peu apprécié de Louvois, Charles Perrault doit renoncer à ses fonctions de premier commis des Bâtiments et à son siège à la petite Académie après la mort de Colbert en 1683. Cf. Ch. Perrault, *op. cit.*, p. 134 et suivantes. Si Charles se retire d'assez bonne grâce semble-t-il, c'est peut-être parce qu'il a pu amasser une fortune assez considérable auprès de Colbert, comme le révèle déjà l'inventaire de ses biens réalisé au moment de son mariage en 1672, cf. J. Barchilon, « Charles Perrault à travers les documents du Minutier Central des Archives Nationales », in *XVII<sup>e</sup> siècle* (1964), pp. 3-15.

40. Cf. M. Soriano, *op. cit.*, p. 219. Si la plupart de ces jugements concernent Charles Perrault, Claude fait aussi l'objet d'appréciations contrastées, l'étendue de son œuvre architecturale faisant office de point d'achoppement.

41. Ch. Perrault, *Pensées chrétiennes et pensées morales, physiques métaphysiques et autres qui regardent la philosophie*, B.N. MS F 25575, p. 12. Signalons qu'une édition de ce manuscrit du plus haut intérêt est en cours, cf. J. Barchilon, « Un échantillon inédit des *Pensées chrétiennes* de Charles Perrault », in *XVII<sup>e</sup> siècle* (1987), pp. 203-204.

# NOTES DU CHAPITRE 2

1. J. Roger, *Les sciences de la vie dans la pensée française du XVIII<sup>e</sup> siècle* (1964), pp. 10-13.

2. Sur la Faculté de Médecine de Paris et les études médicales au XVII<sup>e</sup> siècle, lire par exemple : R. Fauvelle, *Les étudiants en médecine de Paris sous le Grand Roi* (1899), J. Lévy-Valensi, *La médecine et les médecins français au XVII<sup>e</sup> siècle* (1933). Voir également : A. Corlieu, *L'ancienne Faculté de Médecine de Paris* (1877), P. Delaunay, *La vie médicale aux XVI<sup>e</sup>, XVII<sup>e</sup> et XVIII<sup>e</sup> siècles* (1935), P.-E. Le Maguet, *Le monde médical parisien sous le Grand Roi* (1899).

3. J. Lévy-Valensi, *op. cit.*, pp. 220-221.

4. *Ibid.*, p. 241.

5. Cl. Perrault, « An ut corporis sic animae senectus ? », in *Recueil de thèses de médecine*, Ars. Fol. SA 940, t. 2, n° 128.

6. Cl. Perrault, « An diuturno capitis artuumve tremori ab obstructione, cauteria ? », *Ibid.*, n° 133.

7. Cl. Perrault, « An dibus aestatis serventissimis vinum glacie diluere innoxium ? », in *Theses medicæ parisienses*, B.F.M. MS 76 (t. 5), n° 870.

8. Cf. P. Bonnefon, « Charles Perrault. Essai sur sa vie et ses ouvrages », in *Revue d'Histoire littéraire de la France* (1904), pp. 365-420, p. 400 notamment.

9. *Theses medicae parisienses*, B.F.M. MS 77 (t. 6), n° 894.

10. Sur les modalités d'élection du doyen et des professeurs, lire par exemple : J. Levy-Valensi, *op. cit.*, p. 226 et suivantes.

11. Cf. F. Lehoux, *Le cadre de vie des médecins parisiens aux XVI<sup>e</sup> et XVII<sup>e</sup> siècles* (1976), p. 462 et suivantes.

12. *Ibid.*, p. 15.

13. A. Corlieu, *op. cit.*, p. 87.

14. C. Lussauld, *Apologie pour les médecins, contre ceux qui les accusent de déférer trop à la nature et de n'avoir point de religion* (1663).

15. Pour un panorama d'ensemble de la médecine au XVII<sup>e</sup> siècle, voir par exemple à côté des ouvrages cités précédemment : M. Bariéty, C. Coury, *Histoire de la médecine* (1963), C. Daremberg, *Histoire des sciences médicales* (1870), t. 2, *Histoire générale de la médecine, de la pharmacie, de l'art dentaire et de l'art vétérinaire* (1936-1949).

16. Cf. M. Bariéty, C. Coury, *op. cit.*, pp. 483-486.

17. Sur la Faculté de Médecine de Montpellier, lire par exemple : L. Dulieu, *La médecine à Montpellier* (1975-1979), t. 3.

18. Sur le Jardin du Roi, voir par exemple : J. Lévy-Valensi, *op. cit.*, pp. 265-272. Voir surtout : A.N. 0<sup>1</sup> 2124.

19. Sur la préface de : P. Dionis, *L'anatomie de l'homme, suivant la circulation du sang, et les dernières découvertes démontrée an Jardin Royal* (1690 rééd. 1698).

20. Sur les iatro-mécaniciens voir par exemple : C. Daremberg, *op. cit.*, t. 2, p. 735 et suivantes.

21. Sur la doctrine de Willis, lire : G. Canguilhem, *La formation du concept de réflexe aux XVII<sup>e</sup> et XVIII<sup>e</sup> siècles* (1955), p. 57 et suivantes.

22. G. Lamy, *Discours anatomiques* (1675).

23. N. Liénard, *Dissertation sur la cause de la purgation* (1659), p. 3.

24. Dans sa préface au cardinal de Richelieu, Cureau de La Chambre défend l'usage du français comme langue scientifique ainsi qu'une conception progressiste du savoir médical. Cf. A. Darmon, *Les corps immatériels : Esprits et images dans l'œuvre de Marin Cureau de La Chambre (1594-1669)* (1985), p. 9.

25. Voir : *Commentariorum Facultatis Medicinae Parisiensis*, B.F.M., t. 13. La correspondance de Gui Patin ne contient par ailleurs aucune allusion à Perrault.

26. Cf. P. Pilpoul, *La querelle de l'antimoine (Essai historique)* (1928), pp. 68-69.

27. *La défense de M<sup>es</sup> Jacques Thévart, Gilbert Puylon, Claude Perrault, Germain Préaux, Roland Merlet, Bertin Dieuxivoye et Charles Baralis, docteurs régens en la Faculté de Médecine de Paris, et professeurs de l'Eschole, contre M<sup>es</sup> Philibert Morisset, cy-devant doyen de ladite Faculté ; et François Blondel, docteur régent en ladite Faculté et professeur de l'Eschole* porte sur une toute autre question, à savoir l'attribution des 800 livres attribuées annuellement aux quatre Facultés de l'Université de Paris sur les fonds provenant de la vente de plusieurs terrains situés dans le Pré aux Clercs. Cf. A. Pauly, *Bibliographie des sciences médicales* (1874), col. 576.

28. Sur l'histoire de la transfusion, lire : J.-J. Peumery, *Les origines de la transfusion sanguine* (1974). Pour un témoignage d'époque, voir : J.-B. Denis, *Lettre écrite à Monsieur Sorbière (...), touchant l'origine de la transfusion du sang, et la manière de la pratiquer sur les hommes* (1668).

29. Cf. J.-B. Denis, *Lettre écrite à Monsieur Oldenburg (...), touchant les différents qui sont arrivés à l'occasion de la transfusion du sang* (1668).

30. Lire par exemple : G. Lamy, *Lettre escrite à Monsieur Moreau (...), contre les prétendües utilités de la transfusion du sang pour la guérison des maladies, avec la réponse aux raisons et expériences de Monsieur Denys* (1667), *Lettre escrite à Monsieur Moreau (...), dans laquelle il confirme les raisons qu'il avait apportées dans sa première lettre, contre la transfusion du sang, en répondant aux objections qu'on luy a faites* (1667).

31. Cl. Perrault, *Essais de physique*, t. 4, p. 403 et suivantes.

32. Cl. Perrault, *Voyage à Bordeaux* (éd. 1909), p. 193 et suivantes.

33. N. Boileau, « Réflexions critiques sur quelques passages du rhéteur Longin », in *Œuvres complètes*, pp. 494-495. La parente à laquelle fait allusion Boileau est sa belle-sœur, Louise Bayen, qui avait épousé son frère aîné Jérôme. Ce passage constitue une réponse à l'accusation d'ingratitude portée par Charles Perrault à l'encontre du poète satirique dans la *Lettre à M. D... touchant la préface de son ode sur la prise de Namur*. Boileau avait en effet attaqué à plusieurs reprises Claude, qui l'avait pourtant tiré « de deux dangereuses maladies avec des soins et une application inconcevables » aux dires de Charles. Ch. Perrault, *op. cit.*, pp. 15-16.

34. A. Arnauld, lettres à Willart du 17 avril et du 4 mai 1694, in *Lettres* (1727), pp. 398-399, 411-412.

35. M.-J.-A.-N. de Caritat de Condorcet, *Œuvres complètes* (1804), t. 1, p. 90. Le don de ce portrait par Charles Perrault en 1692 se trouve signalé dans le *Commentatorium Facultatis Medicinae Parisiensis*, t. 17, f. 48r. Publié initialement dans : N. Legrand, *Les collections artistiques de la Faculté de Médecine de Paris* (1911), pp. 59-60, nº 102, pl. 15, il a fait récemment l'objet d'une notice détaillée de B. Pons, in *Colbert 1619-1683*, p. 250. On pourra également consulter à son sujet : N. Schiller, *op. cit.*, pp. 223-226.

36. Cf. *Commentatorium Facultatis Medicinae Parisiensis*, t. 13 et 14.

37. J.-A. Hazon, *Notice des hommes les plus célèbres de la Faculté de Médecine* (1778), p. 122.

38. Ch. Perrault, *Les hommes illustres*, p. 68.

39. *Le journal des sçavans* (éd. d'Amsterdam), année 1675, pp. 150-151.

# NOTES DU CHAPITRE 3

1. Sur la création de l'Académie des Sciences on pourra consulter par exemple : R. Hahn, *The anatomy of a scientific institution The Paris Academy of Sciences, 1666-1803* (1971), E. Maindron, *L'Académie des Sciences* (1888), L.-A. Maury, *L'ancienne Académie des Sciences* (1864), C. Salomon-Bayet, *L'institution de la science et l'expérience du vivant. Méthode et expérience à l'Académie royale des sciences* (1978), R. Taton, *Les origines de l'Académie royale des sciences* (1966).

2. Cf. R. Hahn, *op. cit.*, R. Taton, *op. cit.*

3. Lire : R. Lenoble, *Mersenne ou la naissance du mécanisme* (éd. 1971), pp. 590-591, R. Taton, *op. cit.*, p. 17.

4. R. Taton, *op. cit.*, p. 15.

5. R. Hahn, *op. cit.*, pp. 7-8.

6. R. Taton, *op. cit.*, pp. 27-28.

7. R. Hahn, *op. cit.*, p. 6.

8. *Ibid.* Sur Rohault on pourra lire par ailleurs : P. Clair, « Jacques-Rohault (1618-1672) Bio-bibliographie avec l'édition critique des *Entretiens sur la philosophie* », *Recherches sur le XVIIe siècle* (1978).

9. R. Taton, *op. cit.*, p. 11.

10. Ce projet se trouve reproduit dans : C. Huygens, *op. cit.*, t. 4, pp. 325-329.

11. *Ibid.*, p. 325.

12. *Ibid.*

13. *Ibid.*, p. 326.

14. *Ibid.*, p. 327.

15. Sur cet aspect du projet cartésien qui s'exprime notamment à la fin du *Discours de la méthode*, cf. J. Roger, *op. cit.*, p. 140 et suivantes, C. Salomon-Bayet, *op. cit.*, p. 12 notamment.

16. M. Foucault, *Les mots et les choses* (éd. 1979), p. 137 et suivantes.

17. « Projet de Compagnie des Sciences et des Arts », p. 328.

18. *Ibid.*, p. 326.

19. « Note de Charles Perrault à Colbert pour l'établissement d'une Académie générale », reproduite dans : *Lettres instructions et mémoires de Colbert* (1861-1882), t. 5, pp. 512-513.

20. Justel annonce à Oldenburg la nomination de Cureau de La Chambre, Duclos, Gayant et Perrault le 3 octobre 1666. H. Justel, lettre à H. Oldenburg, *The correspondence of Henry Oldenburg* (1965-1977), t. 3, pp. 240-241.

21. Cl. Perrault, « Projet pour les expériences et observations anatomiques », « Projet pour la botanique », in *Procès-Verbaux de l'Académie des Sciences*, A.A.S., t. 1, pp. 22-30, 30-38. Deux exemplaires de ces projets comportant des variations mineures par rapport à la version donnée dans les *Procès-Verbaux* figurent par ailleurs dans les Pochettes de séances de l'année 1667 de l'Académie.

22. Cl. Perrault, « Projet pour les expériences et observations anatomiques », pp. 22-23.

23. *Ibid.*, p. 24.

24. *Ibid.*

25. *Ibid.*, pp. 29-30.

26. L. Plantefol, « Histoire de la botanique », in Institut de France, Académie des Sciences, *Troisième centenaire 1666-1966* (1967), t. 2, pp. 127-217, p. 130 notamment. Pour un panorama général de la recherche en botanique au XVIIe siècle on pourra consulter par ailleurs : A. Davy de Virville, *Histoire de la botanique en France* (1954), E.-L. Greene, *Landmarks of botanical history* (1983).

27. Cl. Perrault, « Projet pour la botanique », p. 30.

28. Lire : *Tournefort* (1957).

29. Cl. Perrault, *op. cit.*, pp. 31-32. Sur l'histoire des plantes de l'Académie, lire : Y. Laissus, A.-M. Monseigny, « Les plantes du Roi. Note sur un grand ouvrage de botanique préparé au XVIIᵉ siècle par l'Académie royale des Sciences », in *Revue d'Histoire des Sciences et de leurs applications* (1969), J.-F. Bréchot, M. Guédès, Y. Laissus, *Note bibliographique sur les « Plantes du Roi »* (1974).

30. Cl. Perrault, *op. cit.*, pp. 31-32.

31. D. Dodart, *Mémoires pour servir à l'histoire des plantes* (1676), « Avertissement ».

32. Sur les théories de la génération au XVIIᵉ siècle, lire bien sûr : J. Roger, *op. cit.*

33. *Ibid.*, p. 140 et suivantes.

34. Cl. Perrault, *op. cit.*, pp. 33-34.

35. On sait qu'aux yeux de Descartes Dieu s'est contenté de créer le monde dans son état initial et d'édicter les lois générales du mouvement de la matière avant de laisser agir ces dernières.

36. La pensée scientifique du XVIIᵉ siècle ne cherche nullement à remettre en cause la possibilité du miracle. Elle rejette par contre la pensée magique de la Renaissance encline à découvrir partout des prodiges contraires à toute idée de stabilité de la nature. Cf. R. Lenoble, *op. cit.*, p. 157 et suivantes notamment, B. Tocanne, *L'idée de nature en France dans la seconde moitié du XVIIᵉ siècle* (1978), pp. 115-134.

37. Cl. Perrault, *op. cit.*, pp. 34-35.

38. *Ibid.*, p. 35.

39. *Ibid.*, p. 36.

40. *Procès-Verbaux*, t. 4, f. 67v. Sur la contribution de Mariotte à la physiologie végétale, lire : R. Heller, « Mariotte et la physiologie végétale », in *Mariotte, savant et philosophe* (1986), pp. 185-203. On trouvera d'autre part un intéressant parallèle entre Mariotte et Perrault dans : C. Salomon-Bayet, *op. cit.*, pp. 67-105.

41. *Ibid.*

42. Cl. Perrault, « Examen des réflexions qui ont été faites sur la proposition de la circulation de la sève dans les plantes », in *Procès-Verbaux*, t. 4, ff. 93r-98v. À Duclos qui avait récusé l'analogie que Mariotte et Perrault avaient cru devoir établir entre la circulation sanguine et celle de la sève des plantes, ce mémoire répond que l'analogie entre les animaux et les plantes ne suffit certes pas pour fonder l'hypothèse de la circulation dans les plantes, mais que les expériences venant à l'appui de cette supposition lui confèrent « une probabilité qui est bien souvent la seule chose que l'on peut espérer en physique », f. 93r. Notons au passage qu'il s'agit de l'une des premières expressions de cette conception probabiliste de l'hypothèse qui sera développée par Perrault dans ses *Essais de physique*.

43. Cl. Perrault, *Essais de physique*, t. 1, p. 174.

44. *Ibid.*, p. 201.

45. *Ibid.*, pp. 177-178.

46. Cf. A. Davy de Virville, *op. cit.*, p. 52.

47. Cf. C. Salomon-Bayet, *op. cit.*

48. M. Foucault, *op. cit.*

49. Sur la réponse atomiste apportée par Cordemoy à cette question, lire : P. Mouy, *Le développement de la physique cartésienne* (1934), p. 101 et suivantes. En ce qui concerne Leibniz, l'une des formulations les plus nettes du problème de la distinction entre un assemblage de parties et une substance se trouve dans la correspondance avec Arnauld des années 1686-1687. On pourra consulter également : M.-N. Dumas, *La pensée de la vie chez Leibniz* (1976).

50. Cl. Perrault, « De la chaux », in *Procès-Verbaux*, t. 1, pp. 308-327, « Mémoire sur les causes de la coagulation », in *Procès-Verbaux*, t. 6, ff. 141 r-149 v.

51. Cl. Perrault, « Avis sur la suite à donner au programme de physique de l'Académie », in *Procès-Verbaux*, t. 6, ff. 183r-188r.

## NOTES DU CHAPITRE 4

1. Sur cette vogue de l'anatomie, lire par exemple : H. Busson, *La religion des classiques* (1948), p. 90 et suivantes.

2. Sur l'ensemble de la querelle du finalisme, lire : H. Busson, *op. cit.*, pp. 137-164. Sans en comprendre toute la portée philosophique et religieuse, Dionis rappelle par ailleurs l'affrontement de Cressé et Lamy au début de *L'anatomie de l'homme*, p. 18 et suivantes.

3. G. Lamy, *Discours anatomiques*, p. 62.

4. *Ibid.*, p. 24.

5. *Ibid.*, p. 22. Plus généralement, toutes les parties des corps vivants « étant (...) formées par une aveugle nécessité des mouvements de la matière, elles ne sont destinées pour aucune fin ; mais trouvent (...) leurs usages, conformément à leur disposition et à l'industrie de l'animal qui s'en sert », *ibid.*, pp. 21-22. Comme on peut le constater sur cet exemple, les positions de Lamy frôlent bien souvent le matérialisme, ce qui lui vaudra de nombreux démêlés avec la Faculté de Médecine et les autorités.

6. Cf. H. Busson, *op. cit.*, pp. 158-159.

7. Dans ses *Essais de physique* Claude Perrault prend nettement parti contre les philosophes qui prétendent comme Guillaume Lamy qu'on ne peut rien comprendre à la nature, et qui font de cette dernière « une cause sans intelligence, et qui dans ses ouvrages ne se conduit que par le hasard ». Cl. Perrault, *op. cit.*, t. 3, p. 3. On ne saurait être plus clair dans la condamnation de l'antifinalisme. Sur la généralisation de cette attitude à la fin du XVIIᵉ siècle, cf. J. Roger, *op. cit.*, p. 228.

8. Lire : L.-F. Le Double, *op. cit.*

9. *Procès-Verbaux de l'Académie des sciences*, t. 4.

10. *Ibid.*, t. 4, f. 227 et suivants.

11. C. Bourdelin, *Procès-verbaux des analyses et des expériences faites au laboratoire de l'Académie des sciences*, B.N. MS NAF 5147, f. 12r. Sur le déroulement des séances de dissection de l'Académie on pourra lire par ailleurs : J. Schiller, « Les laboratoires d'anatomie et de botanique à l'Académie des Sciences au XVII<sup>e</sup> siècle », in *Revue d'Histoire des Sciences* (1964), pp. 97-114, pp. 108-109 notamment.

12. *Procès-Verbaux*, t. 4, ff. 30r et suivants, 260r et suivants, 310r et suivants, 333r et suivants.

13. *Ibid.*, t. 10, f. 121v. A côté de Sébastien Leclerc qui grave les planches destinées aux *Mémoires pour servir à l'histoire naturelle des animaux*, l'Académie emploie parfois d'autres artistes comme Louis de Chatillon ou Philippe Simonneau, ce qui complique singulièrement les questions d'attribution de certains dessins non signés, cf. *Dessin et sciences*, p. 43.

14. Cl. Perrault, *Mémoires pour servir à l'histoire naturelle des animaux* (1671), Préface.

15. *Ibid.*

16. *Ibid.*

17. Dans l'appréciation du travail des anatomiste de l'Académie nous sommes principalement redevables à : F.-J. Cole, *A history of comparative anatomy* (1944), pp. 393-442. Ont été également consultés : G. Petit, J. Théodoridès, *Histoire de la zoologie des origines à Linné* (1962), A. Schierbeek, « The main trends of zoology in the 17th century », in *Janus* (1963), pp. 159-175.

18. Cl. Perrault, *op. cit.*, (1671), p. 13 et suivantes.

19. *Procès-Verbaux*, t. 4, f. 233v.

20. Entretien de l'auteur avec M. Roger Bour, chercheur au Laboratoire des Reptiles et Amphibiens du Muséum National d'Histoire Naturelle.

21. L'espèce en question dont le Muséum d'Histoire Naturelle conserve un spécimen de dossier (MHN 7819) a été notamment décrite par : G. Bibron, R. Duméril, *Erpétologie générale* (1835), pp. 126-129, L. Vaillant, « La tortue de Perrault (Testudo indica, Schneider). Étude historique », in *Nouvelles Archives du Muséum* (1900), pp. 25-47. Pour sa provenance exacte, lire : R. Bour, « L'identité de Testudo gigantea Schweigger, 1812 (Reptilia Chelonii) », in *Bulletin du Muséum national d'Histoire naturelle*, pp. 159-175, p. 162 notamment.

22. Cl. Perrault, *op. cit.* (1676), p. 193 et suivantes.

23. *Ibid.*, p. 167 et suivantes.

24. *Ibid.*, p. 126.

25. Cl. Perrault, *op. cit.* (1671), pp. 67-68.

26. Cl. Perrault, *op. cit.* (1676), p. 113.

27. Cf. F.-J. Cole, *op. cit.*, pp. 397-398. Voir également : *Inventaire des livres, manuscrits, dessins, &<sup>ca</sup> ayant rapport aux travaux de l'Académie, et retirés des effets de M. Du Verney, suivant le procès-verbal fait par M. le commissaire Le Droit en présence de MM. Couplet et Morand*, A.A.S., Dossier Joseph-Guichard Du Verney.

28. Cl. Perrault, « Mémoires pour servir à l'histoire naturelle des animaux », *Mémoires de l'Académie royale des sciences, depuis 1666 jusqu'à 1693*

(1733 et années suivantes), t. 3. Préparée par Winslow, Petit et Morand, cette édition reprend également l'anatomie de la vipère publiée par Charas en 1669, ainsi que des descriptions d'animaux exotiques envoyées par des missionnaires jésuites en 1687.

29. Cl. Perrault, *Essais de physique*, t. 3, p. 273 et suivantes.

30. *Ibid.*, p. 218.

31. *Ibid.*, p. 148 et suivantes.

32. *Ibid.*, p. 138 et suivantes.

33. *Ibid.*, p. 34 et suivantes.

34. Cf. B. Balan, *L'ordre et le temps. L'anatomie comparée et l'histoire des vivants au XIX<sup>e</sup> siècle* (1979), p. 69. Sur les conceptions de Cuvier, lire également : H. Daudin, *Cuvier et Lamarck : Les classes zoologiques et l'idée de série animale (1790-1830)* (1926).

35. L. de Jaucourt, « Zootomie », in *Encyclopédie, ou dictionnaire raisonné des sciences, des arts et des métiers* (1751-1772), t. 17, pp. 744 notamment, cité par B. Balan, *op. cit.*, p. 30.

36. « Note de Huygens avec des observations de Colbert », reproduite dans : *Lettres instructions et mémoires de Colbert*, t. 5, pp. 523-524, p. 524 notamment.

37. Cl. Perrault, *op. cit.*, t. 3, p. 8.

38. Sur les problèmes généraux posés par la définition des genres et des espèces, cf. D. Gouget, L. Matile, P. Tassy, *Introduction à la systématique zoologique (Concepts, principes, méthodes)* (1985).

39. Lire : H. Daudin, *De Linné à Lamarck : Méthodes de classification et idée de série en botanique et en zoologie (1740-1790)* (réed. 1983).

40. Voir par exemple : J. Pitton de Tournefort, *Elémens de botanique* (1694), Épitre au roi.

## NOTES DU CHAPITRE 5

1. R. Descartes, « Traité de l'homme », in *Œuvres de Descartes* (1897-1913), t. XI, pp. 165-166.

2. D. Tauvry, *Nouvelle anatomie raisonnée* (1690), Préface, cité par : B. Tocanne, *op. cit.*, p. 48.

3. R. Descartes, « Principes de la philosophie », *op. cit.*, t. IX-2, p. 94 : « Qu'il n'y a rien qui joigne les parties des corps durs, sinon qu'elles sont en repos au regard l'une de l'autre ».

4. Cl. Perrault, *Essais de physique*, t. 1, pp. 15-16.

5. *Ibid.*, p. 16. On reviendra sur le principe de cette explication au chapitre suivant.

6. R. Descartes, « Traité de l'homme », *op. cit.*, p. 134 notamment.

7. Cl. Perrault, *op. cit.*, t. 1, p. 160.

8. *Ibid.*, p. 162.

9. Cl. Perrault, *op. cit.*, t. 3, pp. 76-77.

10. F. Azouvi, « Entre Descartes et Leibniz : l'animisme dans les *Essais de physique* de Claude Perrault », in *Recherches sur le XVII<sup>e</sup> siècle* (1982),

pp. 9-19, p. 10. Sur les conceptions physiologiques de Perrault signalons également l'étude plus ancienne de J. Lebovits : *Claude Perrault physiologiste* (1931).

11. Cl. Perrault, *op. cit.*, t. 1, p. 140.

12. *Ibid.*, p. 149.

13. Notons au passage que Claude Perrault semble s'inspirer plus d'une fois de Cureau de La Chambre dans sa description de la digestion, cf. A. Darmon, *op. cit.*, p. 34.

14. Cl. Perrault, *op. cit.*, t. 3, p. 76.

15. *Ibid.*, p. 150.

16. *Ibid.*, p. 245.

17. Cl. Perrault, *op. cit.*, t. 1, p. 138.

18. *Ibid.*, p. 133.

19. Cl. Perrault, *op. cit.*, t. 4, p. 77. Voir également : *Procès-Verbaux de l'Académie des sciences*, t. 11, f. 28v.

20. Cl. Perrault, *op. cit.*, t. 1, p. 3 et suivantes.

21. « Toutes les fonctions des corps vivants consistent dans le mouvement des particules dont ils sont composés », Cl. Perrault, *op. cit.*, t. 4, p. 27.

22. *Ibid.*, p. 38.

23. *Ibid.*, p. 40.

24. Cl. Perrault, *op. cit.*, t. 3, p. 24.

25. Cl. Perrault, *op. cit.*, t. 4, p. 40.

26. *Ibid.*, p. 62.

27. Cl. Perrault, *op. cit.*, t. 3, p. 16 et suivantes.

28. Cl. Perrault, *op. cit.*, t. 4, p. 40.

29. *Ibid.*, p. 127.

30. Cl. Perrault, *op. cit.*, t. 3, p. 5. Pour une comparaison des résultats respectifs de Perrault et Du Verney, lire : J.-G. Du Verney, *Œuvres anatomiques* (1761), t. 2, pp. 540-542. Jusqu'à sa mort Perrault fera figure de spécialiste des problèmes de l'ouïe ; c'est pour cette raison que l'abbé de Hautefeuille lui écrit pour lui parler de son invention destinée à augmenter considérablement la portée de l'audition. Voir : J. de Hautefeuille, Cl. Perrault, *Lettre de Monsieur de Haute-Feuille à Monsieur Bourdelot, premier médecin de Madame la duchesse de Bourgogne, sur le moyen de perfectionner l'ouye, avec deux lettres de Monsieur Perrault de l'Académie royale des sciences, sur le même sujet* (1702).

31. Cl. Perrault, *Essais de physique*, t. 2, p. 247.

32. *Ibid.*, p. 248.

33. Voir E. Mariotte, J. Pecquet, *Nouvelle découverte touchant la vue* (1668) et E. Mariotte, J. Pecquet, Cl. Perrault, *Lettres écrites par MM. Mariotte, Pecquet et Perrault sur le sujet d'une nouvelle découverte touchant la veüe* (1676). Sur les positions en présence, lire par ailleurs : H. Helmholtz, *Optique physiologique* (1867), pp. 300-301, et surtout : M.-D. Grmek, « Mariotte et la physiologie de la vision », in *Mariotte, savant et philosophe*, pp. 155-184.

34. Cl. Perrault, lettre à Mariotte, in *Lettres écrites par MM. Mariotte, Pecquet et Perrault*, pp. 17-18.

35. Cl. Perrault, *Essais de physique*, t. 2, p. 266. Sur les incertitudes des savants du Grand Siècle sur l'antomie et la physiologie du cerveau qui rendent possible cette interprétation, on pourra lire par exemple : N. Sténon, *Discours de Monsieur Sténon sur l'anatomie du cerveau* (1669).

36. Cl. Perrault, *op. cit.*, p. 266 et suivantes notamment.

37. Cl. Perrault, *op. cit.*, t. 3, p. 1.

38. Lire : E. Gilson, *Introduction à l'étude de saint Augustin* (éd. 1987), pp. 63-64.

39. Cl. Perrault, *op. cit.*, t. 4, pp. 79-80.

40. J. Rohault, « Entretiens sur la philosophie », in *Recherches sur le XVIIᵉ siècle* (1978), pp. 102-164, p. 141 notamment.

41. Cl. Perrault, *op. cit.*, t. 2, p. 309. En attribuant une âme spirituelle aux bêtes, Perrault se distingue des gassendistes qui voient dans l'âme animale une sorte de « fleur de la matière » faite des corpuscules les plus subtils. Sur la conception gassendiste de l'âme, lire : O.-R. Bloch, *La philosophie de Gassendi* (1971), p. 363 et suivantes. Bien qu'il rejette la théorie des animaux-machines, Perrault est en général plus proche du cartésianisme que du gassendisme.

42. Cl. Perrault, *op. cit.*, pp. 305-306.

43. Lire par exemple : M. Cureau de La Chambre, *Traité de la connaissance des animaux* (1648), *Le système de l'âme* (1664).

44. P. Chanet, *De l'instinct et de la connaissance des animaux* (1646), p. 127 notamment. Sur l'ensemble de ce débat entre Cureau de La Chambre et Chanet, lire : J.-B. Piobetta, « Au temps de Descartes. Une polémique ignorée sur la connaissance des animaux (Pierre Chanet et Marin Cureau de la Chambre) », in *Travaux du IXᵉ Congrès International de Philosophie* (1937), t. 2, pp. 60-66.

45. Cl. Perrault, *op. cit.*, p. 307.

46. *Ibid.*, p. 260 et suivantes.

47. *Ibid.*, pp. 275-276.

48. Cf. F. Azouvi, *op. cit.*, p. 12.

49. Cl. Perrault, *op. cit.*, p. 283.

50. *Ibid.*, p. 293.

51. *Ibid.* p. 284.

52. *Ibid.*, pp. 289-290.

53. *Ibid.*, p. 305.

54. *Ibid.*, p. 290.

55. Cf. M. Soriano, *Les contes de Perrault*, p. 322 et suivantes. Charles Perrault connaît parfaitement la doctrine de son frère à laquelle il fait allusion plus d'une fois dans ses *Parallèles des anciens et des modernes*.

56. P. Nicole, *Essais de morale* (éd. 1730-1735), t. 3, p. 168, cité par B. Tocanne, *op. cit.*, p. 149.

57. Cf. B. Tocanne, *op. cit.*, p. 152 et suivantes.

58. G.-W. Leibniz, *Nouveaux essais sur l'entendement humain* (éd. 1886), pp. 105-106. Sur le rôle joué par les petites perceptions dans le système de Leibniz on pourra consulter par ailleurs : Y. Belaval, *Leibniz Initiation à sa philosophie* (éd. 1975), p. 207 et suivantes.

59. *Catalogue critique des manuscrits de Leibniz* (1914-1924), n° 1204. La note de Leibniz sur les conceptions animistes de Perrault se trouve reproduite dans : E. Bodeman, *Die Leibniz-Handschriften des Königlichen öffentlichen Bibliothek zu Hannover* (1895), pp. 118-119.

60. F. Azouvi, *op. cit.*, p. 17.

61. Perrault tente de montrer à ce propos que les mécanistes les plus orthodoxes recourent sans le dire à des hypothèses animistes, lorsqu'ils font par exemple agir l'âme sur les esprits animaux sans que cette dernière en ait clairement conscience. L'existence de pensées confuses lui paraît ainsi constituer une conséquence nécessaire du mécanisme. Cf. F. Azouvi, *op. cit.*, p. 16. Voir également : A. Tenenti, « Claude Perrault et la pensée scientifique française dans la seconde moitié du XVII<sup>e</sup> siècle », in *L'évantail de l'histoire. Hommage à Lucien Febvre* (1953), pp. 306-316.

62. Cl. Perrault, *op. cit.*, t. 3, p. 304.

63. *Ibid.*, pp. 306-307.

64. *Ibid.*, pp. 314-315.

65. *Ibid.*, p. 328 et suivantes.

66. Cl. Perrault, *op. cit.*, t. 4, p. 1 et suivantes.

67. *Ibid.*, p. 4.

68. J. Roger, *op. cit.*, p. 339 et suivantes.

69. N. Malebranche, *De la recherche de la vérité* (éd. 1972-1976), t. 1, pp. 82-83.

70. *Procès-Verbaux de l'Académie des sciences*, t. 8, f. 141 r.

71. Sur la fidélité de Perrault à l'héritage augustinien, lire : J. Roger, *op. cit.*, p. 343 notamment. Sur les raisons séminales de saint Augustin, lire : E. Gilson, *op. cit.*, p. 269 et suivantes.

## NOTES DU CHAPITRE 6

1. Lire par exemple : J.-L. Heilbron, *Elements of early modern physics* (1982), P. Mouy, *Le développement de la physique cartésienne*. En ce qui concerne plus spécifiquement la mécanique, voir également : P. Dugas, *La mécanique au XVII<sup>e</sup> siècle* (1954).

2. Cf. P. Mouy, *op. cit.*, p. 28 notamment.

3. Cf. J.-L. Heilbron, *op. cit.*, p. 43.

4. Cl. Perrault, « De la chaux », in *Procès-Verbaux de l'Académie des sciences*, t. 1, pp. 308-327, p. 309 notamment.

5. Cl. Perrault, mémoire sur les causes de la coagulation, in *Procès-Verbaux*, t. 6, ff. 141r-149v.

6. Cf. P. Mouy, *op. cit.*, p. 284.

7. N. Malebranche, *op. cit.*, t. 2, p. 436 et suivantes.

8. La critique de Malebranche est à cet égard éclairante.

9. G.-W. Leibniz, lettre à Claude Perrault, in *Sämtliche Schriften und Briefe, herausgegeben von der preussichen Akademie der Wissenschaften* (1923-1926), II Reihe, t. 1, pp. 262-268.

10. G.-W. Leibniz, « Remarques sur la partie générale des *Principes* de Descartes », in *Opuscules philosophiques choisis* (1978), pp. 17-82, p. 70 notamment.

11. *Procès-Verbaux*, t. 5, f. 130r-v. Sur l'ensemble de cette discussion, lire : P. Mouy, *op. cit.*, pp. 182-183.

12. *Procès-Verbaux*, t. 5, f. 133v.

13. C. Huygens, mémoire sur les causes de la pesanteur, in *Procès-Verbaux*, t. 5, ff. 164r-179v. L'argument de ce mémoire qui sera repris dans le « Discours sur la cause de la pesanteur » publié à la suite du *Traité de la lumière* de 1690 est examiné en détail par P. Dugas, *op. cit.*, pp. 314-315 et p. 446 et suivantes.

14. P. Mouy, *op. cit.*, p. 20.

15. Cl. Perrault, mémoire sur les causes de la pesanteur, in *Procès-Verbaux*, t. 5, ff. 213v-222r, f. 218r-v notamment.

16. *Ibid.*, f. 220v.

17. Cl. Perrault, *Essais de physique*, t. 2, « Du bruit », p. 39 et suivantes, t. 4, « De la transparence des corps », p. 229 et suivantes.

18. Les positions de Perrault sur la question du vide nous sont connues par des *Remarques sur le traité de la pesanteur et dureté des corps*, rédigées sans doute par un de ses collègues de l'Académie, en marge desquelles figurent des réponses de sa main beaucoup plus explicites que les *Essais* imprimés peu de temps auparavant. Contrairement à Descartes Perrault admet qu'un corps subtil puisse être composé de parties entre lesquelles il n'y aurait rien. A.A.S. Carton 1666-1793.

19. Cl. Perrault, *Essais de physique*, t. 1, préface.

20. Dans ses *Essais de physique* comme dans les annotations qu'il apporte aux *Remarques sur le traité de la pesanteur et dureté des corps* Perrault insiste à plusieurs reprises sur l'indépendance de son explication de la pesanteur par rapport à celle de la dureté des corps. Cette indépendance ne sera pas du goût de Régis qui s'en démarquera dans son *Système de philosophie* de 1690. Cf. H. Metzger, *Les doctrines chimiques en France du début du XVII<sup>e</sup> siècle à la fin du XVIII<sup>e</sup> siècle* (éd. 1969), pp. 275-276.

21. Cl. Perrault, *Essais de physique*, t. 1, p. 4 et suivantes.

22. *Ibid.*, p. 9 et suivantes.

23. Régis prend la peine de réfuter par exemple l'explication de la pesanteur de Perrault au même titre que celles de Gadrois, Rohault ou Varignon dans son *Système de philosophie*. P.-S. Régis, *op. cit.*, p. 444 et suivantes.

24. Cl. Perrault, *Essais de physique*, t. 1, préface.

25. C. Huygens, *Traité de la lumière* (éd. 1920), p. x.

26. E. Mariotte, *Essay de logique* (1678), p. 33. Sur les principales idées développées dans l'*Essay de logique*, lire : B. Rochot, « Roberval, Mariotte et la *Logique* », in *Archives Internationales d'Histoire des Sciences*

(1953), pp. 38-43, et surtout : E. Coumet, « Sur l'*Essai de logique* de Mariotte : l'établissement des sciences », in *Mariotte, savant et philosophe*, pp. 277-308. On trouve également une conception probabiliste de l'hypothèse chez Régis et Rohault.

27. Selon l'académicien la glace n'occupe pas par exemple plus de volume que l'eau. Si les vaisseaux remplis d'eau se brisent l'hiver, c'est parce qu'ils se contractent autour du liquide congelé qui ne change pas de volume quant à lui. Dans le même ordre d'idées, l'expérience du vide n'est pas concluante aux yeux de Perrault.

28. Nous nous référons en particulier à : K. Popper, *La logique de la découverte scientifique* (éd. 1973).

29. Claude Perrault pourrait presque reprendre à son compte les réserves qu'exprime son frère Pierre au sujet de l'expérience dans sa lettre à Huygens publiée à la fin de son traité *De l'origine des fontaines*. On y lit notamment : « quelles que soient toutes les expériences que l'on saurait faire, et quelque sujet que puissent avoir les sens et le jugement tout ensemble d'être satisfaits, je tiens que toute la conséquence que l'on en peut tirer, est que la chose se fait ainsi avec telles et telles machines, de telle grandeur, de telle matière, en tel lieu, etc. sans qu'il y ait lieu d'assigner une cause plutôt qu'une autre à l'effet qui aura été découvert par cette expérience. » P. Perrault, *op. cit.*, p. 328. Si l'expérience ne renseigne pas positivement sur la cause du phénomène observé, elle pourrait bien être également incapable de ruiner quelque hypothèse que ce soit faute d'avoir accès à tous les paramètres qui conditionnent l'effet produit.

30. Cl. Perrault, *op. cit.*, préface.

31. Ch. Perrault, *Pensées chrétiennes et pensées morales, physiques métaphysiques et autres qui regardent la philosophie*, p. 149.

32. *Procès-Verbaux*, t. 10, ff. 145r-146r.

33. *Ibid.*, t. 11, ff. 35v-37r.

34. *Ibid.*, t. 11, ff. 113v, 115r.

35. Aux X^e livre de la seconde édition de la traduction de Vitruve figurent par exemple deux machines pour élever les fardeaux inventées par Perrault, trad. Vitruve (1684), pp. 304-305.

36. L'ouvrage comprend également une machine pour empêcher que les gros cables des ancres ne soient facilement rompus ainsi qu'une « abaque rhabdologique » destinée à faciliter les calculs qui témoignent de la diversité des centres d'intérêt de Perrault.

37. A côté des machines qui figuraient déjà dans le recueil publié par Charles Perrault, on trouve notamment un cric d'équilibre pour élever les fardeaux, un piston pour les pompes, la machine pour augmenter l'effet des armes à feu présentée à l'Académie et une machine pour connaître la pente que l'eau prend dans un canal.

38. Sur proposition de Perrault l'Académie décide par exemple le 18 novembre 1676 que Buot, Mariotte et Picard iront à l'Arsenal examiner une nouvelle machine inventée par le sieur Doucet. *Procès-Verbaux*, t. 8, f. 99r.

39. Cf. J.-P. Séris, *Machine et communication* (1987).

40. *Ibid.*, p. 171 et suivantes.

41. *Ibid.*, p. 193 et suivantes.

42. Cl. Perrault, *Essais de physique*, t. 1, pp. 127-128.

43. Sur le problème de la manœuvre des vaisseaux, lire : J.-P. Séris, *op. cit.*, p. 53 et suivantes.

44. C. Salomon-Bayet, *op. cit.*, p. 79.

45. Dans les *Essais de physique* ce finalisme est intimement lié à la simplicité des principes mécaniques dont Dieu a fait usage pour créer le monde. En effet : « l'admirable ouvrier des merveilles qui se voient dans la structure des organes des animaux, ne nous a point voulu cacher toute la sagesse qu'il y a employée. » Cl. Perrault, *op. cit.*, t. 3, p. 3.

46. Cl. Perrault, *op. cit.*, préface.

## NOTES DU CHAPITRE 7

1. Sur la querelle des anciens et des modernes, lire par exemple : H. Gillot, *La querelle des anciens et des modernes* (1914), H. Kortum, *Charles Perrault und Nicolas Boileau : Der Antike-Streit im Zeitalter der klassischen Literatur* (1966), B. Magne, *Crise de la littérature française sous Louis XIV : humanisme et nationalisme* (1976).

2. Cf. H. Gillot, *op. cit.*, p. 483 et suivantes.

3. R. Rapin, *Réflexions sur la poétique de ce temps* (éd. 1675), p. 6.

4. Il s'agit du *Parallèle des anciens et des modernes, où il est traité de l'astronomie, de la géographie, de la navigation, de la guerre, de la philosophie, de la musique, de la médecine, &c*, un vaste programme tout à fait à l'image de la curiosité universelle des Perrault.

5. Cf. H. Gillot, *op. cit.*, p. 291 et suivantes. La célèbre *Préface pour le traité du vide* de Pascal résume parfaitement l'argument : « Ceux que nous appelons anciens étaient véritablement nouveaux en toutes choses, et formaient l'enfance des hommes proprement ; et comme nous avons joint à leurs connaissances l'expérience des siècles qui les ont suivis, c'est en nous que l'on peut trouver cette antiquité que nous révérons dans les autres. » B. Pascal, *Œuvres complètes* (éd. 1954), p. 534.

6. CF. H. Gillot, *op. cit.*, p. 369.

7. Cf. B. Magne, *op. cit.*, L'admiration de l'Antiquité demeure toutefois tenace. C'est afin de la concilier avec l'affirmation de la grandeur nationale qu'est assez systématiquement développé le thème d'une monarchie française qui aurait recueilli l'héritage spirituel de l'Antiquité. Pour une expression paroxystique de cette conception, écrite il est vrai pour justifier la politique étrangère de Louis XIV, lire : A. Aubery, *Des justes prétentions du roy sur l'Empire* (1667), p. 126 et suivantes notamment.

8. « Mythologie des murs de Troye », Ars. MS 2956. Pour des raisons de commodité nous nous référerons par la suite à la publication qu'en a donné P. Bonnefon en 1900 dans la *Revue d'Histoire littéraire de la France* sous le titre « Un poème inédit de Claude Perrault ».

9. Cl. Perrault, *Scavoir si la musique à plusieurs parties, a esté connüe et mise en usage par les anciens*, B.N. MS F 25350. Nous nous référerons cette fois à la version imprimée donnée par H. Gillot, *op. cit.*, pp. 576-591.

10. Cl. Perrault, « Mythologie des murs de Troye », p. 453.

11. *Ibid.*

12. *Ibid.* La critique de Ronsard est par ailleurs un des lieux communs de la théorie littéraire du XVIIᵉ siècle, cf. R. Bray, *La formation de la doctrine classique* (éd. 1983), p. 14 et suivantes.

13. Cl. Perrault, *op. cit.*, p. 456.

14. Cl. Perrault, *Essais de physique*, t. 2, p. 359 notamment. Le « Traité de la musique des anciens » reprend des éléments qui avaient servi à Perrault dans son commentaire du Vᵉ livre de Vitruve. Son contenu n'est pas aussi original qu'il pourrait y paraître, car le père Mersenne avait déjà mis en doute les qualités de la musique des anciens avec des arguments proches de ceux de l'académicien dans ses *Questions Harmoniques* de 1634. M. Mersenne, *Questions Inouyes, Questions Harmoniques, Questions Théologiques, Les Méchaniques de Galilée, Les Préludes de l'Harmonie universelle* (éd. 1985), pp. 191-198.

Le « Traité de la musique des anciens » sera sévèrement critiqué par Jean-Laurent Le Cerf de La Viéville dans la seconde édition de sa *Comparaison de la musique italienne et de la musique française* parue à Bruxelles en 1705-1706. Après avoir loué l'érudition de l'académicien, Le Cerf de La Viéville écrit qu'il « connaissait assez la musique des anciens pour l'aimer et a réussi à la détester », *op. cit.*, p. 239. La remarque révèle la persistance de la réputation de bizarrerie faite à tous les Perrault sans exception par les bons soins de Boileau.

15. Cl. Perrault, *op. cit.*, p. 395.

16. *Ibid.*, pp. 386-387. Charles Perrault reprendra cette distinction entre les beautés qui parlent aux sens, au cœur et à la raison, dans ses *Parallèles des anciens et des modernes*, t. 1, pp. 212-214.

17. Cl. Perrault, *op. cit.*, p. 387. Aux yeux de Charles Perrault, la beauté qui plaît à la raison fait ressentir « une joie moins vive à la vérité, mais plus spirituelle et plus digne d'un homme » que les deux autres sortes de beautés qui sont encore empreintes d'une certaine animalité. Ch. Perrault, *op. cit.*, p. 214.

18. Cl. Perrault, *op. cit.*, p. 388.

19. *Ibid.*, pp. 388-389.

20. *Ibid.*, p. 395.

21. *Ibid.*, p. 397.

22. Cl. Perrault, « Scavoir si la musique à plusieurs parties, a esté connüe et mise en usage par les anciens », p. 585.

23. *Ibid.*, p. 580. On notera la contradiction latente d'un discours s'adressant aux « intelligents » qui n'hésite pas à invoquer le bon sens du vulgaire, un vulgaire étrangement policé il est vrai.

24. *Ibid.*, pp. 583-584.

25. D'après Marc Soriano, Claude Perrault serait le « faux Esculape, à cervelle ignorante » auquel fait allusion le sonnet « Sur une de mes parentes qui mourut toute jeune entre les mains d'un charlatan ». La parente en question était Anne Dongois, fille de la demi-sœur du satirique, à laquelle ce dernier vouait « une amitié charmante ». M. Soriano, *Le dossier Perrault*, p. 171. Perrault était surtout le médecin attitré de Louise Bayen, épouse de Jérôme Boileau et belle-sœur du poète qui la supportait difficilement.

26. Cf. N. Boileau, *Œuvres complètes*, p. 1001.

27. *Ibid.*, p. 181.

28. Ch. et Cl. Perrault, « Le corbeau guéri par la cigogne ou l'ingrat parfait », in *Recueil de Tralage*, t. 1, Ars. MS 6541, ff. 115r-116v. Le sonnet « A un médecin » constitue la réponse de Boileau. N. Boileau, *op. cit.*, p. 254.

29. P. Perrault, *Critique de l'opéra, ou examen de la tragédie intitulée Alceste* (1674), *Critique des deux tragédies d'Iphigénie d'Euripide et de M. Racine et la comparaison de l'une avec l'autre*, B.N. MS F 2385. Également agacé par Pierre Perrault et par sa critique sans nuances d'Euripide, Racine lui répond dans la préface d'*Iphigénie*. Cf. J. Picard, *La carrière de Jean Racine* (éd. 1979), pp. 224-226.

30. Ch. Perrault, *Le siècle de Louis-le-Grand* (1687), p. 3.

31. *Ibid.*, pp. 4-6.

32. Ch. Perrault, *Parallèles des anciens et des modernes*, t. 1, p. 72.

33. *Ibid.*, p. 67.

34. H. Gillot, *op. cit.*, p. 527.

35. Pour David Leroy, l'appréciation des monuments laissés par les grecs sera par exemple subordonnée à la connaissance de leur philosophie, à celle « de l'ordre et de la division qu'ils mettent dans les sciences, et des règles qu'ils observent dans les arts », soit : « le système général formé par les grecs sur les sciences et les arts ». D. Leroy, *Les ruines des plus beaux monuments de la Grèce* (1758), seconde partie, p. ij. Même attitude chez Winkelmann qui cherchera à constituer « le précis d'un système de l'art » avec son *Histoire de l'art chez les anciens* publiée pour la première fois en 1764 à Dresde et traduite très vite en français. J.-J. Winkelmann, *Histoire de l'art chez les anciens* (éd. 1790-1792), t. 1, pp. xi, xij.

36. Consulté par les deux partis, Arnauld donne raison à Boileau au nom de la morale qui veut que l'on condamne le style galant, le roman et l'opéra, dans une longue lettre écrite à Perrault le 5 mai 1694. Cette lettre ne sera jamais envoyée à son destinataire, mais des copies sont mises en circulation par les amis de Boileau auxquels elle avait été communiquée. Désavoué par l'une des plus hautes autorités morales de son temps, Perrault se voit contraint de faire la paix, bien que Bossuet se soit montré pour sa part indulgent envers lui qu'envers son adversaire. La réconciliation officielle intervient finalement le 30 août 1694. Boileau et Perrault s'embrassent devant l'Académie française et se prodiguent les marques d'une amitié toute superficielle.

37. Cf. T.-A. Litman, *Le sublime en France (1660-1714)* (1971).

38. N. Boileau, « Traité du sublime », in *Œuvres complètes*, p. 337.

39. Cf. R. Bray, *La formation de la doctrine classique* (éd. 1983), p. 191 et suivantes.

40. Ch. Perrault, *op. cit.*, t. 1, pp. 99-100, cité par B. Magne, *op. cit.*, t. 2, pp. 808-809.

41. Sur l'analogie que l'on peut établir maintenant entre les machines de l'opéra et les ressorts machiniques du conte de fées, cf. M. Soriano :

« En somme, conte et opéra renverraient à un art total qui entraînerait dans l'âme du public une satisfaction spécifique, fondée sur une sorte de dépassement de nos limites naturelles. La seule différence entre eux se situerait dans l'emploi des machines. Dans l'opéra, elles interviennent effectivement et font partie du spectacle alors que, dans le conte, elles sont seulement décrites ou plus souvent encore implicitement supposées », *op. cit.*, p. 193.

42. La permanence de la nature est essentielle aux yeux des modernes. Parlant de l'auteur du *Siècle de Louis-le-Grand*, l'abbé des *Parallèles* rappelle que son système est très simple : « Il pose pour fondement que la nature est immuable et toujours la même dans ses productions, et que comme elle donne tous les ans une certaine quantité d'excellents vins, parmi un très grand nombre de vins médiocres et de vins faibles, elle forme aussi dans tous les temps un certain nombre d'excellents génies parmi la foule des esprits communs et ordinaires. » Ch. Perrault, *op. cit.*, t. 1, pp. 88-89.

43. *Ibid.*, t. 3, p. 155.

44. *Ibid.*, pp. 283-284.

45. Sur le « merveilleux chrétien » lire par exemple : B. Magne, *op. cit.*, t. 2, p. 632 et suivantes.

46. Charles Perrault élabore notamment le programme statuaire du dôme central des Tuileries : Ch. Perrault, *Dessein des figures quy doivent être mises aux deux frontispices du dôme du millieu du pallais des Thuileries*, B.H.V.P. NA MS 181, f. 170. Il donne ses instructions au sculpteur Girardon, envoyé en mission par Colbert, *Mélanges sur les beaux-arts*, B.N. MS F 390. On n'en finirait pas de recenser ses interventions effectuées au nom de la surintendance des Bâtiments.

47. Sur le rôle de Charles Perrault dans la querelle du coloris qui oppose les clans rivaux de Le Brun et Mignard, voir : B. Teyssèdre, *Roger de Piles et les débats sur le coloris au siècle de Louis XIV* (éd. 1965), p. 94. Sur le revirement ultérieur de Perrault sur cette question : *ibid.*, p. 403 et suivantes.

# NOTES DU CHAPITRE 8

1. Cl. Perrault, trad. Vitruve (1673), p. 2.

2. Sur l'utilisation des ordres antiques à partir de la Renaissance, lire par exemple : E. Forssmann, *Dorisch, Jonisch, Korinthisch, Studien über den Gebrau der Säulenordnungen in der Architecktur des 16.-18. Jahrhunderts* (éd. 1984).

3. Animé d'une volonté de rationalisation destinée à affirmer le statut d'art libéral de la discipline architecturale, le traité de Vitruve ne devait pas comporter beaucoup d'illustrations en réalité. Cf. P. Gros, « Vitruve et les ordres », in *Les traités d'architecture de la Renaissance* (1988), pp. 49-59, pp. 57-59 notamment. Sur l'importance théorique prise par les illustrations du *De architectura* à partir de la Renaissance, lire par exemple : R. Recht, « Codage et fonction des illustrations : l'exemple de l'édition de Vitruve de 1521 », *ibid.*, pp. 61-66.

4. Sur Jean Martin, lire : F. Fichet, *La théorie architecturale à l'âge classique* (1979), pp. 55-76.

5. J. Martin, trad. Vitruve (1547), « Advertissement aux lecteurs ».

6. Cl. Perrault, *op. cit.*, préface.

7. La Bibliothèque Nationale, le Cabinet des Dessins du Musée du Louvre et le Cabinet des Dessins du Nationalmuseum de Stockholm conservent plusieurs dessins préparatoires de Leclerc pour les planches de la traduction de Vitruve. Voir notamment : B.N. Est. Va 304/1, C.D.L. inv. 30420-30423, C.D.N.S. T.-H. n° 889.

8. *Comptes des Bâtiments du Roi sous le règne de Louis XIV* (1881-1901). t. 1, col. 281 à 709.

9. Cl. Perrault, *op. cit.*, p. 36.

10. *Ibid.*, p. 54.

11. *Ibid.*, pp. 148-149.

12. *Ibid.*, p. 36 et suivantes, p. 193 et suivantes, p. 243 et suivantes.

13. La planche LXII représente par exemple la machine employée pour élever l'eau dans le jardin de la Bibliothèque du Roi. En 1684, Perrault fera figurer les machines du charpentier Ponce Cliquin utilisées lors de la construction du grand fronton de la colonnade du Louvre.

14. E. Kaufmann, « Die Architekturtheorie der französische Klassik und des Klassizismus », in *Repertorium für Kunstwissenschaft* (1924), pp. 197-237.

15. Perrault avait pu admirer en particulier l'amphithéâtre et les piliers de Tuteles. Cl. Perrault, *Voyage à Bordeaux*, pp. 183-187.

16. Cl. Perrault, trad. Vitruve (1673), pl. II, III.

17. Cl. Perrault, trad. Vitruve (1684), p. 178.

18. H. Oldenburg, lettres à Huet et Leibniz du 19 mai et du 26 mai 1673, in *The correspondence of Henry Oldenburg*, t. 9 pp. 655-666, 666-667.

19. A propos du projet d'Auzout de traduire Vitruve, Huygens déclare par exemple que ce dernier « a raison de reprendre M. Perrault en plusieurs choses, par exemple en la construction de la baliste, où il nous a forgé une machine de sa tête, qui n'est point praticable ». C. Huygens, lettre à Leibniz du 24 août 1690, in *Œuvres complètes*, t. 9, p. 471.

20. Cl. Perrault, trad. Vitruve (1673), préface.

21. F. Charpentier, « Sur la version française des livres d'architecture de Vitruve dédiée au Roi », in Cl. Perrault, *op. cit.*

22. Cl. Perrault, *op. cit.*, préface.

23. *Ibid.*, p. 100.

24. *Ibid.*, p. 76. La référence de Perrault au gothique lui est peut-être suggérée par l'abbé Michel de Marolles qui prend la défense d'une architecture généralement condamnée par les théoriciens dans ses *Considérations en faveur de la langue françoise* de 1677, où il qualifie d'« édifices merveilleux » les églises du Moyen-Âge. M. de Marolles, *op. cit.*, p. 16. Partisan des modernes et s'intéressant aux techniques, Michel de Marolles apprécie les Perrault auxquels il adresse un vibrant éloge dans *Le Roy, les personnes de la Cour qui sont de la première qualité, et quelques-uns de la noblesse, qui ont aimé les lettres, ou qui s'y sont signalés par quelques ouvrages considérables*, p. 43.

25. *Ibid.*, p. 78 et p. 194. A l'époque de Perrault le principe des corrections optiques était admis par tous les auteurs se mêlant d'architecture et de perspective, d'Abraham Bosse à Jean Dubreuil.

26. Sur les « divines proportions » de Delorme, lire par exemple : A. Blunt, *Philibert De L'Orme* (éd. 1986). p. 144 et suivantes.

27. Cl. Perrault, *op. cit.*, p. 76. Sur la question du goût en architecture, lire : F. Fichet, *op. cit.*, p. 33 et suivantes. W. Szambien, *Symétrie, goût, caractère. Théorie et terminologie de l'architecture 1550-1800* (1986), pp. 99-110.

28. *Ibid.*, p. 194. L'argument invoqué par Perrault se retrouve chez de nombreux cartésiens, chez Malebranche en particulier. Voir : N. Malebranche, *op. cit.*, t. 1, pp. 96-97. On trouvera par ailleurs une discussion approfondie de la position de Perrault à l'égard du problème des corrections optiques en architecture dans : W. Herrmann, *The theory of Claude Perrault* (1973), pp. 70-94.

29. Cl. Perrault, *op. cit.*, p. 195.

30. *Ibid.*, p. 194. Tout en reconnaissant en général la nécessité des corrections optiques, Scamozzi avait déjà condamné le principe de cette inclinaison vers l'avant des entablements. Perrault prend bien soin de mentionner son opinion dans sa traduction de Vitruve. *Ibid.*, p. 102.

31. Cl. Perrault, *Abrégé des dix livres d'architecture de Vitruve* (1674), pp. 1-2. Sur l'importance théorique de l'*Abrégé*, lire : F. Choay, *La règle et le modèle* (1980), pp. 234-235.

32. Cl. Perrault, *Abrégé*, pp. 6-7.

33. *Ibid.*, p. 23.

34. *Ibid.*, p. 35 et suivantes.

35. *Ibid.*, pp. 103-104.

36. *Ibid.*, p. 105.

37. *Ibid.*, pp. 106-108. Sur la distinction entre beautés positives et beautés arbitraires dans l'œuvre de Claude Perrault, cf. W. Herrmann, *op. cit.*, pp. 53-55, J. Rykwert, *The first moderns. The architects of the eigteenth century* (1984), pp. 23-47.

38. Déjà présent chez Descartes, dans *Les passions de l'âme* en particulier, le thème de l'accoutumance imprègne par la suite les écrits de Malebranche ou Régis.

39. P. Nicole, « Traité de la vraie et de la fausse beauté dans les ouvrages de l'esprit », in *Nouveau recueil des épigrammatistes françois, anciens et modernes* (1720), pp. 169-220, p. 184 notamment.

40. Les renseignements les plus complets sur l'Académie d'Architecture sont donnés par Henry Lemmonier dans son édition des procès-verbaux de l'Académie (1911-1929). On pourra consulter également : J.-P. Epron, *L'École de l'Académie, 1671-1793, ou l'institution du goût en architecture* (1984), N. Felkay, « Nouveaux documents sur l'Académie d'Architecture sous Louis XIV », in *Bulletin de la Société d'Histoire de Paris* (1985), pp. 275-290.

41. Cf. J.-P. Epron, *op. cit.*

42. L'Académie intervient en particulier auprès de Colbert pour que le titre d'architecte du Roi soit réservé à ses membres, ce qui lui est accordé en 1676. Cf. *Procès-Verbaux de l'Académie Royale d'Architecture*, t. 1, p. 109.

43. Claude Perrault ne figure pas dans la liste des membres nommés en 1671. Cela ne l'empêche pas d'être consulté en même temps qu'eux sur des questions précises, comme lorsqu'il s'agit de déterminer en 1676 la position que doit occuper le tombeau du cardinal Mazarin dans la chapelle du collège des Quatre Nations en cours d'achèvement. Voir : *Troisième registre contenant la suite des délibérations concernant l'exécution de la fondation du collège et académie, appelez Mazarini* (2 janvier 1673 — 20 août 1680), B.I. MS 368, ff. 169v-171v. Tenu régulièrement au courant des travaux de l'Académie par son frère Charles qui transmet aux architectes les ordres de Colbert, Claude Perrault assiste aussi à quelques séances, mais c'est plutôt en qualité de conseiller du surintendant ou lorsque les projets dont il s'occupe l'exigent que comme membre à part entière.

44. *Procès-Verbaux*, t. 1, p. 4. Les Archives de l'Académie des Beaux-Arts possèdent encore les mémoires rédigés par François Le Vau sur cette question. F. Le Vau, *En quoy consiste le bon goust de l'architecture, Ce qui a pu obliger les anciens autheurs de faire des ordres, et quelles raisons ils ont eues*, A.B.A. Carton B 9.

45. *Procès-Verbaux*, t. 1, p. 4.

46. *Ibid.*, pp. 5-6.

47. Perrault offre un exemplaire de sa traduction de Vitruve à l'Académie d'Architecture le 20 septembre 1673. *Ibid.*, p. 50. Peu de temps auparavant, l'Académie avait renoncé à lire la traduction de Jean Martin, jugée par trop défectueuse. *Ibid.*, p. 21.

48. *Ibid.*, p. 6.

49. *Ibid.*, p. 76 et suivantes.

50. *Ibid.*, p. 87.

51. A défaut de la biographie détaillée que mériterait François Blondel, on pourra consulter : C. Mauclaire, C. Vigoureux, *Nicolas-François de Blondel, ingénieur et architecte du roi (1618-1686)*, F. Fichet, *op. cit.*, 139-173.

52. F. Blondel, *L'art de jetter les bombes* (1683), p. 60 notamment.

53. Sur René Ouvrard (1624-1694), lire : F. Fichet, *op. cit.*, pp. 175-182.

54. R. Ouvrard, *Architecture harmonique* (1679), p. 12 et suivantes.

55. F. Blondel, *Cours d'architecture* (1675-1683), 5$^e$ partie, pp. 756-760. Aussitôt après avoir exposé les principales thèses d'Ouvrard, Blondel réfute « les raisons que l'on apporte contre la nécessité des proportions en architecture, qui ne sont, comme on dit, approuvées que par accoutumance ». *Ibid.*, p. 761 et suivantes.

56. *Ibid.*, 3$^e$ partie, p. 235.

57. *Ibid.*, pp. 233-234.

58. *Ibid.*, 5$^e$ partie, p. 703.

59. *Ibid.*, p. 717.

60. *Ibid.*, p. 715.

61. Cl. Perrault, lettre à Huygens du 25 août 1684, in C. Huygens, *op. cit.*, pp. 531-532.

62. A. Desgodets, *Les édifices antiques de Rome dessinés et mesurés exactement par Antoine Desgodets* (1682), préface. Sur Antoine Desgodets, qui sera professeur de l'Académie de 1719 à 1728, on pourra consulter par ailleurs : W. Herrmann, « Antoine Desgodets and the Académie Royale d'Architecture », in *The Art Bulletin* (1963), pp. 157-164.

63. Cl. Perrault, *Ordonnance des cinq espèces de colonnes selon la méthode des anciens*, pp. ij-iij.

64. *Ibid.*, pp. j-ij.

65. *Ibid.*, p. ij.

66. *Ibid.*, p. j.

67. *Ibid.*, pp. iij-v.

68. *Ibid.*, p. v.

69. *Ibid.*, pp. ij-iij.

70. *Ibid.*, p. x.

71. *Ibid.*, p. ix.

72. *Ibid.*

73. *Ibid.*, p. x.

74. *Ibid.*, p. vj. La distinction entre beautés positives et beautés arbitraires sera reprise et développée par Charles Perrault au tome 1 de ses *Parallèles*, pp. 138-140. Le premier tome de *Parallèles* comprend un véritable résumé de la doctrine exposée dans l'*Ordonnance*. Charles Perrault infléchit toutefois les positions de son frère en supprimant presque entièrement la référence aux modèles antiques, référence pourtant essentielle aux yeux de Claude.

75. *Ibid.*, pp. vj-vij. La symétrie que Perrault range dans les beautés positives n'est plus celle des anciens, qui tenait à la cohérence entre le tout et les parties. Elle ne concerne plus que le rapport entre la droite et la gauche, le haut et le bas des édifices. « Je crois (...) qu'on doit établir deux espèces de symétrie, dont l'une est le rapport de raison des parties proportionnées, qui est la symétrie des anciens, et l'autre est le rapport d'égalité qui est notre symétrie », précise l'académicien dans sa traduction de Vitruve (1684), p. 11. Sur la notion de symétrie à l'âge classique, lire : W. Szambien, *op. cit.*, 61-78. Pour une interprétation de la distinction opérée par Perrault entre les deux espèces de symétrie, voir : W. Kambartel, *Symmetrie und Schönheit. Über mögliche Voraussetzungen des neueren Kunstbewusstseins in der Architekturtheorie Claude Perraults* (1972).

76. D. Bouhours, *Les entretiens d'Ariste et d'Eugène* (1671), p. 209 et suivantes notamment. Au sujet du recours constant du père Bouhours au « je ne sais quoi », on pourra consulter par exemple : H. Busson, *op. cit.*, pp. 355-363.

77. Sur l'importance de la notion d'origine cartésienne de liaison des idées dans l'histoire des conceptions esthétiques, lire : L. Tatarkiewicz, « L'esthétique associationniste au XVIIᵉ siècle », in *Revue d'esthétique* (1960), pp. 287-292, « l'esthétique du Grand Siècle », in *XVIIᵉ siècle* (1968), pp. 21-35.

78. Cl. Perrault, *op. cit.*, p. xij.

79. *Ibid.*

80. *Ibid.*, p. ij.

81. *Ibid.*, p. xiv.

82. *Ibid.*

83. Aussi originale soit-elle, la démarche de Perrault doit être replacée dans le cadre de la tendance générale des théoriciens français de l'architecture à la normalisation des ordres. C'est cette tendance qui explique le succès de Vignole dont le traité ne connaîtra pas moins de 57 éditions françaises aux XVIIᵉ et XVIIIᵉ siècles. Cf. W. Szambien, *op. cit.*, pp. 37-38 notamment. Sur les proportions données par Vignole aux ordres d'architecture on pourra lire par ailleurs : C. Thoenes, « La *Regola delli cinque ordini* del Vignola », in *Les traités d'architecture de la Renaissance*, pp. 269-276.

84. Sur le détail des propositions de Perrault, lire : W. Herrmann, *op. cit.*, pp. 95-129.

85. Cet appauvrissement des formes constitue là encore un trait assez général de l'architecture française de la fin du XVIIᵉ siècle que Perrault ne fait qu'exacerber. On peut parler à ce propos d'un véritable purisme expliquant les réticences des artistes français devant les licences et l'irrégularité de certains monuments antiques, mais surtout devant les audaces de l'architecture baroque pratiquée par les italiens. Commentant le voyage en Italie effectué par Robert de Cotte en 1689-1690, Bertrand Jestaz note par exemple que les réactions de l'architecte participent « d'une religion des ordres progressivement épurée au cours du XVIᵉ et du XVIIᵉ siècle — jusqu'à la sécheresse — des licences qui en avaient fait la richesse ». B. Jestaz, *Le voyage d'Italie de Robert de Cotte. Étude, édition et catalogue des dessins* (1966), p. 63.

86. Cl. Perrault, *op. cit.*, p. xvj.

87. *Ibid.*, p. iv.

88. Cl. Perrault, *Abrégé*, pp. 11-12, *Ordonnance*, pp. xxij-xxiij et 8-9.

89. Sur la redécouverte de la Grèce par le XVIIIᵉ siècle, lire par exemple : D. Wiebenson, *Sources of greek revival architecture* (1969).

90. Sur le détail des distorsions apportées par Perrault au calcul de ses proportions moyennes, lire : W. Herrmann, *op. cit.*, pp. 209-212.

91. « Rien que la médiocrité n'est bon. (...) C'est sortir de l'humanité que de sortir du milieu » écrit par exemple Pascal dans les *Pensées*. B. Pascal, *Œuvres complètes*, pp. 1069-1070. La morale par provision exposée par Descartes dans son *Discours de la méthode* conduit à adopter le même point de vue.

92. Ch. Perrault, *op. cit.*, t. 2, p. 52 et suivantes.

93. Cl. Perrault, *Ordonnance*, p. xv.

94. *Ibid.*, p. xxij.

95. W. Herrmann, *op. cit.*, p. 103.

96. Cl. Perrault, *op. cit.*, p. 96.

97. W. Herrmann, *op. cit.*, pp. 37-38, 135-138.

98. F. Blondel, L. Savot, *L'architecture françoise des bastimens particuliers* (éd. 1685), p. 341.

99. A l'Académie des Sciences, Blondel et Perrault collaborent même

en certaines occasions. Dans *L'art de jeter les bombes* Blondel rapporte par exemple une expérience effectuée par Perrault pour confirmer la théorie de la trajectoire des projectiles de Galilée et il donne un peu plus loin le dessin d'une machine de jet inventée par son collègue sur sa suggestion. F. Blondel, *op. cit.*, pp. 417-419, 443-444.

100. *Procès-Verbaux*, t. 2, p. 171.

101. Cl. Perrault, *op. cit.*, p. xvij.

102. *Ibid.*, p. j.

103. Cl. Perrault, *Essais de physique*, t. 4, pp. 425-426.

104. « La beauté de l'univers ne consiste pas dans l'incorruptibilité de ses parties, mais dans la variété qui s'y trouve ; et ce grand ouvrage du monde ne serait pas si admirable sans cette vicissitude de choses que l'on y remarque. Une matière infiniment étendue, sans mouvement, et par conséquent sans forme et sans corruption, ferait bien connaître la puissance infinie de son auteur, mais elle ne donnerait aucune idée de sa sagesse. C'est pour cela, que toutes les choses corporelles sont corruptibles, et qu'il n'y a point de corps, auquel il n'arrive quelque changement, qui l'altère et le corrompe avec le temps. » N. Malebranche, *op. cit.*, t. 1, p. 482.

105. J. Desmarets de Saint-Sorlin, *La comparaison de la langue et de la poésie françoise avec la grecque et la latine* (1670), pp. 8-9.

106. Ch. Perrault, *op. cit.*, t. 1, pp. 138-140, t. 2, pp. 48-50, t. 3, pp. 11-12.

107. Cl. Perrault trad. Vitruve (1673), préface.

108. G. de Cordemoy, *Discours physique de la parole* (1668), p. 23 et suivantes, A. Arnauld, P. Nicole, *La logique ou l'art de penser* (éd. 1981), p. 54.

109. A. Guiheux, D. Rouillard, « Échanges entre les mots et l'architecture dans la seconde moitié du XVIIe siècle à travers les traités de l'art de parler », in *Les Cahiers de la Recherche Architecturale* (1985), pp. 18-27, p. 18 en particulier. Cet article reprend sous une forme très résumée les hypothèses de travail formulées dans le rapport de recherche : *Si on peut dire en architecture* (1985).

110. Cl. Perrault, *Ordonnance*, p. xiij.

111. Sur cet aspect de la pensée augustinienne, cf. E. Gilson, *op. cit.*, p. 99.

112. Formulé de la sorte, le projet de Perrault rappelle les réflexions de Nicole qui souhaite que l'on s'accommode de manière aussi satisfaisante que possible de la nature corrompue de l'homme, au plan politique, mais aussi dans le domaine esthétique où il s'agit de promouvoir les vraies beautés plutôt que de céder aux engouements éphémères de la mode. Nées de la prévention, les beautés arbitraires participent à n'en point douter de ce registre de la nature corrompue de l'homme, une nature qui peut être rendue supportable cependant, grâce aux efforts conjugués des lumières de la raison et de l'institution des hommes.

113. Ch. Perrault, *Pensées chrétiennes et pensées morales, physiques métaphysiques et autres qui regardent la philosophie*, pp. 109-110.

114. Cf. A. Pérez-Gomez, *Architecture and the crisis of modern science* (1984),

pp. 18-47. Entre les règles mathématiques et optiques de la perspective et la perception du spectateur s'interpose notamment l'accoutumance.

115. Sur l'importance du thème de la cabane primitive dans la théorie architecturale, lire : J. Rykwert, *La maison d'Adam au paradis* (1976).

116. Blondel est assez peu lu par les architectes du XVIIIe siècle et Pierre Patte, partisan il est vrai des idées de Perrault, résume assez bien l'opinion générale lorsqu'il déclare que son *Cours* « qui renferme tant d'excellents préceptes, offre en général des discussions plus savantes qu'appropriées à l'usage ordinaire ». P. Patte, *Mémoire sur les objets les plus importants de l'architecture* (1769), p. 82.

117. G. Boffrand, *Livre d'architecture contenant les principes généraux de cet art* (1745), p. 3.

118. P. Planier, dissertation d'élève de l'École des Ponts et Chaussées (1779), E.N.P.C. Carton « Compositions littéraires des élèves », cité par A. Picon, *Architectes et ingénieurs au siècle des Lumières* (1988), p. 105.

119. La croisade menée par Claude Perrault contre le respect exagéré des architectes pour l'antique évoque le discours sur la nécessité de combattre les préjugés qui se développera au siècle suivant.

# NOTES DU CHAPITRE 9

1. La mesure de l'entrecolonnement donnée par Perrault dans la seconde édition de sa traduction de Vitruve est par exemple inexacte. L'académicien indique 11 pieds au lieu de 12. Cl. Perrault, trad. Vitruve (1684), p. 79.

2. G.-W. Leibniz, manuscrit inédit relatif aux plans de l'achèvement du Louvre et à la pyramide triomphale de Perrault, publ. par A. Foucher de Careil, in *Journal Général de l'Instruction Publique et des Cultes* (1857), pp. 235-236.

3. En prenant pour module le demi-diamètre de la colonne, les colonnes du Louvre mesurent un peu plus de 21 modules de hauteur, tandis que l'ordre corinthien de l'*Ordonnance* n'en mesure que 18. Dans le même ordre d'idées, Perrault n'approuve pas le principe du renflement des colonnes vers leur tiers inférieur, alors que celles du Louvre sont renflées. Cf. P. Patte, *op. cit.*, pp. 331-338. Ces arguments ne sont pas entièrement convaincants toutefois, car les colonnes de l'arc de triomphe de Perrault sont très proches des ordres de la façade orientale du Louvre. L'*Ordonnance* est d'autre part publiée plus de 10 ans après le début des travaux de la colonnade et l'académicien peut fort bien avoir changé d'avis entre-temps. « Il n'est que trop commun de voir ainsi les architectes en contradiction avec eux-mêmes », souligne Patte à ce propos. P. Patte, *op. cit.*, p. 338.

4. Sur François d'Orbay, lire : A. Laprade, *François D'Orbay, architecte de Louis XIV* (1960).

5. G. Brice, *Description nouvelle de la ville de Paris* (éd. 1706), t. 1, p. 31.

6. H. Sauval, *Histoire et recherche des antiquités de la ville de Paris* (éd. 1724), t. 2, p. 61.

7. J.-A. Piganiol de la Force, *Description historique de la ville de Paris* (éd. 1765), t. 2, p. 251.

8. J.-F. Blondel, *Architecture françoise* (1752-1756), t. 4, p. 57.

9. Les *Mémoires* de Charles Perrault sont publiés par Patte en 1759. Les arguments invoqués par l'architecte en faveur de Claude Perrault sont presque tous résumés dans ses *Mémoires sur les objets les plus importants de l'architecture*.

10. Lafont de Saint-Yenne, *L'ombre du grand Colbert, le Louvre et la Ville de Paris. Dialogue* (1752), *Le génie du Louvre aux Champs Elisées. Dialogue entre le Louvre, la Ville de Paris, l'ombre de Colbert, et Perrault* (1756).

11. L. Hautecœur, « L'auteur de la colonnade du Louvre », in *Gazette des Beaux-Arts* (1924), pp. 152-168, *Le Louvre et les Tuileries de Louis XIV* (1927).

12. M. Petzet, « Claude Perrault als Architekt des Pariser Observatoriums », « Das Triumphbogenmonument für Ludwig XIV, auf der Place du Trône ».

13. W. Herrmann, *op. cit.*, pp. 115-120.

14. R. Middleton, D. Watkin, *Architecture moderne, 1750-1870 : Du néo-classicisme au néo-gothique* (1983), p. 9.

15. Sur le problème posé à partir du XVIIe siècle par l'aménagement de l'accès oriental du Louvre et sur les projets successifs de place monumentale, lire : A. Chastel, J.-M. Pérouse de Montclos, « L'aménagement de l'accès oriental du Louvre », in *Les Monuments Historiques de la France* (1966), pp. 176-249.

16. Sur les différents projets de Le Vau conservés aux Archives Nationales, au Département des Estampes de la Bibliothèque Nationale et au Cabinet des Dessins du Musée du Louvre (A.N. O[1] 1666-1667, 1678, F[21] 3567, B.N. Est. Va 440 a, C.D.L. *Recueil du Louvre*, t. 1), lire : A. Braham, M. Whiteley, « Louis Le Vau's projects for the Louvre and the Colonnade », in *Gazette des Beaux-Arts* (1964), pp. 285-296, 347-362, A. Erlande-Brandenburg, communication sur l'identification des fondations du Louvre, in *Bulletin de la Société nationale des Antiquaires de France* (1966), pp. 135-139, « Les fouilles du Louvre et les projets de Le Vau », in *La vie urbaine* (1964), pp. 241-263, « Les fouilles du Louvre et les projets de Le Vau. Deuxième partie. Trois projets inédits de Le Vau pour le Louvre », in *La vie urbaine* (1965), pp. 12-22.

17. Ch. Perrault, *Mémoires*, pp. 52-53. Cf. L. Hautecœur, *Le Louvre et les Tuileries de Louis XIV*, p. 144 et suivantes. Voir également : *Puisque l'on permet à tout le monde de dire son avis sur le dessein du Louvre*, A.N. O[1] 1669, un mémoire assez représentatif des critiques adressées à Le Vau.

18. Les dessins de Mansart sont conservés au Département des Estampes de la Bibliothèque Nationale sous la cote Va 440a. Lire à leur sujet : A. Braham, *François Mansart* (1973), vol. texte, pp. 120-149.

19. Cf. L. Hautecœur, *op. cit.*, pp. 148-150.

20. Ch. Perrault, *op. cit.*, p. 54.

21. Sur le Bernin, lire par exemple : F. Borsi, *Le Bernin* (1984), H. Hibbard, *Le Bernin* (1984).

22. *Recueil du Louvre*, C.D.L., t. 1, n° 3, 4.

23. Ch. Perrault, *op. cit.*, p. 59.

24. On trouvera des fragments de cette correspondance dans : *Lettres instructions et mémoires de Colbert*, t. 5, pp. 245-265.

25. Lorsque le Roi demande par exemple au Bernin comment il juge les Tuileries, il répond que cela lui paraît « une grande petite chose » ; l'escalier du château de Maisons lui semble quant à lui indigne d'une hôtellerie d'Italie. P. Fréart de Chantelou, *Journal de voyage du cavalier Bernin en France* (éd. 1983), pp. 69, 92.

26. Cl. Perrault, trad. Vitruve (1684), préface.

27. Ch. Perrault, *op. cit.*, p. 66.

28. G.-W. Leibniz, *op. cit.*, p. 235.

29. Lire : J.-M. Pérouse de Montclos, *L'architecture à la française* (1982), pp. 60-69, pp. 61-62 notamment.

30. Ch. Perrault, *op. cit.*, p. 86.

31. J.-A. Piganiol de la Force, *op. cit.*, t. 2, pp. 253-258.

32. *Ibid.*, p. 253.

33. *Ibid.*, p. 254.

34. *Ibid.*, p. 257.

35. L. Hautecœur, « L'auteur de la colonnade du Louvre », p. 158, *Le Louvre et les Tuileries de Louis XIV*, p. 167.

36. C.D.L. inv. 27641 et A.N. O[1] 1667 n° 88 ; Ces deux dessins ont été publiés par A. Laprade, *op. cit.*, pl. VI.7. Voir également : J.-C. Daufresne, *Louvre et Tuileries : Architectures de papier* (1987), p. 67.

37. L. Hautecœur, « L'auteur de la colonnade du Louvre », p. 157.

38. Cf. sur ce projet qui figure sur une médaille frappée en 1667 et sur la thèse du fils du surintendant des Bâtiments Colbert de Seignelay : T. Sauvel, « Les auteurs de la colonnade du Louvre », in *Bulletin Monumental* (1964), pp. 323-347, pp. 325-326 en particulier.

39. *Comptes des Bâtiments du Roi*, t. 1, col. 368. Cette interprétation du rôle joué par Perrault est due à Louis Hautecœur, *op. cit.*, p. 167 notamment. Croyant à l'existence d'un premier projet de colonnade de Claude Perrault en 1664, Tony Sauvel pense quant à lui que l'académicien a pu se croire par la suite l'auteur du péristyle du Louvre parce que les modifications apportées en 1668, dont il n'était pas forcément l'auteur, se rapprochaient de son idée initiale. T. Sauvel, *op. cit.*, pp. 345-346.

40. *Procès-Verbaux de l'Académie Royale d'Architecture*, t. 1, p. 78.

41. *Ibid.*, pp. 137, 253, 260. Figurant sur le dessin des Archives Nationales A.N. O[1] 1667 n° 71, ces attiques sont également représentés sur plusieurs gravures de l'époque.

42. *Advis de M. Le Vau le jeune sur le nouveau dessein du Louvre*, A.N. O[1] 1669. Ce mémoire a été intégralement publié par A. Laprade, *op. cit.*, pp. 340-347. Pour des raisons de commodité, nous indiquons par la suite les pages de l'édition de Laprade.

43. A. Laprade, *op. cit.*, pp. 148-153. Le rôle limité que fait jouer Laprade à François Le Vau n'est pas entièrement convaincant. Certaines expressions du défenseur du nouveau dessin du Louvre, sa définition de la décoration en particulier, semblent bien de « M. Le Vau le jeune », comme le révèle une rapide comparaison avec les deux mémoi-

res de sa plume conservés aux Archives de l'Académie des Beaux-Arts, Carton B 9, *op. cit.*

44. Albert Laprade remarque également que le défenseur du nouveau dessin du Louvre fait allusion à son séjour à Rome, alors que ni François Le Vau ni les Perrault n'avaient visité la ville éternelle. Ce fait rend vraisemblable une collaboration entre François d'Orbay qui avait été à Rome et François Le Vau pour répondre aux objections élevées contre le projet sorti de l'agence des Bâtiments.

45. A. Laprade, *op. cit.*, p. 342.

46. *Ibid.*, p. 343.

47. Cl. Perrault, trad. Vitruve (1684), p. 214. L'*Ordonnance des cinq espèces de colonnes selon la méthode des anciens* critique également la pratique d'« enfermer plusieurs étages dans un grand ordre ». Outre l'absurdité constructive que représente cette pratique, elle fait ressembler l'édifice à « un grand palais demi-ruiné et abandonné, dans lequel des particuliers se seraient voulu loger, et qui trouvant que des appartements et beaucoup exhaussés ne leur sont pas commodes, ou qui voulant ménager la place, y auraient fait faire des entresols ». *Ordonnance*, pp. 118-119.

48. Cl. Perrault, trad. Vitruve (1684), p. 214.

49. A. Laprade, *op. cit.*, p. 346.

50. *Ibid.*

51. *Ibid.*, p. 155.

52. D. Leroy, *Histoire de la disposition et des formes différentes que les chrétiens ont données à leurs temples, depuis le règne de Constantin le Grand jusqu'à nous* (1764), p. 52.

53. *Ibid.*, p. 55 et suivantes.

54. Il n'est pas interdit de penser comme Laprade que les deux recueils de la Bibliothèque du Louvre comportaient nombre de dessins de Sébastien Leclerc, ce qui ne signifie pas que l'académicien était incapable de dessiner.

Perrault avait commencé à dessiner très jeune en réalité, en illustrant par exemple dès l'âge de 14 ans un *Abrégé de l'histoire romaine et de la vie des douze premiers césars*, s'il faut en croire le vicomte de Montbas, « Un manuscrit inédit de Claude Perrault », in *La revue de l'art* (1927), pp. 331-333. Sans être d'une facture exceptionnelle, les dessins du *Voiage de Viry* révèlent un jeune homme qui aime à croquer des scènes familières. À l'Académie des Sciences, Claude Perrault aura par la suite l'occasion de mettre à contribution son talent de dessinateur et les *Procès-Verbaux* font fréquemment référence à sa production de dessins d'anatomie.

55. L'académicien oppose sa manière à celle des architectes qui ne dessinaient pas si bien, « se contentant de leurs traits et de donner les ombres par leur marche de lavis » à l'époque des premiers projets pour la colonnade. G.-W. Leibniz, *op. cit.*, p. 235.

56. Sous la cote Va 304/1, le Département des Estampes de la Bibliothèque Nationale conserve en particulier plusieurs dessins attribués à Perrault, avec raison semble-t-il, par Michael Petzet, « Claude Perrault als Architekt des Pariser Observatoriums ».

57. G.-W. Leibniz, *op. cit.*, p. 235. A l'appui de cette hypothèse, on peut également citer le témoignage de Nicodème Tessin le jeune qui rend visite à Félibien à l'Académie d'Architecture en 1687 et auquel on montre deux modèles de la façade orientale du Louvre, le premier de Le Vau, le second correspondant au projet définitif qu'il croit être de Perrault mais qu'il trouve « imité dans l'ensemble de Mr Le Vau ». Le modèle attribué à Le Vau pourrait bien correspondre en réalité au projet approuvé en 1667 et modifié l'année suivante. Lire : R.-A. Weigert, « Notes de Nicodème Tessin le jeune relatives à son séjour à Paris en 1687 », in *Bulletin de la Société d'Histoire de l'Art français* (1932), pp. 220-279, p. 230 en particulier.

A. Braham et M. Whiteley croient reconnaître quant à eux le projet de Le Vau de 1667 dans le dessin du Cabinet des Dessins du Musée du Louvre RF 26077, avec des arguments qui sont bien près d'emporter l'adhésion. A. Braham, M. Whiteley, *op. cit.*, p. 348.

58. E. Viollet-le-Duc, *Entretiens sur l'architecture* (éd. 1977), p. 339. D'après Charles Perrault, les contemporains du roi-soleil reprochaient déjà au dessin de la colonnade d'être « plus propre pour être peint dans un tableau (...) que pour servir de modèle au frontispice d'un palais véritable ». *Les hommes illustres*, p. 67.

59. L. Hautecœur, *Le Louvre et les Tuileries de Louis XIV*, p. 176.

60. Cf. *Extrait et sommaire des avis des architectes sur les modèles du Louvre, de l'arc de triomphe et de l'Observatoire*, A.N. O$^1$ 1669.

61. H. Damisch, « La colonnade de Perrault et les fonctions de l'ordre classique », in *L'urbanisme de Paris et l'Europe, 1600-1680* (1969), pp. 85-93, pp. 87-88 notamment.

62. *Ibid.*, p. 92.

63. Cf. G. Monnier, « Dessins inédits pour la colonnade du Louvre », in *Les Monuments Historiques de la France* (1972), pp. 130-137. Cet article analyse en détail quelques-uns des dessins d'exécution de la colonnade conservés au Cabinet des Dessins du Musée du Louvre.

64. On trouvera la description complète de l'armature de la colonnade dans : P. Patte, *op. cit.*, pp. 269-277.

65. D'après Charles Perrault, un modèle réduit du péristyle en pierres de taille retenues par de petites barres de fer fut même réalisé pour lever les derniers scrupules des détracteurs du fer. Ch. Perrault, *Mémoires*, p. 89.

66. Huygens évoque le transport de ces pierres dans sa correspondance en attribuant la responsabilité de l'affaire à Perrault. C. Huygens, lettre à son frère Lodewijk du 28 juillet 1673, p. 349. Les machines ayant servi à mettre en place les pierres sont commentées p. 340 de la seconde édition de Vitruve. Sur la construction du fronton de la colonnade, lire par ailleurs : P. Patte, suite donnée au *Cours d'architecture* de J.-F. Blondel (1771-1777), t. 6, pp. 164-170.

67. Sur les expériences constructives des Lumières, cf. A. Picon, *Architectes et ingénieurs au siècle des Lumières*, pp. 133-168.

68. J.-F. Blondel, *Architecture françoise*, t. 4, pp. 24-25. A en juger par les commentaires accompagnant les dessins des recueils de la Bibliothèque du Louvre dont Jacques-François Blondel nous a transmis la teneur,

Perrault semble avoir pris ses distances par la suite avec ses propositions d'aménagement de la cour carrée qu'il présente comme autant de réponses apportées aux inquiétudes de « plusieurs personnes ayant prétendu que le diamètre de cette grande cour était trop considérable ». *Ibid.*, p. 24.

69. *Ibid.*, p. 63.

70. *Ibid.*, p. 64. Voir également : *Extrait et sommaire des avis des architectes sur les modèles du Louvre, de l'arc de triomphe et de l'Observatoire.*

71. J.-F. Blondel, *op. cit.*, p. 64. Figurant dans le coin inférieur gauche de la traduction de Vitruve, le chapiteau de Perrault est également reproduit et commenté par Daviler dans son *Cours* (éd. 1720), pp. 298-299. Charles Le Brun utilisera par la suite un ordre français dans la galerie des glaces de Versailles, cf. J.-M. Pérouse de Montclos, *op. cit.*, pp. 245-246.

72. J.-F. Blondel, *op. cit.*, p. 9 et suivantes.

73. L. Vitet, *Le Louvre et le nouveau Louvre* (1882), p. 148.

74. J.-F. Blondel, *op. cit.*, p. 12. Cette idée serait à rapprocher de l'opinion de Charles Perrault selon laquelle : « Les ornements d'architecture doivent être tous sérieux dans les dehors parce qu'ils sont vus de toutes sortes de personnes et en toute sorte de temps et qu'on doit ce respect au public de ne paraître jamais selon lui qu'en décence. Les ornements d'architecture peuvent être bizarres et même grotesques dans les dedans où il n'entre que ceux qu'on veut bien y laisser entrer et dans les temps qu'on le veut bien. » Ch. Perrault, *Pensées chrétiennes et pensées morales, physiques métaphysiques et autres qui regardent la philosophie*, p. 135.

75. R. Josephson, « Quelques dessins de Claude Perrault pour le Louvre », in *Gazette des Beaux-Arts* (1927), pp. 171-192, p. 191 notamment.

76. Cf. J. Monval, *Soufflot : Sa vie, son œuvre, son esthétique (1713-1780)* (1918), pp. 155-161.

77. *Ibid.*, pp. 161-165. Sur l'impact de la reprise des travaux de la colonnade sur le monde artistique des années 1750, lire : M. Roland-Michel, « Soufflot urbaniste et le dégagement de la colonnade du Louvre », in *Les Cahiers de la Recherche Architecturale* (1980), pp. 54-67.

78. Cf. L. Hautecœur, *Histoire de l'architecture classique en France* (1943-1957), t. 5, pp. 171-172.

79. *Ibid.*, t. 7, pp. 168-178.

# NOTES DU CHAPITRE 10

1. Cité par : M. Petzet, « Claude Perrault als Architekt des Pariser Observatoriums », p. 15.

2. J. Picard, *Voyage d'Uranibourg ou observations astronomiques faites en Danemark* (1680), p. 1.

3. A. Auzout, *Ephéméride du comète*, dédicace au roi citée par C.-J.-E. Wolf, *Histoire de l'Observatoire de Paris de sa fondation à 1793* (1902), pp. 3-4, p. 3 notamment. Avec l'article de Michael Petzet, le livre de Charles-Joseph-Etienne Wolf constitue l'une des principales références concernant l'histoire de l'Observatoire. On trouvera également quelques renseignements utiles dans la brochure : *Observatoire de Paris. Son histoire, 1667-1963* (1984).

4. Ch. Perrault, « Pourquoy et comment l'Observatoire a esté basty », août 1667, in *Lettres instructions et mémoires de Colbert*, t. 5, p. 515.

5. *Ibid.*

6. Ch. Perrault, *Mémoires*, p. 50.

7. Acte de vente du terrain de l'Observatoire, 7 mars 1667, O$^1$ 1691.

8. Le 22 avril 1667, Auzout avait même communiqué à Perrault un plan pour l'Observatoire de son invention, *Procès-Verbaux de l'Académie des Sciences*, t. 2, p. 205.

9. Sur les prédécesseurs de l'Observatoire de Paris, lire : M. Petzet, *op. cit.*, pp. 10-13. Sur Tycho Brahe, on pourra consulter par ailleurs : P. Costabel, « Tycho Brahe », in *Encyclopædia Universalis* (éd. 1985), t. 3, pp. 933-934.

10. Pour permettre à l'Académie des Sciences d'utiliser à son tour les résultats d'observation de Tycho Brahe, on envoie Picard en 1671-1672 sur les ruines d'Uraniborg afin de déterminer la longitude et la latitude exactes du lieu. Les opérations menées par l'astronome français sont relatées en détail dans son *Voyage d'Uranibourg*. Cf. *Jean Picard et la mesure de la terre. Astronomie et géodésie au 17ᵉ siècle* (1982), pp. 19-20.

11. La différence sous plafond entre les étages sera encore accentuée par les transformations effectuées à la demande de Cassini. Dans le bâtiment actuel, on compte 5 m 58 du rez-de-chaussée au premier étage, 7 m du premier au second étage, 12 m 78 enfin du second à la plate-forme supérieure.

12. Cl. Perrault, note relative au plan de l'Observatoire, in *Lettres instructions et mémoires de Colbert*, t. 5, p. 516.

13. *Histoire de l'Académie Royale des Sciences* (1733 et années suivantes), t. 1, p. 43.

14. Ch. Perrault, « Pourquoy et comment l'Observatoire a esté basty ».

15. Chiffres extraits du relevé des comptes des Bâtiments du Roi effectué par C.-J.-E. Wolf, *op. cit.*, p. 15.

16. Sur la vie et l'œuvre de Cassini, on pourra consulter par exemple : R. Taton, « Cassini, Gian Domenico (Jean-Dominique) (Cassini I) », in *Dictionary of scientific biography* (1970-1980), t. 3, pp. 100-104.

17. J.-D. Cassini (Cassini I), « Vie de Cassini », in J.-D. Cassini (Cassini IV), *Mémoires pour servir à l'histoire des sciences et à celle de l'Observatoire royal de Paris* (1810), p. 255 et suivantes, p. 293.

18. *Ibid.*, p. 294.

19. *Ibid.*

20. *Ibid.*

21. J.-D. Cassini (Cassini IV), lettre à d'Angiviller du 28 mai 1785, A.N. O$^1$ 1691. A la suite de son désaccord avec Cassini, Perrault se brouillera également avec Carcavy qui avait pris fait et cause pour l'astronome italien. Cf. C. Huygens, lettre à Lodewijk Huygens du 21 août 1671, *op. cit.*, t. 7, pp. 100-101.

A côté des arguments stylistiques relevés par Michael Petzet dans son article, la réaction de Perrault et le risque qu'il prend en s'emportant devant le Roi prouvent à l'évidence sa totale implication dans le projet de l'Observatoire, contrairement à ce qu'a cru pouvoir affirmer Albert Laprade en se fondant principalement sur les affirmations de Boileau.

22. Cl. Perrault, trad. Vitruve (1684), p. 152.

23. B.N. Est. Va 304/1. L'ensemble des dessins se rapportant aux différentes phases du projet de l'Observatoire a été étudié en détail par Michael Petzet, *op. cit.*

24. Ch. Perrault, *Mémoires*, p. 51.

25. C.-J.-E. Wolf, *op. cit.*, p. 20.

26. Ch. Perrault, *Parallèles des anciens et des modernes*, t. 1, p. 168. Le *Voyage à Bordeaux* de Claude Perrault comprend par ailleurs la description des escaliers de Chambord, Blois et Bonnivet, preuve de son goût pour les grands escaliers. Cl. Perrault, *Voyage à Bordeaux*, pp. 142-143, 152-153. Sur la théorie et la pratique de la stéréotomie à l'âge classique, lire bien sûr : J.-M. Pérouse de Montclos, *op. cit.*, p. 79 et suivantes.

27. C.-J.-E. Wolf, *op. cit.*, p. 13.

28. Cl. Perrault, trad. Vitruve (1684), pp. 234-236.

29. Ch. Perrault, *Mémoires*, p. 51.

30. Sur les réparations apportées à l'Observatoire au cours de la seconde moitié du XVIIIe siècle, lire : J. Monval, *op. cit.*, pp. 293-297.

31. C.-J.-E. Wolf, *op. cit.*, p. 15.

32. Estimation de P. Verlet, *Le château de Versailles* (éd. 1985), p. 142.

33. Cf. *Histoire générale des sciences* (1964-1966), t. 2, pp. 304-305.

34. Sur l'essor de la cartographie à la fin du XVIIe siècle, lire : J. Konvitz, *Cartography in France, 1660-1848* (1987), pp. 1-31, B.-H. Vayssière, « La carte de France », in *Cartes et figures de la terre* (1980), pp. 252-265. Voir également : *Jean Picard et la mesure de la terre*, p. 27 et suivantes.

35. Cette question se trouve développée dans : A. Picon, *Architectes et ingénieurs au siècle des Lumières*.

36. Cf. Ch. Perrault, « Construction de l'arc de triomphe de la porte Saint-Antoine », in *Lettres instructions et mémoires de Colbert*, t. 5, pp. 522-523. L'article de Michael Petzet : « Das Triumphbogenmonument für Ludwig XIV auf der Place du Trône » constitue de très loin la meilleure référence sur l'arc de triomphe du faubourg Saint-Antoine.

37. Ch. Perrault, *Mémoires*, p. 101.

38. La définition du programme statuaire et du contenu des inscriptions de l'arc de triomphe entre tout à fait dans les attributions d'un membre de la petite Académie comme Charles Perrault. La petite Académie est d'ailleurs consultée à plusieurs reprises au sujet de l'arc. « Voir le plan et le dessin de l'arc de triomphe du faubourg Saint-Antoine ; faire un mémoire de tout ce qui est à faire cette année pour l'élever ; travailler au sujet de son élévation, au dessin des bas-reliefs, figures, devises, inscriptions et autres ornements. Pour cet effet en donner les dessins à MM. de l'Académie », note par exemple Colbert au début de l'année 1669. J.-B. Colbert, « Mémoire sur ce qui est à faire pour les bâtiments en l'année 1669 », in *Lettres instructions et mémoires de Colbert*, t. 5, pp. 276-278, p. 277 en particulier.

39. Ch. Perrault, « Construction de l'arc de triomphe de la porte Saint-Antoine », p. 522.

40. M. Petzet, *op. cit.*, pp. 148-165.

41. C.D.L. inv. 30274, 30303.

42. M. Petzet, *op. cit.*, pp. 165-166.

43. Ch. Perrault, *Mémoires*, pp. 101-102.

44. On aura une bonne idée des critiques adressées au projet d'arc de triomphe de Perrault en consultant l'*Extrait et sommaire des avis des architectes sur les modèles du Louvre, de l'arc de triomphe et de l'Observatoire*. C'est sans doute afin de contrer ses adversaires que Perrault soumet à plusieurs reprises à l'Académie d'Architecture des relevés d'arcs de triomphe antiques. *Procès-verbaux de l'Académie Royale d'Architecture*, t. 1, pp. 102-103, 158.

45. « Ensuite M. Perrault a encore présenté à la compagnie, de la part de Monseigneur Colbert, un dessin qu'il a fait pour rendre à la hauteur de la grande arcade de l'arc de triomphe le double de sa largeur, sur la largeur déjà fondée, par l'addition qu'il a faite de quelques parties qu'il augmente, ce que la compagnie a fort approuvé comme une chose conforme aux règles et aux bons exemples ». *Ibid.*, séance du 12 décembre 1678, pp. 255-256.

46. F. Blondel, *Cours d'architecture*, 5e partie, p. 719.

47. Cl. Perrault, trad. Vitruve (1684), p. 205.

48. On trouvera quelques documents relatifs aux travaux de l'arc de triomphe dans : A.N. O¹ 1580.

49. Cl. Perrault, *op. cit.*, p. 44.

50. Sur la querelle du français et du latin, cf. H. Gillot, *op. cit.*, p. 433 et suivantes.

51. *Procès-Verbaux*, t. 2, pp. 98-101, p. 99 en particulier.

52. *Ibid.*, p. 100.

53. *Ibid.*

54. *Ibid.*, pp. 72, 102 notamment. Lire au sujet de ces propositions : M. Petzet, *op. cit.*, p. 189 et suivantes.

55. M. Lister, *Voyage de Lister à Paris en MDCXCVIII* (éd. 1873), pp. 60-61.

56. Cyrille Simonnet a bien voulu nous signaler le projet d'un certain Aubert Parent, architecte, qui propose d'ériger en 1832 un arc de triomphe sur les mesures et à l'emplacement exact de celui de Perrault afin de célébrer la révolution de 1830, A.N. F¹³ 955. Une curieuse idée qui témoigne du souvenir encore vivace du projet d'arc de triomphe de Perrault chez les hommes de l'art.

57. Cl. Perrault, « Dessein d'un obélisque », in *Papiers de Nicolas et Claude Perrault*, B.N. MS F 24713. Ce projet d'obélisque que l'académicien montre à Leibniz au cours de leur conversation sur le Louvre a été publié ainsi que le mémoire qui l'accompagne par Paul Bonnefon dans son édition des *Mémoires* de Charles et du *Voyage à Bordeaux* de Claude

Perrault, pp. 234-241. Nous nous référons par la suite à cette édition.

58. C.D.N.S. C. 2824.

59. Cl. Perrault, *op. cit.*, p. 236.

60. *Ibid.*, p. 238.

61. *Ibid.*, p. 237.

62. Charles Perrault dont on connaît la générosité envers son frère ne lui attribue guère que des dessins pour la chapelle de Sceaux dans *Le cabinet des beaux-arts*, p. 23. Aucun élément ne permet d'étayer cette affirmation. Sur le château de Colbert, on pourra consulter l'excellent article de Michael Petzet : « Plannungen für Sceaux und dass Schloss Colberts », in *Zeitschrift für Kunstgeschichte* (1986), pp. 502-555.

63. Ch. Perrault, *Mémoires*, pp. 108-112. Sur la grotte de Thétis qui est souvent attribuée à Claude Perrault, voir : L. Lange, « La grotte de Thétis et le premier Versailles de Louis XIV », in *Art de France* (1961), pp. 133-148. Voir également : P. Verlet, *op. cit.*, pp. 66-69. Là encore rien ne permet d'affirmer que l'académicien ait joué un rôle dans l'élaboration du projet.

64. Si le projet de Perrault a disparu dans l'incendie de la Bibliothèque du Louvre, les critiques qui lui avaient été adressées nous ont été conservées : « Observations sur les plans présentés par différents architectes pour Versailles », 1669, in *Lettres instructions et mémoires de Colbert*, t. 5, pp. 284-288, pp. 286-287 notamment. C'est sans doute vers la même époque que Perrault donne des dessins pour l'ancienne chapelle de Versailles, dessins qu'évoque Jacques-François Blondel en des termes peu flatteurs, une fois n'est pas coutume, dans son *Architecture françoise*, t. 4, p. 142.

Quelques années plus tard, une lettre de Perrault à Colbert mentionne un dessin qu'aurait fait l'académicien pour les portes de bronze des grands appartements de Versailles, sans que l'on sache s'il s'agit d'une commande ou d'une initiative personnelle. Lettre à Colbert du 27 janvier 1674, B.N. MS *Mélange Colbert*, 167, f. 245 a-b.

Sur un registre plus technique, on possède enfin des *Observations faites sur quelques eaux de Versailles, envoyées par Monsieur Perrault*, datées du 14 octobre 1671, A.N. O¹ 1854.

## NOTES DU CHAPITRE 11

1. Ces deux projets ont été étudiés en détail dans : W. Herrmann, « Unknown designs for the "Temple of Jerusalem" by Claude Perrault », in *Essays in the history of architecture* (1967), pp. 143-158, M. Petzet, « Un projet des Perrault pour l'église Sainte-Geneviève à Paris », in *Bulletin Monumental* (1957), pp. 81-96.

2. Lire par exemple : J. Rykwert, *La maison d'Adam au paradis*, pp. 142-163.

3. R. Fréart de Chambray, *Parallèle de l'architecture antique avec la moderne* (1650), pp. 70-71.

4. Cf. W. Herrmann, *op. cit.*, pp. 144-145.

5. P. Perrault, *De l'origine des fontaines*, p. 66.

6. Cf. P. Hazard, *La crise de la conscience européenne, 1680-1715* (éd. 1961), pp. 167-181.

7. Cf. W. Herrmann, *op. cit.*, p. 147 et suivantes.

8. *Ibid.*, pp. 152-153.

9. « Dessein d'un portail pour l'église de Ste Geneviève à Paris », 1697, in *Nouvelle église de S. Geneviève*, B.S.G. Res. W 376. Le mémoire de présentation a été reproduit par M. Petzet, *op. cit.*, pp. 94-97. Nous citons par la suite les pages de cette publication.

10. *Ibid.*, p. 94. Charles Perrault fait allusion à la guerre menée par la deuxième coalition qui se terminera par les traités de Ryswick.

11. *Ibid.*, p. 95.

12. C.D.N.S. T.-H. 6594. Cf. R. Josephson, *op. cit.*, p. 189, M. Petzet, *op. cit.*, p. 93.

13. *Ibid.*, p. 95.

14. M. de Frémin, *Mémoires critiques d'architecture* (1702), p. 27 et suivantes. Sur Michel de Frémin, lire : F. Fichet, *op. cit.*, pp. 257-280.

15. J.-L. de Cordemoy, *Nouveau traité de toute l'architecture* (1706), p. 176. Sur Cordemoy, lire : R. Middleton, « The abbé de Cordemoy and the graeco-gothic ideal », in *Journal of the Warburg and Courtauld Institutes* (1962, 1963), pp. 278-320, 90-123.

16. M.-A. Laugier, *Essai sur l'architecture* (éd. 1755), pp. 173-208. Lire : W. Herrmann, *Laugier and eighteenth century french theory* (éd. 1985).

17. L. Avril, *Temples anciens et modernes* (1774), p. 29.

18. Cf. *Soufflot et son temps* (1980), pp. 104-107 notamment.

19. M. Brébion, *Mémoire à Monsieur le comte de la Billarderie d'Angiviller*, 1780, cité par M. Petzet, *Soufflots Sainte-Geneviève und der französische Kirchenbau des 18. Jahrhunderts* (1961), p. 147. Sur l'église Sainte-Geneviève de Soufflot on pourra consulter également : J. Monval, *op. cit.*, p. 423 et suivantes, *Soufflot et son temps*, M. Petzet, « Soufflot et l'ordonnance de Sainte-Geneviève », in *Les Cahiers de la Recherche Architecturale* (1980), pp. 13-25.

20. Charles-François Viel pourra ainsi opposer les « forces directes » des édifices traditionnels aux « forces indirectes » mises en œuvre dans les édifices de la seconde moitié du XVIIIᵉ siècle. Ces « forces indirectes » sont déjà présentes dans la colonnade du Louvre. C.-F. Viel, *De l'impuissance des mathématiques pour assurer la solidité des constructions* (1805), p. 25 notamment.

21. W. Herrmann, *op. cit.*, p. 153-154. M. Petzet, *op. cit.*, pp. 90-91.

## NOTES DU CHAPITRE 12

1. Ch. Perrault, *Les hommes illustres*, p. 67.

2. Cité par W. Herrmann, *The theory of Claude Perrault*, p. 197.

3. Sur l'animisme de Stahl, on pourra consulter par exemple : J.-E. Bauer, *Recherches sur la pensée biologique de Stahl* (1934), A. Lemoine, *Le vitalisme et l'animisme de Stahl* (1864).

4. A. von Haller, *Elementa physiologiae corporis humani* (1757-1766), t. 4, p. 295. Dans *L'homme machine*, La Mettrie mentionne quant à lui l'animisme de Perrault aussitôt après avoir réfuté les thèses de Stahl. La doctrine exposée dans les *Essais de physique* lui paraît plus respectueuse des lois de la nature que celle du médecin allemand, même si Perrault est un « esprit d'une plus faible trempe » que le professeur de Leyde. J. Offray de La Mettrie, *Œuvres complètes* (éd. 1987), t. 1, pp. 107-108.

5. Cl. Perrault, *Essais de physique*, t. 4, p. 119.

6. Lire : F. Azouvi, « Quelques jalons dans la préhistoire des sensations internes », in *Revue de Synthèse* (1984), pp. 113-133.

7. Voir : Maine de Biran, *Discours à la société médicale de Bergerac* (éd. 1984), p. 92. Le cas de la vipère est rapporté par Perrault au tome 2 des *Essais de physique*, p. 276.

8. F. Ravaisson, *De l'habitude* (éd. 1984), p. 1.

9. M.-J.-A.-N. de Caritat de Condorcet, *Œuvres complètes*, t. 1, p. 102.

10. Billet de Marigny à Soufflot, A.N. O¹ 1541. Cité par W. Herrmann, *op. cit.*, p. 1.

11. J.-F. Blondel, *Cours d'architecture*, t. 2, pp. 443-444.

12. *Ibid.*, t. 4, pp. xlvj-xlvij.

13. M.-A. Laugier, *op. cit.*, p. 108.

14. J.-G. Soufflot, « Mémoire sur les proportions de l'architecture », lu le 9 décembre 1739, reproduit dans : M. Petzet, *Soufflots Sainte-Geneviève und der französische Kirchenbau des 18. Jahrhunderts*, pp. 131-135, pp. 131-132.

15. Pour réfuter Perrault, Briseux va même jusqu'à reprendre la thèse d'Ouvrard concernant les proportions harmoniques. C.-E. Briseux, *Traité du beau essentiel dans les arts* (1752), t. 1.

16. Les rapporteurs du *Traité des ordres d'architecture* de Potain soumis à l'Académie d'Architecture avant d'être publié en 1767 écrivent notamment qu'« on ne doit (...) regarder les traités sur les proportions que comme des ouvrages élémentaires propres à fixer les idées de ceux qui veulent prendre connaissance de ces ordres ». On ne saurait mieux exprimer l'indifférence de la plupart des hommes de l'art à l'égard de la question de la précision à apporter aux proportions, question qui préoccupait tant Perrault. Cité par A. Picon, *op. cit.*, p. 46.

17. J.-L. de Cordemoy, *op. cit.*, préface.

18. *Ibid.*, p. 2.

19. *Ibid.*, p. 82.

20. S. Leclerc, *Traité d'architecture* (1714), p. 16.

21. A. Frézier, « Dissertation sur ce genre de décorations qu'on appelle les ordres d'architecture », in *La théorie et la pratique de la coupe des pierres et des bois* (1737-1739), t. 3, p. 4.

22. *Ibid.*, p. 5.

23. *Ibid.*, p. 8 et suivantes.

24. *Ibid.*, p. 14 et suivantes.

25. Cf. A. Picon, *op. cit.*,, p. 264-267 notamment.

26. P. Patte, *Mémoires*, p. 71 et suivantes.

27. *Ibid.*, pp. 80-81.

28. *Ibid.*, p. 81.

29. *Ibid.*, p. 221 et suivantes.

30. F. Choay, *La règle et le modèle*, p. 261 et suivantes.

31. Sur l'influence de Perrault en Angleterre, lire : W. Herrmann, *op. cit.*, p. 155 et suivantes. Les idées de Perrault avaient été assez vite connues, son *Abrégé des dix livres d'architecture de Vitruve* ayant été traduit dès 1692. Sur les rapports qu'entretient Chambers avec la théorie de Perrault, lire également : E. Harris, « The *Treatise on civil architecture* », in J. Harris, *Sir William Chambers knight of the Polar Star* (1970), pp. 128-143.

32. Y. André, *Essai sur le beau* (éd. 1759), p. 5.

33. Cf. A. Picon, *op. cit.*

34. E.-L. Boullée, *Architecture. Essai sur l'art* (1968), p. 51. Sur Boullée, on pourra consulter l'ouvrage pionnier d'Emil Kaufmann : *Trois architectes révolutionnaires. Boullée, Ledoux, Lequeu* (éd. 1978) et bien sûr : J.-M. Pérouse de Montclos, *Étienne-Louis Boullée (1728-1799). De l'architecture classique à l'architecture révolutionnaire* (1969).

35. E.-L. Boullée, *op. cit.*, p. 67.

36. *Ibid.*, p. 61 et suivantes.

37. J.-N.-L. Durand, *Précis des leçons d'architecture données à l'École Polytechnique* (éd. 1817-1819), p. 3. Sur Durand, lire : W. Szambien, *Jean-Nicolas-Louis Durand, 1760-1834 : De l'imitation à la norme* (1984).

38. J.-N.-L. Durand, *op. cit.*, p. 26.

39. Sur la normalisation des ordres proposée par Durand, lire : W. Szambien, *op. cit.*, pp. 74-80.

40. C.-L.-M.-H. Navier, réédition de la *Science des ingénieurs* de Bélidor (1813), pp. 497-498, cité par A. Picon, *op. cit.*, p. 288.

41. Cl. Perrault, *Ordonnance*, p. xxvj.

42. J. Guillerme, J. Sebestik, « Les commencements de la technologie », in *Thalès* (1968), pp. 1-72.

43. G.-W. Leibniz, manuscrit inédit relatif aux plans de l'achèvement du Louvre, p. 235.

44. Sur ce caractère collectif des travaux de la première Académie des Sciences qui s'atténue vers la fin du XVIIᵉ siècle, cf. R. Hahn, *The anatomy of a scientific institution*, p. 19 et suivantes.

45. « Il est constant que le goût pour les connaissances naturelles est un don singulier de la nature ; l'ouverture d'esprit pour les autres étant commune à toutes sortes de génies (...). La physique philosophique est comme un pays inhabité, dans lequel on n'a point ordinairement de commerce parce qu'il ne fournit aucune des choses qui sont de l'usage commun de la vie (...). » Cl. Perrault, *Essais de physique*, t. 1, préface.

# BIBLIOGRAPHIE

## SOURCES MANUSCRITES, DESSINS

### ALBERTINA DE VIENNE

Leclerc S., étude de draperie pour le frontispice de la traduction de Vitruve de Claude Perrault, inv. 27 677.

### ARCHIVES DE L'ACADÉMIE DES BEAUX-ARTS

Carton B9. Divers mémoires relatifs aux travaux de l'Académie d'Architecture, notamment : F. Le Vau, *En quoy consiste le bon goust de l'architecture, Ce qui a pu obliger les anciens autheurs de faire des ordres, et quelles raisons ils ont eues.*

### ARCHIVES DE L'ACADÉMIE DES SCIENCES

Cartons 1666-1793. Divers papiers relatifs à l'histoire naturelle des animaux entreprise par l'Académie sous l'égide de Claude Perrault ; remarques d'un anonyme sur le traité de la pesanteur et de la dureté des corps placé en tête des *Essais de physique*, avec les réponses de Perrault.

Pochettes de séances, années 1667 et suivantes. L'année 1667 contient les versions originales des « Projet pour la botanique » et « Projet des observations anatomiques » insérés dans le premier registre des procès-verbaux.

*Procès-Verbaux de l'Académie des Sciences.* Les différents registres contiennent de nombreux mémoires de Claude Perrault, en particulier :

« Projet pour les expériences et observations anatomiques », lu le 15 janvier 1667, t. 1, pp. 22-30.

« Projet pour la botanique », lu le 15 janvier 1667, t. 1, pp. 30-38.

« De la chaux », lu le 17 décembre 1667, t. 1, pp. 308-327.

« Examen des réflexions qui ont été faites sur la proposition de la circulation de la sève dans les plantes », lu le 21 juillet 1668, t. 4, ff. 93 r-98 v.

Mémoire sur les causes de la pesanteur, lu en 1669, t. 5, ff. 213 v-222 r.

Mémoire sur les causes de la coagulation, lu le 10 août 1669, t. 6, ff. 141 r-149 v.

Avis sur la suite à donner au programme de physique de l'Académie, lu le 30 novembre 1669, t. 6, ff. 183 r-188 r.

« Projet pour travailler par des expériences sur l'éclaircissement de ce qui appartient au mouvement péristaltique », lu le 13 février 1675, t. 8, ff. 15 v-37 r.

« Machine par le moyen de laquelle on se peut servir d'un grand tuyau de lunette immobile, par le moyen d'un miroir », présenté le 5 mai 1683, t. 10, ff. 145 r-146 r.

« Machine pour augmenter l'effet des armes à feu », lu le samedi 4 décembre 1683, t. 11, ff. 35 v-37 r.

« Machines qui élèvent les fardeaux sans frottement que M. Perrault a données pour mettre dans les registres le 20 avril 1686 », t. 11, ff. 169 v-173 v.

Dossier Claude Perrault. Notes et dessins scientifiques relatifs à son travail à l'Académie des Sciences.

Dossier Joseph-Guichard Du Verney.

### ARCHIVES NATIONALES

O$^1$ 1580. Travaux de l'arc de triomphe du faubourg Saint-Antoine.

O$^1$ 1669-1670. Mémoires sur le Louvre.

O$^1$ 1691. Observatoire.

O$^1$ 1854. Eaux de Versailles. Contient des *Observations faites sur quelques eaux de Versailles, envoyées par Monsieur Perrault* du 14 octobre 1671.

O$^1$ 1930. Académie d'Architecture.

O$^1$ 2124. Jardin du Roi.

*Département des Cartes et Plans*

F$^{21}$ 3567. Plans et projets pour le Louvre.

N III Seine n$^o$ 622. Plan de la conduite des eaux de la Samaritaine et d'Arcueil dans le Louvre et dans les Tuileries par F. d'Orbay, 1694.

N III Seine n$^o$ 642. Plan de l'arc de triomphe du faubourg Saint-Antoine.

O$^1$ 1666-1668, O$^1$ 1678. Plans et projets pour le Louvre.

*Minutier Central*

LXXXXVIII, 224. Contrat de mariage de Charles Perrault et inventaire de ses meubles du 26 mai 1672.

LXIX, 110. Bail de Claude Perrault à Charles Leclerc du 2 novembre 1682.

LII, 107. Acte de vente de la propriété de Viry du 30 juin 1684.


## BIBLIOTHÈQUE DE L'ARSENAL

BEAURAIN, PERRAULT Ch., Cl., *Les murs de Troye ou l'origine du burlesque*, MS 2956. Exemplaire de l'édition de 1653 (voir sources impr.) dans lequel ont été intercalés une « Mythologie des murs de Troye » et un second chant dus à Claude Perrault, tous deux manuscrits (voir également sources impr.).

*Papiers Godefroy. Mélanges historiques originaux*, MS 6314. Pose de la première pierre du Louvre par Louis XIV, le 17 octobre 1665.

PERRAULT Cl., *Ordonnance des cinq espèces de colonnes selon la méthode des anciens*, Paris, J.-B. Coignard, 1683, Fol. SA 1568 (Réserve). Exemplaire contenant les dessins originaux ayant servi de modèles aux planches gravées.

*Recueil de thèses de médecine*, Fol. SA 940, t. 2. Contient deux thèses de médecine de Claude Perrault.

*Recueil de Tralage*, t. 1, MS 6541. Diverses pièces de vers se rapportant à la querelle des anciens et des modernes, notamment « Le corbeau guéri par la cigogne ou l'ingrat parfait » de Charles et Claude Perrault, ff. 115 r-116 v.

*Recueil sur le commerce*, MS 4068. Contient une « Missive de M. Cabart contenant plusieurs observations et propositions sur le commerce très importantes données par M. Perrault », pp. 308-344.


## BIBLIOTHÈQUE CENTRALE DU MUSÉUM NATIONAL D'HISTOIRE NATURELLE

*Anatomie comparée. Dessins faits (par Aubriet ?) pour la description des animaux par Perrault et (Joseph-Guichard) Duverney, pour l'Académie des Sciences*, MS 220.

*Voyages de Tournefort. Dessins de plantes et d'animaux par Aubriet*, MS 78.


## BIBLIOTHÈQUE DE LA FACULTÉ DE MÉDECINE DE PARIS

*Commentariorum Facultatis Medicinæ Parisiensis.*

Documents relatifs à l'histoire de la Faculté de Médecine de Paris, MS 1761 (6).

*Theses medicæ parisienses*, MS 76, 77 (t. 5 et 6). Deux thèses de médecine de Claude Perrault.


## BIBLIOTHÈQUE HISTORIQUE DE LA VILLE DE PARIS

PERRAULT Ch., *Dessein des figures quy doivent être mises aux deux frontispices du dôme du millieu du pallais des Thuileries tant du côté de la cour que du côté du jardin*, 1666, NA MS 181, f. 170.

PERRAULT Ch., *Devis des ouvrages de charpenterie qu'il convient de faire de neuf pour le Roy en la construction d'une orangerie que Sa Majesté veut faire dans une pièce de terre qui est en allant au Roulle à gauche sortant de la fausse porte du faubourg Saint-Honoré, le tout ainsi qu'il suit*, 2 août 1670, CP 3435, ff. 63-66.


## BIBLIOTHÈQUE DE L'INSTITUT

DESGODETS A., *Nouveaux essais sur l'architecture, et principalement sur ce qui regarde le bon goust et l'harmonie qui doivent régner dans toutes ses parties*, MS 1032.

DESGODETS A., *Recueil des études d'architecture que iay fait à Rome pendant l'espace de seize mois que iy ay demeuré dans les années 1676 et 1677*, MS 2718.

DESGODETS A., *Traité des ordres d'architecture*, 1719, MS 1031.

*Dessins aux trois organes de l'aigle, par J.-G. Duverney, et de l'autruche, par L. de Chastillon, Ph. Simonneau et P.L.D.C.*, MS 1413.

*Troisième registre contenant la suite des délibérations concernant l'exécution de la fondation du collège et académie, appelez Mazarini (2 janvier 1673-20 août 1680)*, MS 368. Contient un « Avis de M. Perrault le médecin pour mettre le tombeau sous l'arcade qui fait la croisée à droite en entrant par la grande porte de l'Église », ff. 169 v-171 v.


## BIBLIOTHÈQUE NATIONALE

*Département des Estampes*

*Métier à faire des bas dessiné dans toutes ses parties*, vers 1664, Lh 32.

Va 217-217 e. Topographie de la France, Paris Ier, relevés et projets relatifs au Louvre.

Va 304. Topographie de la France, Paris XIVe, dessins relatifs à l'Observatoire.

Va 419 j, 440 a. Topographie de la France, relevés et projets relatifs au Louvre.


*Département des Manuscrits*

BOURDELIN C., *Procès-verbaux des analyses et des expériences faites au laboratoire de l'Académie des Sciences, établi dans les bâtiments de la Bibliothèque du Roi, depuis 1667 jusqu'à 1669*, NAF 5133-5149.

*Mélanges de littérature*, NAF 6203. Contient « Les amours de la règle et du compas et ceux du soleil et de l'ombre. A M. le cardinal duc de Richelieu. Poëme », de Charles Perrault.

PERRAULT Ch., instructions données au sculpteur Girardon le 20 septembre 1688, *Mélanges sur les beaux-arts*, F 390.

PERRAULT Ch., *Mémoires de ma vie*, F 2399 (voir également sources impr.).

PERRAULT Ch., *Pensées chrétiennes et pensées morales, physiques métaphysiques et autres qui regardent la philosophie*, F 25575.

PERRAULT Cl., lettre à Colbert sur l'opéra, 27 janvier 1674, *Mélanges Colbert*, 167, f. 245 a-b.

PERRAULT Cl., *Scavoir si la musique à plusieurs parties, a esté connüe et mise en usage par les anciens*, F 25350. Projet de préface pour le traité de la musique des anciens figurant au t. 2 des *Essais de physique* (voir également sources impr.).

PERRAULT Cl., N., *Papiers de Nicolas et Claude Perrault*, F 24713. Contient la « Relation du voyage fait en 1669 de Paris à Bordeaux par Messr de St-Laurent, Gomont, Abraham et Perrault » et le « Dessein d'un obélisque » de Claude Perrault (voir également sources impr.), divers écrits de Nicolas, notamment « Raisons morales contre la banque ou lotteries », « Discours contre la probabilité ».

PERRAULT N., *Opuscules*, F 25574.

PERRAULT N., *Traité de la prédestination extrait et recueilli de plusieurs passages de l'escriture Ste et anciens pères et docteurs avec la réfutation des objections contraires*, F 25292.

PERRAULT P., *Critique des deux tragédies d'Iphigénie d'Euripide et de M. Racine et la comparaison de l'une avec l'autre*, F 2385.

PERRAULT P., *Critique du livre de Dom Quichotte. Dialogue Eudoxe Néophile*, 1679, F 25572 (voir aussi sources impr.).


### BIBLIOTHÈQUE SAINTE-GENEVIÈVE

*Nouvelle église de S. Geneviève*, Res. W 376. Contient le « Dessein d'un portail pour l'église de Ste Geneviève à Paris », 1697, de Charles et Claude Perrault.


### BRITISH LIBRARY

*Département des manuscrits*

CORNEILLAU, *Le voiage de Viry par le Sr C. Reveu, corrigé et augmenté par l'auteur en cette seconde édition*, Paris, 1637, MS Add. 20,087. Dessins de Claude Perrault.


### CABINET DES DESSINS DU LOUVRE

LE BRUN C. et autres, différents dessins pour l'arc de triomphe du faubourg Saint-Antoine, inv. 30043, 30049, 30271, 30273, 30274, 30281, 30303, 30304.

LECLERC S., dessins préparatoires pour la traduction de Vitruve de Claude Perrault, inv. 30420-30423, arc de triomphe du faubourg Saint-Antoine de Perrault, inv. RF 5286.

LE VAU L., projet pour la façade orientale du Louvre, inv. RF 26077.

*Recueil du Louvre.*


### CABINET DES DESSINS DU NATIONALMUSEUM DE STOCKHOLM

Différents dessins des collections Tessin-Harleman et Cronstedt attribués à Claude Perrault : temple monoptère pour la planche XXXV de la traduction de Vitruve, T.-H. n° 889, projet pour un arc de triomphe, T.-H. n° 1195, escaliers pour le Louvre, T.-H. n° 2203, 2204, façade d'église, T.-H. n° 6594, projet d'obélisque, C. n° 2824.


### CABINET DES ESTAMPES DU MUSÉE CARNAVALET

LECLERC S., dessin de l'Observatoire pour la traduction de Vitruve de Claude Perrault, inv. D 1736 (manque en place) ; arc de triomphe du faubourg Saint-Antoine, inv. D. 7605.

PERRAULT Cl., plan de l'Observatoire, inv. D 6411.


# SOURCES IMPRIMÉES

ANDRÉ Y., *Essai sur le beau*, Paris, 1741, rééd. Amsterdam, J.-M. Schneider, 1759.

ARNAULD A., *Lettres de Monsieur Antoine Arnauld, docteur de Sorbonne*, Nancy, aux dépends de J. Nicolay, 1727.

ARNAULD A., NICOLE P., *La logique ou l'art de penser*, Paris, 1662, éd. critique par P. Clair et F. Girbal, Paris, J. Vrin, 1981.

AUBERY A., *Des justes prétentions du roy sur l'Empire*, Paris, 1667.

AVRIL L., *Temples anciens et modernes, ou observations historiques et critiques sur les plus célèbres monuments d'architecture grecque et gothique*, Londres, Paris, Musier, 1774.

BEAURAIN, PERRAULT Ch., Cl., *Les murs de Troye ou l'origine du burlesque*, Paris, L. Chamhoudry, 1653.

BLONDEL F., *L'art de jetter les bombes*, l'auteur, N. Langlois, 1683.

BLONDEL F., *Comparaison de Pindare et d'Horace*, Paris, C. Barbin, 1673.

BLONDEL F., *Cours d'architecture*, Paris, P. Aubouin, F. Clouzier, 1675-1683.

BLONDEL F., SAVOT L., *L'architecture françoise des bastimens particuliers composée par Me Louis Savot, augmentée dans cette seconde édition de plusieurs figures et des notes de Monsieur Blondel*, Paris, Vve C. Clouzier, P. Auboüin, J. Villery, P. Emery, 1685.

BLONDEL F., FERRAND G., *Lettres apologétiques du Sr Ferrand (...) avec une belle et sçavante lettre en forme de décision écrite au dit Sieur Ferrand, par Monsieur Blondel, docteur régent de la Faculté de Médecine de Paris*, Paris, E. Couterot, 1685.

BLONDEL J.-F., *Architecture françoise*, Paris, C.-A. Jombert, 1752-1756.

BLONDEL J.-F., *Cours d'architecture*, Paris, Desaint, 1771-1777.

BOFFRAND G., *Livre d'architecture contenant les principes généraux de cet art*, Paris, G. Cavelier, 1745.

BOILEAU N., *Œuvres complètes*, Paris, Gallimard, 1966.

BOSSE A., *Manière universelle de M. Desargues, pour pratiquer la perspective par petit-pied, comme le géométral*, Paris, P. Des-Hayes, 1647.

BOSSE A, *Des ordres de colonnes en l'architecture et plusieurs autres dépendances d'icelle*, Paris, l'auteur, 1664.

BOSSUET J.-B., *Introduction à la philosophie, ou de la connaissance de Dieu et de soi-mesme*, Paris, R.-M. d'Espilly, 1722.

BOUHOURS D., *Les entretiens d'Ariste et d'Eugène*, Paris, 1671, rééd. Amsterdam, E. Roger, 1703.

BOULLÉE E.-L., *Architecture. Essai sur l'art*, publ. par J.-M. Pérouse de Montclos, Paris, Hermann, 1968.

BRICE G., *Description nouvelle de la ville de Paris*, Paris, 1684, rééd. Paris, N. Legras, 1706.

BRISEUX C.-E., *Traité du beau essentiel dans les arts, appliqué particulièrement à l'architecture et démontré phisiquement et par l'expérience*, Paris, l'auteur et Chéreau, 1752.

CABANIS P.-J.-G., *Rapports du physique et du moral de l'homme*, Paris, 1802, rééd. Paris, Genève, Slatkine, 1980.

CAILLIÈRES F. DE, *Histoire poëtique de la guerre nouvellement déclarée entre les anciens et les modernes*, Amsterdam, P. Savouret, 1688.

CASSINI J.-D., *Mémoires pour servir à l'histoire des sciences et à celle de l'Observatoire royal de Paris*, Paris, Bleuet, 1810.

CHANET P., *De l'instinct et de la connaissance des animaux*, La Rochelle, T. de Gouy, 1646.

CHARAS M., *Nouvelles expériences sur la vipère*, Paris, l'auteur, 1669.

CHARPENTIER F., *Déffense de la langue françoise, pour l'inscription de l'arc de triomphe*, Paris, C. Barbin, 1676.

CHARPENTIER F., *De l'excellence de la langue française*, Paris, Vve Bilaine, 1683.

COLBERT J.-B., *Lettres instructions et mémoires de Colbert*, publ. par P. Clément, Paris, Impr. Impériale, 1861-1882.

*Comptes des Bâtiments du Roi sous le règne de Louis XIV*, publ. par J. Guiffrey, Paris, Impr. Nationale, 1881-1901.

CONDORCET M.-J.-A.-N. DE CARITAT DE, *Œuvres complètes*, Brunswick, Paris, Vieweg, Henrichs, 1804.

CORDEMOY G. DE, *Discours physique de la parole*, Paris, F. Lambert, 1668.

CORDEMOY J.-L. DE, *Nouveau traité de toute l'architecture*, Paris, J.-B. Coignard, 1706.

CUREAU DE LA CHAMBRE M., *Les charactères des passions*, 2ᵉ partie, Paris, P. Rocolet, 1645.

CUREAU DE LA CHAMBRE M., *Nouvelles conjectures sur la digestion*, Paris, P. Rocolet, 1636.

CUREAU DE LA CHAMBRE M., *Traité de la connaissance des animaux, où tout ce qui a été dict pour, et contre le raisonnement des bestes est examiné*, Paris, P. Rocolet, 1648.

CUREAU DE LA CHAMBRE M., *Le système de l'âme*, Paris, J. d'Allin, 1664.

CUVIER G., *Leçons d'anatomie comparée de G. Cuvier (...), recueillies et publiées sous ses yeux par C. Duméril*, Paris, Baudouin, an 8.

DAVILER C., *Cours d'architecture*, Paris, 1691, rééd. Paris, J. Mariette, 1720.

DELORME P., *Traités d'architecture*, publ. par J.-M. Pérouse de Montclos, Paris, L. Laget, 1988.

DENIS J.-B., *Lettre écrite à Monsieur Oldenburg (...), touchant les différents qui sont arrivés à l'occasion de la transfusion du sang*, Paris, J. Cusson, 1668.

DENIS J.-B., *Lettre écrite à Monsieur Sorbière (...), touchant l'origine de la transfusion du sang, et la manière de la pratiquer sur les hommes*, Paris, J. Cusson, 1668.

DESCARTES R., *Œuvres*, publ. par C. Adam et P. Tannery, Paris, L. Cerf, 1897-1913.

DESGODETS A., *Les édifices antiques de Rome dessinés et mesurés exactement par Antoine Desgodets*, Paris, J.-B. Coignard, 1682.

DESMARETS DE SAINT-SORLIN J., *La comparaison de la langue et de la poésie françoise avec la grecque et la latine, et des poètes grecs, latins et françois ; et les amours de Protée et de Physis*, Paris, T. Jolly, 1670.

DIONIS P., *L'anatomie de l'homme, suivant la circulation du sang, et les dernières découvertes démontrée au Jardin Royal*, Paris, 1690, rééd. Paris, L. d'Houry, 1698.

DIONIS P., *Dissertation sur la génération de l'homme, où l'on rapporte les diverses opinions des modernes sur ce sujet, avec des réflexions nouvelles, et plusieurs faits singuliers*, Paris, L. d'Houry, 1698.

DODART D., *Mémoires pour servir à l'histoire des plantes*, Paris, Impr. Royale, 1676.

DUBREUIL J., *La perspective practique, nécessaire à tous peintres, graveurs, sculpteurs, architectes, orfèvres, brodeurs, tapissiers, et autres se servant du dessein*, Paris, M. Tavernier, F. Langlois, 1642.

DUNCAN D., *Explication nouvelle et méchanique des actions animales, où il est traité des fonctions de l'âme*, Paris, J. d'Houry, 1678.

DURAND J.-N.-L., *Précis des leçons d'architecture données à l'École Polytechnique*, Paris, 1802-1805, rééd. Paris, l'auteur, 1817-1819.

DU VERNEY J.-G., *Œuvres anatomiques*, Paris, C.-A. Jombert, 1761.

*Encyclopédie, ou dictionnaire raisonné des sciences, des arts et des métiers*, Paris, Briasson, 1751-1772.

FÉLIBIEN A., *Description de la grotte de Versailles*, Paris, Impr. Royale, 1676.

FÉLIBIEN A., *Des principes de l'architecture, de la sculpture, de la peinture et des autres arts qui en dépendent*, Paris, J.-B. Coignard, 1676.

FISCHER VON ERLACH J.-B., *Entwurff einer historischen Architectur*, Vienne, 1721.

FONTENELLE B. LE BOVIER DE, *Entretiens sur la pluralité des mondes*, Paris, 1686, rééd. Paris, Bossange et Masson, 1811.

FRÉART DE CHAMBRAY R., *Parallèle de l'architecture antique avec la moderne*, Paris, E. Martin 1650.

FRÉART DE CHANTELOU P., *Journal de voyage du cavalier Bernin en France*, Paris, 1885, rééd. Paris, Pandora, 1983.

FRÉMIN M. DE, *Mémoires critiques d'architecture contenant l'idée de la vraie et de la fausse architecture*, Paris, C. Saugrain, 1702.

FRÉZIER A., *La théorie et la pratique de la coupe des pierres et des bois pour la construction des voûtes et autres parties des bâtiments civils et militaires, ou traité de stéréotomie, à l'usage de l'architecture*, Strasbourg, J.-D. Doulsseker le fils, 1737-1739.

HALLER A. VON, *Elementa physiologiæ corporis humani*, Lausanne, M.-M. Bousquet et Cie, Grasset, Berne, Société typographique, 1757-1766.

HARVEY W., *Exercitatio anatomica de motu cordis et sanguinis in animalibus*, Francfort, G. Fitzer, 1628.

HAUTEFEUILLE J. DE, PERRAULT P., *Lettre de M. de Haute-Feuille à Monsieur Bourdelot, premier médecin de Madame la duchesse de Bourgogne, sur le moyen de perfectionner l'ouye, avec deux lettres de Monsieur Perrault de l'Académie Royale des Sciences, sur le même sujet*, Paris, 1702.

HAZON J.-A., *Notice des hommes les plus célèbres de la Faculté de Médecine en l'Université de Paris depuis 1110, jusqu'en 1750· (inclusivement)*, Paris, B. Morin, 1778.

*Histoire de l'Académie Royale des Sciences*, Paris, G. Martin, J.-B. Coignard fils, H.-L. Guérin, 1733 et années suivantes.

HUET P.-D., *Huetiana, ou pensées diverses de M. Huet, évesque d'Avranches*, publ. par l'abbé d'Olivet, Paris, J. Estienne, 1722.

HUYGENS C., *Œuvres complètes*, publ. par la Société Hollandaise des Sciences, La Haye, M. Nijhoff, 1888-1910.

HUYGENS C., *Traité de la lumière*, Leyde, 1690, rééd. Paris, Gauthier-Villars, 1920.

LAFONT DE SAINT-YENNE, *Le génie du Louvre aux Champs Elisées. Dialogue entre le Louvre, la Ville de Paris, l'ombre de Colbert, et Perrault*, 1756.

LAFONT DE SAINT-YENNE, *L'ombre du grand Colbert, le Louvre et la Ville de Paris, Dialogue*, 1752.

LA METTRIE, J. Offray de, *Œuvres philosophiques*, Paris, Fayard, 1987.

LAMY G., *Discours anatomiques de M. Lamy*, Rouen, J. Lucas, 1675.

LAMY G., *Lettre escrite à Monsieur Moreau (...), contre les prétenduës utilités de la transfusion du sang pour la guérison des maladies, avec la réponse aux raisons et expériences de Monsieur Denys*, Paris, J. Delaunay, 1667.

LAMY G., *Lettre escrite à Monsieur Moreau (...), dans laquelle il confirme les raisons qu'il avait apportées dans sa première lettre, contre la transfusion du sang, en répondant aux objections qu'on luy a faites*, Paris, J. Delaunay, 1667.

LAUGIER M.-A., *Essai sur l'architecture*, Paris, 1753, rééd. Paris, Duchesne, 1755.

LE BRUN C., *Conférence de Monsieur Le Brun (...) sur l'expression générale et particulière*, Amsterdam, J.-L. De Lorme, Paris, E. Picart, 1698.

LE CERF DE LA VIÉVILLE J.-L., *Comparaison de la musique italienne et de la musique françoise*, Bruxelles, 1704, rééd. Bruxelles, F. Foppens, 1705-1706.

LECLERC S., *Traité d'architecture avec des remarques et des observations très utiles pour les jeunes gens qui veulent s'appliquer à ce bel art*, Paris, P. Giffart, 1714.

LEIBNIZ G.-W., *Discours de métaphysique et correspondance avec Arnauld*, éd. G. Le Roy, Paris, J. Vrin, 1984.

LEIBNIZ G.-W., manuscrit inédit relatif aux plans de l'achèvement du Louvre et à la pyramide triomphale de Perrault, publ. par A. Foucher de Careil, in *Journal Général de l'Instruction Publique et des Cultes*, XXVI, n° 32, mercredi 22 avril 1857, pp. 235-236.

LEIBNIZ G.-W., *Nouveaux essais sur l'entendement humain*, publ. par H. Lachelier, Paris, Hachette, 1886.

LEIBNIZ G.-W., *Opuscules philosophiques choisis*, publ. par P. Schrecker, Paris, Vrin, 1978.

LEIBNIZ G.-W., *Sämtliche Schriften und Briefe, herausgegeben von der preussichen Akademie der Wissenschaften*, Darmstadt, O. Reichl, 1923-1926.

*Le journal des sçavans*, éd. d'Amsterdam, P. le Grand, 1682 et années suivantes.

LEROY D., *Histoire de la disposition et des formes différentes que les chrétiens ont données à leurs temples, depuis le règne de Constantin le Grand jusqu'à nous*, Paris, Desaint, Saillant, 1764.

LEROY D., *Les ruines des plus beaux monuments de la Grèce*, Paris, H.-L. Guérin, L.-F. Delatour, 1758.

L'HÉRITIER DE VILLANDON M.-J., *L'apothéose de Mademoiselle de Scudéry*, Paris, J. Moreau, 1702.

L'HÉRITIER DE VILLANDON M.-J., *Œuvres meslées*, Paris, J. Guignard, 1696.

LIÉNARD N., *Dissertation sur la cause de la purgation, ou sur la manière dont les médicamens purgatifs agissent sur les corps, pour y faire leur effet à sçavoir la purgation*, Paris, Vve N. Biestkens, 1659.

LISTER M., *Voyage de Lister à Paris en MDCXCVIII*, Londres, 1698, Paris, Société des Bibliophiles François, 1873.

LUSSAULD C., *Apologie pour les médecins, contre ceux qui les accusent de déférer trop à la nature et de n'avoir point de religion*, Paris, P. Rocolet, D. Foucault, 1663.

*Machines et inventions approuvées par l'Académie des Sciences, depuis son établissement jusqu'à présent, avec leur description*, publ. par Gallon, Paris, G. Martin, J.-B. Coignard, H.-L. Guérin, 1735.

MAÏMONIDE M., *De cultu divino*, trad. lat. de L. Compiègne de Veil, Paris, G. Caillou, 1678.

MAINE DE BIRAN, *Discours à la société médicale de Bergerac*, éd. par F. Azouvi, Paris, Vrin, 1984.

MALEBRANCHE N., *De la recherche de la vérité*, Paris, 1674, éd. critique par G. Rodis-Lewis, Paris, Vrin, 1972-1976.

MARIOTTE E., *Essay de logique contenant les principes des sciences, et la manière de s'en servir pour faire de bons raisonnemens*, Paris, E. Michallet, 1678.

MARIOTTE E., PECQUET J., *Nouvelle découverte touchant la veüe*, Paris, F. Léonard, 1668.

MARIOTTE E., PECQUET J., PERRAULT Cl., *Lettres écrites par MM. Mariotte, Pecquet et Perrault sur le sujet d'une nouvelle découverte touchant la veüe faite par M. Mariotte*, Paris, Impr. Royale, 1676.

MAROLLES M. DE, *Considérations en faveur de la langue françoise au sujet d'un livre intitulé : De monumentis publicis latine in scribendis oratio*, 1677.

MAROLLES M. DE, *Le Roy, les personnes de la Cour qui sont de la première qualité, et quelques-uns de la noblesse, qui ont aimé les lettres, ou qui s'y sont signalés par quelques ouvrages considérables*.

MAROLLES M. DE, *Paris, ou la description succincte, et néantmoins assez ample, de cette grande ville, par un certain nombre d'épigrammes de quatre vers chacune, sur divers sujets*, 1677.

MARTIN J., trad. fr. du *De architectura*, les dix livres d'architecture de Vitruve, Paris, J. Gazeau, 1547.

MERCKLIN G.-A., *Tractatio med. curiosa de ortu et occasu transfusionis sanguinis*, Nuremberg, J. Zieger, 1679.

MERSENNE M., *Question Inouyes, Questions Harmoniques, Questions Théologiques, Les Méchaniques de Galilée, Les Préludes de l'Harmonie universelle*, Paris, 1634, rééd. Paris, A. Fayard, 1985.

NICOLE P., *Essais de morale*, Paris, 1671 et années suivantes, rééd. Paris, G. Desprez, 1730-1735.

NICOLE P., « Traité de la vraie et de la fausse beauté dans les ouvrages de l'esprit », trad. fr. in A.-A. Bruzen de la Martinière, *Nouveau recueil des épigrammatistes françois, anciens et modernes*, Amsterdam, frères Wetstein, 1720, t. 2, pp. 169-220.

OLDENBURG H., *The correspondence of Henry Oldenburg*, publ. par A.-R. Hall et M. Boas Hall, Madison, Milwaukee, Londres, University of Wisconsin Press, Mansell, 1965-1977.

OUVRARD R., *Architecture harmonique, ou application de la doctrine des proportions de la musique à l'architecture*, Paris, R.-J.-B. De La Caille, 1679.

PALLADIO A., *Les quatre livres de l'architecture*, Venise, 1570, trad. fr. Paris, Arthaud, 1980.

PASCAL B., *Œuvres complètes*, éd. J. Chevalier, Paris, Gallimard, 1954.

PATIN G., *Lettres de Gui Patin*, Paris, J.-B. Baillière, 1846.

PATTE P., *Mémoires sur les objets les plus importants de l'architecture*, Paris, Rozet, 1769.

PECQUET J., *Experimenta nova anatomica, quibus incognitum hactenus chyli receptaculum, et ab eo per thoracem in ramos usque subclavios vasa lactea deteguntur. Ejusdem dissertatio anatomica de circulatione sanguinis et chyli motu*, Paris, S. et G. Cramoisy, 1651.

PERRAULT Ch., *Contes*, 1697, éd. critique G. Rouger, Paris, Garnier, 1981.

PERRAULT Ch., *Les hommes illustres qui ont paru en France pendant ce siècle, avec leurs portraits au naturel*, Paris, A. Dezallier, 1696-1700.

PERRAULT Ch., *Lettre à Monsieur D... touchant la préface de son ode sur la prise de Namur. Avec une autre lettre où l'on compare l'ode de M. D... avec celle que Monsieur Chapelain fit autrefois pour le cardinal de Richelieu*.

PERRAULT Ch., *Parallèles des anciens et des modernes*, Paris, J.-B. Coignard, 1688-1697.

PERRAULT Ch., *La peinture. Poëme*, Paris, F. Léonard, 1668.

PERRAULT Ch., *Recueil de divers ouvrages en prose et en vers*, Paris, 1675, rééd. Paris, J.-B. Coignard, 1676.

PERRAULT Ch., *Réponse aux réflexions critiques de M. D... sur Longin*.

PERRAULT Ch., *Le siècle de Louis-le-Grand. Poëme*, Paris, J.-B. Coignard, 1687.

PERRAULT Ch., PERRAULT Cl., *Le cabinet des beaux-arts ou recueil d'estampes gravées d'après les tableaux d'un plafond où les beaux-arts sont représentés, avec l'explication de ces mêmes tableaux*, Paris, G. Edelinck, 1690.

PERRAULT Ch., *Mémoires de ma vie*, Perrault Cl., *Voyage à Bordeaux*, publ. par P. Bonnefon, Paris, Librairie Renouard, H. Laurens, 1909.

PERRAULT Cl., *Abrégé des dix livres d'architecture de Vitruve*, Paris, J.-B. Coignard, 1674.

PERRAULT Cl., *Description anatomique d'un caméléon, d'un castor, d'un dromadaire, d'un ours et d'une gazelle*, Paris, F. Léonard, 1669.

PERRAULT Cl., *Extrait d'une lettre écrite à Monsieur de la Chambre, qui contient les observations qui ont été faites sur un grand poisson disséqué dans la Bibliothèque du Roy, le vingt-quatrième juin 1667. Observations qui ont été faites sur un lion disséqué dans la Bibliothèque du Roy, le vingt-huictième juin 1667, tirées d'une lettre écrite à Monsieur de la Chambre*, Paris, F. Léonard, 1667.

PERRAULT Cl., *Essais de physique, ou recueil de plusieurs traitez touchant les choses naturelles*, Paris, J.-B. Coignard, 1680-1688.

PERRAULT Cl., *Mémoires pour servir à l'histoire naturelle des animaux*, Paris, Impr. Royale, 1671-1676. Il existe également quelques exemplaires d'un volume réunissant tout ce qui avait été tiré en vue d'une édition en 1688, notamment : Bibliothèque Centrale du Muséum 383, Bibliothèque de l'Institut Réserve Fol. M 130$^C$***. En 1733-1734 paraît enfin l'ensemble des descriptions d'animaux effectuées par l'Académie des Sciences à la fin du XVII$^e$ siècle, dont 16 descriptions inédites de Perrault : *Mémoires de l'Académie Royale des Sciences, depuis 1666 jusqu'à 1699*, Paris, La Compagnie des Libraires, 1733 et années suivantes, t. 3.

PERRAULT Cl., *Ordonnance des cinq espèces de colonnes selon la méthode des anciens*, Paris, J.-B. Coignard, 1683.

PERRAULT Cl., « Un poème inédit de Claude Perrault », publ. par P. Bonnefon, in *Revue d'Histoire littéraire de la France*, VII, 1900, pp. 449-472. Il s'agit de la « Mythologie des Murs de Troye » et du second chant des *Murs de Troye* (voir sources manuscrites).

PERRAULT Cl., Préface manuscrite du « Traité de la musique des anciens », publ. par H. Gillot, *La querelle des anciens et des modernes en France*, pp. 576-591 (voir références).

PERRAULT Cl., *Recueil de plusieurs machines de nouvelle invention*, Paris, J.-B. Coignard, 1700.

PERRAULT Cl., trad. fr. du *De architectura*, les dix livres d'architecture, de Vitruve, Paris, J.-B. Coignard, 1673, 2$^e$ éd. Paris, J.-B. Coignard, 1684.

PERRAULT Ch., PERRAULT P., *Œuvres diverses de physique et de mécanique*, Leyde P. Van der Aa, 1721. Rééd. des *Essais de physique* de Cl. Perrault et du livre *De l'origine des fontaines* de P. Perrault ainsi que de diverses pièces parues pour la plupart dans *Le journal des sçavans*.

PERRAULT N., *La morale des jésuites, extraite fidèlement de leurs livres*, Mons, Vve Waudret, 1667.

PERRAULT P., *Critique du livre de Dom Quichotte de la Manche*, publ. par M. Bardon, Paris, Les Presses Modernes, 1930.

PERRAULT P., *Critique de l'opéra, ou examen de la tragédie intitulée Alceste, ou le triomphe d'Alcide*, Paris, C. Barbin, 1674.

PERRAULT P., *De l'origine des fontaines*, Paris, Pierre le Petit, 1674.

PERRAULT P., trad. fr. de A. Tassoni, *La secchia rapita. Le seau enlevé*, Paris, G. de Luyne, J.-B. Coignard, 1678.

PICARD J., *La mesure de la terre*, Paris, Impr. Royale, 1671.

PICARD J., *Voyage d'Uranibourg ou observations faites en Danemark*, Paris, Impr. Royale, 1680.

PIGANIOL DE LA FORCE J.-A., *Description historique de la ville de Paris et de ses environs*, 1718, rééd. par Lafont de Saint-Yenne, Paris, 1765.

*Procès-Verbaux de l'Académie Royale d'Architecture*, publ. par H. Lemonnier, Paris, J. Schemit, 1911-1929.

RAPIN R., *Réflexions sur la poétique de ce temps, et sur les ouvrages des poètes anciens et modernes*, Paris, 1674, rééd. Paris, F. Muguet et M. l'Archevesque, 1675.

RAVAISSON F., *De l'habitude*, Paris, 1838, rééd. Paris, Fayard, 1984.

RÉGIS P.-S., *Système de philosophie, contenant la logique, la métaphysique, la physique et la morale*, Paris, Lyon, D. Thierry, Anisson, Posuel et Rigaud, 1690.

ROHAULT J., *Traité de physique*, Paris, D. Thierry, Vve C. Savreux, 1671.

RONDELET A.-J.-B., *Traité théorique et pratique de l'art de bâtir*, Paris, l'auteur, 1802-1817.

SAUVAL H., *Histoire et recherche des antiquités de la ville de Paris*, Paris, C. Moette, 1724.

STAHL G.-E., *Œuvres médico-philosophiques et pratiques*, trad. fr. Paris, J.-B. Baillière, Montpellier, Patras, Strasbourg, Treuttel et Wurtz, 1859-1863.

STENON N., *Discours de Monsieur Sténon, sur l'anatomie du cerveau, à Messieurs de l'assemblée, qui se fait chez Monsieur Thevenot*, Paris, R. de Ninville, 1669.

SWAMMERDAM J., *Histoire générale des insectes*, Utrecht, 1669, trad. fr. Utrecht, G. de Walcheren, 1682.

TAUVRY D., *Nouvelle anatomie raisonnée, ou les usages de la structure du corps de l'homme, et de quelques animaux, suivant les loix des méchaniques*, Paris, E. Michallet, 1690.

THÉVART J., *Défense de la Faculté de Médecine de Paris, contre Me François Blondel, docteur régent en la dite Faculté*, Paris, E. Langlois, 1668.

THÉVART J., *Deuxième défense de la Faculté de Médecine de Paris, contre Me François Blondel, docteur régent en la dite Faculté*, Paris, E. Langlois, 1668.

TOURNEFORT J. PITTON DE, *Élémens de botanique, ou méthode pour connaître les plantes*, Paris, Impr. Royale, 1694.

VARIGNON P., *Nouvelles conjectures sur la pesanteur*, Paris, J. Boudot, 1690.

VIEL C.-F., *De l'impuissance des mathématiques pour assurer la solidité des constructions*, Paris, l'auteur, Vve Tilliard, 1805.

VILLALPANDE J.-B., *In Ezechielem explanationes et apparatus urbis ac templi hierosolymitani*, Rome, A. Zannetti, 1596-1604.

WINKELMANN J.-J., *Histoire de l'art chez les anciens*, Dresde, 1764, Paris, Barrois, H.-J. Jansen, 1790-1792.

# RÉFÉRENCES

AZOUVI F., « Entre Descartes et Leibniz : l'animisme dans les *Essais de physique* de Claude Perrault », in *Recherches sur le XVIIe siècle*, no 5, 1982, pp. 9-19.

AZOUVI F., « Quelques jalons dans la préhistoire des sensations internes », in *Revue de Synthèse* », no 113-114, 1984, pp. 113-133.

BALAN B., *L'ordre et le temps. L'anatomie comparée et l'histoire des vivants au XIXe siècle*, Paris, Vrin, 1979.

BARCHILON J., « Charles Perrault à travers les documents du Minutier Central des Archives Nationales », in *XVIIe siècle*, no 65, 1964, pp. 3-15.

BARCHILON J., « Un échantillon inédit des *Pensées chrétiennes* de Charles Perrault », in *XVIIe siècle*, no 155, 1987, pp. 203-204.

BARCHILON J., « Les frères Perrault à travers la correspondance et les œuvres de Christian Huygens », in *XVIIe siècle*, no 56, 1962, pp. 19-36.

BARIÉTY M., COURY C., *Histoire de la médecine*, Paris, A. Fayard, 1963.

BARRITAULT G., *L'anatomie en France au XVIIIe siècle. Les anatomistes du Jardin du Roi*, Angers, impr. de l'Anjou, 1940.

BAUER J.-E., *Recherches sur la pensée biologique de Stahl*, Paris, impr. Dubois et Bauer, 1934.

BELAVAL Y., *Leibniz critique de Descartes*, Paris, 1960, rééd. Paris, Gallimard, 1976.

BELAVAL Y., *Leibniz Initiation à sa philosophie*, Paris, 1952, rééd. Paris, Vrin, 1975.

BIBRON G., DUMÉRIL A.-M.-C., *Erpétologie générale ou histoire naturelle complète des reptiles*, Paris, Librairie encyclopédique De Roret, 1835.

BLOCH O.-R., *La philosophie de Gassendi. Nominalisme, matérialisme et métaphysique*, La Haye, M. Nijhoff, 1971.

BLUNT A., *Art et architecture en France, 1500-1700*, Londres, 1953, trad. fr. Paris, Macula, 1983.

BLUNT A., *Philibert De L'Orme*, Londres, 1958, trad. fr. Brionne, G. Monfort, 1986.

BLUNT A., *La théorie des arts en Italie (1450-1600)*, Oxford, 1940, trad. fr. Brionne, G. Monfort, 1986.

BODEMANN E., *Die Leibniz-Handschriften der Königlichen öffentlichen Bibliothek zu Hannover*, Hannover, Hann'sche Buchhandlung, 1895.

BONNEFON P., « Charles Perrault. Essai sur sa vie et ses ouvrages », in *Revue d'Histoire littéraire de la France*, XI, 1904, pp. 365-420.

BONNEFON P., « Claude Perrault. Architecte et voyageur », in *Gazette des Beaux-Arts*, XXVI, 1901, pp. 209-222, 425-440.

BORSI F., *Le Bernin*, Paris, Hazan, 1984.

BOUR R., « L'identité de Testudo gigantea Schweigger, 1812 (Reptilia, Chelonii) », in *Bulletin du Muséum national d'Histoire naturelle*, 1984, section A, no 1, pp. 159-175.

BRAHAM A., *L'architecture des Lumières*, Londres, 1980, trad. fr. Paris, Berger-Levrault, 1982.

BRAHAM A., SMITH P., *François Mansart*, Londres, Zwemmer, 1973.

BRAHAM A., WHITELEY M., « Louis Le Vau's projects for the Louvre and the Colonnade », in *Gazette des Beaux-Arts*, LXIV, 1964, pp. 285-296, 347-362.

BRAY R., *La formation de la doctrine classique en France*, Paris, 1945, rééd. Paris, A.-G. Nizet, 1983.

BRÉCHOT J.-F., GUÉDÈS M., LAISSUS Y., *Note bibliographique sur les « Plantes du Roi »*, extrait de la *Revue Française d'Histoire du Livre*, Bordeaux, impr. Taffard, 1974.

BUSSON H., *La religion des classiques (1660-1714)*, Paris, P.U.F., 1948.

CANGUILHEM G., *La formation du concept de réflexe aux XVIIe et XVIIIe siècles*, Paris, P.U.F., 1955.

*Catalogue critique des manuscrits de Leibniz*, publ. sous les auspices de l'Académie des Sciences Morales et Politiques, Poitiers, Société Française d'Imprimerie et de Librairie, 1914-1924.

CHANCEREL J.-E., *Recherches sur la pensée biologique de Stahl*, thèse de médecine, Paris, impr. Dubois et Bauer, 1934.

CHASTEL A., PÉROUSE DE MONTCLOS J.-M., « L'aménagement de l'accès oriental du Louvre », in *Les Monuments Historiques de la France*, XII, 1966, pp. 176-249.

CHOAY F., *La règle et le modèle. Sur la théorie de l'architecture et de l'urbanisme*, Paris, Seuil, 1980.

CLAIR P., « Jacques Rohault (1618-1672). Bio-bibliographie avec l'édition critique des *Entretiens sur la philosophie* », *Recherches sur le XVII<sup>e</sup> siècle*, n° 3, 1978.

*Colbert 1619-1683*, catalogue d'exposition de la Délégation aux Célébrations Nationales et de la Bibliothèque Nationale, Alençon, impr. Alençonnaise, 1983.

COLE F.-J., *A history of comparative anatomy*, Londres, Macmillan, 1944.

*Collections de Louis XIV. Dessins, albums, manuscrits*, catalogue d'exposition, Paris, éd. des musées nationaux, 1977.

COLOMBE J., « Portraits d'ancêtres (Quelques médecins du temps passé), III. Claude Perrault » , in *Hippocrate*, n° 4-5, 1949, pp. 3-47.

CORLIEU A., *L'ancienne Faculté de Médecine de Paris*, Paris, V.-A. Delahaye et Cie, 1877.

CORVISIER A., *Louvois*, Paris, A. Fayard, 1983.

COSTABEL P., « Christiaan Huygens, 1629-1695 » in *Christiaan Huygens, 1629-1695. Le temps en question*, catalogue d'exposition de l'Institut Néerlandais, Paris, Institut Néerlandais, 1979, pp. 7-14.

COSTABEL P., « Tycho Brahe », in *Encyclopaedia Universalis* (éd. 1985), t. 3, pp. 933-934.

DAREMBERG C., *Histoire des sciences médicales*, Paris, J.-B. Baillière et Fils, 1870.

DARMON A., *Les corps immatériels : Esprits et images dans l'œuvre de Marin Cureau de La Chambre (1594-1669)*, Paris, Vrin, 1985.

DAUDIN H., *Cuvier et Lamarck : Les classes zoologiques et l'idée de série animale (1790-1830)*, Paris, F. Alcan, 1926.

DAUDIN H., *De Linné à Lamarck : Méthodes de classification et idée de série en botanique et en zoologie (1740-1790)*, Paris, 1926-1927, rééd. Paris, Éditions des Archives Contemporaines, 1983.

DAUFRESNE J.-C., *Louvres et Tuileries : Architectures de papier*, Bruxelles, Liège, Mardaga, 1987.

DAVY DE VIRVILLE A., *Histoire de la botanique en France*, publ. par le Comité Français du VIII<sup>e</sup> Congrès International de Botanique, Paris, Société d'Édition d'Enseignement Supérieur, 1954.

DELAUNAY P., *La vie médicale aux XVI<sup>e</sup>, XVII<sup>e</sup> et XVIII<sup>e</sup> siècles*, Paris, Hippocrate, 1935.

DELORME S., « Pierre Perrault auteur d'un traité *De l'origine des fontaines* et d'une théorie de l'expérimentation », in *Archives Internationales d'Histoire des Sciences* », n° 3, 1948, pp. 388-394.

DESSERT D., *Argent, pouvoir et société au Grand Siècle*, Paris, A. Fayard, 1984.

*Dessin et Sciences, XVII<sup>e</sup>-XVIII<sup>e</sup> siècles*, catalogue d'exposition du Cabinet des Dessins du Louvre, Paris, Réunion des Musées Nationaux, 1984.

D'ESTRÉE P., « Une académie bachique au XVII<sup>e</sup> siècle », in *Revue d'Histoire littéraire de la France*, II, 1985, pp. 491-522.

DUGAS P., *La mécanique au XVII<sup>e</sup> siècle*, Neuchâtel, éd. du Griffon, 1954.

DULIEU L., *La médecine à Montpellier*, Les Presses Universelles, 1975-1979.

DUMAS M.-N., *La pensée de la vie chez Leibniz*, Paris, Vrin, 1976.

EPRON J.-P., *L'École de l'Académie, 1671-1793, ou l'institution du goût en architecture*, rapport de recherche, Nancy, École d'Architecture, 1984.

ERLANDE-BRANDENBURG A., communication sur l'identification des fondations du Bernin au Louvre, in *Bulletin de la Société nationale des Antiquaires de France*, Nogent-le-Rotrou, 1966, séance du 9 juin 1965, pp. 135-139

ERLANDE-BRANDENBURG A., « Les fouilles du Louvre et les projets de Le Vau », in *La vie urbaine*, 1964, pp. 241-263.

ERLANDE-BRANDENBURG A., « Les fouilles du Louvre et les projets de Le Vau. Deuxième partie. Trois projets inédits de Le Vau pour le Louvre », in *La vie urbaine*, 1965, pp. 12-22.

FAUVELLE R., *Les étudiants en médecine de Paris sous le Grand Roi*, Paris, Steinheil, 1899.

FELKAY N., « Nouveaux documents sur l'Académie d'Architecture sous Louis XIV », in *Bulletin de la Société d'Histoire de Paris*, 112<sup>e</sup> année, 1985, Paris, librairie d'Argences, 1987, pp. 275-290.

FICHET F., *La théorie architecturale à l'âge classique*, Bruxelles, Liège, Mardaga, 1979.

FLEURY M.-A., JURGENS M., *Documents du Minutier central concernant l'histoire littéraire*, Paris, P.U.F., 1961.

FORSSMANN E., *Dorisch, Jonisch, Korinthisch. Studien über den Gebrau der Säulenordnungen in der Architektur des 16.-18. Jahrhunderts*, Stockholm, 1961, rééd. Braunschweig, Wiesbaden, Vieweg, 1984.

FOUCAULT M., *Les mots et les choses*, Paris, 1966, rééd. Paris, Gallimard, 1979.

GILLOT H., *La querelle des anciens et des modernes en France de la* Défense et illustration de la langue française *aux* Parallèles des anciens et des modernes, Paris, H. Champion, 1914.

GILSON E., *Introduction à l'étude de saint Augustin*, Paris, 1928, rééd. Paris, Vrin, 1987.

GOLDMANN L., *Le dieu caché : Étude sur la vision tragique dans les Pensées de Pascal et dans le théâtre de Racine*, Paris, Gallimard, 1959.

GOUJET D., MATILE L., TASSY P., *Introduction à la systématique zoologique (Concepts, principes, méthodes)*, Paris, Société française de systématique, 1985.

GREENE E.-L., *Landmarks of botanical history*, publ. par F.-N. Egerton, Stanford, Stanford University Press, 1983.

GUIHEUX A., ROUILLARD D., « Échanges entre les mots et l'architecture dans la seconde moitié du XVII<sup>e</sup> siècle à travers les traités de l'art de parler », in *Les Cahiers de la Recherche Architecturale*, n° 18, 1985, pp. 18-27.

GUIHEUX A., ROUILLARD D., *Si on peut dire en architecture*, rapport de recherche, Lille, École d'Architecture de Lille, 1985.

GUILLERME J., SEBESTIK J., « Les commencements de la technologie », in *Thalès*, XII, 1968, pp. 1-72.

HAHN R., *The anatomy of a scientific institution. The Paris Academy of Sciences, 1666-1803*, Berkeley, Los Angeles, Londres, 1971.

HALLAYS A., *Les Perrault*, Paris, Librairie académique Perrin, 1926.

HARRIS J., *Sir William Chambers knight of the Polar Star*, Londres, Zwemmer, 1970.

HAUTECŒUR L., « L'auteur de la colonnade du Louvre », in *Gazette des Beaux-Arts*, IX, 1924, pp. 152-168.

HAUTECŒUR L., *Histoire de l'architecture classique en France*, Paris, Picard, 1943-1957.

HAUTECŒUR L., *Le Louvre et les Tuileries de Louis XIV*, Paris, Bruxelles, G. Vanoest, 1927.

HAZARD P., *La crise de la conscience européenne, 1680-1715*, Paris, rééd. Paris, A. Fayard, 1961.

HEILBRON J.-L., *Elements of early modern physics*, Berkeley, Los Angeles, Londres, University of California Press, 1982.

HELMHOLTZ H., *Optique physiologique*, Leipzig, 1867, trad. fr. Paris, V. Masson et fils, 1867.

HERRMANN W., « Antoine Desgodets and the Académie Royale d'Architecture », in *The Art Bulletin*, LXI, 1963, pp. 157-164.

HERRMANN W., *Laugier and eighteenth century french theory*, Londres, 1962, rééd. Londres, Zwemmer, 1985.

HERRMANN W., *The theory of Claude Perrault*, Londres, Zwemmer, 1973, trad. fr. Bruxelles, Liège, Mardaga, 1980.

HERRMANN W., « Unknown designs for the "Temple of Jerusalem" by Claude Perrault », in *Essays in the history of architecture*, Londres, Phaidon, 1967, I, pp. 143-158.

HIBBARD H., *Le Bernin*, Londres, 1965, trad. fr. Paris, Macula, 1984.

*Histoire générale de la médecine, de la pharmacie, de l'art dentaire et de l'art vétérinaire*, dir. M. Laignel-Lavastine, Paris, A. Michel, 1936-1949.

*Histoire générale des sciences*, dir. R. Taton, Paris, P.U.F., 1964-1966.

*Histoire et prestige de l'Académie des Sciences, 1666-1966*, catalogue d'exposition, Paris, Musée du Conservatoire National des Arts et Métiers, 1966.

Institut de France, Académie des Sciences, *Troisième centenaire, 1666-1966*, Paris, Gauthier-Villars, 1967.

JAL A., *Dictionnaire critique de biographie et d'histoire*, 2ᵉ éd. Paris, H. Plon, 1872.

*Jean Picard et la mesure de la terre. Astronomie et géodésie au 17ᵉ siècle*, catalogue d'exposition de l'Observatoire de Paris, 1982.

JESTAZ B., *Le voyage d'Italie de Robert de Cotte. Étude, édition et catalogue des dessins*, Paris, E. de Boccard, 1966.

JOSEPHSON R., « Quelques dessins de Claude Perrault pour le Louvre », in *Gazette des Beaux-Arts*, XVI, 1927, pp. 171-192.

KAMBARTEL W., *Symmetrie und Schönheit. Über mögliche Voraussetzungen des neueren Kunstbewusstseins in der Architekturtheorie Claude Perraults*, Munich, W. Fink Verlag, 1972.

KAUFMANN E., « Die Architekturtheorie der französische Klassik und des Klassizismus », in *Repertorium für Kunstwissenschaft*, LXIV, 1924, pp. 197-237.

KAUFMANN E., *Trois architectes révolutionnaires, Boullée, Ledoux, Lequeu*, Philadelphie, 1952, trad. fr. Paris, S.A.D.G., 1978.

KONVITZ J., *Cartography in France, 1660-1848. Science, engineering and statecraft*, Chicago, Londres, The University of Chicago Press, 1987.

KORTUM H., *Charles Perrault und Nicolas Boileau : Der Antike-Streit im Zeitalter der klassischen französischen Literatur*, Berlin, Rütten et Loening, 1966.

LAISSUS Y., MONSEIGNY A.-M., « Les plantes du Roi. Note sur un grand ouvrage de botanique préparé au XVIIᵉ siècle par l'Académie royale des Sciences », in *Revue d'Histoire des Sciences et de leurs applications*, XXII, 1969, pp. 193-236.

LANGE L., « La grotte de Thétis et le premier Versailles de Louis XIV », in *Art de France*, I, 1961, pp. 133-148.

LAPRADE A., *François d'Orbay, architecte de Louis XIV*, avec la collaboration de N. Bourdel (Felkay) et J. Lafond, Paris, Vincent, Fréal et Cie, 1960.

LEBOVITS J., *Claude Perrault physiologiste*, thèse de médecine, Paris, L. Arnette, 1931.

LE DOUBLE A.-F., *Bossuet anatomiste et physiologiste*, Paris, Vigot frères, 1913.

LEGRAND N., *Les collections artistiques de la Faculté de Médecine de Paris*, publ. par M. Landouzy, Paris, Masson, 1911.

LEHOUX F., *Le cadre de vie des médecins parisiens aux XVIᵉ et XVIIᵉ siècles*, Paris, Picard, 1976.

LE MAGUET P.-E., *Le monde médical parisien sous le Grand Roi*, thèse de médecine, Macon, impr. Protat frères, 1899.

LEMOINE A., *Le vitalisme et l'animisme de Stahl*, Paris, Germer Baillière, 1864.

LENOBLE R., *Mersenne ou la naissance du mécanisme*, Paris, 1943, rééd. Paris, Vrin, 1971.

LÉVY-VALENSI J., *La médecine et les médecins français au XVIIIᵉ siècle*, Paris, J.-B. Baillière et fils, 1933.

LITMAN T.-A., *Le sublime en France (1660-1714)*, Paris, A.-G. Nizet, 1971.

MAGNE B., *Crise de la littérature française sous Louis XIV : humanisme et nationalisme*, thèse de l'Université de Toulouse, 1974, diffusion Paris, H. Champion, 1976.

MAINDRON E., *L'Académie des Sciences*, Paris, F. Alcan, 1888.

*Mariotte, savant et philosophe (1684). Analyse d'une renommée*, préface de P. Costabel, Paris, Vrin, 1986.

MATHIEU M., *Pierre Patte, sa vie, son œuvre*, Paris, Alcan, 1940.

MAUCLAIRE C., Vigoureux C., *Nicolas-François de Blondel, ingénieur et architecte du roi (1618-1686)*, Laon, impr. de l'Aisne.

MAURY L.-A., *L'ancienne Académie des Sciences*, Paris, Didier et Cie, 1864.

METZGER H., *Les doctrines chimiques en France du début du XVIIᵉ à la fin du XVIIIᵉ siècle*, Paris, 1923, rééd. Paris, A. Blanchard, 1969.

MIDDLETON R., « The abbé de Cordemoy and the graeco-gothic ideal », in *Journal of the Warburg and Courtauld Institutes*, XXV, 1962, pp. 278-320, XXVI, 1963, pp. 90-123.

MIDDLETON R., WATKIN D., *Architecture moderne, 1750-1870. Du néo-classicisme au néo-gothique*, Milan, 1977, trad. fr. Paris, Berger-Levrault, 1983.

MONNIER G., « Dessins inédits pour la colonnade du Louvre », in *Les Monuments Historiques de la France*, 1972, n° 3/4, pp. 130-137.

MONTBAS DE, « Un manuscrit inédit de Claude Perrault », in *La revue de l'art*, LI, 1927, pp. 331-333.

MONVAL J., *Soufflot : Sa vie, son œuvre, son esthétique (1713-1780)*, Paris, A. Lemerre, 1918.

MOUY P., *Le développement de la physique cartésienne, 1646-1712*, Paris, J. Vrin, 1934.

NAMER G., *L'abbé Le Roy et ses amis. Essai sur le jansénisme extrémiste intramondain*, Paris, S.E.V.P.E.N., 1964.

*Observatoire de Paris. Son histoire, 1667-1963*, Paris, Observatoire de Paris, 1984.

PANOFSKY E., *Idea : Contribution à l'histoire de l'ancienne théorie de l'art*, Hambourg, 1924, trad. fr. Paris, Gallimard, 1984.

PAULY A., *Bibliographie des sciences médicales*, Paris, Librairie Tross, 1874.

PÉREZ-GOMEZ A., *Architecture and the crisis of modern science*, Cambridge, Massachusetts, Londres, 1983, rééd. Cambridge, Massachusetts, MIT Press, 1984.

PÉROUSE DE MONTCLOS J.-M., *L'architecture à la française*, Paris, Picard, 1982.

PÉROUSE DE MONTCLOS J.-M., *Étienne-Louis Boullée (1728-1799). De l'architecture classique à l'architecture révolutionnaire*, Paris, Arts et Métiers Graphiques, 1969.

PETIT G., THÉODORIDÈS J., *Histoire de la zoologie des origines à Linné*, Paris, Hermann, 1962.

PETZET M., « Claude Perrault als Architekt des Pariser Observatoriums », in *Zeitschrift für Kunstgeschichte*, XXX, 1967, n° 1, pp. 1-54.

PETZET M., « Planungen für Sceaux dass Schloss Colberts », in *Zeitschrift für Kunstgeschichte*, 1986, n° 4, pp. 502-555.

PETZET M., « Un projet des Perrault pour l'église Sainte-Geneviève à Paris », in *Bulletin Monumental*, CXV, 1957, pp. 81-96.

PETZET M., « Das Triumphbogenmonument für Ludwig XIV, auf der Place du Trône », in *Zeitschrift für Kunstgeschichte*, XLV, 1982,, n° 2, pp. 145-194.

PEUMERY J.-J., *Les origines de la transfusion sanguine*, Amsterdam, B.-M. Israël, 1974.

PICARD R., *La carrière de Jean Racine*, Paris, 1956, rééd. Paris, Gallimard, 1979.

PICON A., *Architectes et ingénieurs au siècle des Lumières*, Marseille, Parenthèses, 1988.

PILPOUL P., *La querelle de l'antimoine (Essai historique)*, thèse de médecine de Paris, Paris, L. Arnette, 1928.

PIOBETTA J.-B., « Au temps de Descartes. Une polémique ignorée sur la connaissance des animaux (Pierre Chanet et Marin Cureau de la Chambre) », in *Travaux du IXᵉ Congrès International de Philosophie*, Paris, Hermann, 1937, t. 2, pp. 60-66.

POPPER K., *La logique de la découverte scientifique*, Londres, 1959, trad. fr. Paris, Payot, 1973.

ROCHOT B., « Roberval, Mariotte et la *Logique* », in *Archives Internationales d'Histoire des Sciences* », n° 22, 1953, pp. 38-43.

ROGER J., *Les sciences de la vie dans la pensée française du XVIIIᵉ siècle.*

*La génération des animaux de Descartes à l'Encyclopédie*, Paris, A. Colin, 1963.

ROLAND-MICHELET M., « Soufflot urbaniste et le dégagement de la colonnade du Louvre », in *Les Cahiers de la Recherche Architecturale*, actes du colloque « Soufflot et l'architecture des Lumières », supplément au n° 6-7, 1980, pp. 54-67.

RYKWERT J., *The first moderns. The architects of the eighteenth century*, Cambridge, Massachusetts, Londres, 1983, rééd. Cambridge, Massachusetts, Londres, MIT Press, 1984.

RYKWERT J., *La maison d'Adam au paradis*, Chicago, New-York, 1972, trad. fr. Paris, Seuil, 1976.

SALOMON-BAYET C., *L'institution de la science et l'expérience du vivant. Méthode et expérience à l'Académie royale des sciences, 1666-1793*, Paris, Flammarion, 1978.

SAUVEL T., « Les auteurs de la colonnade du Louvre », in *Bulletin Monumental*, CXXII, 1964, pp. 323-347.

SCHIERBEEK A., « The main trends of zoology in the 17th century », in *Janus*, L, 1963, n° 3, pp. 159-175.

SCHILLER J., « L'iconographie de Claude Perrault (1613-1688) », in *Comptes rendus du 91ᵉ Congrès national des Sociétés Savantes, Rennes, 1966. Section des sciences*, Paris, Gauthier-Villars, Bibliothèque Nationale, 1967, I, pp. 215-234.

SCHILLER J., « Les laboratoires d'anatomie et de botanique à l'Académie des Sciences au XVIIᵉ siècle », in *Revue d'Histoire des Sciences*, XVII, 1964, n° 2, pp. 97-114.

*Sébastien Le Clerc (1637-1714)*, catalogue d'exposition du Musée de Metz, Nancy, Éditions du Pays Lorrain, 1937.

SÉRIS J.-P., *Machine et communication*, Paris, Vrin, 1987.

SIGWALT A., *Une mystification de Charles Perrault : la colonnade du Louvre*, Paris, Les Éditions Nationales, 1948.

SORIANO M., *Les contes de Perrault : Culture savante et traditions populaires*, Paris, 1968, rééd. Paris, Gallimard, 1984.

SORIANO M., *Le dossier Perrault*, Paris, Hachette, 1972.

SZAMBIEN W., *Jean-Nicolas-Louis Durand, 1760-1834 : De l'imitation à la norme*, Paris, Picard, 1984.

SZAMBIEN W., *Symétrie, goût, caractère. Théorie et terminologie de l'architecture à l'âge classique, 1550-1800*, Paris, Picard, 1986.

TAFURI M., « "Architectura artificialis" : Claude Perrault, Sir Christopher Wren e il debattito sul linguaggio architettonico », in *Barocco europeo, barocco italiano, barrocco salentino*, Lecce, L'Orsa Maggiore, 1969, pp. 375-398.

TATARKIEWICZ L., « L'esthétique associationniste au XVIIᵉ siècle », in *Revue d'esthétique*, XIII, 1960, pp. 287-292.

TATARKIEWICZ L., « L'esthétique du Grand Siècle », in *XVIIᵉ siècle*, n° 78, 1968, pp. 21-35.

TATON R., « Cassini, Gian Domenico (Jean-Dominique) (Cassini I) », in *Dictionary of scientific biography*, publ. par C.-C. Gillispie, New-York, C. Scribner's sons, 1970-1980, t. 3, pp. 100-104.

TATON R., *Les origines de l'Académie Royale des Sciences*, conférence donnée au Palais de la Découverte, Paris, Palais de la Découverte, 1966.

TENENTI A., « Claude Perrault et la pensée scientifique française dans la seconde moitié du XVII$^e$ siècle », in *L'évantail de l'histoire. Hommage à Lucien Febvre*, Paris, A. Michel, 1953, II, pp. 303-316.

TEYSSÈDRE B., *Roger de Piles et les débats sur le coloris au siècle de Louis XIV*, Paris, 1957, rééd. Lausanne, impr. Centrale, 1965.

TOCANNE B., *L'idée de nature en France dans la seconde moitié du XVII$^e$ siècle. Contribution à l'histoire de la pensée classique*, Paris, Klincksieck, 1978.

*Tournefort*, Paris, Musée National d'Histoire Naturelle, 1957.

*Les traités d'architecture de la Renaissance*, publ. par J. Guillaume, Paris, Picard, 1988.

TROUVELOT J., « Le dégagement des fossés de la Colonnade du Louvre », in *Les Monuments Historiques de la France*, XIII, 1967, pp. 12-54.

*L'urbanisme de Paris et l'Europe, 1600-1680*, travaux et documents inédits présentés par P. Francastel, Paris, Klincksieck, 1969.

VAILLANT L., « La tortue de Perrault (Testudo indica, Schneider). Étude historique », in *Nouvelles Archives du Muséum*, 4$^e$ série, II, 1900, pp. 25-47.

VAYSSIÈRE B.-H., « La carte de France », in *Cartes et figures de la terre*, Paris, Centre Georges Pompidou, 1980, pp. 252-265.

VERLET P., *Le château de Versailles*, Paris, 1961, rééd. Paris, Fayard. 1985.

VIOLLET-LE-DUC E., *Entretiens sur l'architecture*, Paris, 1863-1872, rééd. Bruxelles, Liège, Mardaga, 1977.

VITET L., *Le Louvre et le nouveau Louvre*, Paris, Calmann Lévy, 1882.

WEIGERT R.-A., « Notes de Nicodème Tessin le jeune relatives à son séjour à Paris en 1687 », in *Bulletin de la Société de l'Histoire de l'Art français*, 1932, pp. 220-279.

WIEBENSON D., *Sources of greek revival architecture*, Londres, Zwemmer, 1969.

WOLF C.-J.-E., *Histoire de l'Observatoire de Paris de sa fondation à 1793*, Paris, Gauthier-Villars, 1902.

# LISTE DES ŒUVRES EXPOSÉES

1. Claude Perrault, école française. Huile sur toile, fin XVIIᵉ, 0,910 × 0,730. Paris, ancienne collection de la Faculté de Médecine, Université René Descartes, inv. N. Legrand n° 102.

2. Claude Perrault, par G. Edelinck d'après Vercelin. Burin, 1690, 0,238 × 0,264. Paris, Bibliothèque Nationale, Département des Estampes, N² (Perrault).

3. Charles Perrault, par G. Edelinck d'après Tortebat. Burin, 1694, 0,274 × 0,192. Paris, Musée Carnavalet, Cabinet des Estampes, Portraits PC 252 (Perrault).

4. Jean-Baptiste Colbert, par R. Nanteuil et G. Rousselet d'après C. Le Brun. Burin et eau-forte, 1668, 0,516 × 0,740. Retirage de la chalcographie du Louvre d'après le cuivre original.

Illustrations de Cl. Perrault pour Corneillau, *Le voiage de Viry*, 1637. Londres, British Library, MS Add. 20,087. Photographies.

5. Frontispice, voyage de Paris à Viry.

6. Carte du voyage de Paris à Viry et arrivée à Viry.

7. Épisode du poème.

8. La Faculté de Médecine de Paris sous Louis XIII, état des bâtiments. Reconstitution du XIXᵉ. Paris, Bibliothèque de la Faculté de Médecine de Paris, MS 1761 (6). Photographie.

9. Thèse dédiée par Michel Mares à Michel Le Masle. 0,750 × 0,490. Paris, Musée de l'Histoire de la Médecine.

10. *Recueil des thèses de médecine*. Première moitié du XVIIᵉ, 0,395 × 0,490. Paris, Bibliothèque de l'Arsenal, Fol. SA 940, t. 2.

11. « An diuturno capitis artuumve tremori ab obstructione, cauteria ? », thèse de Cl. Perrault, 17 novembre 1639, in *Recueil de thèses de médecine*. Paris, Bibliothèque de l'Arsenal, Fol. SA 940, t. 2. Photographie.

12. Jean Riolan (1577-1657), par M. Lasne d'après D. du Montier. Burin, 1626, 0,198 × 0,142. Paris, Musée de l'Histoire de la Médecine.

13. *Exercitatio anatomica de motu cordis et sanguinis in animalibus*, W. Harvey, Francfort, 1628. Paris, Bibliothèque Sainte-Geneviève, T 4° 130 inv. 305ᴿᵉˢ.

14. La saignée, extraite de la série des métiers, par A. Bosse. Eau-forte, vers 1635, 0,262 × 0,338. Paris, Bibliothèque Nationale, Département des Estampes, Ed 30a, t. 4, Bosse, G.D. 1391.

15. Clystère et seringue, extraits d'un ensemble d'ustensiles d'origine hospitalière. Étain, bois tourné. Paris, Musée de l'Assistance Publique, A.P. 639.

16. Scie à amputation de John Woodall. Métal et bois, XVIIᵉ, 0,150 × 0,600. Paris, Musée de l'Histoire de la Médecine, don Alain-Brieux.

17. L'infirmerie de l'hôpital de la Charité de Paris, par A. Bosse. Burin, première moitié du XVIIᵉ, 0,280 × 0,340. Paris, Musée de l'Assistance Publique, A.P. 41.

18. Chaufferette. Bois cerclé de métal, intérieur garni de métal, 0,060 × 0,330 × 0,160. Paris, Musée de l'Assistance Publique, A.P. 1808.

19. Trois vases de pharmacie, collection de la rue de l'Arbre-Sec. Faïence de grand feu, fabrique de Saint-Cloud, XVIIᵉ, 0,320 × 0,120 et 0,240 × 0,090. Paris, Musée de l'Assistance Publique, A.P. 372, 373, 374.

20. Pot de pharmacie portant l'inscription « Mithridatum ». Faïence de grand feu, fabrique de Saint-Cloud, fin XVIIᵉ, 0,200 × 0,150. Paris, Musée de l'Assistance Publique.

21. Frontispice de G.-A. Mercklin, *Tractatio med. curiosa de ortu et occasu transfusionis sanguinis*, Nuremberg, 1679. Photographie.

22. Transfusion mutuelle de deux chiens, pl. extr. de Cl. Perrault, *Essais de physique*, Paris, 1680-1688. Photographie.

23. « L'Académie des Sciences et des Beaux-Arts », par S. Leclerc. Eau-forte, 6ᵉ état, fin XVIIᵉ, 0,245 × 0,378. Paris, Bibliothèque Nationale, Département des Estampes, Ed 59c Leclerc.

24. Louis XIV et Colbert rendant visite à l'Académie des Sciences, par S. Leclerc, frontispice de Cl. Perrault, *Mémoires pour servir à l'histoire naturelle des animaux*, Paris, 1671. Eau-forte et burin. Retirage de la chalcographie du Louvre d'après le cuivre original.

25. Christian Huygens (1629-1695), par G. Edelinck d'après G. Netscher. Eau-forte, après 1672, 0,241 × 0,200. Paris, Bibliothèque Nationale, Département des Estampes, N² (Huygens).

26. Le Jardin du Roi pour la culture des plantes médicinales, par F. Scalberge. Gouache sur eau-forte, 1636, 0,515 × 0,690. Paris, Bibliothèque Centrale du Muséum, inv. 912.

27. Une expérience de chimie menée par les académiciens au Jardin du Roi, par S. Leclerc, vignette de D. Dodart, *Mémoires pour servir à l'histoire des plantes*, Paris, 1676. Photographie.

28. *Projet pour la botanique*, mémoire manuscrit de Cl. Perrault. 1667, 0,227 × 0,168. Paris, Archives de l'Académie des Sciences, Pochettes de séances de 1667.

29. *Mémoires pour servir à l'histoire des plantes*, D. Dodart, Paris, 1676. Paris, Bibliothèque de l'Institut, Réserve Fol. DM 62.

Trois planches de botanique extraites du *Recueil des plantes gravées par ordre du roi Louis XIV*, Paris, 1773.

30. « Carlina flore rubente ». Eau-forte, 0,403 × 0,290. Paris, Bibliothèque Centrale du Muséum, 90 (5525).

31. « Helleborus niger officinarum ou ellébore noir usuel », par N. Robert. Eau-forte et burin, 0,393 × 0,284. Paris, Bibliothèque Centrale du Muséum, 161 (5696).

32. « Leontopetalon », par N. Robert. Eau-forte, 0,402 × 0,292. Paris, Bibliothèque Centrale du Muséum, 193 (5628).

33. Dissection d'un renard au Jardin du Roi par les académiciens, par S. Leclerc, vignette des *Mémoires pour servir à l'histoire naturelle des animaux*. Photographie.

34. Les yeux du canard et du coq d'Inde, notes manuscrites sur différents sujets d'anatomie, anonyme. Plume, encre brune, 21 novembre 1667, 0,233 × 0,339. Paris, Archives de l'Académie des Sciences, Pochettes de séances de 1667.

35. Dissection d'un lièvre, notes manuscrites, anonyme. Plume, encre brune, mine de plomb, janvier 1668, 0,230 × 0,167. Paris, Archives de l'Académie des Sciences, Pochettes de séances de 1668.

36. Dissection d'un hérisson femelle, notes manuscrites, anonyme. Plume, encre brune, pierre noire, 21 avril 1668, 0,227 × 0,168. Paris, Archives de l'Académie des Sciences, Pochettes de séances de 1668.

37. « Tête de vipère de plusieurs vues », dessin d'anatomie, anonyme. Plume, encre brune, sanguine, fin XVIIᵉ, 0,250 × 0,377. Remis à M. Duhamel le 8 janvier 1694 ; contresignature de l'abbé Bignon. Paris, Bibliothèque Centrale du Muséum, MS 220.

38. « L'œsophage, le gésier, le foie et les conduits de la bile du casuel », dessin d'anatomie, anonyme. Plume, encre brune, fusain, sanguine, fin XVIIᵉ, 0,377 × 0,250. Dissection par J.-G. Du Verney ; remis à M. Duhamel le 8 janvier 1694 ; contresignature de l'abbé Bignon. Paris, Archives de l'Académie des Sciences, Pochettes de séances de 1675.

39. L'attache des muscles sur le squelette d'un aigle, dessin d'anatomie, anonyme. Plume, encre brune, lavis d'encre, pierre noire, sanguine, fin XVIIᵉ, 0,468 × 0,345. Paris, Archives de l'Académie des Sciences, Carton « Académie des Sciences 1666-1793 ».

40. Une patte d'aigle en quatre figures, dessin d'anatomie, anonyme. Plume, encre brune, lavis d'encre, pierre noire, sanguine, fin XVIIᵉ, 0,477 × 0,357. Paris, Archives de l'Académie des Sciences, Carton « Académie des Sciences 1666-1793 ».

41. Patte droite d'un ours en trois figures, dessin d'anatomie, anonyme. Plume, encre brune, pierre noire, sanguine, fin XVIIᵉ, 0,307 × 0,218. Dissection par J. Méry. Paris, Archives de l'Académie des Sciences, Carton « Académie des Sciences 1666-1793 ».

42. Patte gauche de devant d'un lion, dessin d'anatomie, anonyme. Plume, encre brune, pierre noire, sanguine, fin XVIIᵉ, 0,492 × 0,247. Dissection par J. Méry ; remis à M. Duhamel le 8 janvier 1694 ; contresignature de l'abbé Bignon. Paris, Archives de l'Académie des Sciences, Carton « Académie des Sciences 1666-1793 ».

43. « Talerand ou butor », anonyme. Plume, encre brune, lavis d'encre, 1678, 0,266 × 0,193. Paris, Archives de l'Académie des Sciences, Pochettes de séances de 1678.

44. « Dessein du rat volant », par S. Leclerc. Plume, encre brune, lavis d'encre, 1685, 0,442 × 0,262. Paris, Archives de l'Académie des Sciences, Pochettes de séances de 1685.

45. *Description anatomique d'un caméléon, d'un castor, d'un dromadaire, d'un ours et d'une gazelle*, Cl. Perrault, Paris, 1669. Paris, Bibliothèque Centrale du Muséum, 4571.

46. *Mémoires pour servir à l'histoire naturelle des animaux*, Cl. Perrault, Paris, 1671. Paris, Bibliothèque de l'Institut, Res. Fol. M 130 C*, t. 1.

47. « Description anatomique d'une lionne », épreuve corrigée pour la réédition des *Mémoires pour servir à l'histoire naturelle des animaux* prévue en 1688. Feuille imprimée, plume, encre brune, vers 1688, 0,630 × 0,447. Paris, Archives de l'Académie des Sciences, Carton « Académie des Sciences 1666-1793 ».

48. Le caméléon, pl. extr. des *Mémoires pour servir à l'histoire naturelle des animaux*, 1671. Photographie.

49. Caméléon naturalisé, « Chamaeles bifidus Brongniart ». Collection du duc d'Orléans (328). Paris, Laboratoire des Reptiles et Amphibiens du Muséum National d'Histoire Naturelle, 1986-445.

50. La « grande tortue des Indes », pl. extr. des *Mémoires*, 1676. Photographie.

51. Carapace de tortue. Dossier de *Testudo indica* Schneider 1783, récemment identifiée à *Testudo gigantea* Schweigger 1812 par R. Bour, correspondant à la description de la grande tortue des Indes des *Mémoires* de Cl. Perrault. Paris, Laboratoire des Reptiles et Amphibiens du Muséum National d'Histoire Naturelle, MNHN 7819.

52. L'autruche, pl. extr. des *Mémoires*, 1676. Photographie.

53. « L'oesophage, l'estomac, le foie et l'intestin de l'autruche », dessin d'anatomie, anonyme. Plume, encre brune, pierre noire, sanguine, aquarelle, fin XVIIᵉ, 0,483 × 0,392. Remis à M. Duhamel le 8 janvier 1694 ; contresignature de l'abbé Bignon. Paris, Bibliothèque de l'Institut, MS 1413.

54. Ecorché du cou de l'autruche en deux figures, dessin d'anatomie, anonyme. Plume, encre brune, pierre noire, sanguine, fin XVIIᵉ,

0,484 × 0,350. Remis à M. Duhamel le 8 janvier 1694 ; contresignature de l'abbé Bignon. Paris, Bibliothèque de l'Institut, MS 1413.

55. « Muscles des yeux de l'autruche », dessin d'anatomie, anonyme. Plume, encre brune, pierre noire, sanguine, fin XVII$^e$, 0,250 × 0,190. Dissection par J.-G. Du Verney ; remis à M. Duhamel le 8 janvier 1694 ; contresignature de l'abbé Bignon. Paris, Bibliothèque Centrale du Muséum, MS 220.

56. Comparaison des pattes du cormoran et du canard, structure des plumes d'oiseaux, pl. extr. des *Essais de physique*. Photographie.

57. Le hérisson et le porc-épic, pl. extr. des *Mémoires*, 1676. Photographie.

58. « Estomac d'un porc-épic et le commencement des intestins », dessin d'anatomie, anonyme. Plume, encre brune, pierre noire, sanguine, fin XVII$^e$,0,250 × 0,383. Dissection par J.-G. Du Verney ; remise à M. Duhamel le 8 janvier 1694 ; contresignature de l'abbé Bignon. Paris, Archives de l'Académie des Sciences, Pochettes de séances de 1669.

59. Porc-épic naturalisé. Collection du duc d'Orléans (63). Paris, Laboratoire des Mammifères et Oiseaux du Muséum National d'Histoire Naturelle.

60. Civette d'Afrique naturalisée. Collection du duc d'Orléans (166). Paris, Laboratoire des Mammifères et Oiseaux du Muséum National d'Histoire Naturelle.

61. La loutre, pl. extr. des *Mémoires*, 1671. Photographie.

62. Bébé loutre naturalisé. Collection du duc d'Orléans. Paris, Laboratoire des Mammifères et Oiseaux du Muséum National d'Histoire Naturelle.

63. Le castor, pl. extr. des *Mémoires*, 1671. Photographie.

64. Castor de France naturalisé. Paris, Laboratoire des Mammifères et Oiseaux du Muséum National d'Histoire Naturelle.

65. *Essais de physique*, Cl. Perrault, Paris, 1680-1688. Paris, Bibliothèque Centrale du Muséum, 7645.

66. Trachées servant à la respiration de la larve du cerf-volant, canaux du système latéral d'un poisson, pl. extr. des *Essais de physique*, t. 3. Photographie.

67. Cœur, artères et veines d'une carpe, pl. extr. des *Essais de physique*. Photographie.

68. Différentes structures d'intestins, pl. extr. des *Essais de physique*. Photographie.

69. Étude de la langue du pivert, pl. extr. des *Essais de physique*. Photographie.

70. Études des yeux d'oiseaux et de poissons, pl. extr. des *Essais de physique*. Photographie.

71. Homard, par Cl. Aubriet. Plume, encre brune, pierre noire, aquarelle, gouache, fin XVII$^e$, 0,287 × 0,390. Paris, Bibliothèque Centrale du Muséum, *Voyages de Tournefort*, MS 78, IV.

72. Engoulevent, par Cl. Aubriet. Plume, encre brune, lavis d'encre, pierre noire, aquarelle, rehauts blancs, fin XVII$^e$, 0,392 × 0,288. Paris, Bibliothèque Centrale du Muséum, *Voyages de Tournefort*, MS 78, IV.

73. Chèvre angora, par Cl. Aubriet. Plume, encre brune, lavis d'encre, pierre noire, aquarelle, rehauts blancs, fin XVII$^e$, 0,295 × 0,415. Paris, Bibliothèque Centrale du Muséum, *Voyages de Tournefort*, MS 78, IV.

74. *Dissection faite du corps d'une femme (...) les 15, 16 et 17 février 1669*, notes de dissection. Plume, encre brune, pierre noire, 1669, 0,217 × 0,321. Paris, Archives de l'Académie des Sciences, Pochettes de séances de 1669.

75. « Tête d'un enfant cyclope », attr. à Cl. Perrault. Plume, encre brune, mine de plomb, pierre noire, 3 novembre 1679, 0,212 × 0,142. Paris, Archives de l'Académie des Sciences, Dossier Claude Perrault.

76. « Le cœur humain avec ses parties voisines », dessin d'anatomie, anonyme. Plume, encre brune, sanguine, fin XVII$^e$, 0,250 × 0,377. Dissection par J.-G. Du Verney ; remis à M. Duhamel le 8 janvier 1694 ; contresignature de l'abbé Bignon. Paris, Bibliothèque Centrale du Muséum, MS 220.

77. « Le cœur humain dans sa situation naturelle et dans une autre situation, vue de droite à gauche », dessin d'anatomie, anonyme. Plume, encre brune, sanguine, fin XVII$^e$, 0,251 × 0,377. Dissection par J. Méry ; remis à M. Duhamel le 8 janvier 1694, contresignature de l'abbé Bignon. Paris, Bibliothèque Centrale du Muséum, MS 220.

78. Explication du mécanisme de la contraction musculaire selon Descartes, l'exemple des mouvements de l'œil, pl extr. de R. Descartes, *Traité de l'homme*, Paris, 1664. Photographie.

79. Explication du mécanisme de la contraction musculaire selon Perrault, fléchissement et extension du bras sous l'effet de muscles antagonistes, pl. extr. des *Essais de physique*. Photographie.

80. Coupe du cerveau montrant la glande pinéale, siège de l'âme d'après Descartes, pl. extr. du *Traité de l'homme*. Photographie.

81. La vue, l'ouïe, l'odorat et le goût représentés respectivement par la coupe d'un œil comparée à celle d'une lunette astronomique, le limaçon de l'oreille, la coupe de la mâchoire supérieure et du nez montrant l'appareil olfactif, le bout d'une langue de bœuf, pl. extr. des *Essais de physique*. Photographie.

82. Coupe du crâne montrant les cavités de l'oreille moyenne, cavités de l'oreille montrées en relief et osselets, pl. extr. des *Essais de physique*. Photographie.

83. Explication de la dureté, du ressort et de la pesanteur des corps, pl. extr. de Cl. et P. Perrault, *Œuvres diverses de physique et de mécanique*, Leyde, 1721. Photographie.

84. *Le cabinet des beaux-arts*, Ch. et Cl. Perrault, Paris, 1695. Paris, Bibliothèque de l'Institut, Réserve Fol. oblong N 69$^H$.

85. *Métier à faire des bas dessiné dans toutes ses parties*, recueil de dessins s'inspirant des indications de J.-C. Hindret. Plume, encre brune, aquarelle, vers 1664, 0,492 × 0,735. Paris, Bibliothèque Nationale, Département des Estampes, Lh 32.

86. Machines à élever les fardeaux employées par les anciens, par G. Edelinck, pl. LVIII de Cl. Perrault, trad. Vitruve, Paris, 1684. Retirage de la chalcographie du Louvre d'après le cuivre original.

87. 88. « Machines qui élèvent les fardeaux sans frottement », pl. extr. de Cl. Perrault, *Recueil de plusieurs machines de nouvelle invention*, ouvrage posthume, Paris, 1700. Photographies.

89. Clepsydres ou horloges à eau, pl. LVII de Cl. Perrault, trad. Vitruve. Retirage de la chalcographie du Louvre d'après le cuivre original.

90. « Horloge à pendule qui va par le moyen de l'eau », pl. extr. du *Recueil de plusieurs machines*. Photographie.

91. Horloge à pendule qui va par le moyen de l'eau. Métal, 1,320 × 0,500 × 0,215. Paris, Musée du Conservatoire National des Arts et Métiers, inv. 299.

92. « Machine avec laquelle on peut se servir d'un grand tuyau de lunette immobile, par le moyen d'un miroir », pl. extr. du *Recueil de plusieurs machines*. Photographie.

93. 94. « Pont de bois d'une seule arche de 30 toises de diamètre pour traverser la Seine vis-à-vis le village de Sèvre où l'on proposait de le construire », pl. extr. du *Recueil de plusieurs machines*. Photographies.

95. Nicolas Boileau (1636-1711), par P. Drevet d'après R. De Piles. Burin, 1704, 0,268 × 0,192. Paris, Musée Carnavalet, Cabinet des Estampes, Portraits PC 30 (Boileau).

96. *Les murs de Troye ou l'origine du burlesque*, ouvrage en partie imprimé, en partie manuscrit de Beaurain, Ch. et Cl. Perrault, Paris, 1653. Paris, Bibliothèque de l'Arsenal, MS 2956.

97. Frontispice des *Murs de Troye*. Photographie.

98. Page de la « Mythologie des Murs de Troye » manuscrite incluse dans l'exemplaire de la Bibliothèque de l'Arsenal des *Murs de Troye*. Paris, Bibliothèque de l'Arsenal, MS 2956. Photographie.

99. *Le siècle de Louis-le-Grand*. Poëme, Ch. Perrault, Paris, 1687. Paris, Bibliothèque Sainte-Geneviève, Y 4° Sup. 8 Res.

100. L'affrontement des anciens et des modernes, pl. extr. de F. de Caillières, *Histoire poëtique de la guerre nouvellement déclarée entre les anciens et les modernes*, Amsterdam, 1688. Photographie.

101. *La peinture. Poëme*, Ch. Perrault, Paris, 1668. Paris, Bibliothèque Sainte-Geneviève, Y Fol. 132$^{1\,bis}$ inv. 159 Res.

102. « Moitié du plan de l'amphithéâtre de Bordeaux », par Cl. Perrault, dessin illustrant la « Relation du voyage fait en 1669 de Paris à Bordeaux par Messr de St-Laurent, Gomont, Abraham et Perrault », in *Papiers de Nicolas et Claude Perrault*. Paris, Bibliothèque Nationale, Département des Manuscrits, F 24713. Photographie.

103. Les piliers de Tuteles de Bordeaux, par Cl. Perrault, in *Papiers de Nicolas et Claude Perrault*. Paris, Bibliothèque Nationale, Département des Manuscrits, F 24713. Photographie.

104. Les piliers de Tuteles de Bordeaux, par P. Le Pautre, pl. extr. de Cl. Perrault, trad. Vitruve, 1684. Photographie.

105. Temple à antes, dessin préparatoire de S. Leclerc pour la pl. VIII de Cl. Perrault, trad. Vitruve. Paris, Cabinet des Dessins du Musée du Louvre, inv. 30421. Photographie.

106. Temple périptère, dessin préparatoire de S. Leclerc pour la pl. XI de Cl. Perrault, trad. Vitruve. Paris, Cabinet des Dessins du Musée du Louvre, inv. 30423. Photographie.

107. Temple monoptère, dessin préparatoire pour la pl. XXXV de Cl. Perrault, trad. Vitruve, attr. à Cl. Perrault ou S. Leclerc. Plume, encre brune, lavis d'encre, 0,316 × 0,262, annoté à la plume « Perault fecit ». Stockholm, Cabinet des Dessins du Nationalmuseum, Collection Tessin-Harleman, n° 889.

108. Étude de draperie de S. Leclerc pour le frontispice de Cl. Perrault, trad. Vitruve. Lavis et sanguine, 0,215 × 0,152. Vienne, Collection de l'Albertina, inv. 27677.

Pl. extr. de Cl. Perrault, trad. Vitruve. Retirages de la chalcographie du Louvre d'après les cuivres originaux.

109. Frontispice par G. Scotin d'après S. Leclerc.

110. Ichnographie ou plan du dernier étage de l'Observatoire et orthographie ou élévation géométrale de la face sud de l'Observatoire, par S. Leclerc, pl. II.

111. Sciographie ou profil de l'Observatoire et scénographie ou élévation perspective de la face nord de l'Observatoire, par S. Leclerc, pl. III.

112. Les sept espèces de maçonnerie des anciens, par Tournier, pl. VI.

113. Temple pseudodiptère, par N. Pitau, pl. XII.

114. Temple périptère, par Tournier, pl. XXXVI.

115. La basilique de Fano de Vitruve, pl. XL.

116. Coupe du théâtre des romains, par J. Grignon, pl. XLIII.

117. Élévation de la scène du théâtre des romains, par J. Grignon, pl. XLIV.

118. Élévation du bain des anciens, par P. Vandrebane, pl. XLVIII.

119. Cour toscane et cour corinthienne des anciens, par J. Patigny, pl. LI.

120. Salle égyptienne, pl. LIV.

121. Orgue hydraulique des anciens, par S. Leclerc, pl. LXIII.

122. Catapulte des anciens, pl. LXIV.

123. Illustration se rapportant à la nécessité d'incliner vers l'avant les objets situés en hauteur, pl. extr. de J. Martin, trad. Vitruve, 1547. Photographie.

124. Page de garde de R. Ouvrard, *Architecture harmonique*, Paris, 1679. Photographie.

125. *Recueil des études d'architecture que iay fait à Rome pendant l'espace de seize mois que iy ay demeuré dans les années 1676 et 1677*, A. Desgodets. Plume, encre brune, pierre noire, mine de plomb. Paris, Bibliothèque de l'Institut, MS 2718.

126. Ordre composite du frontiscipe de Néron à Rome, pl. extr. de A. Desgodets, *Les édifices antiques de Rome*, Paris, 1682. Photographie.

127. *Ordonnance des cinq espèces de colonnes selon la méthodes des anciens*, Cl. Perrault, Paris, 1683. Exemplaire enrichi de six dessins originaux, attr. à S. Leclerc ou Cl. Perrault, encre brune, lavis d'encre, pierre noire, mine de plomb. Paris, Bibliothèque de l'Arsenal, Fol. SA 1568 (Réserve).

128. Les cinq ordres d'architecture, pl. extr. de l'*Ordonnance des cinq espèces de colonnes selon la méthode des anciens*. Photographie.

129. L'ordre dorique, pl. extr. de l'*Ordonnance*. Photographie.

130. L'ordre composite, pl. extr. de l'*Ordonnance*. Photographie.

131. Projet pour l'achèvement du Louvre superposé aux maisons existantes de L. Le Vau. Plume, encre brune, lavis d'encre, aquarelle, vers 1657-1658, 1,414 × 1,025. Paris, Archives Nationales, Cartes et Plans, F²¹ 3567, n° 8.

132. Projet pour l'achèvement du Louvre au rez-de-chaussée de L. Le Vau. Plume, encre brune, aquarelle, vers 1661, 0,910 × 0,830. Paris, Archives Nationales, Cartes et Plans, F²¹ 3567, n° 7.

133. « Plan proposé à faire pour augmenter l'ancien dessin du palais du Louvre pour le premier étage », projet de L. Le Vau, deux rabats. Plume et encre brune, vers 1664, 0,875 × 0,842. Paris, Archives Nationales, Cartes et Plans, O¹ 1666, n° 1.

134. Projet pour l'achèvement du Louvre au premier étage de L. Le Vau. Plume, encre brune, aquarelle, vers 1664, 0,874 × 1,562. Paris, Archives Nationales, Cartes et Plans, F²¹ 3567, n° 9.

135. « Puisque l'on permet à tout le monde de dire son avis sur le dessein du Louvre », mémoire manuscrit portant la mention « A M. Perrault », anonyme. Vers 1664, 0,319 × 0,415. Paris, Archives Nationales, O¹ 1669, n° 51.

136. 137. Plans et élévation principale du premier projet du Bernin pour le Louvre. 1665. Paris, Cabinet des Dessins du Musée du Louvre, *Recueil du Louvre*, t. 1, n° 3, 4. Photographies.

138. « Plan du chasteau du Louvre du desseing du cavalier Bernin », gravé par J. Marot. Eau-forte, 0,335 × 0,247. Paris, Musée Carnavalet, Cabinet des Estampes, Topo GC 4 A.

139. « Élévation du dedans de la cour du chasteau du Louvre du desseing du cavalier Bernin », par J. Marot. Eau-forte, 0,450 × 0,557. Paris, Musée Carnavalet, Cabinet des Estampes, Topo GC 4 A.

140. « Principale entrée du chasteau du Louvre du costé de Saint-Germain du desseing du cavalier Bernin », par J. Marot. Eau-forte, 0,215 × 0,547. Paris, Musée Carnavalet, Cabinet des Estampes, Topo GC 4 A.

141. Le Pont Neuf entre 1665 et 1669, anonyme. Huile sur toile, fin XVIIᵉ, 0,600 × 1,150. Paris, Musée Carnavalet, inv. P. 678.

142. Le Louvre, par G. Scotin d'après J.-B. Delamonce. Fin XVIIᵉ. Paris, Bibliothèque Sainte-Geneviève, Collection Guénébaut, Topo. Paris, N 04.87. Photographie.

143. *Advis de M. Le Vau le jeune sur le nouveau dessein du Louvre*, mémoire manuscrit attr. à F. Le Vau ou/et F. d'Orbay. Vers 1668. Paris, Archives Nationales, O¹ 1669, n° 1, 1 bis.

144. Vue cavalière du Louvre, attr. à Cl. Perrault. Plume, lavis d'encre, pierre noire, fin XVIIᵉ, 0,337 × 0,523. Paris, Bibliothèque Nationale, Département des Estampes, Va 217c.

145. « Face principale du Louvre », par J. Marot. 1676. Paris, Bibliothèque Nationale, Département des Estampes, Aa 4 fol. 3. Photographie.

146. « Élévation d'un des pavillons de la fasse du Louvre du costé de St-Germain », par F. d'Orbay. Plume, lavis d'encre, fin XVIIᵉ, 0,516 × 0,753. Paris, Archives Nationales, Cartes et Plans, O¹ 1667, n° 84.

147. « Plan et élévation du pavillon du péristyle du Louvre côté de la rivière », trois rabats. Plume, encre brune, lavis d'encre, pierre noire, fin XVIIᵉ, 0,896 × 0,720. Paris, Archives Nationales, Cartes et Plans, O¹ 1667, n° 73.

148. Plan du premier étage de l'aile orientale du Louvre. Plume, encre brune, lavis d'encre, pierre noire, fin XVIIᵉ, 0,367 × 1,691. Paris, Archives Nationales, Cartes et Plans, O¹ 1667, n° 2.

149. « Construction des platebandes et plafonds du péristyle du Louvre », pl. extr. de P. Patte, *Mémoires sur les objets les plus importants de l'architecture*, Paris, 1769. Photographie.

150. « Représentation des machines qui ont servi à eslever les deux grandes pierres qui couvrent le fronton de la principale entrée du Louvre ». Eau-forte, 1677, 0,355 × 0,620. Paris, Musée Carnavalet, Cabinet des Estampes, Topo GC 4 D.

151. Machines utilisées au fronton du Louvre, pl. extr. de Cl. Perrault, trad. Vitruve. Photographie.

152. « Façade du Louvre du côté de St-Germain-l'Auxerrois », par A. Herisset d'après Chevotet. Burin, XVIIIᵉ, 0,274 × 0,426. Paris, Archives Nationales, Cartes et Plans, O¹ 1668, n° 79.

153. « Élévation de la principale façade du Louvre du côté de Saint-Germain-l'Auxerrois, bâtie (...) sur les dessins de Claude Perrault de l'Académie Royale des Sciences », par F. Blondel, pl. extr. de J.-F. Blondel, *Architecture françoise*, Paris, 1752-1756. Burin, 0,382 × 1,075. Paris, Archives Nationales, Cartes et Plans, O¹ 1668, n° 76.

154. Élévation côté Seine et coupe de l'aile sud de la cour carrée, attr. à F. d'Orbay. Plume, encre brune, lavis d'encre, pierre noire, aquarelle, fin XVIIᵉ, 0,433 × 1,416. Paris, Archives Nationales, Cartes et Plans, O¹ 1667, n° 69.

155. Façade sur la Seine de l'aile sud de la cour carrée. Photographie de C. Rose.

156. Projet d'élévation de la cour carrée avec les attiques prévus par Cl. Perrault au-dessus des pavillons extrêmes de la façade orientale du Louvre. Plume, encre brune, lavis d'encre, fin XVIIᵉ, 0,897 × 1,932. Paris, Archives Nationales, Cartes et Plans, O¹ 1667, n° 71.

157. « Élévation de la façade du Louvre en dedans de la cour carrée, adossée à la façade extérieure qui regarde l'église de St-Germain-l'Auxerrois », par F. Blondel avec inclusion d'un dessin pour le troisième ordre de la façade et un rabat. Burin, plume, encre brune et aquarelle, vers 1750, 0,418 × 1,070. Paris, Archives Nationales, Cartes et Plans, O¹ 1668, n° 72.

158. Étude pour le troisième ordre de la cour carrée. Plume, encre brune, lavis d'encre, pierre noire, fin XVIIᵉ, 0,170 × 0,295. Paris, Archives Nationales, Cartes et Plans, O¹ 1667, n° 80.

159. Étude pour le troisième ordre de la cour carrée. Plume, encre brune, lavis d'encre, fin XVIIᵉ, 0,292 × 0,442. Paris, Archives Nationales, Cartes et Plans, O¹ 1667, n° 81.

160. Étude pour le troisième ordre de la cour carrée. Plume, encre brune, lavis d'encre, pierre noire, fin XVII$^e$, 0,293 × 0,423. Paris, Archives Nationales, Cartes et Plans, O$^1$ 1667, n° 20.

161. Chapiteau français de Cl. Perrault et chapiteau du Temple de Jérusalem d'après J.-B. Villalpande, pl. extr. de C. Daviler, *Cours d'architecture*, Paris, 1720.

162. « Plan général au premier étage, des bâtimens du Louvre et des Thuilleries unis ensemble par les édifices projetés par Claude Perrault », pl. extr. de l'*Architecture françoise*. Burin, 0,342 × 0,500. Paris, Musée Carnavalet, Cabinet des Estampes, Topo PC 13 C.

163. « Plan général au premier étage, des bâtimens du Louvre et des Thuilleries unis ensemble par les édifices projetés par Claude Perrault », pl. extr. de l'*Architecture françoise*. Burin, 0,361 × 0,481. Paris, Musée Carnavalet, Cabinet des Estampes, Topo PC 13 C.

164. Projet d'escalier pour le Louvre, attr. à Cl. Perrault. Plume, encre brune, lavis d'encre, fin XVII$^e$, 0,249 × 0,367. Annoté à la plume : « N° 11. Dessein d'un escallier pour le Louvre par Perrault ». Stockholm, Cabinet des Dessins du Nationalmuseum, Collection Tessin-Harleman, n° 2203.

165. Projet d'escalier pour le Louvre, attr. à Cl. Perrault. Plume, encre brune, lavis d'encre, fin XVII$^e$, 0,217 × 0,323. Annoté à la plume : « N° 10. Dessein d'un escallier pour le Louvre par Perrault ». Stockholm, Cabinet des Dessins du Nationalmuseum, Collection Tessin-Harleman, n° 2204.

166. Plan de la conduite des eaux de la Samaritaine et d'Arcueil dans le Louvre et dans les Tuileries, par F. d'Orbay. Plume, encre brune, lavis d'encre, aquarelle, 18 février 1694, 0,479 × 1,570. Paris, Archives Nationales, Cartes et Plans, NIII Seine, n° 622.

167. « Vue de la façade du Louvre du côté de St-Germain-l'Auxerrois », par Ozanne. Eau-forte, vers 1750, 0,270 × 0,433. Paris, Musée Carnavalet, Cabinet des Estampes, Topo GC 4 D.

168. « Vue de la colonnade du Louvre, prise au premier étage », par L.-P. Baltard. Eau-forte, première moitié du XIX$^e$, 0,400 × 0,231. Paris, Musée Carnavalet, Cabinet des Estampes, Topo PC 14 D.

169. 170. 171. La colonnade du Louvre aujourd'hui. Photographies par C. Rose.

172. L'Observatoire vu de la Butte aux Cailles, par F. Millet. Huile sur toile, début XVIII$^e$, 1,320 × 1,855. Paris, Musée Carnavalet, inv. P. 237.

173. Copie de l'acte de propriété du terrain de l'Observatoire dressé le 16 juillet 1625 en faveur d'A. de Valles. Seconde moitié du XVII$^e$, 0,334 × 0,450. Paris, Archives Nationales, O$^1$ 1691, n° 1.

174. Copie de l'acte de vente au Roi du terrain de l'Observatoire par A. de Valles en date du 7 mars 1667. Seconde moitié du XVII$^e$, 0,322 × 0,410. Paris, Archives Nationales, O$^1$ 1691, n° 3.

175. L'Observatoire de Paris entouré de ses deux prédécesseurs danois : Uraniborg et la Tour ronde de Copenhague, vignette de S. Leclerc pour J. Picard, *Voyage d'Uranibourg*, Paris, 1680. Photographie.

176. Moulages de la médaille commémorant la fondation de l'Observatoire, par Molart. D 0,072. Paris, Observatoire de Paris, Médailles n° 13-14.

177. Plan de l'Observatoire au premier étage, attr. à Cl. Perrault. Encre, lavis d'encre, mine de plomb, 1667, 0,415 × 0,362. Paris, Bibliothèque Nationale, Département des Estampes, Va 304/1.

178. « Élévation perspective de l'Observatoire », attr. à Cl. Perrault. Plume, lavis d'encre, pierre noire, aquarelle, 1667, 0,305 × 0,395. Paris, Bibliothèque Nationale, Département des Estampes, Va 304/1.

179. Esquisse pour la planche III de Cl. Perrault, trad. Vitruve, attr. à Cl. Perrault. Plume, encre brune, lavis d'encre, vers 1668-1669, 0,277 × 0,209. Paris, Bibliothèque Nationale, Département des Estampes, Va 304/1.

180. « Sciographie » (coupe nord-sud du Bâtiment de l'Observatoire), dessin préparatoire de S. Leclerc pour la pl. III de Cl. Perrault, trad. Vitruve. Plume, encre brune, lavis d'encre, aquarelle, vers 1668-1669, 0,189 × 0,247. Paris, Bibliothèque Nationale, Département des Estampes, Va 304/1.

181. « Scénographie » (vue de l'Observatoire en perspective), dessin préparatoire pour la pl. III de Cl. Perrault, trad. Vitruve. Vers 1668-1669. Paris, Musée Carnavalet, Cabinet des Estampes, inv. D 1736. Photographie.

182. Jean-Dominique Cassini par L. Cossin d'après P. Drevet. Burin, fin XVII$^e$, 0,271 × 0,200. Paris, Musée Carnavalet, Cabinet des Estampes, Portraits PC 47 (Cassini).

183. Esquisse pour la pl. II de Cl. Perrault, trad. Vitruve, attr. à Cl. Perrault. Plume, encre brune, lavis d'encre, vers 1669, 0,223 × 0,207. Paris, Bibliothèque Nationale, Département des Estampes, Va 304/1.

184. Plan de l'Observatoire de Paris, attr. à Cl. Perrault. Plume et lavis ocre rouge, fin XVII$^e$, 0,460 × 0,572. Paris, Musée Carnavalet, Cabinet des Estampes, inv. D 6411.

185. Élévation de la façade nord de l'Observatoire comportant une tour de trois étages, attr. à Cl. Perrault. Plume, encre brune, lavis d'encre, pierre noire, vers 1669, 0,434 × 0,360. Paris, Bibliothèque Nationale, Département des Estampes, Va 304/1.

186. Élévation de la façade sud de l'Observatoire comportant des bossages. Plume, encre brune, lavis d'encre, pierre noire, vers 1669-1670, 0,277 × 0,525. Paris, Bibliothèque Nationale, Département des Estampes, Va 304/1.

187. Plan des sous-sols de l'Observatoire, par F. d'Orbay. Plume, encre brune, lavis d'encre, pierre noire, aquarelle, 8 novembre 1692, 0,536 × 0,385. Paris, Bibliothèque Nationale, Département des Estampes, Va 304/1.

188. « Plan des caves de l'Observatoire Royal de Paris ». Eau-forte, XVIII$^e$, 0,320 × 0,214. Paris, Musée Carnavalet, Cabinet des Estampes, Topo PC 159 D2.

189. *Devis des ouvrages de vitrerie à faire pour le bâtiment de l'Observatoire*, mémoire manuscrit accompagné d'un « Dessein de vitres pour les grandes croisées de fer de l'Observatoire ». Plume, encre brune et aquarelle, 1679, 0,332 × 0,438 et 0,325 × 0,254 pour le dessin. Paris, Archives Nationales, O$^1$ 1691, n° 14-15.

190. « Élévation du bastiment de l'Observatoire du côté du midi », par F. d'Orbay. Plume et lavis d'encre, 8 novembre 1692, 0,270 × 0,430. Paris, Bibliothèque Nationale, Département des Estampes, Va 304/1.

191. « Profil du bastiment de l'Observatoire couppé depuis la tour du levant à celle du couchant », par F. d'Orbay. Plume et lavis d'encre, 8 novembre 1692, 0,246 × 0,426. Paris, Bibliothèque Nationale, Département des Estampes, Va 304/1.

192. « Profil du bastiment de l'Observatoire couppé du midy au septentrion », par F. d'Orbay. Plume, lavis d'encre, aquarelle, 8 novembre 1692, 0,377 × 0,404. Paris, Bibliothèque Nationale, Département des Estampes. Va 304/1.

193. Mémoire sur l'état de la grande salle de l'Observatoire auquel on a joint un dessin. Daté du 15 juin 1779, contresigné le 9 juillet par Mique, Soufflot et Hazon. Plume, encre brune, lavis d'encre, aquarelle, 0,367 × 0,246 et 0,609 × 0,435 pour le dessin. Paris, Archives Nationales, O$^1$ 1691, n$^o$ 248-249.

194. Maquette de l'Observatoire par F. Savelieff.

195. 196. 197. 198. 199. L'Observatoire aujourd'hui, photographies de C. Rose.

200. L'Observatoire, façade regardant la rue Saint-Jacques, par N. Pérelle. Eau-forte et burin, fin XVII$^e$, 0,194 × 0,282. Paris, Musée Carnavalet, Cabinet des Estampes, Topo PC 159 D2.

201. « Vue de l'Observatoire de Paris », par A. Coquart. Eau-forte et burin, 1705, 0,241 × 0,340. Paris, Musée Carnavalet, Cabinet des Estampes, Topo PC 159 D2.

202. Une opération de triangulation de nuit, vignette de S. Leclerc pour J. Picard, *La mesure de la terre*, Paris, 1671. Photographie.

203. Objectif ou lentille ardente, peut-être d'origine allemande. Verre et châssis de métal, début XVIII$^e$, 1,840 × 1,350, D du verre 0,900. Paris, Observatoire de Paris, IA 18.41.

204. Objectif de G. Campani. Verre et châssis de bois, seconde moitié du XVII$^e$, D du verre 0,108. Paris, Observatoire de Paris, IA 17.9.

205. Quart de cercle mobile à une lunette sur son pied, Langlois. 1730, 1,770 × 1,100, R 0,660. Paris, Observatoire de Paris, IA 18.6.

206. Projet d'arc de triomphe pour le faubourg Saint-Antoine, par C. Le Brun. Paris, Cabinet des Dessins du Musée du Louvre, inv. 30049. Photographie.

207. « Arc de triomphe à la gloire de Louis-le-Grand, du dessin de Charles Le Brun, premier peintre du Roi », par J. Mariette. Eau-forte, début XVIII$^e$, 0,385 × 0,432. Paris, Musée Carnavalet, Cabinet des Estampes, Topo PC 152 E.

208. Arc de triomphe du faubourg Saint-Antoine du dessin de Cl. Perrault, par S. Leclerc. Lavis d'encre, pierre noire, fin XVII$^e$, 0,347 × 0,409. Paris, Musée Carnavalet, Cabinet des Estampes, inv. D 7605.

209. « Dessein d'un petit arc de triomphe sans rapport à aucun lieu particulier », attr. à Cl. Perrault. Fin XVII$^e$. Stockholm, Cabinet des Dessins du Nationalmuseum, Collection Tessin-Harleman, n$^o$ 1195. Photographie.

210. Plan de situation de l'arc de triomphe du faubourg Saint-Antoine.

Plume, encre brune, lavis d'encre, aquarelle, fin XVII$^e$, 0,429 × 0,560. Paris, Archives Nationales, Cartes et Plans, N III Seine, n$^o$ 642.

211. L'arc de triomphe du faubourg Saint-Antoine, par S. Leclerc. Eau-forte, 1679, 0,399 × 0,491. Paris, Musée Carnavalet, Cabinet des Estampes, Topo GC 39 D.

212. « Dessein d'un obélisque », par Cl. Perrault. Plume, encre brune, lavis d'encre, 1667, in *Papiers de Nicolas et Claude Perrault*. Paris, Bibliothèque Nationale, Département des Manuscrits, F 24713. Photographie.

213. Dessin d'un obélisque, variante du projet parisien, par Cl. Perrault. Vers 1667. Stockholm, Cabinet des Dessins du Nationalmuseum, Collection Cronstedt, n$^o$ 2824. Photographie.

214. « La nymphe de Sceaux », par C.-L. Simonneau d'après S. Leclerc. Eau-forte, 1677, 0,190 × 0,130. Sceaux, Musée de l'Ile-de-France, 84.58.94.

215. « La maison de Sceaux située auprès de Bourg-la-Reine. Façade côté cour », par N. Pérelle. Eau-forte, fin XVII$^e$, 0,180 × 0,280. Sceaux, Musée de l'Ile-de-France, 84.58.85.

216. *Observations faites sur quelques eaux de Versailles*, mémoire manuscrit de Cl. Perrault. 14 octobre 1671, 0,295 × 0,411. Paris, Archives Nationales, O$^1$ 1854, dossier 1, n$^o$ 5.

217. Reconstitution du Temple de Jérusalem d'après J.-B. Villalpande, pl. extr. de J.-B. Fischer von Erlach, *Entwurff einer historischen Architectur*, Vienne, 1721. Photographie.

Trois planches gravées se rapportant à la reconstitution du Temple de Jérusalem par Perrault, extr. de L. Compiègne de Veil, *De cultu divino*, trad. M. Maïmonide, Paris, 1678. Photographies.

218. Plan du Temple.

219. Façade principale et élévation latérale du Temple.

220. Table des pains d'oblation et autel des holocaustes.

221. *Dessein d'un portail pour l'église de Sainte-Geneviève à Paris. MDCXCVII*, annoté à la plume et encre brune : « Fait et donné par Mr Perrault de l'Académie française », mémoire et dessins inclus dans un recueil factice de projets des XVII$^e$ et XVIII$^e$ siècles pour l'église Sainte-Geneviève. Plume, encre brune, lavis d'encre, pierre noire, aquarelle, 1697, 0,565 × 0,885. Paris, Bibliothèque Sainte-Geneviève, *Nouvelle église de Sainte-Geneviève,*, Res. W 376.

222. 223. 224. 225. Plan, coupes, élévation du projet pour l'église Sainte-Geneviève. Paris, Bibliothèque Sainte-Geneviève, *Nouvelle église de Sainte Geneviève,*. Res. W 376. Photographies.

226. Portail d'église, attr. à Cl. Perrault. Fin XVII$^e$. Stockholm, Cabinet des Dessins du Nationalmuseum, Collection Tessin-Harleman, n$^o$ 6594. Photographie.

227. Église Saint-Vaast d'Arras, par P. Contant d'Ivry. Vers 1755. Photographie par J. Roubier.

228. Église Sainte-Geneviève de Soufflot. Photographie par C. Rose.

# REMERCIEMENTS

Cet ouvrage et l'exposition qui l'accompagne ont été placés sous l'égide de :

M. Jacques Chirac,                                M. Jack Lang,
Maire de Paris.                    Ministre de la Culture et de la Communication.

M. Edouard Bonnefous, Ancien Ministre, Chancelier de l'Institut,
M. Jean Leclant, Secrétaire perpétuel de l'Académie des Inscriptions et
Belles Lettres, Président de l'Association Française pour les Célébrations
Nationales.

avec le concours de :

M. Jacques Toubon, Adjoint au Maire de Paris, Maire du XIIIᵉ arrondis-
sement,
M. Jean-Pierre Bady, Directeur du Patrimoine,
M. Bruno de Saint Victor, Directeur de la Caisse Nationale des Monuments
Historiques et des Sites,
M. Bruno Racine, Directeur des Affaires Culturelles de la Ville de Paris,
M. Jean Godfroid, Directeur de l'Architecture de la Ville de Paris.

L'exposition doit beaucoup à Mᵐᵉ Béatrice de Andia qui en a pris l'initiative et qui l'a constamment soutenue ; l'expérience et les conseils de Mᵐᵉ Claude Malécot se sont également révélés
déterminants. Sa conception et sa réalisation sont dues à la Délégation à l'Action Artistique de
la Ville de Paris et à la Caisse Nationale des Monuments Historiques et des Sites, avec le soutien
de l'Association Française pour les Célébrations Nationales et du Bureau de la Recherche Architecturale du Ministère de l'Équipement et du Logement.
Le commissariat a été assuré par M. Antoine Picon, assisté de M. Eric Wierzbinski, commissaire
adjoint.

Cette manifestation a pu être mise en œuvre grâce aux prêts aimablement consentis par :

*Les Archives de l'Académie des Sciences :*
M. Paul Germain et M. Alfred Jost, Secrétaires perpétuels de
l'Académie des Sciences,
M. Pierre Berthon, Archiviste de l'Académie des Sciences,
Mᵐᵉ Claudine Pouret, Documentaliste,
Mᵐᵉ Geneviève Darrieus.

*Les Archives Nationales :*
M. Jean Favier, Directeur général des Archives de France,
Mᵐᵉ Nicole Felkay, Conservateur en chef du Service des Cartes
et Plans,
M. Michel Le Moël, Conservateur en chef du Minutier Central
des Notaires,

Mᵐᵉ Danielle Gallet, Conservateur,
Mᵐᵉ Hélyette Laurent, Commis au Service des Cartes et Plans.

*La Bibliothèque de l'Arsenal :*
M. Jean-Claude Garetta, Conservateur en chef.

*La Bibliothèque Centrale du Muséum National d'Histoire
Naturelle :*
M. Yves Laissus, Conservateur en chef,
Mᵐᵉ Monique Ducreux, Conservateur,
Mᵐᵉ Catherine Hustache, Conservateur.

*La Bibliothèque de l'Institut :*
Mᵐᵉ Françoise Dumas, Conservateur en chef.

*La Bibliothèque Nationale :*
M. Emmanuel Le Roy Ladurie, Administrateur général,
M$^{me}$ Laure Maillet, Conservateur en chef du Département des Estampes,
M$^{me}$ Françoise Jestaz, Conservateur,
M. Maxime Préaud, Conservateur.

*La Bibliothèque Sainte-Geneviève*
M$^{me}$ Geneviève Boisard, Conservateur en chef,
M$^{me}$ Françoise Zehnacker, Conservateur du fonds de la Réserve.

*Le Cabinet des Dessins du Musée du Louvre :*
M$^{me}$ Françoise Viatte, Conservateur en chef du Département des Arts Graphiques,
M. Jean-François Méjanes, Conservateur,
M$^{me}$ Madeleine Pinault, Conservateur.

*Le Cabinet des Dessins du Nationalmuseum de Stockholm :*
M. Björn Magnusson, Conservateur en chef.

*La Collection de l'Albertina de Vienne :*
M. Konrad Oberhuber, Directeur.

*Le Conservatoire National des Arts et Métiers :*
M. Raymond Saint Paul, Directeur,
M$^{me}$ Frédérique Desvergnes, responsable du Service de Documentation,
M$^{me}$ Michèle Bachelet, responsable des prêts.

*Le Laboratoire des Mammifères et Oiseaux du Muséum National d'Histoire Naturelle :*
M. Jean Dorst, Directeur,
M. Michel Tranier, Assistant.

*Le Laboratoire des Reptiles et Amphibiens du Muséum National d'Histoire Naturelle :*
M. Edouard-Raoul Brygoo, Directeur,
M. Roger Bour, Assistant.

*Le Musée de l'Assistance Publique ;*
M. Pierre-Nicolas Sainte Fare Garnot, Conservateur en chef.

*Le Musée Carnavalet :*
M. Bernard de Montgolfier, Conservateur en chef,
M. François Macé de Lepinay, Conservateur au Cabinet des Estampes.

*Le Musée de l'Ile-de-France :*
M. Georges Poisson, Inspecteur général chargé du Musée.

*L'Observatoire de Paris :*
M. Pierre Charvin, Président de l'Observatoire,
M$^{me}$ Anne-Marie Motais de Narbonne, Conservateur en chef de la Bibliothèque.

*L'Université René Descartes :*
M. Louis Auquier, Président de l'Université,
M. Bruno Pons, Conseiller du Président.

Nous tenons également à exprimer notre gratitude à toutes les personnes qui nous ont aidés en nous consacrant de leur temps, en nous faisant bénéficier de leur expérience et de leurs conseils : M. François Azouvi, M. Pierre Caye, M$^{me}$ Wanda Diebolt, M. Philippe Duboy, M. Michel Gallet, M. Xavier Lacoste, M. Claude Mignot et M$^{me}$ Elisabeth Pauly.

Nous remercions pour leur aimable accueil :
La Mairie du XIII$^e$ arrondissement : M. Michel Seurat, Maire adjoint chargé de la culture, M$^{me}$ Danielle Meyrueix, Chef de Cabinet.
La Caisse Nationale des Monuments Historiques et des Sites.

La mise en place de l'exposition a été confiée à l'équipe du Génie Civil et à M. Jean-Pierre Bourret, Ingénieur en chef, M. Serge Bathala et M. Joseph Crissaud, en ce qui concerne la Mairie du XIII$^e$ arrondissement, à M. Jean-François Cejka, M. Serge Dauges, M. Thierry Guilbert et M. Christian Leheu, pour la Caisse des Monuments Historiques et des Sites.

L'exposition a été réalisée par la Délégation à l'Action Artistique de la Ville de Paris : M$^{me}$ Marie-Christine d'Allemagne, M$^{me}$ Florence Claval, M$^{me}$ Manuela da Costa, M$^{me}$ Marie-Paule Delzanni, M$^{me}$ Monique Desbiez, M$^{me}$ Marie-Laure Lapérouse, M. Jean-Christophe Paolini, M$^{me}$ Sybil Robin-Champigneul, M. Patrick Thieulon et M. Michel Vray, avec le concours de M$^{me}$ Françoise Vic-Dupont, ainsi que par la Caisse Nationale des Monuments Historiques et des Sites : M$^{me}$ Dominique Amri, M$^{me}$ Michèle Guillet et M$^{me}$ Christine Sépière, avec le concours de M$^{me}$ Zette Cazalas, M$^{me}$ Brigitte de la Chauvinière et M$^{me}$ Frédérique Savelieff.

Les reportages photographiques ont été effectués par M. Stéphane Charpentier, M. Jean-Jacques Hautefeuille et M$^{me}$ Caroline Rose.

La maquette du présent ouvrage a été confiée à M$^{me}$ Magdalena Herrera.

# INDEX

# CRÉDITS PHOTOGRAPHIQUES

Maquette : Magdalena Herrera

ACHEVER D'IMPRIMER
SUR LES PRESSES DE
L'IMPRIMERIE TARDY QUERCY
Dépôt légal : novembre 1988 — 80693 B